MANUEL
DE
DIETETIQUE

Distributeurs exclusifs :

Pour la France :
MALOINE, Editeur
27 rue de l'Ecole de Médecine
F 75006 Paris
Tél. +33 - 1 - 43 25 60 45
Fax +33 - 1 - 46 34 05 89

Pour la Suisse :
TRANSAT S.A.
4 ter, route des Jeunes
Case Postale 125
CH 1211 Genève 26
Tél. +41 - 22 - 342 77 40
Fax +41 - 22 - 343 46 46

Pour le Québec :
Diffusion Prologue Inc.
1650 boulevard Lionel-Bertrand
Boisbriand, Qué. J7E 4H4
Tél. +1 - 514 - 434-0306
Fax +1 - 514 - 434-2627

Pour la Belgique :
VANDER Diffusion
Av. des Volontaires, 321
B 1150 Bruxelles
Tél. +32 - 2 - 762 98 04
Fax +32 - 2 - 762 06 62

Pour tout autre pays chez l'éditeur :
NAUWELAERTS Editions
Rue de l'Eglise Saint-Sulpice 19
B 1320 Beauvechain
Tél. +32 - 10 - 86 67 37
Fax +32 - 2 - 751 74 08

MANUEL DE DIÉTÉTIQUE

par

Jean LEDERER

PROFESSEUR ÉMÉRITE À L'UNIVERSITÉ CATHOLIQUE DE LOUVAIN,
DIRECTEUR HONORAIRE DU LABORATOIRE D'HYGIÈNE ALIMENTAIRE,
MEMBRE DE L'ACADÉMIE DE MÉDECINE DE FRANCE.

RÉIMPRESSION 1996

SEPTIÈME ÉDITION

ÉDITIONS NAUWELAERTS
Rue de l'Église Saint-Sulpice 19
B 1320 BEAUVECHAIN

MALOINE S.A. ÉDITEUR
27, rue de l'École de Médecine
F 75006 PARIS

Du même auteur et chez les mêmes éditeurs

Jean LEDERER

ENCYCLOPÉDIE MODERNE DE L'HYGIÈNE ALIMENTAIRE

Tome I,   Exigences alimentaires de l'homme normal. Tome II, Hygiène des aliments. Tome III, Technologie et hygiène alimentaire. Tome IV, Les intoxications alimentaires. Troisième édition, 1985-1986. (épuisé)

PROBLÈMES SOCIAUX DE L'ALIMENTATION, 1964.

ALIMENTATION ET CANCER, 3ème édition, 1986.

MANUEL DE DIÉTÉTIQUE, 7ème édition, 1992.

MAGNÉSIUM, MYTHES ET RÉALITÉ, 1984.

LE ZINC, EN PATHOLOGIE ET EN BIOLOGIE, 1985.

SÉLÉNIUM ET VITAMINE E, 1986.

CUIVRE ET CHROME, 1987

IODE ET MANGANÈSE, 1989

à paraître

FLUOR ET MOLYBDÈNE, 1992

© Éditions NAUWELAERTS   © Édition MALOINE

D 1992/0081/03   ISBN 2-8038-0026-8

TABLE DES MATIÈRES

INTRODUCTION

La diététique réduite au début du siècle à quelques recettes pour ménager le tube digestif malmené très souvent par des abus alimentaires est devenue progressivement un des chapitres les plus importants de la thérapeutique. Son importance a grandi non seulement parce que l'on s'est rendu compte de l'aide importante qu'un régime bien calculé peut apporter au confort d'un malade et à la guérison de sa maladie mais surtout parce que grâce aux progrès de la biochimie, aux meilleures connaissances de la pathogénie des maladies, on a pu comprendre quelle place les aliments pouvaient occuper pour redresser une déviation métabolique ou minimiser les conséquences d'un trouble de l'assimilation. Ainsi, purement empirique il y a quelques décennies, la diététique a acquis droit de cité dans la science médicale. Notre manuel n'a pas la prétention d'exposer au lecteur tous les mécanismes d'action des régimes dans les différentes maladies ; son rôle est plus modeste, il a pour but de permettre aux médecins praticiens et aux diététiciennes d'avoir un guide pour l'application du régime dans les principales maladies de l'adulte.

Il appartient au médecin de faire le diagnostic de la maladie et de prescrire le type de régime que doit suivre son malade, il appartient à la diététicienne d'en assurer l'application et d'en organiser l'ordonnancement. Le médecin n'a souvent pas le temps suffisant pour expliquer l'importance du régime à son malade et les détails d'application ; c'est là le rôle de la diététicienne.

La bonne diététique suppose une collaboration étroite entre médecins et diététiciennes.

On ne conçoit plus un service de médecine dans ce dernier quart du XXe siècle sans la présence de diététiciennes. Pour qu'un service de diététique fonctionne, il faut un nombre suffisant de diététiciennes étant donné la multiplicité de ses tâches et la complexité toujours plus grande de certains régimes; une diététicienne par 100 lits paraît un minimum, mais il n'est pas possible de toute façon qu'un service fonctionne valablement s'il ne compte au moins trois diététiciennes. Nous tenons à exprimer à Madame Claudine Marquet-Willem toute notre reconnaissance pour l'aide précieuse qu'elle nous a apportée dans la partie matérielle de l'élaboration de ce livre.

CHAPITRE I

Facteurs influençant la digestion des aliments

Divers facteurs peuvent influencer la digestion des aliments et avoir ainsi une répercussion sur la nutrition du malade, indépendamment de la composition de son régime. C'est ceux-ci qui feront l'objet de ce chapitre.

I. - LA DIGESTION DES ALIMENTS EN RAPPORT AVEC LES FERMENTS DIGESTIFS

La digestion a pour but de rendre assimilables les aliments et de transformer ces substances complexes, étrangères à l'organisme, en substances simples qu'il pourra utiliser. Ce but est réalisé par la désintégration des énormes molécules d'hydrates de carbone, de protéines et de graisse respectivement en sucres simples, en acides aminés et en acides gras. Les sels minéraux subissent les modifications qui leur permettront de traverser la muqueuse intestinale et d'être utilisés par l'organisme. La digestion s'opère dans le tube digestif. Celui-ci peut être considéré comme une série de cavités possédant un pouvoir double, pouvoir chimique de sécrétion des ferments qui fera subir aux substances alimentaires les transformations nécessaires et pouvoir mécanique permettant le mélange du bol alimentaire avec la sécrétion et la propulsion de celui-ci vers la cavité suivante.

Lorsque les aliments ont été désintégrés jusqu'au stade des éléments simples qui les composent, ceux-ci seront résorbés, c'est-à-dire qu'ils traverseront la muqueuse du tractus digestif pour passer dans le torrent circulatoire. Le pouvoir de résorption existe déjà, quoique fort faible, au niveau de l'estomac pour le glucose ou les ions ferreux. Comme la digestion n'y est encore que très partielle, son pouvoir de résorption n'entre pratiquement pas en ligne de compte dans le déroulement normal des processus digestifs.

C'est surtout au niveau de l'intestin grêle que se fait la résorption. Certains aliments, les ions ferreux par exemple, qui ne sont stables qu'en milieu acide, se résorbent surtout dans les quelques centimètres de la partie acide du duodénum, c'est-à-dire la portion qui va du pylore à l'abouchement de l'ampoule de Vater. Plus loin, la sécrétion du pancréas se déverse dans l'intestin et rend le milieu alcalin, condition indispensable à l'activité des ferments pancréatiques et intestinaux. C'est dans la portion ultérieure que d'une part s'achève la digestion et que d'autre part s'effectue le gros de la résorption intestinale des aliments.

1° Importance de la mastication.

Elle s'effectue par les dents ; les incisives servent à la préhension des aliments, les canines les déchirent et les molaires les broient. La mastication remplit un double but : 1) réduire les particules de substances alimentaires en particules de plus petites dimensions. Ceci est capital pour la suite des phénomènes digestifs ; en effet, les ferments n'attaquent les aliments que par la surface ; plus ils sont divisés finement plus grande est leur surface ; 2) libérer des substances digestibles d'une gaine non digestible qui les renferme et en empêche l'utilisation. C'est important principalement pour les aliments végétaux dont les substances nutritives sont souvent entourées d'une gaine de cellulose réfractaire à l'action des ferments. Il faudra faire éclater cette gaine pour permettre le contact entre ces substances et le suc digestif. C'est ainsi, par exemple, que des petits pois avalés sans mastication se retrouvent dans les selles. Ils ont effectué une traversée du tube digestif sans être digérés, donc sans pouvoir être utilisés. Dans la viande, la fibre musculaire est entourée d'une gaine de tissu conjonctif, moins facilement attaquable par les ferments digestifs. La mastication, en déchirant ces gaines et en laissant entrer la fibre musculaire directement en contact avec le suc gastrique rend la digestion de la viande plus facile.

Il est important de bien mâcher ses aliments. Une mastication insuffisante, ne réduisant pas les aliments en particules assez fines, prolonge beaucoup la période de digestion et exige donc, de la part de l'estomac, un effort supplémentaire qui peut à la longue être une cause de dyspepsie. Beaucoup de personnes souffrent de l'estomac parce qu'elles ne mâchent pas suffisamment leurs aliments, soit qu'elles soient trop pressées, soit qu'elles aient une mauvaise denture, soit qu'elles aient une pièce dentaire qui tient mal (Fiessinger a écrit que rien ne ressemble plus à un cancer de l'estomac qu'une pièce dentaire qui tient mal).

Une mastication suffisamment prolongée est importante aussi parce qu'elle stimule la sécrétion de la salive et favorise un mélange intime du bol alimentaire avec celle-ci. Cette pénétration de la salive dans les aliments est favorable parce qu'elle assure une meilleure action de la ptyaline sur les glucides et qu'elle facilite par sa fluidité visqueuse la déglutition et la progression dans l'oesophage.

Si par suite d'une mastication insuffisante, des aliments non digérés sont évacués de l'estomac vers l'intestin, celui-ci souffre aussi ; il peut se créer une gastro-entérite et bientôt une insuffisance de sécrétion des sucs digestifs, aggravant ainsi le défaut de digestion.

S'il est important pour le sujet sain de mastiquer convenablement ses aliments, c'est encore plus important chez le malade surtout s'il souffre de l'estomac. Au cours de nombreuses maladies, la sécrétion des ferments digestifs est ralentie ; il faut soulager le travail de digestion en n'introduisant dans l'estomac que des aliments finement divisés.

En outre en cas de mastication insuffisante, on peut retrouver dans les selles une partie des aliments ou de leurs substances nutritives non digérée. Il y a donc gaspillage.

2° La digestion des hydrates de carbone

La digestion des hydrates de carbone commence déjà dans la bouche. La salive qui n'a qu'un très faible pouvoir digestif contient de la ptyaline, ferment qui assure dans une faible mesure l'hydrolyse des hydrates de carbone.

L'hydrolyse assurée par la ptyaline n'est qu'une fragmentation grossière des énormes molécules d'amidon ou de glycogène en molécules plus petites mais encore fort grandes de dextrine. La ptyaline est incapable d'assurer la désintégration des hydrates de carbone jusqu'au stade de sucres simples. La ptyaline n'agit que dans le milieu légèrement alcalin de la salive. Dès que le bol alimentaire dégluti pénètre dans le milieu acide de l'estomac, la ptyaline est inactivée. Comme l'estomac ne contient aucun ferment s'attaquant aux hydrates de carbone, la digestion de ceux-ci dans l'estomac est nulle.

La ptyaline est un ferment faible, et n'a que peu de temps pour agir ; jusqu'à leur entrée dans l'intestin, les hydrates de carbone n'ont pratiquement pas été digérés.

Les hydrates de carbone vont subir l'attaque des ferments lorsqu'ils seront en contact avec le suc pancréatique et le suc intestinal.

Les ferments s'attaquant aux hydrates de carbone, comme tous les ferments que contient l'intestin grêle, ne sont actifs qu'en milieu alcalin. Cette alcalinisation est assurée par le suc pancréatique grâce à sa richesse en carbonates et en phosphates de soude et de chaux qui neutralisent l'acide chlorhydrique imprégnant le chyme provenant de l'estomac.

Le suc pancréatique dont la sécrétion est déclenchée par l'arrivée du suc gastrique acide sur la muqueuse duodénale contient un ferment capable de réduire les hydrates de carbone en sucres simples directement assimilables ; c'est l'amylase. C'est elle qui joue le rôle principal dans la digestion des hydrates de carbone.

Le suc intestinal est sécrété durant les périodes digestives au niveau du duodénum par les glandes de Brünner et au niveau de l'instestin grêle par les glandes de Lieberkühn. La sécrétion intestinale est déclenchée par l'arrivée du chyme acide sur la muqueuse duodénale et par l'arrivée du suc pancréatique alcalin sur la muqueuse intestinale. Le suc intestinal contient une série de ferments s'attaquant aux hydrates de carbone. Les uns s'adressent à l'amidon et au glycogène, d'autres aux polysaccharides provenant de leur désintégration. Ils les transforment en maltose.

Trois ferments du suc intestinal assurent la digestion des disaccharides : la maltase pour le maltose, la lactase pour le lactose et l'invertase pour le saccharose.

C'est au niveau du duodénum et de l'intestin grêle que sont résorbés les sucres simples provenant de la digestion des hydrates de carbone. Cette résorption s'effectue surtout à partir du tiers moyen ; elle se fait surtout grâce aux villosités, petites saillies fort irriguées se dressant à la surface de la muqueuse.

Les sucres passent ainsi dans le réseau de la veine porte et arrivent au foie qui transformera tous les sucres simples en glucose et, grâce à l'action de l'insuline, celui-ci sera mis en réserve dans le foie et les muscles sous forme de glycogène avant d'être brûlé.

3° La digestion des protéines

Les protéines ne subissent aucune modification avant leur arrivée dans l'estomac. L'arrivée des aliments dans l'estomac provoque la sécrétion du suc gastrique. Celui-ci contient quatre substances servant à la digestion des protéines :

1° L'acide chlorhydrique, qui est sécrété par les petites glandes disséminées sur la paroi de l'estomac. Il remplit un quadruple rôle : ⓐ digestif, en permettant l'attaque des protéines par la pepsine, celle-ci n'agit en effet qu'en milieu acide ; ⓑ excitant, en provoquant les contractions de l'estomac et en réglant les mouvements du pylore ; ⓒ antiseptique, en empêchant la putréfaction des aliments et le développement des microbes (les malades dont l'estomac ne sécrète plus d'acide chlorhydrique font des fermentations ou des putréfactions) ; ⓓ sécrétoire, en provoquant la sécrétion des ferments digestifs.

2° La pepsine, ferment qui, en milieu acide, scinde les protéines en molécules plus simples, polypeptides ou même acides aminés.

3° La cathepsine, ferment qui agit de la même manière que la pepsine mais en milieu neutre.

4° La présure ou lab-ferment ; c'est un ferment qui a pour effet de coaguler le lait. Il s'attaque à la caséine, principale protéine du lait qu'il dédouble en para-caséine et substance caséogène. La paracaséine, en s'unissant aux sels de chaux, coagule et forme le caséum (fromage blanc). C'est le premier stade de la digestion.

Au niveau de l'estomac, ce sont surtout les protéines qui sont digérées. Elles gonflent et se fragmentent en une poussière ténue et elles finissent par se liquéfier.

Lorsque les aliments ont été suffisamment brassés avec le suc gastrique, lorsque le mélange est devenu assez acide, le pylore se relâche et le chyme (mélange des aliments et du suc gastrique) passe dans le duodénum. Cette évacuation ne se fait pas en une fois, elle se fait par petites portions et dure plusieurs heures. Ce qui commande l'ouverture du pylore, c'est l'acidité du côté gastrique ; ce qui commande sa fermeture, c'est l'acidité du côté duodénal. C'est ainsi qu'automatiquement, le contenu gastrique ne passe dans le duodénum que par petites portions, car dès qu'il arrive sur le versant duodénal du pylore, son acidité le referme. Alors que l'homme ne passe qu'une faible partie de son temps à manger, la digestion tend à s'étaler sur toute la journée.

→   La digestion des protéines se poursuit dans l'intestin grêle. A ce niveau, elles entrent en contact avec le suc pancréatique.

La sécrétion du suc pancréatique est déclenchée par un triple mécanisme :

— la distension de l'estomac par les produits de digestion gastrique stimule la sécrétion pancréatique par excitation du nerf vague.

— la sécrétine qui stimule la sécrétion d'eau et de bicarbonate et dont la production est due à l'acidification du bulbe par arrivée du contenu gastrique.

— la pancréozymine qui stimule la sécrétion des enzymes pancréatiques et dont la production est due à l'arrivée des graisses dans le duodénum.

Les enzymes protéolytiques du suc pancréatique sont sécrétées sous forme inactive, appelée zymogène : ce sont le trypsinogène et le chymotrypsinogène. L'entérokinase, sécrétée par la muqueuse duodénale convertit le trypsinogène en trypsine active ; la trypsine transforme le chymotrypsinogène en chymotrypsine. La trypsine et la chymotrypsine scindent au niveau du duodénum les protéines en polypeptides.

→   Le suc intestinal contient deux sortes de ferments s'adressant aux protéines :

1° L'entérokinase qui, agissant sur le trypsinogène sécrété par le pancréas, le transforme en trypsine et lui communique le pouvoir de digérer les protéines et leurs produits de désintégration pour les transformer en acides aminés.

2° Ferments protéolytiques désintégrant les protéines et les polypeptides provenant de leur désintégration en acides aminés ; parmi ceux-ci, l'érepsine est le principal.

Le suc intestinal contient en outre de nombreux microbes et bactéries qui peuvent aussi jouer un certain rôle dans les phénomènes digestifs.

→   Les acides aminés comme les sucres sont résorbés au niveau des villosités intestinales, passent dans le sang et sont transportés par la veine porte vers le foie.

4° La digestion des graisses

La digestion des graisses commence au niveau de l'estomac. Le bol alimentaire insalivé contient la lipase linguale. Celle-ci produite par les glandes séreuses tapissant la langue voit sa sécrétion assurée par la mastication et le passage des graisses autour de la langue. Son pH d'action optimal est compris entre 4 et 6 et elle résiste bien à un pH 2, elle est donc bien adaptée à la digestion gastrique.

Elle est capable d'assurer entièrement la digestion des lipides et c'est ce qui explique que même en cas d'insuffisance pancréatique totale, les graisses puissent être partiellement hydrolysées.

C'est dans l'intestin grêle que va s'accomplir surtout la digestion des graisses. La bile y joue un rôle fort important ; elle ne se déverse que de manière intermittente dans le duodénum, et cependant sa sécrétion par le foie est continue. La sécrétion de la bile est de 250 à 1000 cc. par jour. Dans l'intervalle des repas, elle s'accumule dans la vésicule biliaire où elle se concentre. Les parois de la vésicule biliaire ont, en effet, le pouvoir de résorber l'eau. C'est ainsi que la bile de la vésicule biliaire est plus foncée que la bile du canal hépatique ou du canal cholédoque. Pendant la digestion, la sécrétion de bile est fort accrue et celle-ci se déverse directement dans le duodénum.

La pénétration des aliments au niveau du duodénum déclenche la sécrétion de cholécystokinine ou pancréozymine qui va d'une part provoquer la sécrétion des enzymes pancréatiques et de la bile et d'autre part provoquer des contractions de la vésicule biliaire ; il semble que ce soit surtout les graisses mais aussi les peptones et l'acide chlorhydrique qui favorisent cette action. La contraction de la vésicule biliaire par les graisses (et surtout par le jaune d'oeuf) provoque l'arrivée de la bile dans le duodénum au moment opportun.

La bile renferme des pigments biliaires et des sels biliaires, mais pas de ferment digestif.

1° Les sels biliaires (taurocholate de soude et glycocholate de soude) ont la propriété d'abaisser la tension superficielle et par là d'émulsionner les graisses en gouttelettes extrêmement fines ; cette division très fine favorise leur attaque par la lipase pancréatique.

Ils ont en outre un pouvoir antiseptique empêchant la putréfaction des aliments dans l'intestin. C'est pourquoi les selles des hépatiques sentent si mauvais. Ils excitent en outre la péristaltique intestinale, c'est d'ailleurs pourquoi les hépatiques sont constipés.

2° Les pigments biliaires. Il y en a deux, la bilirubine de couleur brune et la biliverdine de couleur verte. Ce sont ces pigments qui donnent à la bile et aux selles leur couleur. Elles n'ont pas de rôle dans la digestion.

La bile ne possède pas de pouvoir digestif par elle-même, mais elle favorise l'attaque des ferments sur les graisses.

Le suc pancréatique contient une lipase. La lipase pancréatique est un ferment qui s'attaque aux graisses et les réduit en glycérol et acides gras, qui pourront être résorbés. La lipase pancréatique est distincte de la lipase gastrique ; elle s'altère facilement, spécialement au contact d'un acide.

Le suc intestinal contient également des ferments lipolytiques qui désintègrent les graisses en glycérol et en acides gras.

C'est au niveau de l'intestin grêle également que seront résorbés les acides gras et le glycérol, mais ces éléments, dès qu'ils ont traversé la muqueuse, se reconstituent en graisses. Les graisses passent dans les petits vaisseaux lymphatiques des villosités.

C'est du moins le sort que suivent les graisses alimentaires habituelles, c'est-à-dire les triglycérides à chaînes longues ; les triglycérides à chaînes moyennes peuvent être digérés en l'absence de bile, ne se reconstituent pas en triglycérides après avoir traversé la muqueuse intestinale et sont repris par la circulation sanguine et donc transportés directement vers le foie.

5° La digestion des sels minéraux

a) Le fer

Fe^{2+}

Le fer minéral n'est absorbé que s'il est transformé en ions ferreux. Les ions ferriques ne passent quasi pas la muqueuse intestinale. La formation d'ions ferreux est assurée par le milieu à la fois acide et réducteur de l'estomac. Lorsque les ions ferreux arrivent dans la partie alcaline de l'intestin, en dessous de l'ampoule de Vater, ils précipitent sous forme d'hydroxyde de fer.

Une partie du fer minéral est chélatée dans l'estomac ; il peut être utilisé à condition que la chélation ne soit pas trop forte et qu'il puisse être déplacé de son complexe intraluminal vers les accepteurs de la membrane apicale entérocytaire. L'acide ascorbique, le fructose et les acides aminés dont l'affinité pour le fer n'est pas très forte, renforcent son absorption.

La bile riche en agents réducteurs, acide ascorbique et glutathion, favorise l'absorption du fer.

Le fer héminique et notamment celui de l'hémoglobine est absorbé plus facilement que le fer minéral. La globine libère des acides aminés favorisant la solubilisation de l'hème. L'hème pénètre dans l'entérocyte et dans celui-ci se fait la séparation entre le fer et l'hème. Ces phénomènes ne sont pas influencés par l'acide chlorhydrique.

b) Le calcium

Le calcium est également résorbé surtout dans la partie acide du duodénum. En milieu alcalin, il précipite très facilement. Les facteurs favorisant une réaction acide dans l'intestin favorisent la résorption du calcium parce qu'ils favorisent le maintien de l'acidité dans l'intestin grêle. On a pu montrer sans pouvoir jusqu'ici en donner l'explication que la vitamine D favorise la résorption du calcium en augmentant l'acidité de l'intestin.

Le 1,25 hydroxycholécalciférol stimule l'absorption du calcium en envoyant un message à partir du site récepteur vers le noyau de l'entérocyte qui synthétise une protéine jouant un rôle essentiel dans le passage du Ca à travers la paroi intestinale, le CaPB ou protéine porteuse du calcium.

Cette absorption du calcium est très active dans le duodénum, un peu moins dans l'iléon et peu dans le jéjunum.

Certaines formes de calcium ne sont pas assimilables, c'est-à-dire non digestibles, non ionisables, c'est le cas de l'oxalate de calcium présent dans certains végétaux. D'autres substances présentes dans l'alimentation peuvent précipiter le calcium et empêcher son utilisation, c'est le cas de l'acide phytique présent dans le pain complet ou les farines de haute extraction.

Une ration élevée en protéine favorise la résorption du calcium. On pense que les acides aminés provenant de la digestion des protéines se combinent dans l'intestin avec le carbonate et le phosphate de calcium pour former des composés solubles favorisant la résorption du calcium.

Le pouvoir d'excrétion du calcium appartient en ordre principal au côlon.

6° La digestion des vitamines

Trois vitamines au moins doivent subir une modification dans le tube digestif pour être utilisées par l'organisme.

1) L'acide folique existe dans les aliments pour la plus grande partie sous forme de polyglutamate, c'est-à-dire de l'acide ptéroïque estérifié avec plusieurs molécules successives d'acide glutamique ; seul le monoglutamate possède l'activité vitaminique. Les polyglutamates sont hydrolysés par un enzyme secrété par la muqueuse de l'intestin grêle, la conjugase ; celle-ci n'est active qu'en milieu alcalin.

La résorption de l'acide folique se fait surtout dans la partie supérieure du jéjunum.

2) La vitamine B_{12} telle qu'elle se trouve dans les aliments ne peut être résorbée que si elle est unie à une substance élaborée par la paroi gastrique, le facteur intrinsèque. C'est l'absence d'élaboration de ce facteur intrinsèque, par destruction auto-immunitaire des cellules qui l'élaborent, qui provoque l'anémie pernicieuse.

La résorption de la vitamine B_{12} se fait surtout dans la seconde moitié du jéjunum.

3) Le β-carotène est attaqué au niveau de l'intestin grêle par la β-carotène-dioxygénase pour être transformé en 2 molécules de rétinal.

II. - LE CONTRÔLE NERVEUX DES PHÉNOMÈNES DIGESTIFS

Le système nerveux joue un rôle important dans le contrôle des différentes opérations physiologiques ayant pour but d'assurer la digestion des aliments.

La sécrétion de salive est sous le contrôle du système nerveux végétatif. Une excitation du parasympathique ou de la corde du tympan (qui appartient au système parasympathique) provoque une augmentation importante de la sécrétion de salive, au contraire l'inhibition du parasympathique provoque l'arrêt de la sécrétion salivaire ; c'est ainsi que la belladone provoque de la sécheresse de la gorge.

Les phénomènes de mastication et de déglutition sont sous la dépendance du système nerveux volontaire. Lorsque le bol alimentaire, poussé par les mouvements de la langue, arrive dans le pharynx, il y déclenche une série de réflexes qui ont pour but de fermer les voies aériennes ; les fosses nasales sont fermées par le soulèvement et la tension du voile du palais, le larynx se ferme parce que sous l'effet du poids du bol alimentaire l'épiglotte s'abaisse sur son orifice. La descente du bol alimentaire dans l'oesophage se fait automatiquement grâce à la propagation d'ondes contractiles transmises de haut en bas qui entraînent celui-ci jusque dans l'estomac.

L'estomac est animé de mouvements péristaltiques qui ont pour effet d'assurer un brassage intime du bol alimentaire avec le suc gastrique. Ces mouvements sont commandés par le nerf vague. Une section du nerf vague les annihile à peu près, une excitation du nerf vague en augmente l'amplitude. Le nerf vague peut être excité, à l'état physiologique, par excitation mécanique, l'introduction d'aliments dans l'estomac, ou par excitation chimique, l'introduction d'un peu de peptone ou d'acide chlorhydrique.

Le nerf vague commande non seulement les mouvements de l'estomac, mais aussi la sécrétion d'acide chlorhydrique. L'excitation de ce nerf déclenchera donc simultanément les mouvements péristaltiques et la sécrétion d'acide par l'estomac.

L'intensité des mouvements péristaltiques et de la sécrétion acide est sous la dépendance du tonus du système parasympathique qui lui-même est sous la dépendance du tonus du système nerveux en général. C'est ainsi qu'un sujet trop nerveux fera des crampes d'estomac, dues à l'intensité exagérée des mouvements péristaltiques pouvant aboutir au spasme ; il y aura en même temps hyperacidité. Les mouvements péristaltiques exagérés et l'hyperacidité pourront être combattus soit par des calmants généraux du système nerveux (phénobarbital par exemple), soit par des vagolytiques (belladone, atropine, etc.).

Le système orthosympathique agit sur l'estomac en sens inverse du système parasympathique.

L'excitation du système orthosympathique, ou l'administration d'adrénaline, son médiateur chimique, provoque une inhibition des mouvements péristaltiques et de la sécrétion d'acide chlorhydrique. C'est ainsi que la peur et la colère, qui s'accompagnent d'une excitation du système orthosympathique, sont éminemment défavorables à la digestion.

La régulation de l'ouverture et de la fermeture du pylore, permettant l'évacuation par petites portions du contenu gastrique vers le duodénum est, comme nous l'avons dit, sous la dépendance des degrés respectifs d'acidité de ses versants pylorique et duodénal. Le pylore est néanmoins soumis aux influences nerveuses et une hypertonie du parasympathique peut provoquer du spasme gênant l'évacuation normale de l'estomac.

L'intestin grêle est animé de deux sortes de mouvements : 1° les mouvements pendulaires qui consistent en une série de contractions et relâchements alternatifs des différents segments, assurant ainsi un brassage des sécrétions intestinales avec le chyme ; 2° les mouvements péristaltiques qui sont des ondes de contraction qui se propagent lentement et faiblement d'avant en arrière et ayant pour but la progression des aliments dans l'intestin.

Ces mouvements sont sous la dépendance du système sympathique autonome (intramural) et du nerf vague.

Les sécrétions intestinales sont également sous l'influence du nerf vague, de même que la sécrétion pancréatique. Une excitation du nerf vague déclenche ces sécrétions. Il n'en est pas de même en ce qui concerne la bile. Sa sécrétion est continue et elle se met en réserve dans la vésicule biliaire. Une excitation du nerf vague peut provoquer la contraction et l'évacuation de la vésicule.

Le côlon ne possède aucun rôle digestif ; sa muqueuse sécrète un liquide filant qui n'a d'autre effet que de faciliter la progression des selles. Celle-ci est assurée par les mouvements péristaltiques, ondes de contraction se propageant d'avant en arrière et qui sont également sous la dépendance du système neuro-végétatif. Une excitation du parasympathique (ésérine par exemple) accentue l'intensité des mouvements péristaltiques tandis qu'une inhibition les diminue.

Au niveau du rectum, la distension de la paroi déclenche les mouvements de défécation par voie réflexe, mais le sphincter anal est contrôlé par la volonté et peut ainsi empêcher l'évacuation des selles.

L'hypertonie du système parasympathique peut provoquer des spasmes au niveau du côlon et être la cause de constipation. L'atonie du système parasympathique et du système nerveux en général peut être la cause de constipation par insuffisance de mouvements péristaltiques. Cependant, la cause la plus fréquente de constipation, surtout dans la bourgeoisie des villes, c'est la pauvreté en déchets de l'alimentation (pain blanc, viande tendre, pâtisserie), or c'est le bol fécal par sa masse qui constitue l'excitant normal des contractions intestinales et qui, dans le rectum, provoque le déclenchement des mouvements de défécation.

III. - LE CONTRÔLE HUMORAL DES PHÉNOMÈNES DIGESTIFS

La composition du sang peut retentir sur le déroulement des phénomènes digestifs, soit du fait d'une modification de ses éléments constitutifs normaux, soit du fait du déversement dans le sang d'une hormone ayant un retentissement sur la digestion.

1° **La teneur du sang en eau.** - Environ 90 % de la masse du sang sont formés par de l'eau, celle-ci contient en solution les différentes substances nutritives et véhicule les éléments figurés du sang dont la teneur en eau est sensiblement la même que celle du plasma.

La tension osmotique du sang est le résultat de la somme des tensions osmotiques de tous les éléments qui y sont dissous. Celle-ci doit être maintenue très constante sous peine de créer des désordres graves. Une petite modification de la teneur en eau du sang provoque des modifications fonctionnelles importantes dans l'organisme. Une diminution de la teneur en eau de l'ordre de 2 % arrête les diverses sécrétions.

Cela se traduira au niveau de la bouche par l'assèchement des muqueuses, créant la sensation de soif ; en effet, immédiatement, l'organisme se défendra contre les pertes d'eau, en tarissant la sécrétion urinaire, mais aussi en tarissant la sécrétion des glandes salivaires ; il y aura en même temps une très forte diminution de la sécrétion de suc gastrique, de suc intestinal, de suc pancréatique et de bile.

La déshydratation est donc éminemment défavorable à la digestion.

2° **La teneur du sang en chlorures** - La teneur du sang en chlorures a peu d'influence sur la sécrétion d'acide chlorhydrique par l'estomac. On a en effet constaté que si une hypochlorémie grave diminue considérablement l'excrétion urinaire de chlorures, elle ne modifie en rien la sécrétion d'acide chlorhydrique par l'estomac. On a constaté cependant que le régime déchloruré provoque de l'anorexie liée en grande partie à une forte diminution de la sécrétion d'acide chlorhydrique. Il a été prouvé par Davidson que cette diminution de sécrétion gastrique était liée au manque de sapidité du régime déchloruré, mais si par des artifices on relève sa sapidité, il provoque une sécrétion d'acide chlorhydrique aussi importante qu'un régime normal.

En conclusion, il ne faut pas espérer combattre l'hyperchlorhydrie par un régime déchloruré.

3° **La teneur du sang en hémoglobine** - Si dans pas mal de cas l'anémie est secondaire à une achlorhydrie, l'inverse est vrai également. Apperly et Cary ont montré que lorsque le taux d'hémoglobine tombe en dessous de 60 % ou que le nombre de globules rouges tombe en dessous de 3.000.000 par millimètre cube, par exemple après une hémorragie, il y a achlorhydrie.

Ainsi, l'anémie peut trouver en elle-même la cause de son aggravation. Apperly pense que c'est par l'intermédiaire de la charge du sang en CO_2 que l'anémie influence la sécrétion gastrique. En effet, la quantité d'acide chlorhydrique que sécrète un estomac dépendrait de la teneur en CO_2 du sang, or la quantité de CO_2 que peut transporter le sang est liée à sa charge en hémoglobine. C'est ainsi que l'anémie peut entraîner l'achlorhydrie, d'où insuffisance digestive, anorexie et dénutrition.

4° **La gastrine** - L'introduction d'aliments dans l'estomac provoque la sécrétion d'une hormone qui, par voie humorale, déclenche la sécrétion de suc gastrique (acide chlorhydrique et pepsine). L'existence de la gastrine a pu être démontrée de la manière suivante.

On peut aboucher à la peau un lambeau de muqueuse gastrique et former ainsi une fistule isolée de tout lien anatomique avec l'estomac. Si l'on introduit des aliments dans l'estomac cette fistule se met à sécréter du suc gastrique, alors que le seul lien est un lien humoral. On peut de la même manière provoquer la sécrétion de suc gastrique par l'estomac en introduisant des aliments dans la fistule.

La seule explication possible est le déversement dans la circulation d'une hormone déclenchant la sécrétion gastrique. Cette hormone a été appelée la gastrine.

5° **La sécrétine** - L'arrivée du suc gastrique acide sur la muqueuse duodénale provoque la sécrétion de suc pancréatique qui se déversera dans l'intestin grêle. Il a été démontré que c'est par voie humorale que s'effectuait le déclenchement de la sécrétion pancréatique ; en effet, l'introduction d'acide chlorhydrique dans le duodénum peut déclencher la sécrétion d'un pancréas greffé au cou chez le chien, alors que le seul lien est un lien humoral.

On doit admettre dans ces conditions qu'une hormone est élaborée par la muqueuse duodénale. Cette hormone a reçu le nom de sécrétine.

6° **La pancréozymine** - Celle-ci encore appelée cholécystokinine est sécrétée lorsque les graisses arrivent sur la muqueuse duodénale ; c'est elle qui stimule l'élaboration des diverses enzymes pancréatiques.

7° **L'entérogastrone** - Ivy a démontré que lorsque des graisses pénétraient dans l'intestin grêle, elles provoquaient une inhibition de la sécrétion d'acide chlorhydrique par l'estomac. Il a démontré que cette inhibition s'exerçait par voie humorale car on pouvait observer l'inhibition de la sécrétion d'acide chlorhydrique d'une fistule gastrique isolée abouchée à la peau.

IV. - LES HABITUDES DU MALADE

Les phénomènes digestifs peuvent être influencés par les habitudes du malade. Celles-ci portent principalement sur l'ordonnance des repas et sur la composition de ceux-ci.

1° L'ordonnance des repas

L'homme ne passe qu'une faible partie de la journée à manger mais la vidange gastrique se fait en 3 heures environ et une grande partie de la digestion étant assurée par le suc intestinal, l'absorption des nutriments tend à s'étaler sur la plus grande partie de la journée. Ainsi l'apport des nutriments aux cellules périphériques est continu, des mécanismes homéostatiques assurant leur nutrition durant la période loin des repas.

Dans nos pays on a l'habitude de fractionner la ration alimentaire en trois ou quatre repas. Il est important de prendre ces repas à heures régulières ; en effet, la périodicité du repas crée un rythme du fonctionnement et chez un individu qui a l'habitude de prendre ses repas à heures régulières, au moment de chaque repas, l'estomac automatiquement sécrète le suc gastrique et amorce les contractions. Si les repas ne sont pas pris à heure régulière, cette automaticité ne se crée pas. A chaque repas, l'estomac doit être sollicité par les aliments. Il s'ensuit un certain retard dans la digestion.

Il est bon de répartir les repas à intervalles plus ou moins réguliers, par exemple 7 h. 30, 12 h. 30, 16 h. 30 et 19 h. 30, de manière à ce que l'apport d'aliments soit régulièrement assuré à l'intestin. Cela évite que la bile ne doive s'accumuler dans la vésicule biliaire en trop grosse quantité.

Il faut cependant tenir compte largement des habitudes individuelles ; en effet, dans certains pays, les habitants ne font que deux repas par jour et s'en trouvent bien.

Il est prouvé que le travail tant manuel qu'intellectuel s'exerce avec un meilleur rendement chez celui qui prend 3 repas et 2 collations. Durant le Ramadan le rendement des ouvriers musulmans est normal durant la matinée pour diminuer ensuite progressivement jusqu'au coucher du soleil.

Chez nous, on a l'habitude de prendre le repas principal à midi et un repas important le soir, les deux autres étant moins copieux. En France, on prend le repas principal le soir, en Angleterre, le matin.

En principe, il vaut mieux ne pas prendre le repas principal le soir, car un travail trop intense de digestion peut empêcher le sommeil. Il faut prendre un repas suffisant le matin, car souvent une partie importante du travail est accomplie dans la matinée.

2° La composition des repas

Les habitudes alimentaires peuvent fortement influencer la digestibilité des aliments. Certains supportent facilement un régime très indigeste auquel ils sont soumis depuis longtemps. C'est le cas pour les différents plats nationaux ; beaucoup de ceux-ci sont fort indigestes pour celui qui n'y est pas habitué, et cependant les habitants d'une contrée en consomment couramment et les digèrent facilement. Par contre, un individu qui se soumet à un régime très digestible ne supportera pas les écarts de régime, de même le fait d'être soumis à un régime très uniforme y adapte le tube digestif et les variations sont mal supportées. C'est ainsi que l'on voit en Afrique certaines peuplades se nourrir d'une manière monotone. Ces indigènes ne digèrent pas un régime différent du leur.

Les habitudes alimentaires peuvent influencer l'appréciation individuelle quant à l'apparence d'un mets. Tel mets, qui nous paraît mauvais, paraît appétissant à celui qui a l'habitude d'en consommer. Chez nous, il ne provoque pas de sécrétion gastrique par réflexe conditionnel tandis qu'il en provoque chez l'autre.

L'examen des habitudes culinaires témoigne d'une diversité extraordinaire.

Certaines peuplades, les Lapons par exemple, se nourrissent exclusivement d'aliments tirés du règne animal ; d'autres, comme certaines peuplades des Indes ou de Chine, consomment exclusivement des aliments d'origine végétale. La plupart des peuples consomment une alimentation mixte à la fois végétale et animale.

Il y a intérêt à consommer à chaque repas des aliments contenant les 3 principes énergétiques. Les régimes dissociés où on consomme à un repas les glucides et à un autre les protéines, sont une vue de l'esprit qui méconnaît une règle de base de la biologie nutritionnelle, l'effet protecteur des glucides sur les protéines.

La composition du petit déjeuner a une grande importance tant pour l'écolier et l'étudiant que pour le travailleur de force.

Le petit déjeuner, surtout pour ceux qui ne prennent pas une collation à 10 h., doit comprendre une ration suffisamment large de protéines car c'est le moyen le plus utile pour empêcher une hypoglycémie en fin de matinée.

Il faut éviter les petits déjeuners faits de sucreries (tartines à la confiture, couques au sucre ou au chocolat, pâtisseries, limonades) car ils entraînent chez bon nombre de personnes une hypoglycémie suffisamment légère pour ne pas se traduire par des symptômes manifestes mais suffisante pour entraîner un certain degré d'obnubilation et des maux de tête. On prend cela pour du surmenage scolaire et on accuse des programmes trop chargés. C'est une cause assez fréquente d'échec scolaire ; chez les ouvriers, c'est une cause de malfaçon ou d'accidents.

Le plus utile des petits déjeuners surtout chez les jeunes, c'est le pain gris (fibres et vitamines du groupe B) avec du fromage (protéines de haute valeur biologiques, calcium, vitamines A et D) ; en hiver on peut recommander les poissons gras.

Il faut réprouver à fortiori l'habitude de ceux qui se rendent au travail ou à l'école sans avoir pris d'aliments solides, se contentant de café avec ou sans sucre ; avec ou sans lait et parfois de bière ou de vin.

Peut-on boire en mangeant ? Pour les gens qui ont un estomac normal, une quantité raisonnable de boisson n'entrave pas la digestion ; chez eux qui par suite d'une gastrite atrophique sécrètent peu de suc gastrique et un suc pauvre en acides et en ferments, il vaut mieux boire en dehors des repas.

L'organisme peut s'adapter d'une manière extraordinaire aux habitudes alimentaires ; c'est ainsi que le Lapon est bien portant et ne fait jamais de scorbut malgré que son régime soit entièrement dépourvu de vitamine C.

V. - LES FACTEURS PSYCHIQUES

Les facteurs psychiques peuvent influencer les phénomènes digestifs. Cette influence peut porter tant sur les sécrétions digestives que sur la motricité du tube digestif. Deux exemples classiques peuvent mettre cela en évidence.

La simple vue d'un citron, ou même le fait d'y penser, peut provoquer la sécrétion de salive. D'autre part, la peur peut provoquer, surtout chez les sujets émotifs, une diarrhée due à une accélération du transit.

Les excitations partant des organes des sens peuvent influencer la sécrétion des sucs gastriques. Il s'agit dans ce cas de réflexes conditionnels. C'est le physiologiste russe Pavlov qui a mis en évidence l'existence de ces réflexes conditionnels. Si chez un chien porteur d'une fistule gastrique (l'estomac est abouché à la peau de l'abdomen, de manière à recueillir la sécrétion gastrique) on apporte une pâtée, l'estomac se met à sécréter à la seule vue de cette pâtée. Si les jours suivants on lui apporte la même pâtée et que certains jours on la lui donne à manger et dans ce cas on allume une lampe rouge et que d'autres jours on ne la lui donne pas et que dans ce cas on allume une lampe verte, il suffira après un certain temps d'apporter la pâtée en allumant la lampe rouge pour que la sécrétion gastrique se déclenche et lorsqu'on apportera la pâtée en allumant la lampe verte pour qu'elle ne se déclenche pas. Il suffira même d'allumer la lampe rouge sans apporter la pâtée pour voir se déclencher la sécrétion gastrique ; par contre, le fait d'allumer la lampe verte ne déclenchera aucune sécrétion. Ceci permet d'expliquer l'action de toute une série de facteurs d'ordre psychique.

1° **L'ambiance**. Une table bien garnie, avec du linge propre, dans un local riant sera un facteur favorable, parce que par voie réflexe déjà l'organisme élaborera ses sécrétions.

2° **La présentation des aliments**. Des aliments servis dans de la vaisselle propre, non pas jetés n'importe comment dans un plat, mais le garnissant et dont l'aspect sera appétissant, déclencheront également par réflexe conditionnel les sécrétions digestives ; de même leur aspect frais peut grandement favoriser l'établissement des sécrétions digestives.

3° **L'arôme** peut également jouer le même rôle, c'est ainsi que le fumet agréable d'une sauce pourra influencer très favorablement la sécrétion gastrique, tandis que l'odeur d'aliments brûlés, de beurre rance, de viande peu fraîche, etc. l'entraveront au contraire.

4° **La saveur** agréable des aliments peut également exciter les sécrétions digestives et c'est pourquoi les condiments peuvent, pris sans excès, jouer un rôle fort favorable. Il faut cependant tenir compte de ce que les condiments peuvent provoquer la sécrétion par voie chimique en excitant les glandes gastriques directement ; une saveur désagréable peut entraver les sécrétions digestives par voie de réflexe conditionnel.

5° **Les conditions morales**. Les sécrétions digestives peuvent être fortement influencées par le système nerveux, d'où l'importance de prendre ses repas dans une atmosphère de calme et de bonne humeur. Le chagrin, la fatigue et l'agitation ont un rôle néfaste.

VI. - LA DIGESTIBILITÉ DES ALIMENTS

Qu'entend-on exactement par la digestibilité des aliments? C'est le rapport entre la quantité d'aliments digérés et la quantité qui en a été absorbée par l'organisme en un temps déterminé.

Le coefficient d'utilisation est le rapport entre la quantité d'aliments ingérés et la quantité d'aliments résorbés.

La digestibilité dépend donc de la vitesse à laquelle seront digérés les aliments. Des aliments qui se digèrent lentement sont moins digestibles. C'est ainsi que les graisses, dont la digestion s'effectue plus lentement que celle des hydrates de carbone ou des protéines sont moins digestibles. Des aliments imprégnés de graisse sont moins digestibles que des aliments non imprégnés de graisse, parce que la présence de la graisse en retarde la digestion. Des aliments insuffisamment mâchés sont moins digestibles parce qu'ils ne sont pas divisés en particules assez petites et comme les ferments attaquent celles-ci par la surface, il leur faudra plus de temps pour achever leur action ; en outre il peut persister des gaines indigestibles, de cellulose pour les végétaux, de tissu fibreux pour les viandes, qui n'étant pas éclatées empêchent ou retardent la digestion des substances alimentaires qu'elles contiennent. Il y a donc également diminution du coefficient d'utilisation. La préparation des aliments joue un rôle également, non seulement du fait de la présentation qui en provoquant spontanément la sécrétion gastrique peut accélérer la digestion, mais aussi du fait des modifications qu'elle fait subir aux aliments.

Les amidons dont les molécules sont de trop grande dimension sont lents à digérer par les enfants auxquels on les donne en panades lors du sevrage. On peut en augmenter la digestibilité en les traitant par des germes de céréales ; en pays tropical on traite la farine de manioc par des germes de maïs, chez nous on donne des farines maltées.

C'est ainsi que la cuisson en amollissant les gaines non digestibles permet le passage des ferments et favorise la digestion.

Le coefficient d'utilisation pour un régime mixte est d'environ 90 à 95 %. Il est plus faible pour les végétaux et plus élevé pour les éléments d'origine animale.

Pour un régime mixte, la digestibilité des protéines est de 92 %, celle des graisses est de 95 % et celle du sucre de 87 %.

Au sens populaire du mot, digestibilité est synonyme d'absence de malaises au cours de la digestion. Ceci dépend de l'appétit, de l'état physique des aliments et de leur composition chimique. Certains aliments ont la réputation d'être indigestes, alors qu'en fait ils ne le sont pas mais sont mal utilisés ; c'est le cas par exemple du fromage souvent servi à la fin de copieux repas.

Le sucre, pris en morceau, irrite l'estomac parce qu'il arrive en solution trop concentrée sur la muqueuse, mais mélangé aux aliments il n'a aucun effet défavorable.

Les graisses en quantités modérées sont bien assimilées, par contre les fritures sont indigestes parce que la couche de graisse entourant les aliments frits les empêche d'être attaqués par les ferments digestifs. En outre, le chauffage intense aboutissant à la friture de la graisse transforme celle-ci en partie en une substance très irritante, l'acroléine.

CHAPITRE II

La diète hydrique

Elle consiste en l'absorption d'eau ou de liquides: par exemple des eaux minérales (Vichy, Spa, Vittel), des tisanes, des jus de fruits, du bouillon.

Il faut un certain discernement dans le choix des eaux minérales ; on évite les eaux riches en sodium surtout si la diète hydrique est prescrite chez un hypertendu ou un insuffisant rénal. Contiennent plus de 100 mg/l de Na les eaux d'Apollinaris, de Badoit, de Saint Laurent, Top Bronnen et surtout de Vichy Célestins et Saint Yorre.

On évite aussi les eaux chargées en sulfates susceptibles de provoquer des diarrhées et notamment les eaux de Contrexeville, de Carlsbad, de Mondorf, de Vittel Hepar et de Vauban.

La quantité peut varier de quelques cuillerées par jour à 2 litres. Il est bon de ne pas dépasser cette quantité.

La diète hydrique ne peut évidemment pas être maintenue plus de quelques jours, car son apport calorique est pratiquement nul. Il faut après quelques jours passer à un autre régime.

La quantité de liquide permise devra bien être précisée dans chaque cas. A l'eau pure, il faudra préférer les infusions légères, éventuellement on pourra un peu les sucrer.

On pourra donner également du *bouillon de légumes* peu salé ; différentes formules ont été proposées pour préparer ce bouillon.

a) *Formule de Comby* - On fait bouillir dans 3 litres d'eau une cuillerée à soupe de blé, d'orge perlé, de maïs concassé, de haricots blancs secs, de pois secs et de lentilles : après réduction à 1 litre, soit environ après 3 heures de cuisson, on filtre et on ajoute 5 g de sel.

b) *Formule de Péhu* - On cuit durant 2 heures dans 1 litre d'eau une poignée de riz et de lentilles, une grosse pomme de terre, une carotte et un poireau; ensuite, on passe au tamis fin, on reporte à 1 litre et on ajoute 5 g de sel.

Ces bouillons contiennent des produits odorants et quelques sels minéraux, mais leur valeur nutritive est pratiquement nulle. Ce bouillon peut être pris dans un biberon par l'enfant peu âgé et en tasse par l'adulte. Il peut être sucré et servir de base à la préparation de bouillies de céréales et remplacer ainsi le lait que certains sujets ne peuvent tolérer. Les bouillies préparées avec ce bouillon sont beaucoup plus sapides que si elles sont préparées à l'eau.

Il faut savoir que ces bouillons de légumes ne se conservent pas plus de 24 heures.

On pourra donner, surtout si la diète hydrique est prescrite pour des diarrhées, de l'*eau de riz*. Celle-ci est plus active que le bouillon de légumes, surtout dans les diarrhées infantiles, car le riz possède par lui-même un pouvoir antidiarrhéique.

On prépare l'eau de riz de la manière suivante:

Deux cuillerées à soupe de riz sont jetées dans un demi-litre d'eau froide, lorsque les grains sont gonflés, on ajoute un demi-litre d'eau bouillante et on fait cuire 20 minutes. On filtre sur mousseline et on ajoute selon le cas 3 g de sel ou 30 g de sucre.

1° valeur alimentaire de l'eau de riz est à peine supérieure à celle du sucre qu'on y a ajouté. Il est donc difficile chez le nourrisson de poursuivre cette diète plus de 36 heures et chez l'adulte plus de 5 jours.

Dans certains cas, la diète hydrique pourra comporter des *jus de fruits*, par exemple, chez les urémiques. Dans le stade terminal des néphrites chroniques ou dans les néphrites aiguës, il faudra se méfier des jus de fruits à cause de leur teneur élevée en potassium qui pourrait précipiter certains accidents. On donnera de préférence les jus d'oranges ou de pamplemousses qui pourront être sucrés. Les jus de fruits ont l'avantage de lutter contre la tendance à l'acidose des malades soumis au jeûne. Ils apportent en même temps une dose élevée de vitamine C.

Etant donné l'apport calorique pratiquement nul de la diète hydrique, les malades qui y sont soumis devront rester alités.

Soins particuliers - Cette cure exige des soins minutieux de la bouche, car par suite de la faible sécrétion salivaire des malades qui y sont soumis, la langue devient fuligineuse et peut même se fendiller. Il faudra plusieurs fois par jour faire rincer la bouche à l'eau oxygénée ou à l'eau bicarbonatée. Si l'on ne craint pas le muguet qui se développe en milieu acide, on fera rincer une fois après chaque repas la bouche par de l'eau acidulée à l'aide de quelques gouttes de jus de citron.

Les *indications* de la diète hydrique sont celles de la diète absolue.

1° La péritonite aiguë ou l'imminence de la péritonite, par exemple l'appendicite aiguë.

2° Les gastro-entérites aiguës, toxiques ou infectieuses. Dans ces cas, surtout chez le nourrisson, il y a intérêt à donner de l'eau de riz plutôt que de l'eau ou des tisanes. Il est parfois difficile d'apprécier les quantités d'eau à donner dans ces états, car les diarrhées abondantes, compliquées parfois de vomissements, déshydratent ces malades et il faudra compléter par du sérum physiologique et souvent par des mélanges d'ions car ces diarrhées peuvent entraîner de l'hypokaliémie et de l'acidose. Il faudra se baser sur l'ionogramme du sérum pour apprécier les ions à administrer.

3° Les cardio-rénaux chez qui elle permettra l'élimination des déchets (urée, etc.) et du chlorure de sodium, permettant parfois la fonte rapide des oedèmes. Naturellement dans ces cas on ne donnera pas de bouillon de légumes puisqu'il faut éliminer entièrement le sodium du régime. On donnera de préférence l'eau, les tisanes et les jus de fruits.

4° Les hypertendus peuvent parfois, à l'occasion de poussées hypertensives, grandement bénéficier de quelques jours de diète hydrique, surtout s'ils sont obèses.

L'élimination du sodium et la restriction alimentaire peuvent faire tomber leur tension de quelques points.

5° Les deux ou trois premiers jours qui suivent une anesthésie générale ou une intervention chirurgicale, la diète hydrique est de rigueur sous peine de voir éclore une complication redoutable, la dilatation aiguë de l'estomac qui se termine généralement par la péritonite. La diète hydrique mettant le tube digestif au repos évite cette complication.

Ici on donnera la préférence à l'eau pure.

DIÈTE HYDRO-SUCRÉE OU DIÈTE HYDRO-ALCOOLO-SUCRÉE

Ces deux sortes de diète ne sont que des variantes de la diète hydrique et peuvent parfois servir d'intermédiaire entre la diète hydrique et la diète lactée.

Les diètes ont l'avantage d'apporter une certaine énergie calorique. L'eau peut être sucrée à raison de 50 g de sucre par litre, ce qui fournit 200 calories. On peut ajouter à l'eau sucrée une certaine quantité de boisson alcoolique. L'alcool dégageant 7 calories par gramme, augmente encore d'autant la valeur calorique. Un litre d'eau sucrée à 50 g par litre auquel on ajoute une faible quantité de boisson alcoolique (3 cuillères à soupe) pourra avoir un pouvoir calorique de 300 calories. On pourra donner l'alcool sous forme de whisky, rhum ou cognac. Le champagne contient à la fois de l'alcool et du sucre et peut être un aliment utile chez un malade débilité.

CHAPITRE III

Le régime lacté

Autrefois ce régime était fort en faveur et de nombreux malades y étaient soumis. Actuellement, dans beaucoup de maladies, on ne soumet plus le malade au régime lacté exclusif, on lui donne une ration alimentaire plus variée. D'autre part, beaucoup de maladies fébriles qui nécessitaient ce régime pendant un temps assez prolongé, pneumonie, fièvre typhoïde, sont considérablement raccourcies grâce aux sulfamides et aux antibiotiques. Ce régime est donc beaucoup moins prescrit qu'autrefois.

Voici la technique de ce régime.

Le malade consomme exclusivement du lait. Il faut parfois vaincre la répugnance du malade. Celle-ci provient soit de ce qu'il n'aime pas le lait, dans ce cas on peut masquer le goût du lait ; soit de ce qu'il ne le digère pas bien ; dans ce cas on facilitera la digestion par une répartition convenable : 300 g toutes les 3 heures, et en le donnant à la cuiller.

On donne au malade 1,5 litre à 3 litres. Trois litres de lait par jour permettent au malade alité de couvrir ses besoins au point de vue calorique. On ne poursuit cependant pas ce régime plus de 15 jours, car, prolongé, il crée un déséquilibre dans l'alimentation.

Pour augmenter la valeur nutritive du lait, on peut y ajouter du sucre. L'addition de 50 g de sucre par litre fait passer la valeur calorique du lait de 600 à 800 calories. Deux litres de lait sucré suffisent à couvrir les besoins caloriques du malade alité. Si les malades n'aiment pas le goût sucré, on peut ajouter du lactose dont le pouvoir sucrant est très faible, et la valeur calorique égale à celle du sucre de canne.

On peut également, et cela se faisait surtout dans la fièvre typhoïde, ajouter de la crème de lait. Si on ajoute à 1 litre de lait 50 g de crème de lait à 40 % de graisse, on fait passer son pouvoir calorique de 600 à 800 calories par litre ; si on y ajoute en outre 50 g de sucre, il passe à 1.000 calories par litre.

On peut également enrichir la valeur nutritive du lait en y ajoutant une certaine quantité de lait condensé ou de lait en poudre.

Certains malades ne tolèrent bien que le lait écrémé. Celui-ci peut être partiellement écrémé; dans ce cas sa valeur nutritive est d'environ 500 calories par litre. Si le lait est totalement écrémé, sa valeur calorique n'est plus que de 325 calories par litre ; dans ce cas, il y aura intérêt à le sucrer pour en augmenter la valeur nutritive.

Le lait écrémé est mieux digéré par les hypochlorhydriques, les hépatiques et les pancréatiques.

Pour faciliter la digestion on peut couper le lait à l'eau de Vichy ou mieux à l'eau de chaux. Les malades soumis au régime lacté sont facilement constipés. On peut lutter contre cet inconvénient en donnant une partie du lait sous forme de lait battu ou de yoghourt qui sont légèrement laxatifs. On peut également leur donner chaque jour deux ou trois jus de fruits qui apporteront un complément utile de vitamine C. On a également conseillé le petit-lait ou lactosérum, exsudat du lait caillé, qui est doué de propriétés diurétiques et cholagogues remarquables; on en administre dans ce cas 150 à 200 g le matin à jeun.

On peut masquer le goût du lait au moyen de petites quantités de café, de thé, de cacao, de cannelle, de vanille.

Certains malades tolèrent mieux le lait froid ou même glacé, d'autres le préfèrent tiède ou chaud. Il n'y a aucune raison de ne pas suivre leur goût.

Facilement les malades soumis à ce régime font un état saburral, et, s'ils sont affaiblis, du muguet. Il faudra pour éviter ces inconvénients avoir soin de faire rincer la bouche avec une solution de bicarbonate de soude ou d'eau oxygénée après chaque repas.

Le lait est un aliment merveilleux, dont les protéines sont particulièrement assimilables. On l'a souvent étiqueté " un aliment complet " ; c'est vrai chez le nourrisson, ce n'est pas vrai chez l'adulte. Il ne contient pas suffisamment d'hydrates de carbone et est très pauvre en fer, aussi un régime lacté ne peut-il être poursuivi trop longtemps. On conseille généralement de ne pas dépasser une quinzaine de jours, ou au maximum trois semaines de régime lacté exclusif.

Quelles sont les indications du régime lacté ?

1° **Les néphropathies**. - Autrefois, depuis les travaux de Chrestien de Montpellier, en 1831, on disait à propos de la néphrite aiguë : " Le régime lacté ou la mort ". On allait jusqu'à prescrire ce régime indéfiniment dans les néphrites chroniques ce qui était la cause de pas mal d'anémies et d'états de sous-nutrition.

Actuellement, on en est beaucoup moins partisan. Tout au plus, dans la glomérulo-néphrite aiguë, après avoir laissé le malade quelques jours à une diète hydrique, le met-on durant quelques jours au régime lacté. Rapidement on passera au régime lacto-végétarien ou au régime lacto-farineux.

Plus personne ne prescrit le régime lacté pur dans les néphrites chroniques où il est contre-indiqué.

Il arrive dans certaines néphrites aiguës que la faible quantité de sel présente dans le lait (1,6 g par litre) soit suffisante pour entretenir des oedèmes, par suite du gros trouble de l'élimination du sodium. Dans ce cas, il y a intérêt à donner du lait désodé (lait Penac Guigoz, par exemple) qui ne contient plus environ que 0,23 g de sel par litre. L'emploi de ce lait permet parfois d'assister à une fonte assez spectaculaire des oedèmes.

2° **La grande insuffisance cardiaque** avec oedème ou asystolie s'est avérée être l'indication de choix du régime lacté. Ce régime, en exigeant de fractionner la ration alimentaire en plusieurs petits repas, est fort avantageux ici car il évite les à-coups dans la réplétion abdominale et donc dans la surcharge du coeur.

Il y a intérêt à réduire le volume du liquide et donc à donner du lait enrichi par du sucre ou de la crème de lait. On s'efforcera de ne pas dépasser une ration de 1,5 litre par jour. Etant donné l'importance de la rétention du sodium dans l'asystolie, il peut y avoir grand intérêt en cas d'oedèmes difficilement réductibles, à administrer du lait désodé.

Beaucoup de cliniciens sont cependant partisans dans ces cas, non du régime lacté pur, mais d'un régime lacto-végétarien pauvre en sel ou d'un régime lacto-farineux.

C'est dans l'insuffisance cardiaque que l'on peut être amené à prescrire le plus longtemps le régime lacté, durant plusieurs semaines. Il y aura intérêt dans ce cas à administrer du lait sucré, car le sucre est l'aliment de choix de la fibre myocardique.

3° **L'hyperchlorhydrie grave et l'ulcère gastrique**. - Le lait met l'estomac au repos mécanique et sécrétoire ; chaque fois que le malade ingère du lait, il neutralise l'acide chlorhydrique en excès. Ce régime convient lors des poussées douloureuses, mais on ne peut maintenir le malade à celui-ci en dehors des crises. Chauffard affirmait que tout ulcéreux mis au lait et au bismuth s'améliorait en 8 jours et que cela pouvait servir de test en vue de l'établissement du diagnostic.

Il n'y a aucun intérêt à mettre à ce régime les petites hyperchlorhydries qui n'en bénéficient pas. En outre, ce régime qu'on leur donnait autrefois pendant un temps prolongé finit par affaiblir les malades parce qu'il entraîne un état de déséquilibre alimentaire.

4° **Les maladies infectieuses aiguës** - Le régime lacté n'est plus appliqué aujourd'hui que dans les maladies infectieuses de courte durée (pneumonie, maladies éruptives) mais dans les cas à évolution prolongée, on donne un régime beaucoup plus complet.

A côté de ces indications du régime lacté, il existe des **contre-indications**. Ce sont avant tout les *anaphylaxies* au lait qu'on voit surtout chez les nourrissons ou les jeunes enfants, et les intolérances au lait qui s'en rapprochent ; il s'agit de sujets qui digèrent difficilement le lait, la plupart du temps parce qu'ils font une insuffisance en lactase. Le lactose arrivant non digéré au niveau du côlon est attaqué par la flore microbienne d'où flatulence, diarrhées acides et inappétence. Avant de parler d'intolérance il faut vérifier la qualité du lait et son état de fraîcheur. Certains tolèrent mal le lait parce qu'ils le boivent d'un trait ; la caséine coagule en gros caillots et offre peu de surface à l'attaque des enzymes.

Les *affections intestinales* supportent généralement fort mal le lait; la constipation est d'habitude aggravée par le lait, la diarrhée également. Le lait est particulièrement contre-indiqué dans les diarrhées aiguës et surtout dans le choléra infantile.

La *cholécystite* ou lithiase biliaire réagit de manière variée. Certains malades ne supportent pas du tout le lait, d'autres supportent le lait écrémé, d'autres enfin supportent très bien le lait entier. Il en va de même dans les affections pancréatiques.

Il existe divers régimes à base de lait qui ne constituent que des régimes lactés élargis.

I. - LE RÉGIME LACTO-FARINEUX

Le régime lacto-farineux est fréquemment prescrit comme intermédiaire entre le régime lacté et la reprise d'une alimentation normale. Il consiste à ajouter au lait divers farineux. Ce régime est plus consistant que le régime lacté pur, il permet un apport calorique assez important, mais il est relativement monotone, fatigue assez vite l'estomac et par sa pauvreté en déchets favorise la constipation.

Il sera prescrit surtout dans la convalescence des grandes maladies infectieuses. Il faudra, comme avec le régime lacté pur, veiller soigneusement à l'entretien de la bouche du malade.

On donnera au patient des bouillies préparées avec diverses farines (blé, avoine, maïs, riz, châtaigne, tapioca, etc.). Il arrive du reste fréquemment que le malade supporte mieux les bouillies que le lait pur.

On peut donner également des soupes au lait avec du riz ou du tapioca. On peut préparer une soupe au lait en laissant macérer quelques minutes une biscotte dans une assiette de lait chaud et sucré.

Pour lutter contre la constipation, on pourra donner une fois par jour un potage de lait battu auquel peut être ajouté du riz ; en outre, on donnera du yoghourt.

On peut donner des purées de pommes de terre, du pain grillé ou rassis. Il y a intérêt à donner du pain intégral ou du pain gris qui combattra la constipation tout en enrichissant le régime en sels minéraux et en vitamines du groupe B qui seront particulièrement utiles étant donné la richesse du régime en hydrates de carbone.

Le régime lacto-farineux strict ne comporte pas de fruits ni de jus de fruits.

Toutefois il peut être utile d'ajouter à ce régime des jus de fruits qui apporteront une quantité importante de vitamines C, ce qui sera fort utile car le principal défaut de ce régime est sa carence en vitamine C. Il faut toutefois savoir que les ulcéreux ne tolèrent pas les jus de fruits à cause de leur acidité. Il peut y avoir incompatibilité entre le lait et certains fruits, par exemple, l'orange.

Toutefois, cette incompatibilité n'existe que lorsque ces fruits sont pris trop peu de temps avant ou après, l'ingestion de lait. Si on a soin de les éloigner suffisamment d'un repas au lait, ils pourront être très bien tolérés.

II. - LE RÉGIME LACTO-VÉGÉTARIEN

Le régime lacto-végétarien consiste à ajouter au régime lacté pur ou le plus souvent au régime lacto-farineux une certaine quantité de fruits et de légumes.

Ce régime, qui est fort complet, peut être poursuivi longtemps sans inconvénients. C'est un régime pauvre en protéines, mais les protéines du lait sont de haute valeur biologique. D'autre part, les fruits et les légumes, par leur apport de cellulose, luttent contre la constipation que peut engendrer un régime lacté ou le régime lacto-farineux.

Si ce régime est prescrit au titre de régime hypo-azoté chez un urémique, il faudra veiller à ne donner que du pain blanc et à éviter les légumes farineux (pois, haricots, lentilles) à cause de leur teneur élevée en protéines.

Au contraire, s'il est prescrit chez d'autres sujets que des urémiques, il y a intérêt à y inclure du pain gris ou intégral et des légumes farineux, de manière à augmenter sa teneur en protéines et épargner ainsi les protéines de l'organisme. C'est le régime que l'on conseille parfois dans la goutte.

Voici son ordonnance telle que la conseille Davidson.

Au lever :

un jus d'orange.

Petit déjeuner :

gruau d'avoine ou autre bouillie de céréales ;
crème fraîche :
pain intégral (éventuellement grillé), 2 tranches ;
beurre (ou margarine vitaminisée) ;
miel ou confiture ;
1 tasse de thé fraîchement préparée.

11 heures :

1 verre de lait ou 1 tasse de bouillon.

Dîner :

soupe au lait avec légumes passés au tamis ;
macaroni au fromage ;
  ou chou-fleur au gratin ;
  ou tomate au fromage cuite sur un croûton ;
salade de saison à laquelle sont ajoutées des carottes râpées ou
  carottes, chou-fleur, épinards ;
pommes de terre cuites en pelure ou en purée ;
fruits crus ou cuits, fromage blanc, yoghourt ou lait.

4 heures :

> fromage cuit ;
> laitues, tomates, cresson ;
> pain intégral (éventuellement grillé) ;
> beurre ou margarine vitaminisée ;
> thé.

Souper :

> 1 verre de lait battu ;
> pain intégral ;
> beurre ou margarine vitaminisée ;
> fruits.

La ration quotidienne sera de 1/2 litre de lait et 1/2 litre de lait battu. Ce régime n'est pas fort riche en protéines mais il a une haute teneur en vitamines.

III. - LE RÉGIME LACTO-OVO-VÉGÉTARIEN

Ce régime est le même que le précédent auquel on ajoute des oeufs.

Il permet une ration alimentaire pratiquement normale ; toutefois, il ne peut être prescrit chez les sujets qui font de l'intolérance aux oeufs.

Ce régime convient chez les goutteux ; en effet, l'oeuf a le grand avantage d'être dépourvu de purines. On peut ainsi fournir aux goutteux un régime riche en protéines (ce qui est avantageux contrairement aux préjugés du passé) et dépourvu ou pauvre en purines. Il faudra toutefois dans ce cas leur fournir du pain blanc et non du pain intégral, car ce dernier contient des purines.

CHAPITRE IV

Les régimes végétariens et de crudités

Il existe des adeptes d'un régime à base d'aliments d'origine végétale. Il faut reconnaître que ceux-ci font plus figure d'apôtres que d'hommes de science et agissent au nom de motifs qui n'ont pas beaucoup de rapports avec la science. Les arguments qu'ils invoquent sont trouvés après coup, mais ne sont pas les véritables mobiles de leur " croyance ".

Pythagore et Platon évitaient les aliments d'origine animale pour des raisons morales, considérant les animaux comme impurs ; Voltaire et Diderot étaient végétariens pour des raisons humanitaires ; les naturistes du XIXe et du XXe siècle invoquent la supériorité des aliments végétaux parce que l'on vit d'énergie solaire emmagasinée dans les plantes et qui fait défaut à la chair animale.

On peut distinguer quatre variétés de régime à ranger dans cette catégorie : le végétalisme, le végétarisme, le crudivorisme et le macrobiotique.

I. - LE VÉGÉTALISME

Le végétalisme consiste à ne manger que des aliments d'origine végétale à l'exclusion de tout aliment d'origine animale. Il existe trois sortes de végétaliens :

1) ceux de certains pays tropicaux qui y sont contraints car il n'y a guère d'élevage ; 2) ceux des pays occidentaux qui sont des fanatiques agissant au nom de principes éthiques sans grand fondement ; 3) ceux qui agissent au nom de prescriptions religieuses comme les bouddhistes de certaines sectes.

Une solution satisfaisante des problèmes nutritionnels offre certaines difficultés :

La valeur biologique des protéines d'origine végétale est dans l'ensemble assez basse ; les deux grandes sources de protéines dans ce régime sont les céréales et les légumineuses.

Un choix judicieux permet de résoudre le problème de la valeur biologique de la ration de protéines parce que les céréales relativement riches en acides aminés soufrés ont comme acide aminé limitant de la valeur biologique la lysine tandis que les légumineuses, relativement riches en lysine, ont comme acide aminé limitant la valeur biologique les acides aminés soufrés.

Le mélange des deux valorise considérablement la valeur biologique de la ration de protéines mais il faut que les deux soient consommés au même repas.

Certains mélanges sont plus judicieux que d'autres ; il faut que dans chaque région tropicale une étude soit faite à ce point de vue des différentes plantes vivrières propres à la contrée pour savoir quelles cultures promouvoir et quels conseils donner à l'indigène.

Le soja, le pois chiche et les graines du lupin des Andes contiennent des protéines dont la teneur en lysine est de 7 % comme dans la viande ; le blé et le maïs ont des protéines riches en acides aminés soufrés.

La création de nouveaux hybrides a permis de mettre à la disposition des populations des céréales beaucoup plus riches en protéines qu'autrefois.

Alors qu'auparavant le riz ne contenait que 8 % de protéines, actuellement il en contient en moyenne 13 % et certaines espèces en contiennent 14,5 %.

Ceci a considérablement amélioré la santé des populations dont le riz apporte à peu près 80 % de la ration.

On a pu de cette manière améliorer aussi la valeur biologique des protéines de certaines plantes vivrières ; pour le maïs on a créé une variété (opaque 2 X) dont les protéines contiennent 4 % de lysine au lieu de 2 %.

Il faut aussi tenir compte de ce que certaines graines (soja, fèves, lentilles, luzernes) contiennent un inhibiteur de la trypsine qui n'est détruit que par une cuisson prolongée ; d'autres contiennent de la phytohémaglutinine qui est toxique.

Il y a enfin l'inconvénient que les substances nutritives des légumineuses étant contenues dans des gaines de cellulose, une partie de celles-ci ne sont libérées qu'au niveau du coecum grâce à la flore bactérienne sécrétant des enzymes cellulolytiques, ce qui crée de la flatulence et de la colite de fermentation.

Par ailleurs, les seules graisses dont usent ces malades sont les graisses d'origine végétale. Si leur pouvoir calorique est élevé, elles lassent vite l'appétit.

Les fruits oléagineux, noix, noisettes, amandes, olives jouent un rôle important dans la cuisine végétalienne et sont une des principales sources de calories pour ses adeptes. Malheureusement, leur goût assez prononcé fatigue vite.

Les conséquences du régime végétalien sont sérieuses pour l'organisme. Il existe chez les adeptes de ce régime une carence protidique qui se traduit par de l'hypoprotéinémie, une hypotrophie des muscles, de l'anémie et un mauvais état général. Ce régime étant fort riche en potassium et assez pauvre en sodium provoque une diurèse assez abondante ; en outre les urines étant alcalines par suite de cette alimentation exclusivement végétale, l'irritabilité de la vessie est augmentée et il existe un fréquent besoin d'uriner.

Polycave a montré en outre que le régime totalement dépourvu d'aliments d'origine animale pouvait lorsqu'il était poursuivi durant plusieurs années provoquer une anémie pernicieuse grave par carence d'apport alimentaire en vitamine B_{12}.

Lorsqu'on fait le dosage de la vitamine B_{12} sérique d'un grand nombre de végétaliens la moitié d'entre eux ont un taux inférieur à 148 pmol/l taux à partir duquel on voit apparaître des neuropathies.

Comment se fait-il qu'une moitié a un taux encore acceptable ? Il y a 3 raisons à cela :

1) il faut un régime totalement exempt de vitamine B_{12} durant plusieurs années avant de voir le taux sérique tomber aussi bas.

2) beaucoup d'entre eux avouent que pour des raisons sociales ils sont parfois astreints à consommer des aliments d'origine animale.

3) il arrive souvent qu'ils consomment à leur insu des aliments d'origine animale, c'est ainsi que dans certaines boîtes de conserve de légumes ou de potage on ajoute comme liant de la caséine qui entraîne un peu de vitamine B_{12}.

Ajoutons que depuis 1960 on a décrit de nombreux cas de nourrissons prenant le sein chez une mère végétalienne qui on fait une anémie macrocytaire hyperchrome gravissime ; celle-ci guérit de manière fulgurante par une dose de 500 µg de vitamine B_{12}.

Certains végétaliens obstinés font état de ce que l'on trouve de la vitamine B_{12} dans certains aliments végétaux. En 1982, on a trouvé dans certaines plantes marines et surtout dans les algues bleues des cobalamines, analogues de la vitamine B_{12} mais ceux-ci sont inactifs et ne préviennent ni ne guérissent l'anémie pernicieuse.

Ce régime peut trouver une application durant un temps limité chez les cardiaques décompensés avec oedèmes. Le rapport potassium/sodium élevé de cette ration alimentaire favorise l'élimination du sodium et entraîne la fonte des oedèmes. Il faut toutefois avoir soin dans ce cas de ne pas saler les aliments.

II. - LE VÉGÉTARISME

Les végétaliens constituent une très grande rareté. Par contre, il existe, même dans notre pays, un certain nombre de végétariens. Les végétariens n'excluent de leur alimentation que la chair animale, c'est-à-dire, la viande et le poisson.

Aux aliments d'origine exclusivement végétale, ils ajoutent le lait, les oeufs, le miel, le beurre et les graisses.

Ce régime peut être poursuivi très longtemps car il est beaucoup plus équilibré que le régime végétalien. C'est en fait le régime lacto-ovovégétarien. Les acides aminés essentiels sont apportés par le lait et les oeufs. Cet apport valorise les protéines végétales. Le patient n'est plus obligé de consommer des quantités énormes de légumineuses ; il peut même et cela est important chez le goutteux, s'en passer.

Ce régime, pour autant qu'en soient éliminés les légumineuses et les épinards, est pauvre en purines, aussi est-ce chez le goutteux, surtout au décours d'une crise, qu'il trouve sa principale indication.

Le régime végétarien est riche en hydrates de carbone. Ceux-ci enfermés dans des gaines cellulosiques risquent de n'être libérés que dans le caecum lorsque ces gaines seront attaquées par les ferments cellulolytiques, entraînant des fermentations et des flatulences, aussi a-t-on conseillé, pour éviter cet inconvénient : 1° de râper ou de hacher finement les végétaux ; 2° de les mastiquer de manière soigneuse et prolongée ; 3° de cuire les végétaux de manière à ramollir leurs enveloppes, en faciliter le broyage, permettre à leur contenu de subir l'attaque des ferments digestifs et détruire l'antitrypsine.

Les farineux jouent un rôle important dans le régime du végétarien qui souvent les consommera complets pour profiter de la plus haute teneur en protéines et en vitamines du groupe B des céréales complètes (ceci n'est pas permis chez le goutteux parce que les céréales complètes contiennent des purines).

La ration de protéines dans ce régime sera fournie surtout par le lait, les oeufs et le fromage. Ces aliments devront être consommés en quantité importante pour parer aux carences en protéines du régime exclusivement à base de végétaux. Ces aliments sont précieux non seulement parce qu'ils apportent une quantité importante de protéines, mais parce que leur haute valeur biologique permet une meilleure utilisation de celles contenues dans les aliments végétaux. C'est ainsi que les protéines des légumineuses qui ne sont utilisées qu'à concurrence de 25 % environ dans un régime végétalien strict sont utilisées à concurrence de 85 % dans un régime mixte.

Les corps gras donnent une fraction importante de la puissance énergétique du régime des végétariens. Les légumes cuits peuvent incorporer une quantité importante de beurre ou de crème fraîche et c'est à ce subterfuge que l'on recourra volontiers pour fournir une ration calorique suffisante sous un volume qui ne soit pas trop important.

Bircher recommandait de préparer la cuisine au moyen d'un mélange de beurre fondu additionné d'huile et d'une graisse végétale (Palmine ou Nussella) dans les proportions respectives de 2, 1, 1 ou 2, 3, 3.

Les végétaux contiennent en abondance certains sels minéraux ; c'est surtout le cas du potassium, c'est la raison pour laquelle le régime végétarien est diurétique, le potassium favorisant l'élimination du sodium. Certains légumes comme les épinards et les céréales complètes sont riches en fer mais celui-ci est peu assimilable à cause de la présence d'acide oxalique, soit d'acide phytique qui le chélatent. Par ailleurs ce régime est pauvre en zinc.

Dans l'ensemble, le régime végétarien est 3 à 4 fois plus riche en potassium que le régime mixte, ce qui peut provoquer une certaine inappétence ; il faudra vaincre celle-ci par un choix judicieux d'herbes aromatiques et non en salant davantage.

Ce régime est riche en calcium puisque sa principale source de protéines est le lait et son dérivé le fromage.

Ce régime est riche en vitamines hydro-solubles, B et C, il est par contre moins riche en vitamines lipo-solubles ; la vitamine D est présente en été dans le lait et le beurre, mais en quantité assez faible ; la vitamine A n'existe que sous forme de provitamine, de carotène, dans les végétaux ; la transformation du carotène en vitamine A exige un foie intact, ce qui n'est pas toujours le cas ; ceci montre l'utilité des laitages et des oeufs.

Au cours de la guerre, on a vu des carotinémies survenir chez des sujets sous-alimentés consommant beaucoup de rutabagas ou de carottes ; en cas de sous-nutrition la transformation du carotène en vitamine A ne se fait pas bien.

Ce régime est très riche en eau, très volumineux et riche en cellulose, substance de lest qui augmente les résidus intestinaux. L'abondance de cellulose est utile chez beaucoup de constipés, car elle facilite l'évacuation des selles en augmentant la péristaltique intestinale ; elle est indifférente chez les sujets normaux mais peut irriter les intestins sensibles.

III. - CRUDIVORISME

Ce n'est qu'un aspect particulier du régime végétarien qui a eu une vogue surtout en Suisse avec un défenseur passionné en la personne de Bircher. Le crudivorisme consiste en un lacto-végétarisme non cuit ; il comporte les aliments d'origine végétale plus le lait et ses dérivés, les oeufs et le miel ; il admet une exception à la cuisson, le pain et les biscuits.

Les adeptes du crudivorisme sont des naturistes qui suivent ce régime au nom d'une éthique ; le régime alimentaire n'est qu'une des règles d'une doctrine beaucoup plus générale englobant l'exposition à l'air et au soleil, le sommeil et la veille, une discipline de repos et de travail. Les arguments invoqués par les naturistes n'ont aucun fondement scientifique : ils affirment gratuitement une dénaturation des mets par la cuisson.

Si la cuisson a certains inconvénients, diminution modérée de la valeur biologique des protéines par la réaction de Maillard, destruction de certaines vitamines, caramélisation des amidons, aux hautes températures (friture), elle rend beaucoup plus digestes bien des aliments en ramollissant les gaines. Les inconvénients de la cuisson sont bien connus, mais ils sont limités et ont peut y parer facilement. D'autre part, le tube digestif ne tolère souvent pas les excès de crudités du régime naturiste.

Ce régime peut être utile un temps limité chez les gros mangeurs, mais il faut pouvoir varier la préparation des mets. Le mérite de Bircher et de ses disciples est surtout d'avoir mis au point un grand nombre de recettes que l'on peut trouver dans les livres spécialisés sur le crudivorisme.

Les légumes sont coupés fins, ou hachés, ou râpés ; on les assaisonne au moyen de fines herbes, de citron, d'huile, de lait, de lait d'amandes. Les fruits peuvent être mangés tels quels, ou arrosés d'une sauce aux fruits, ou assaisonnés d'anis, de cacao, de vanille, de citron, etc. On a recommandé de varier beaucoup les couleurs.

Le crudivorisme intégral n'est pas toléré longtemps par un individu normal, aussi beaucoup acceptent une exception pour le repas de midi, qui peut être copieux, mais il doit commencer par des fruits. Les repas du matin et du soir seront strictement crus.

On a calculé que ce régime cru strict fournit environ 1.700 calories comprenant 25 g de protéines, 90 g de graisse et 190 g d'hydrates de carbone.

Particulièrement riche en sels minéraux et en vitamines, il est très alcalosant et excite la péristaltique intestinale ; il peut faire doubler ou même tripler le volume des selles. Les indications de ce régime découlent de ses propriétés :

1° **Les cardio-rénaux**, surtout s'ils font des oedèmes ; on peut ingérer facilement des légumes crus sans sel, ce qui n'est pas le cas des légumes cuits. La haute teneur en potassium des légumes et fruits crus favorise l'élimination de sodium et d'eau (1 à 2 litres par jour et plus en cas d'hydropisie). Toutefois, il faut se méfier dans les cas graves avec hyperkaliémie, la teneur élevée de ce régime en potassium peut accentuer celle-ci et provoquer des accidents graves.

2° **L'obésité** est une seconde indication, car ce régime est hypocalorique, surtout si on réduit les corps gras. D'autre part, son volume important, environ 2,5 kg par jour, rassasie beaucoup sans nourrir ; peu épicé, il n'excite pas l'appétit et, déshydratant, il fait perdre rapidement au début un peu de poids.

3° **Les diabétiques obèses**, chez qui il favorise l'amaigrissement, par suite de sa pauvreté calorique. La richesse en hydrates de carbone n'est que relative et, de plus, les glucides des fruits crus et des légumes crus sont assimilés beaucoup plus lentement que l'amidon des céréales ou des pommes de terre.

Ce régime a divers inconvénients ; il revient cher, il irrite facilement l'intestin, il est pauvre en calories et en protéines et encore une grande partie de celles-ci sont-elles de valeur biologique basse.

IV. - LES CURES DE FRUITS

On a préconisé diverses cures de fruits ; la pauvreté en protides et l'absence de graisse mettent l'estomac et le grêle au repos ; le pouvoir alcalosant de ces cures est élevé (1 kg de raisin est l'équivalent de 6 g de bicarbonate de sodium), il y a faible apport de sodium par rapport au potassium. L'apport en cellulose est important et excite la péristaltique intestinale.

On a recommandé diverses cures.

La cure de prunes ou de figues est laxative.

La cure de myrtilles, de coings ou de nèfles est constipante, grâce à sa teneur élevée en tanin qui est astringent.

La cure de pommes râpées est utile dans les entérites du nourrisson ou même de l'adulte grâce à la pectine qui absorbe les toxines.

La cure de citron a été recommandée pour les rhumatismes (10 à 20 par jour).

La cure de fraises (500 g par jour additionnés de lait et sucre) a été recommandée par le grand botaniste suédois Linné, pour combattre le rhumatisme et la goutte, mais elle peut être irritante pour l'estomac à cause des dérivés salicylés que contient sa pulpe.

On fait des journées de fruits exclusives, composées de pommes, poires, oranges ou raisins selon la saison. On mange le fruit choisi un jour ou deux par semaine pendant deux mois, à l'exclusion de tout autre aliment. La quantité quotidienne est répartie en quatre repas. On en exclut généralement les bananes parce que trop nourrissantes.

Parfois on se contente exclusivement de jus de fruits.

Heupke préfère des régimes plus variés et conseille 400 g de pommes, 700 g de poires et 400 g de bananes, par jour.

La cure de raisin a été conseillée dans la goutte. On prescrit 2 kg de raisin par jour (apport calorique de 1.500 calories).

V. - LE RÉGIME ZEN MACROBIOTIQUE

On peut apparenter aux régimes végétariens le régime Zen macrobiotique imaginé par le Japonais Georges Oshawa ; ce mode d'alimentation fait partie de toute une philosophie de la vie et a gagné une popularité telle outre Atlantique parmi les milieux d'adolescents que l'administration des Etats-Unis le considère comme un problème important de Santé Publique à cause des dangers qu'il fait courir à la santé et même à la vie de ses adhérents.

Ce régime est proposé pour provoquer un éveil spirituel et une renaissance ; il constitue une manière de protester contre la société industrialisée, et contre l'industrie alimentaire en particulier, contre la guerre, contre l'inhumanité de l'homme pour l'homme.

Oshawa classe les aliments en deux grandes catégories, le Yin et le Yang entre lesquelles il faut un équilibre ; il est constitué avant tout de céréales et prescrit qu'il faut éviter les liquides.

Il y a 10 degrés dans le régime : le plus bas, régime −3, comprenant 10 % de céréales, 30 % de légumes, 10 % de soupe, 30 % de produits d'origine animale, 15 % de salades et de fruits et 5 % de desserts ; il faut progressivement arriver au degré le plus élevé, régime + 7, constitué exclusivement de céréales. A ce moment, d'après le promoteur, on est en état de bien être parfait. Il n'y a pas, grâce à ce régime, de maladie aussi simple à guérir que le cancer.

On a vanté les vertus de ce régime parce que par sa pauvreté en lipides, il maintient bas le taux de triglycérides et du cholestérol plasmatiques et par sa pauvreté en sodium il met a l'abri de l'hypertension. Notons, non sans humour, qu'au Japon, où une grande partie de la population consomme surtout du riz et a un régime proche du régime Zen, le cancer de l'estomac et l'hypertension sont plus fréquents que dans les autres pays du monde.

Le comité sur la malinformation nutritionnelle du Conseil National de la Recherche aux Etats-Unis a étudié ce problème ; il a constaté que ceux qui appliquent strictement ce régime font très fréquemment des carences en vitamine B_{12}, en flavines, en fer et en calcium ; on rencontre chez eux de nombreux cas d'anémie, d'hypoprotéinémie, de cachexie et de scorbut. On a vu un certain nombre de morts par blocage rénal à cause de l'apport hydrique insuffisant.

Sur la base de ces constatations, le " Council on Food and Nutrition " des Etats-Unis estime que ce régime doit être formellement condamné.

CHAPITRE V

L'hyperalimentation des dénutris

Le médecin se trouve parfois confronté avec le problème nutritionnel de malades devenus incapables de s'alimenter. Cette impossibilité d'alimentation peut provenir de la trop grande faiblesse du patient, de lésions buccales, pharyngiennes ou oesophagiennes ou être la suite d'interventions chirurgicales. Dans ce cas, il faut recourir à l'hyperalimentation.

La notion d'hyperalimentation est née des travaux de Dudrick montrant qu'une alimentation parentérale totale à taux calorico-protidique élevé permettait de transformer l'évolution et le pronostic de certaines affections médico-chirurgicales avec catabolisme accru.

L'hyperalimentation s'oppose à la suralimentation. Dans la suralimentation, l'apport nutritionnel est supérieur aux besoins de l'individu tandis que dans l'hyperalimentation, l'apport calorique et protéinique élevé a pour but de couvrir des dépenses énergétiques accrues ou de corriger un état hypercatabolique.

I. - LES INDICATIONS DE L'HYPERALIMENTATION

Comme l'a écrit Levy, l'insuffisance nutritionnelle aiguë est omniprésente, couve derrière chaque malade, sape le jeu normal des grandes fonctions, altère les défenses anti-infectieuses et inhibe la cicatrisation.

L'insuffisance nutritionnelle aiguë mérite droit de cité en réanimation au même titre que les défaillances respiratoire, cardiaque et rénale. Elle requiert d'urgence un traitement intensif rendu fort difficile par l'anorexie et l'adynamie des malades incapables d'absorber spontanément les rations énergétiques et azotées élevées indispensables à leur guérison.

Schwander a dressé un tableau montrant les principales indications découlant de l'importance des pertes protéiniques ; à la liste établie par Schwander, on peut ajouter les indications suivantes :
— fistules digestives graves : oesophagiennes, gastroduodénales, jéjunoiléales,
— ulcère gastrique géant des sujets âgés,
— tumeurs du tractus digestif,
— maladie de Crohn,
— infarctus mésentérique,
— affections hépato-biliaires,
— résection du grêle,
— atrophie des villosités d'origine radique.

Voici selon Schwander l'importance des pertes protéiniques dans diverses circonstances.

Affection	Pertes en g par 24 heures		
	Azote	Protéines	Muscle
Ileus	15	94	375
Fractures multiples	15	94	375
Fistule biliaire	15	94	375
Péritonite	20 à 30	125 à 187	500 à 750
Recto colite ulcéro hémorragique	25 à 35	156 à 218	625 à 875
polytraumatisés	25	156	625
grands brûlés	30 à 40	187 à 250	1.000
Jour de l'opération gastrectomie	15	94	375
thoracotomie	20 à 100	125 à 625	500 à 2.500
oesophagectomie	60 à 90	212 à 562	1.250 à 2.250
thyroïdectomie	14	88	350

Trois méthodes ont été préconisées :
— L'hyperalimentation parentérale ou par voie veineuse,
— L'hyperalimentation entérale administrée par sonde naso-gastrojéjunale,
— L'hyperalimentation mixte, combinant les deux méthodes précédentes.

II. - L'HYPERALIMENTATION PARENTÉRALE

Consiste à administrer de manière continue des solutés nutritifs par voie veineuse.

Dans les cas d'hyperalimentation de courte durée, on peut introduire les liquides dans une veine périphérique, mais si elle doit durer plus de quelques jours, on se sert de la veine jugulaire interne ou de la veine sous-clavière.

L'apport énergétique comporte :
— des glucides, principalement sous forme de glucose à la concentration de 5 ou de 10 %.
— des lipides, actuellement diverses émulsions convenant pour l'administration intraveineuses contiennent de 10 à 20 % d'huile de soja ou d'huile de coton (Intralip, Lipiphysan, Lipofundin, Trive 1000) ;
— des protéines soit sous forme d'hydrolysats de protéines obtenus par dégradation enzymatique ou chimique de caséine ou de fibrine, soit sous forme de solutions cristallines d'acides aminés.

Bien entendu, il faut couvrir le besoin en acides aminés essentiels. Celui-ci diffère aux différents âges. Voici les besoins tels qu'ils ont été définis en 1985 par une étude conjointe de la F.A.O., de l'O.M.S. et de U.N.U.

Tableau - Besoins en acides aminés essentiels en mg/g de protéines aux différents âges.

Acides aminés	A	B	C	D
Histidine	26	14	19	—
Isoleucine	46	28	28	13
Leucine	93	66	44	19
Lysine	66	58	44	16
A.A. soufrés*	42	25	22	17
A.A. aromat.**	72	63	22	19
Thréonine	43	34	28	9
Tryptophane	17	11	9	5
Valine	55	35	25	13
Total (sans histidine)	434	320	222	111

* méthionine + cystine
** phénylalanine + tyrosine
A jeunes enfants
B enfants d'âge préscolaire
C écoliers
D adultes

L'apport des électrolytes est bien codifié ; il faut par 1.000 calories :
40 à 50 méq de Na^+
30 à 40 méq de K^+
4,5 à 9 méq de Ca^{++}
5 à 8 méq de Mg^{++}
5 à 20 méq de PO_4^{--}
En cas d'hyperalimentation parentérale prolongée, plus de quinze jours, il faudra veiller à apporter en outre :
1 mg de Fe, 0,84 mg de Cu, 1,48 mg de Mn, 2,87 mg de Zn, 1,45 mg de F, 1,52 µg de I, 0,2 mg de Se et 1,47 µg de Co.

En cas d'hyperalimentation parentérale totale prolongée de plus de 15 jours, il faudra veiller en outre à apporter 1,1 mg de fer, 6,4 mg de zinc, 1,3 mg de cuivre, 0,127 mg d'iode, 0,27 mg de manganèse, 0,90 mg de fluor, 0,01 mg de chrome, 0,03 mg de sélénium et 0,02 mg de molybdène.

L'apport quotidien de vitamines sera :
— pour les vitamines liposolubles de 5.000 unités de rétinol ou vitamine A, 400 unités de vitamine D (D2 ou D3), 100 µg de vitamine K ; 12 mg de vitamine E.
— pour les vitamines hydrosolubles
pour le groupe B, 1,5 mg d'aneurine, 1,5 mg de flavine, 10 mg d'amide nicotinique, 2 mg de pyridoxine, 50 µg d'acide folique, 5 µg de cobalamine, 50 mg d'acide ascorbique.

Les complications de l'hyperalimentation parentérale sont rares lorsqu'elle est correctement appliquée ; elles peuvent être de divers ordres.
a) liées au volume des liquides perfusés ; il s'agit essentiellement d'oedème pulmonaire

consécutif soit à la trop grande importance des volumes perfusés, soit à des apports excessifs de sodium ; il faudra selon le cas soit ralentir le débit tout en augmentant au besoin la concentration des liquides perfusés, soit réduire la teneur en sodium ;

b) complications mécaniques dues généralement à des erreurs dans la pose du catéthère (fausse route, perforation veineuse, hématomes, embolies gazeuses, ponction artérielle, trombose veineuse) ;

c) complications infectieuses favorisées par l'état de malnutrition du patient qui peuvent se manifester par un état fébrile simple mais aussi par un état septicémique ;

d) exacerbation d'un diabète latent avec hyperglycémie, polyurie et parfois coma hyperosmolaire. Un traitement par l'insuline et le remplacement des solutés concentrés par des solutions isotoniques agiront d'autant mieux que le diagnostic aura été plus précoce ;

e) acidose hyperchlorémique due soit à l'excès d'ions Cl^-, soit à la libération excessive d'ions H^+ à partir de certains acides aminés ;

f) troubles hydro-électrolytiques divers tels que : rétention hydrosodée se manifestant par une prise de poids dès les premiers jours et parfois révélatrice d'une insuffisance cardiaque ou rénale, hyponatrémie, hypokaliémie, déséquilibres phosphocalciques qui demandent à être traités chacun par la méthode appropriée ;

g) complications dues aux émulsions lipidiques. L'utilisation d'émulsions suffisamment fines (globules graisseux de moins de 0,7 µ de diamètre) depuis qu'on utilise de l'huile de soja stabilisée par la lécithine on a éliminé le risque d'embolie graisseuse.

On peut voir :

— une intolérance précoce : frisson, sudation, chute de la tension, troubles vasomoteurs, céphalées, douleurs thoraco-abdominales, nausées, fièvres. L'arrêt de la perfusion fait cesser rapidement ces troubles ;

— une intolérance tardive se manifestant par de l'hyperleucocytose, des troubles de la coagulation sanguine, de l'anémie hémolytique, de la stéatose hépatique.

III. - L'HYPERALIMENTATION ENTÉRALE

Consiste à administrer par sonde gastrique ou gastrojéjunale des liquides nutritifs.

L'hyperalimentation entérale a comme avantage par rapport à l'hyperalimentation parentérale selon Gouzy, de Toulouse :

— la simplicité de la méthode,

— l'absence de risque septique,

— la diminution du dysmicrobisme intestinal,

— le moindre coût.

1° Historique du gavage par la sonde

Dans l'Antiquité, en Grèce et sous l'Empire Romain, les médecins s'étaient déjà servis de la sonde, mais ils ne connaissaient qu'une indication, le gavage ou l'alimentation forcée. Tout laisse supposer que les indications étaient bien mal posées et les résultats décevants.

L'alimentation par la sonde acquit droit de cité en thérapeutique en 1910 lorsque Einhorn mit au point la sonde duodénale qui porte son nom.

La première utilisation de cette sonde eut pour but de mettre l'estomac au repos. On introduisit ainsi les aliments directement dans le duodénum en évitant le passage dans l'estomac. Les indications furent naturellement l'ulcère gastrique, la dilatation gastrique sans obstruction organique, l'atonie gastrique. Le malade pouvait ainsi s'alimenter sans mettre son estomac à contribution.

Progressivement, les indications de l'alimentation par la sonde duodénale furent élargies ; on applique cette méthode dans le cancer de l'estomac, les vomissements incoercibles de la grossesse, L'anorexie mentale.

La technique d'Einhorn consistait à administrer de façon discontinue et suffisamment lentement une solution fluide homogène. Généralement, on administrait au malade toutes les 2 heures 1 oeuf dans 225 g de lait additionné d'une cuiller à café de lactose. Une fois sur deux on ajoutait une cuillerée à soupe de beurre fondant. Lorsque le lait n'était pas toléré, on donnait une bouillie d'orge faite à l'eau.

L'alimentation par la sonde duodénale fit son apparition dans le domaine chirurgical en 1937. C'est à Santy et à Mallet-Guy que revient le mérite d'avoir traité avec succès par cette méthode les fistules duodénales et gastrojéjunales postopératoires.

L'année 1950 vit un très grand progrès ; L'introduction des sondes fines en polyéthylène qui grâce à leur fin calibre étaient beaucoup mieux tolérées. Leur diamètre intérieur peut n'être que de 1,2 mm et le diamètre extérieur de 2,2 mm. La longueur de la sonde dépend de l'étage du tube digestif que l'on veut atteindre : 69 cm pour la sonde naso-gastrique, 182 cm pour la sonde jéjunale. En pédiatrie, on utilise des sondes qui n'ont que 30 cm.

Ainsi, après avoir utilisé la sonde pour ménager l'estomac, on l'utilisa surtout dorénavant pour l'alimentation des dénutris, de ceux qui n'avaient plus la force de s'alimenter ou en étaient incapables à cause de lésions.

On put grâce à l'emploi de ces sondes non seulement assurer la nutrition du malade mais faire une véritable thérapeutique alimentaire, comme dans les néphrites par exemple.

En 1961 Jones eut l'idée d'administrer les liquides dans la sonde non plus de manière discontinue mais de manière continue, en goutte à goutte, durant tout le nycthémère.

Un progrès énorme a été accompli depuis que, grâce aux recherches acharnées de Levy, a été mise au point une méthode efficace d'utilisation thérapeutique ininterrompue de la voie digestive et par la mise au point d'un procédé mécanique, la nutripompe, qui permet d'administrer sous faible débit continu, une alimentation à haute valeur calorique.

Les besoins caloriques et protéiniques élevés des patients qui doivent subir ce mode d'alimentation ont posé des problèmes nouveaux ; on est amené à administrer des liquides de gavage apportant plus de I calorie par ml ; ceci pose deux problèmes : celui de la fluidité insuffisante qui empêche la descente par simple gravité et celui de l'osmolarité.

Comme l'a montré Loygue à l'Hôpital Saint-Antoine à Paris, la couverture rapide des besoins caloriques et protéiniques a d'heureux effets à tous âges sur l'état général, l'état local, la cicatrisation et la reprise de poids.

2° Les techniques de gavage

Les appareils

A - LES SONDES

1) **la matière** utilisée a varié au cours du temps

— Les sondes en caoutchouc sont abandonnées depuis longtemps ; elles étaient trop grosses, collaient aux parois et provoquaient des lésions de la cavité nasale, du pharynx et de la muqueuse oesophagienne.

— le chlorure de polyvinyle ou polyéthylène a l'avantage d'être très maniable bien qu'un peu plus rigide que le silicone. Leur manque de souplesse risque parfois de causer de petites lésions de la muqueuse oesophagienne.

— le silicone est fort souple et même laissé en place dans l'estomac ou le duodénum et le jéjunum, il ne durcit pas.

— le polyuréthane a la souplesse du silicone et convient aussi fort bien.

2) **Les dimensions** varient selon l'étage du tube digestif que l'on veut atteindre.

— la longueur d'une sonde naso-gastrique va de 45 à 69 cm.

la sonde naso-duodénale mesure de 60 à 80 cm.

la sonde naso-gastro-jéjunale mesure de 125 à 182 cm.

en pédiatrie on se sert de sonde de 30 cm ;

— le diamètre extérieur est de 2,2 à 2,5 mm pour les sondes en silicone ou en polyéthylène ; il peut atteindre jusqu'à 6 mm.

Le diamètre intérieur peut n'être que de 1,2 à 1,5 mm.

3) la mise en place

— pour vérifier si l'extrémité inférieure de la sonde naso-gastrique est bien dans l'estomac, on peut procéder de deux manières :

a) on injecte au moyen d'une seringue quelques ml d'air par la sonde tout en auscultant l'épigastre ; on perçoit à ce moment un bruit montrant que la sonde est bien en place.

b) on aspire un peu de liquide par la sonde gastrique. Si l'extrémité de la sonde est bien dans l'estomac, le pH du liquide est inférieur à 4, ce que l'on vérifie au moyen de papier indicateur de pH.

— pour vérifier si l'extrémité inférieure de la sonde naso-duodénal ou de la sonde naso-gastro-jéjunale est bien en place, on aspire un peu de liquide au moyen de la seringue. Le pH doit être supérieur à 6.

B - LES APPAREILS D'ADMINISTRATION

Ils sont différents pour le gavage discontinu et le gavage continu.

a) gavage discontinu

1) *L'administration à la seringue* - selon les directives de Trémolières, on administre toutes les heures 100 à 200 ml ou toutes les 1/2 heures 50 à 100 ml de liquide en l'injectant dans la sonde au moyen d'une grande seringue.

2) *L'administration par gravité* - on utilise un récipient de perfusion d'au moins un litre relié à la sonde par une tubulure en polyéthylène sur laquelle on peut fixer une pince. Ce système permet d'administrer de grandes quantités de liquide.

b) gavage continu

1) *La Nutripompe* - qui a été utilisée initialement au cours des 24 heures de la journée.

Cet appareil est constitué d'un instillateur couplé avec un agitateur destiné à maintenir les liquides nutritifs bien homogènes ; un moteur électrique de faible puissance assure le fonctionnement de l'appareil et propulse à débit faible mais réglable des liquides nutritifs de fluidité, de consistance et d'homogénéité très variable :

Le modèle le plus couramment utilisé est un modèle simple à 3 débits ; il assure parallèlement la mise en solution ou en suspension et la propulsion des liquides ; sa mise en place est simple de même que l'utilisation, le démontage, le nettoyage et la stérilisation des pièces en contact avec le liquide nutritif.

Il existe 2 autres modèles, l'un avec régulateur de vitesse et l'autre avec réfrigérateur et débit réglable de 0,1 à 10 ml/min., d'une capacité de 5 litres et pouvant fonctionner de manière autonome durant 24 heures.

La gamme des applications de cette méthode a été étendue par des appareils complémentaires :

— un programmateur de réanimation à fonctions multiples effectuant de façon automatique, cyclique et indéfinitivement répétitive l'ouverture et la fermeture de 2 ou 4 circuits d'instillation et d'aspiration de durée réglable ;

— un réinstillateur autorégulateur,

— un automate de réanimation.

2) *L'infusomat* - est un appareil d'instillation à débit réglable mais non muni d'agitateur ; ceci rend difficile de l'utiliser pour un gavage avec des liquides riches en poudre ou apportant plus de 1,5 calories par ml car la tubulure risque de se boucher.

Ces gavages ne doivent pas nécessairement se faire avec ces appareils ; c'est le cas notamment lorsque l'on fait le gavage par la méthode discontinue ; on peut utiliser des techniques nécessitant un appareillage plus simple.

3) la pompe *Nutrivar* est une pompe péristaltique qui assure un débit constant sans à coups grâce à un instillateur électronique de grande stabilité et à dix galets.

Un agitateur à vitesse réglable permet de s'adapter à diverses hétérogénéités des liquides à perfuser ; la vitesse de débit est constante, indépendante du niveau de liquide dans le récipient.

Il est possible d'obtenir une grande précision du débit d'instillation dans une gamme allant de 2 à 900 ml/heure avec un seul tube de silicone dont le diamètre intérieur est de 3 mm et le diamètre extérieur de 5 mm.

Il existe trois modèles permettant différents débits par 24 heures :
— le modèle standard permet un débit de 400 ml à 20 l/24 h,
— le modèle spécial permet un débit de 70 ml à 3,5 l/24 h,
— le Nutrivar 700 permet un débit de 48 ml à 21,6 l/24 h.

Pour chacun de ces trois modèles, il existe différentes options :
— Nutristop : lorsque le récipient est vide, il y a arrêt automatique et un signal d'alarme se déclenche.
— Perfustop : c'est un détecteur de bulles d'air ; un signal d'alarme se déclenche lorsque l'appareil est utilisé pour des perfusions intraveineuses.
— Nutricold : il s'agit d'un modèle avec pompe réfrigérée totalement indépendante avec un récipient de 5 litres.

3° la préparation des liquides de gavage

La préparation des liquides de gavage exige des soins tout à fait particuliers car il s'agit de milieux éminemment favorables à la reproduction des microbes. Ils vont être administrés en milieu hospitalier où les risques de contaminations par des bactéries pathogènes sont plus grands que partout ailleurs, à des malades affaiblis dont la résistance à l'infection est diminuée.

La préparation des liquides de gavage se fera de préférence dans la biberonnerie ou, à son défaut, dans l'unité de diététique mais en aucun cas dans la cuisine centrale où les risques de contaminations sont beaucoup trop grands et où le personnel n'est pas éduqué à faire des préparations aseptiques.

I. - Qualités des liquides nutritifs

Devant l'importance des besoins caloriques et protéiniques des dénutris que l'on doit alimenter par la sonde, les liquides nutritifs doivent répondre à certaines exigences :

1. QUALITÉS NUTRITIVES - sauf en cas de néphropathie, le gavage doit être hyper protéiné ; il doit être pauvre en lactose afin d'éviter les diarrhées car l'expérience montre que la plupart des patients qui doivent subir le gavage font une insuffisance en lactase ; la quantité de lipides doit être limitée. L'apport en glucides doit donc être important.

2. QUALITÉS PHYSIQUES - le liquide nutritif doit remplir 3 conditions physiques :
A) la fluidité doit être suffisante pour permettre un passage facile à travers la tubulure dont le diamètre est étroit. On peut tester la fluidité en transvasant 200 ml du liquide de gavage à travers une trousse, le récipient étant situé à 1m50 au dessus du sol ; ce liquide aura préalablement été filtré à travers 2 couches de gaze.

Le débit est réglé en goutte à goutte grâce à une molette ; on règle de manière à laisser passer en chute libre 1 goutte par seconde environ, il faut que le passage de 200 ml ne prenne pas plus de 30 minutes.

B) absence de résidus à la filtration sans quoi il risque de se former des bouchons, notamment au niveau de la molette.

Chez les sujets qui doivent subir une alimentation entérale de longue durée, un des inconvénients majeurs est la constipation due au manque de fibres.

On peut y remédier en administrant du son micronisé de telle manière que les granules aient un diamètre inférieur à 100 µ (Dose-O-Son). Ce produit se présente comme une poudre de couleur blanc-ocre ; on peut l'ajouter aux liquides nutritifs.

On procède en ajoutant 2 g de poudre à 50 ml d'eau ; on assure un mélange intime de manière à avoir une suspension bien homogène, sans grumeaux. Il faut veiller à ce que toutes ces opérations se passent de manière rigoureusement aseptique.

L'administration se fait 2 ou 3 fois par jour ; ceci a pour conséquences d'augmenter le nombre de selles et leur volume et de réduire le nombre de lavements.

L'utilisation du Dose-O-Son a l'avantage de ne rien changer au régime du malade en dehors de l'addition d'eau et de son micronisé.

Il existe aussi dans le commerce une alimentation liquide pour sonde enrichie en fibre, Biosorb Hospitera. C'est une préparation diététique enrichie en fibres prête à l'emploi. Elle apporte 1 calorie par ml. Son osmolarité est de 275 mosmol/l ce qui évite les diarrhées osmotiques. Le Biosorb contient 5 g de résidu de graine de soja par 500 calories.

L'avantage de ce produit est d'éviter les contaminations microbiennes lors de la préparation.

C) homogénéité que l'on peut tester en laissant reposer le gavage 2 à 24 heures au frigo ; il faut que la solution reste bien homogène au moins durant le temps qu'elle met à être administrée au malade.

3. QUALITÉS ORGANOLEPTIQUES - Chez les patients conscients la couleur et l'odeur des préparations peuvent avoir une forte influence sur les sécrétions digestives et sur le transit. Les patients, surtout s'ils sont alimentés par la sonde naso gastrique perçoivent le goût des solutions à l'occasion de régurgitations ; à ce point de vue il faudra attacher une grande importance à n'utiliser que des viandes de très bonnes qualités. Des modifications de goût, d'odeur et de couleur rompent la monotonie.

4. QUALITÉS BIOLOGIQUES - L'eau servant à la préparation du gavage doit être faiblement minéralisée (Spa, Evian, Vittel, Contrexéville).

La richesse en vitamines doit être grande ; pour cela, il faut limiter les cuissons autant que possible ; ceci a l'avantage en outre d'économiser la main d'oeuvre et de réduire le temps de préparation.

L'apport en oligoéléments doit être suffisant pour couvrir les besoins et même à réparer une carence comme on a affaire généralement à des dénutris ; il est dans ces conditions particulièrement important d'introduire du zinc à la dose de 15 mg/j. Avec Kolanowski nous avons montré que la réhabilitation nutritionnelle ne se fait de manière satisfaisante qu'en administrant une quantité de zinc suffisante.

L'asepsie totale n'est pas réalisable mais il faut veiller à contaminer le liquide aussi peu que possible. Dans ce but, il faut que tous les ustensiles qui servent à la préparation des gavages soient bouillis. Les récipients servant à la conservation et au transport seront en matière plastique et à usage unique. Dès que les solutions sont préparées, elles seront portées au frigo à 4 °C ; le temps de conservation sera limité.

Si les récipients sont en verre, ils doivent être soigneusement lavés et stérilisés avant le réemploi.

L'osmolarité de solutions nutritives ne peut au début dépasser 320 milliosmoles par litre sous peine de voir apparaître des diarrhées ou des polyuries hyperosmolaires avec risque de déshydratation. En augmentant progressivement l'osmolarité, on peut arriver à faire tolérer des osmolarités considérablement supérieures.

On peut vérifier l'osmolarité par la détermination du point de congélation.

Le pH de la solution nutritive doit être contrôlé ; Levy insiste particulièrement sur ce point car la production des hormones digestives est contrôlée par le pH.

Un pH neutre stimule la production de gastrine

Un pH acide stimule la sécrétion pancréatique

Un pH alcalin inhibe la sécrétion pancréatique.

II. - Conditions et contrindications d'application

Pour appliquer le gavage par la sonde, il faut savoir qu'il existe certaines conditions et que d'autre part, il existe des contrindications.

a) *Les conditions* nécessaires pour que puisse être appliquée cette méthode et qui doivent être réalisées simultanément sont : 1) une chachexie développée en moins de 6 mois et atteignant au moins 15% du poids initial ; 2) impossibilité d'un apport oral supérieur à 1.800 calories par jour ; 3) persistance d'une perte pondérale en dépit d'un traitement correct ; 4) conservation de capacités gastro-intestinales suffisantes du transit, de digestion et d'absorption (Levy), ce qui va dépendre de la surface de muqueuse utilisable et du débit de perfusion.

b) *Les contrindications* résultent du risque de reflux du liquide gastrique compliqué d'inhalation dans les voies respiratoires ; ce risque existe en gastro-entérologie durant les 5 premiers jours suivant les interventions chirurgicales, en cas d'occlusion intestinale, de malabsorption grave ou de résection étendue du grêle, dans les troubles de la déglutition.

c) *Les liquides à perfuser* : à ce sujet, on distingue les diètes élémentaires, les diètes semi-élémentaires et les diètes artisanales.

A) Les diètes élémentaires

Les diètes élémentaires ont pour but de ne laisser aucun résidu et de mettre l'intestin au repos. Elles utilisent comme source

— d'azote uniquement les acides aminés dont la composition en ce qui concerne les acides aminés essentiels doit correspondre aux besoins de l'organisme.

Ces acides aminés peuvent être fournis sous forme de solutions cristallines ou sous forme d'hydrolysats de protéines.

— de glucides uniquement sous forme de glucose ne nécessitant pas d'hydrolyse préalablement à son absorption ; parfois au lieu de glucose, on met du maltose ou des dextrines.

— de lipides : des triglycérides à chaînes moyennes ; on sait en effet par les travaux de Sickinger que ceux-ci peuvent être absorbables directement sans hydrolyse préalable en cas de lésions de la muqueuse.

Ces produits utilisés doivent en outre contenir en proportions adéquates les sels minéraux et les vitamines. Les principaux produits utilisés sont le Vivonex et le Nutri 2000 qui contiennent des acides aminés purs et le Faba et le Survimed qui contiennent des hydrolysats de protéines. Un seul d'entre eux contient des triglycérides à chaînes moyennes, c'est le Nutri 2000.

Cette diète élémentaire a donné de bons résultats surtout en cas de fistules digestives mais elle n'est pas exempte d'inconvénients ; on a signalé des :

— troubles gastro-intestinaux : nausées, diarrhées, rétentions gastriques,

— troubles métaboliques : déshydratations hyperosmolaires, coma hyperosmolaire non cétosique, hyperglycémie, hypoprothrombinémie,

— hémoragies gastro-intestinales.

Le principal inconvénient de cette diète est son faible apport azoté et énergétique, aussi faut-il, si elle doit être poursuivie plus de quelques jours, y associer l'hyperalimentation parentérale.

B) Les diètes semi-élémentaires

Ces diètes peuvent aussi être qualifiées de semi-artisanales car elles ont une composition plus élaborée, utilisant un mélange de différentes préparations par exemple

- comme source de protéines, L'Alburone qui contient par 100 g : 88 g de protéines sous forme d'oligopeptides mais comme inconvénient de contenir 1,3 g de lactose ce qui doit faire renoncer à son emploi en cas de carence en lactase.

- comme source de lipides, le Liprocil qui contient par 100 g : 67 g de triglycérides à chaînes moyennes et pour le reste 30 g d'huile de pépins de raisin (fortement désaturée), 2 g d'huile de germe de blé et 1 g de lécithine de soja ;

—comme source de glucides, le Maltrinex qui contient par 100 g 19 g de glucose, 57 g d'oligosaccharides et 24 g de polysaccharides.

Cette diète semi-élémentaire apporte donc encore une fraction importante des apports nutritionnels sous forme de molécules de petites dimensions, cependant comme celles-ci ne sont pas réduites jusqu'au stade d'acides aminés, sucres simples et acides gras, la tension osmotique n'est pas aussi élevée que dans la diète élémentaire ce qui évite l'inconvénient des diarrhées.

C) Les diètes artisanales

La valeur des hydrolysats de protéines a été discutée et certains, dont notamment Trémolières, leur préférait les protéines alimentaires qui seraient mieux utilisées, c'est aux protéines alimentaires aussi que Levy recourt de préférence.

Il y a lieu d'insister sur la nécessité de veiller tout particulièrement à l'asepsie lors de la préparation de ces diètes parce que les risques de contamination sont beaucoup plus grands. Les mélanges nutritifs étant d'excellents milieux de culture pour les bactéries, on risque de provoquer des infections massives du tube digestif avec poussée de fièvre, anorexie, diarrhées qui peuvent être catastrophiques.

Voici les différentes directives :

1° *Du Medical Research Council* - Les deux premiers jours, on administre par voie digestive, répartis en plusieurs prises, 2 litres d'une solution contenant 5 % d'hydrolysat de protéines, 7,5 % de glucose et par 100 g on y ajoute : 100 mg d'acide ascorbique, 10 mg d'aneurine, 10 mg de riboflavine et 20 mg d'amide nicotinique.

Le troisième jour, la solution est enrichie en glucose et en poudre de lait écrémé.

Le quatrième ou le cinquième jour, si l'évolution est favorable, on met le malade au régime lacté.

2° *De Trémolières* -Il conseille d'emblée les protéines alimentaires, soit par la sonde, soit au biberon. Il marque sa préférence pour ce second mode d'alimentation.

Il conseille de ne pas dépasser une ration de lait de 500 cm^3 à 1 litre sous peine de diarrhées et d'autre part le lait ne stimule pas l'appétit. Il conseille la formule suivante pour le lait :

25 g de poudre de lait ;

25 g de caséine calcique ;

75 g de glucose ;

ajouter 500 cm^3 d'eau et aromatiser avec du café ou du kirsch.

Cette formule à l'intérêt de réduire l'apport de lactose qui peut favoriser les diarrhées.

Il conseille de compléter avec des protéines animales de sources variées : viande, poisson, oeuf.

Pour la viande, il conseille un jus obtenu par passage prolongé au mixer, de 150 g de viande à la température de 35°. Il faut veiller à ne pas dépasser la température de 40°, car au voisinage de 50° la myosine coagule. On filtre et le jus est ajouté à 250 g de sérum physiologique ou d'eau de cuisson de légumes. Ce mélange comporte environ 325 cm^3 et 20 g de protéines. On peut éventuellement ajouter 70 g de glucose et porter à 500 cm^3. On a ainsi une ration contenant 20 g de protéines et 900 calories.

3° *Des Cliniques Saint Luc de l'Université de Louvain* - Pour atteindre aisément la couverture du besoin vitaminique on introduit dans tous les gavages préparés un " *complément alimentaire vitaminique* " composé ainsi :

    20 g de levure en paillette (Les vitamines du groupe B)
    10 g d'huile de soja (vitamine E)
    2 jaunes d'oeufs (vitamines A et D)
    100 ml de jus de fruits (vitamine C)
    25 g de poudre de lait entier (vitamine A et D)

Ce complément de base apporte 530 calories, 29 g de protéines, 30 g de lipides, 34 g de glucides, 416 mg de Ca, 858 mg de P, 153 mg de Na, 897 mg de K, 5000 unités de vitamine A, 2,4 mg d'aneurine, 2,3 mg de flavine, 2,2 mg de pyridoxine, 2,5 µg de vitamine B_{12}, 12,5 mg d'amide nicotinique, 50 mg de vitamine C, 440 unités de vitamine D et 12 mg de vitamine E

A ce complément de base, on ajoute :

— de préférence des préparations commerciales de fruits, de légumes ou de légumes et viandes homogénéisés.

L'avantage de ces préparations commerciales, dont une bonne centaine existe sur le marché, c'est qu'elles évitent beaucoup de main-d'oeuvre (lavage, découpe, cuisson, mixage) et de sources de contamination puisque ces produits sont stérilisés.

Un des grands avantages de l'usage de ces préparations c'est la possibilité de changer de couleurs et de goûts à chaque repas.

— éventuellement des purées de légumes ou de fruits, soit frais, soit en conserve mais il faut que les produits de base soient de première qualité et que la préparation se fasse dans les meilleures conditions d hygiène possibles.

4 ° *Autres formules* - D'autres formules sont possibles

La préparation des liquides de gavage se fait au moyen de produits simples :
    jambon finement passé au turmix
    carottes passées au turmix
    lait entier
    protifar
    midex
    huile de maïs
    bouillon en cube (Oxo, Liebig, etc.)

En variant la proportion de ces différents produits, on pourra préparer des liquides apportant de 1000 à 1500 calories par litre. On peut y ajouter des oeufs, de la poudre de lait écrémé, des épinards, du foie de veau, de la viande, des haricots princesses, des pommes de terre.

Il faudra veiller à une fluidité parfaite en passant finement les aliments solides au turmix.

On peut faire d'autres formules de préparation, par exemple :
    fromage blanc maigre
    pommes ou abricots au sirop
    oeuf
    protifar ou supplexal
    dextrine maltose
    eau.

On peut aussi faire un mélange qui a l'avantage d'être fort fluide :
    yaourt maigre
    jus d'orange
    oeuf
    protifar ou supplexal
    dextrine-maltose.

On peut y ajouter de l'huile de maïs, de l'eau, des fruits, du sirop, des biscottes, des confitures.

5° *Le problème des gavages de plus de 1 calorie par ml* - Les gavages de 1,25 et 1,5 calorie par ml ne posent aucun problème pour l'installation par gravité, par contre si la charge calorique est de 1,75 ou 2 calories par ml l'administration par gravité n'est plus possible car la solution nutritive bouche la sonde ; il faut alors recourir à la nutripompe avec récipient réfrigéré et couvert sans quoi en quelques heures il y a une contamination microbienne trop importante et comme les liquides nutritifs sont d'excellents milieux de culture, les bactéries y pullulent de manière massive.

Voici les formules adoptées pour ces 4 formules par Mesdemoiselles Sirjacobs et Keunebroek à l'Université de Louvain

A. **1.250 calories par litre**
complément alimentaire vitaminique (ci-dessus)
350 g purée de fruits
100 g yaourt maigre
55 g alburone
70 g maltrinex (dextrines maltoses).

Ce gavage est fluide et homogène, il n'y a aucune difficulté à assurer son instillation par gravité, il apporte 1.245 calories, 82 g de protéines, 32,5 g de lipides, 156 g de glucides, 1 g de Ca ; 1,5 g de P ; 312 mg de Na et 1,45 g de K.

La couleur et le goût sont bien acceptés, il n'y a pas de résidus à la filtration.

Le pH est à 6.

L'osmolarité est de 680 milliosmoles.

B. **1.500 calories par litre**
complément alimentaire vitaminique (ci-dessus)
550 g purée de fruits
60 g blanc d'oeuf
65 g alburone
95 g maltrinex.

Il faut avoir soin d'ajouter le maltrinex avant l'alburone pour éviter la formation de grumeaux.

Ce gavage est homogène et à la limite de la fluidité qui permet l'instillation par simple gravité, il apporte 1.500 calories, 95 g de protéines, 34 g de lipides, 203 g de glucides, 975 mg de Ca, 1,5 g de P, 385 mg de Na et 1,6 g de K.

L'odeur, la couleur et la saveur dépendent des fruits choisis et sont bien acceptées.

Le pH est à 6,5.

L'osmolarité est de 730 milliosmoles.

C. **1.750 calories par litre**
complément alimentaire vitaminique
300 g de purée de fruits
100 ml jus de fruits
60 g blanc d'oeuf
20 g d'huile
50 g poudre de lait écrémé
75 g alburone
170 g maltrinex.

Ce gavage a la consistance de la pâte à crêpe, son instillation à la nutripompe est facile. Il apporte 1.730 calories, 109 g de protéines, 43 g de lipides, 225 g de glucides, 1,35 g de Ca, 1,75 g de P, 500 mg de Na et 1,5 g de K.

La couleur, l'odeur et la saveur dépendent des fruits choisis et sont bien acceptées.

Le pH est à 6.

L'osmolarité est 990 milliosmoles.

D. **2.000 calories par litre**

complément alimentaire vitaminique

400 g purée de fruits

100 g jus de fruits

60 g blanc d'oeuf

30 g d'huile

80 g alburone

185 g maltrinex

Le gavage a la consistance d'une crème liquide, son instillation à la nutripompe est aisée quelque soit la tubulure utilisée.

Il apporte 1.970 calories, 114 g de protéines, 53 g de lipides, 263 g de glucides, 1,4 g de Ca, 1,8 g de P, 500 mg de Na et 1,5 g de K.

La couleur, l'odeur et la saveur sont bien acceptées et dépendent du fruit utilisé.

Le pH est à 6,5.

L'osmolarité est de 1450 milliosmoles.

Lors de la préparation de ce gavage, il faut mixer les ingrédients avec le plus grand soin, si des grumeaux subsistent la pâte est travaillée au fouet puis remixée et enfin filtrée.

E. **Quelques remarques sont importantes**

Ces 4 gavages ont une osmolarité supérieure à 320 milliosmoles ce qui devrait théoriquement entraîner des diarrhées.

Ceci serait vrai si ces gavages étaient installés d'emblée. On peut arriver à les faire tolérer à condition de partir de solution dont la concentration ne dépasse pas 320 milliosmoles (par exemple le glucose à 5 %) et en augmentant l'osmolarité des solutions progressivement. A condition d'être prudent, on évite et la diarrhée et la déshydratation.

Il faut noter que si à l'achat des produits les gavages à base de préparations commerciales reviennent environ 10 % plus cher que les gavages à base de produits frais, à la distribution au malade ils reviennent meilleur marché par la grande économie de la main d'oeuvre et offrent plus de garantie d'asepsie.

6° *Formules de Lévy* : l'auteur parisien conseille des formules assez semblables à celles des cliniques Saint-Luc ; en effet, il recommande un mélange de :

— 53,6 % d'aliments naturels non dégradés : sucre, lait, viande de boeuf, oeuf, carottes, etc.) préparés extemporanément de manière à contenir en calories 14 % de protéines, 18 % de lipides et 68 % d'hydrates de carbone. A cela, il ajoute selon les cas :

— des hydrolysats de protéines et acides gras,

— des solutions nutritives équilibrées prêtes à l'emploi,

— des nutriments spécifiques plus élaborés adaptés à chaque cas,

— un additif hypervisqueux rendu parfois nécessaire pour diminuer la fluidité soit 6% de tapioca.

Il estime que la progression de l'apport énergétique et hydrique peut se faire en 3 à 6 jours si l'intestin est initialement sain ; il faut plus de temps si l'intestin grêle fonctionnel est réduit à une longueur comprise entre 50 et 100 cm.

Il estime que par kg de poids théorique il faut :

— 52 à 98 calories

— 50 à 60 ml d'eau

— 2 à 3 g de protéines
— 1 à 2 g de lipides
— 10 à 16 g d'hydrates de carbone.

IV. - L'HYPERALIMENTATION MIXTE

Deitel en 1976 a recommandé, surtout pour le traitement des fistules externes du tube digestif, une hyperalimentation de type mixte ; celle-ci a été adoptée dans de nombreux cas aux cliniques universitaires Saint-Luc de l'Université de Louvain et à Bordeaux par Paccalin.

Il existe bien des cas où un porteur de jéjunostomie très dénutri est intolérant à une hyperalimentation à débit rapide ou à osmolarité élevée. Il en va de même dans pas mal de cas de gastrostomie.

Pour administrer un apport calorique et un apport protéique suffisamment élevés que ne permettrait pas la seule alimentation entérale, on est amené à y adjoindre l'alimentation parentérale pour administrer les suppléments nécessaires pour assurer une cicatrisation rapide et la fermeture des fistules.

L'hyperalimentation mixte sera souvent nécessaire pour couvrir le besoin calorique élevé des intoxiqués et des polytraumatisés.

Les deux méthodes loin de s'opposer sont donc complémentaires ; lorsque l'état du patient s'est suffisamment amélioré, on peut interrompre l'alimentation parentérale et poursuivre la réhabilitation du patient par la seule alimentation entérale.

Dans d'autres cas, les deux méthodes se feront suite ; après une phase de réanimation parentérale, la nutrition entérale prend progressivement le relais.

V. - CAS PARTICULIERS

Des précautions particulières s'imposent dans certains cas.

A. Les intoxiqués et les polytraumatisés

Les indications de l'alimentation par la sonde se sont étendues aux intoxiqués et aux traumatisés qui posent des problèmes difficiles car malgré leur manque d'activité physique, leurs besoins caloriques sont élevés ; souvent l'alimentation par la sonde est installée après une période d'alimentation difficile, il y a déjà une perte de poids importante, le métabolisme est élevé et le bilan azoté négatif à cause de l'état de choc.

Il faut en premier lieu couvrir les besoins en eau et en sels minéraux et augmenter progressivement les apports caloriques et protidiques pour arriver à des niveaux dépassant la normale.

Il faut commencer par des aliments courants fort digestes, tels yaourts, jus de fruits et biscottes et élargir en faisant appel à des aliments plus complexes.

Il y a cependant certains principes de base qu'il ne faut jamais perdre de vue :

1) il faut administrer les liquides de gavage en respectant autant que possible le rythme normal de l'alimentation, c'est-à-dire en respectant autant que possible le nombre et l'heure des repas. Ceci donne au patient le temps de digérer avant le gavage suivant.

2) il faut attacher la plus grande importance aux qualités physiques et organoleptiques des liquides de gavage et notamment à leur couleur et à leur odeur ; lorsque le malade est conscient, l'aspect

psychologique est aussi important dans l'alimentation par la sonde que dans l'alimentation ordinaire.

3) les liquides de gavage doivent être pauvres en lactose pour éviter les diarrhées. De nombreux auteurs ont en effet signalé chez les malades en état de choc une intolérance au lactose due à une insuffisance de lactase. Ceci est important car il est utile de porter au volume requis les liquides de gavage au moyen de lait qui permet d'augmenter l'apport calorique ; il faut cependant y aller très progressivement.

La *tolérance* de ces gavages est bonne à condition de respecter certaines règles de prudence.
1) chez les malades en état de choc présentant de l'atonie du tube digestif, mesurer soigneusement le résidu gastrique ; ne jamais faire un gavage chez un sujet qui a un résidu gastrique important, c'est-à-dire de plus de 50 ml car on risque une oesophagite de reflux ou une fausse déglutition.
2) en cas de distension gastro-intestinale, différer le gavage car on ne pourrait qu'aggraver le cas.
3) compléter le gavage par une alimentation parentérale de manière à assurer une bonne couverture calorique ; on pourra mettre en perfusion 1 à 2 litres de glucose de 5 à 20 %. Ceci sera surtout important lorsque le besoin calorique est élevé.
4) si le gavage doit se prolonger, il faut en varier le goût, ce qui se fera surtout en modifiant les légumes et les fruits qui rentrent dans sa composition.
5) il faut veiller à ce que la viande utilisée soit de première qualité sans quoi elle risque de donner un mauvais goût
6) la composition des aliments rentrant dans le liquide de gavage doit tenir compte de l'état pathologique du patient.
7) il faut, dans les cas difficiles, une assistance psychologique où la diététicienne doit jouer un rôle capital

B. Certaines affections oesophagiennes

Ce sont surtout les brûlures de l'oesophage et les varices oesophagiennes qui requièrent des précautions particulières.

a) *Les brûlures de l'oesophage* sont souvent traitées par la mise en place d'une sonde duodénale ; il faut avoir grand soin en introduisant la sonde de ne pas perforer la paroi de l'oesophage particulièrement amincie, surtout lorsque la corrosion est due à la soude ou à la potasse caustique.

Cette méthode permet d'éviter la gastrostomie et rend possible l'alimentation, même en cas de sténose cicatricielle. On a conseillé l'usage de sondes assez larges pour éviter la sténose ; il y a lieu de noter toutefois que les avis sont divisés et que certains auteurs préfèrent ne pas recourir à la sonde depuis que l'on traite ces accidents par les antibiotiques et les dérivés corticoïdes.

b) *Les hémorragies oesophagiennes* sont souvent la conséquence d'une hypertension portale au cours de la cirrhose. Il se crée des varices oesophagiennes qui peuvent se rompre et saigner. Ces hémorragies sont souvent abondantes et difficiles à arrêter. Le passage du bol alimentaire, durant les jours qui suivent, peut arracher le caillot bouchant la perforation.

Pour éviter ces accidents, Blackmore a mis au point une sonde en caoutchouc entourée de deux ballonnets gonflables séparément au moyen de deux tuyaux très minces incorporés dans la paroi de la sonde.

On introduit la sonde, les ballonnets étant dégonflés ; la sonde mise en place, on gonfle les ballonnets, ce qui assure l'hémostase par compression tout en permettant l'alimentation du malade.

C. Les brûlures étendues

La diététique joue un rôle de premier plan dans le traitement des brûlures étendues. Ces patients perdent des quantités énormes de protéines d'abord parce que la brûlure entraîne un catabolisme azoté extrêmement important, ensuite parce que la transsudation de sérosités au niveau des grandes surfaces brûlées, entraîne la perte chaque jour de quantités importantes de protéines.

Le malade étant inappétent et souvent même nauséeux, il faut lui administrer son alimentation par la sonde. Ceci est d'autant plus important que les besoins caloriques sont énormes.

Le National Research Council des Etats-Unis a donné des précisions à ce sujet :

% de la surface corporelle brûlée	Besoin calorique	Besoin protéinique
5 à 10	3.000	125 g
10 à 20	4.000	200 g
20 à 30	5.000	300 g

Récemment Curreri a préconisé la formule suivante : 25 x le poids du corps en kg + le % de la surface du corps brûlé.

Dans les brûlures étendues, c'est-à-dire de 20 à 40 %, il faut, selon Trémolières, assurer une quantité suffisante de sels minéraux et notamment administrer un supplément de 2 à 3 g de chlorure ou de phosphate de potassium, 3 à 4 g de chlorure de sodium et 3 à 4 g de bicarbonate de sodium.

Etant donné le rôle important du zinc dans la synthèse des protéines devant servir à assurer la cicatrisation des plaies et la synthèse des immunoglobines, compte tenu aussi de la richesse de la peau en zinc il y a lieu d'ajouter dans les liquides de gavage de l'acétate ou du sulfate de zinc. Vell recommande 440 mg par jour ; une dose aussi élevée ne peut toutefois être administrée trop longtemps car elle empêche l'absorption intestinale du fer et du cuivre.

En faveur de l'administration de zinc on peut invoquer les constatations de Larsen qui observe une déplétion en zinc qu'il attribue à l'importance du catabolisme musculaire et celles de Henzel qui trouve une perte importante de zinc par les urines dans les suites d'une brûlure étendue.

Enfin, expérimentalement, Pories a montré que l'addition de zinc au régime du rat chez qui il a provoqué des brûlures étendues accélère la cicatrisation.

Il faut en outre des quantités importantes de vitamines pour permettre la reconstruction des énormes surfaces de tissu. Voici les quantités recommandées par le National Research Council :

Vitamine A	20.000	unités
Aneurine	40	mg
Flavine	20	mg
Amide nicotinique	60	mg
Acide ascorbique	1	g
Vitamine D	2.000	unités
Vitamine K	100	mg

Trémolières conseille en outre d'ajouter 30 µg de vitamine B_{12} et 5 mg d'acide folique qui peuvent avec le foie de veau concourir à lutter contre l'anémie des brûlés.

On administre par la sonde du lait enrichi de poudre de lait écrémé, de sucre, de dextrine. Pour arriver à une teneur suffisamment élevée en calories, on ajoute de l'huile d'olive ou de l'huile de maïs ; pour apporter des protéines de haute valeur biologique et des vitamines, on peut, selon le conseil de Trémolières, donner du foie de veau passé au mixer.

Lorsque le brûlé fait une néphrite aiguë, il faut donner le maximum d'hydrates de carbone et de graisse pour limiter le catabolisme azoté et réduire la ration de protéines.

CHAPITRE VI

L'alimentation parentérale totale

L'alimentation parentérale totale peut être nécessaire parfois pendant un temps assez prolongé à la suite d'accidents crâniens, d'opérations majeures ou de maladies particulièrement graves.

Il faut que tous les besoins du patient soient couverts :

1) *Technique d'administration* : L'alimentation parentérale sera administrée au moyen d'un cathéter introduit dans la veine sous-clavière ; il faut que la pointe du cathéter aille dans la veine cave supérieure car seule une veine à gros débit pourra accepter sans irritation locale un liquide avec une concentration de 1,5 à 2,2 osm/l. (c'est-à-dire 5 fois l'osmolarité normale du sang) ; on administre le liquide à la vitesse de 2 à 3 ml par minute, si le cathéter est bien introduit le débit de la veine cave supérieure étant d'environ 2,5 l par minute il est immédiatement dilué 1.000 fois.

Le cathéter est introduit de manière strictement aseptique sous la clavicule dans la veine sous-clavière ; chez les obèses il peut être parfois plus facile d'aborder la veine sous-clavière par le creux sus-claviculaire ; on peut parfois introduire le cathéter dans la veine jugulaire externe ou dans la veine jugulaire interne.

Pour introduire le cathéter dans la veine sous-clavière par la région sous-claviculaire on place le malade sur le dos en Trendelenbourg avec les épaules tombant vers le bas ; pour obtenir cette hyperextension on place longitudinalement un rouleau entre les deux omoplates. La tête est tournée du côté opposé à celui où on va introduire le cathéter. Chez les patients très maigres on peut ne pas introduire de rouleaux sous le dos de peur de perforer accidentellement la plèvre.

Avant d'introduire le cathéter il faut bien savonner la peau, la sécher à l'acétone et la désinfecter à la teinture d'iode. Il faut mettre une alèse aseptique et le médecin doit porter un masque, une blouse et des gants stériles, comme pour une opération chirurgicale.

On peut procéder à une anesthésie locale en injectant le liquide en dessous du bord inférieur à la jonction du tiers interne et de la partie médiane de la clavicule.

Dès que la canule est introduite dans la veine, on demande au malade de maintenir sa respiration en inspirant pour éviter une embolie aérique et on adapte la canule au cathéter.

Le cathéter doit être opaque aux rayons X, il est suturé à la peau au moyen de fils non absorbables pour éviter une mobilisation. On désinfecte à nouveau à la teinture d'iode et on place un pansement stérile.

2) *Les indications* : sont nombreuses. L'alimentation parentérale totale est indiquée chaque fois que l'apport par voie orale est insuffisant, impossible ou risqué :
— les inflammations graves de l'intestin (colite ulcéreuse, entérite régionale)
— les gastro-entérites infectieuses (choléra, fièvre typhoïdes, etc)
— les malabsorptions intestinales dans un état critique
— les brûlures étendues

— les fractures multiples
— des maladies débilitantes
— des vomissements et des diarrhées incoercibles
— des affections ou des traumatismes du système nerveux central
— en période postopératoire
— dans certains désordres psychiatriques.
— certaines maladies congénitales de l'enfant
— les entéropathies après irradiation
— une chimiothérapie à effet gastro-intestinal.

3) *La composition des liquides* : à introduire doit se baser sur les besoins nutritionnels. Selon la plupart des estimations, le patient au repos a besoin de 1.500 à 2.000 calories et 1 g de protéines par kg de poids du corps chaque jour. Au cours de certaines maladies ou à la suite de certains traumatismes, ces besoins peuvent être multipliés par quatre ou même par six.

En absence d'un apport calorique adéquat, il y a dégradation des protéines de l'organisme qui par le biais de la néoglucogénèse sont converties en glucose pour fournir l'énergie.

Pour assurer le besoin azoté, il vaut mieux administrer les acides aminés que des hydrolysats de protéines car ceux-ci renferment souvent des dipeptides ou des tripeptides qui peuvent être toxiques. Il faut absolument fournir les 8 acides aminés essentiels (forme lévogyre de la leucine, de l'isoleucine, de la lysine, de la méthionine, de la thréonine, de la phénylalanine, du tryptophane et de la valine) ;

Les autres acides aminés pouvant être synthétisés dans l'organisme par la transamination cellulaire des acides alpha-cétoniques, les groupements NH_3 venant du pool des acides aminés. En cas d'insuffisance hépatique il faut aussi fournir de l'arginine pour prévenir une interférence avec le cycle de l'urée.

Il faut administrer les lipides par voie veineuse pour quatre raisons :
1) elles apportent l'acide linoléique, acide gras essentiel
2) elles apportent 9 calories par gramme
3) les émulsions de graisse pour usage parentéral sont isotoniques
4) elles ne stimulent pas fortement la sécrétion d'insuline.

Au total ces lipides favorisent la rétention d'azote chez les patients qui sont en catabolisme.

Le sodium est le principal anion des liquides extracellulaires ; chez le patient qui n'a pas de pertes particulières, il faut en fournir 55 mEq/jour, mais devant des vomissements et des diarrhées il en faut beaucoup plus, par contre chez les sujets atteints d'insuffisance cardiaque, rénale et hépatique on doit parfois réduire l'apport à 20 mEq/jour.

Le potassium est le principal anion intracellulaire ; le besoin est augmenté en cas d'anabolisme et lorsque l'insulinémie est élevée, l'apport est habituellement entre 60 et 80 mEq/jour.

Du calcium est perdu par les urines, les selles et la transpiration ; il faut en fournir 20 mEq/ jour dans les liquides de perfusion ; il en va de même du magnésium ; il faut en fournir 20 à 30 mEq/jour ; une déplétion en magnésium et en calcium peut provoquer de l'hyperexcitabilité neuro-musculaire.

Le phosphore est indispensable ; il faut en ajouter 18 à 24 mM/l sous peine de voir apparaître une hypophosphatémie.

4) *La satisfaction du besoin en vitamines* : chez les malades qui doivent subir une alimentation parentérale prolongée, il est indispensable de leur fournir chaque jour une dose des différentes vitamines qui restaure leurs déficits et qui maintienne un taux normal dans leur plasma, tout en évitant des accidents toxiques.

Il est difficile de donner des recommandations très précises car il peut y avoir de grandes variations individuelles. D'autre part l'organisme contient des réserves fort importantes de certaines vitamines, la A et la B_{12} par exemple. Enfin tous les malades ne sont pas pris en charge dans le même état nutritionnel. Quoiqu'il en soit voici les recommandations de 2 centres américains de réhabilitation nutritionnelle.

Tableau 1 - Dose hebdomadaire recommandée

vitamines	Brennan	Nichoals
A Unit. Inter.	21.000	29.400
D Unit. Inter.	2.100	2.940
C mg	3.500	1.470
B_{12} mcg	126	105
Folates mg	7	4,2

On a décrit des cas de carence en vitamine E au cours de l'alimentation parentérale totale et Kinsky estime indispensable d'administrer chaque jour 15 unités internationales de celle-ci pour maintenir le taux plasmatique normal.

Pour les vitamines du groupe B Bradley recommande chaque jour :
— 50 mg de chlorhydrate d'aneurine
— 10 mg de flavine
— 100 mg d'amide nicotinique
— 25 mg d'acide pantothénique
— 15 mg de pyridoxine
— 5 mg de D-α-acétate de tocophérol

Il recommande en outre de donner chaque semaine une injection intramusculaire de
— 15 mg d'acide folique
— 10 mg de vitamine K
— 1.000 µg de vitamine B_{12}

5) *La satisfaction du besoin en oligoéléments* : on ne s'était guère occupé des oligoéléments du temps où l'alimentation parentérale totale ne se faisait que durant une période relativement brève, mais depuis qu'on la fait durant des périodes parfois fort longues excédant même une année, on a vu apparaître les symptômes caractéristiques de la carence de nombreux oligoéléments. C'est la raison pour laquelle on a mis au point de petits flacons de 50 ml contenant en solution la quantité dont l'adulte a besoin chaque jour de chacun des oligoéléments. On introduit un de ces flacons dans la première perfusion de la journée.

Voici une formule proposée
— fer   1,00 mg
— cuivre   0,48 mg
— manganèse   1,00 mg
— zinc   4,00 mg
— fluor   1,45 mg
— cobalt   1,47 µg
— iode   152 µg
— sélénium   40 µg
— molybdène   25 µg

Bien entendu les chiffres donnés ne sont que des moyennes. Il est indispensable de procéder régulièrement chez ces patients à des vérifications du taux plasmatique des différentes vitamines et des oligoéléments de manière à ajuster les doses en fonction des besoins propres à chaque patient.

Les doses peuvent paraître faibles en fonction de celles recommandées pour l'alimentation normale mais il ne faut pas oublier que 1) ces patients ayant une activité faible, leurs besoins sont peu élevés 2) seule une petite partie des quantités consommées est absorbée et passe dans le sang.

Rythme d'administration : il faut se souvenir qu'en temps normal le besoin en eau est de 35 ml/kg/jour chez l'adulte et 100 ml/jour chez l'enfant.

Au début de l'administration, on donnera aux adultes 2 litres de liquide par jour ; on pourra ajouter 500 ml à 1 litre par une veine périphérique pour administrer au total 2,5 à 3 litres. Au début les liquides contiennent 15 % de glucose que l'on augmente progressivement pour arriver à 25 % après 5 jours.

Il faut avoir soin de vérifier avant l'administration des liquides que le cathétère est en bonne place grâce à une radiographie du thorax ; il faut suivre chaque jour les différents paramètres sanguins (glycémie, urée, électrolytes, lipides) et urinaires (sucre, acétone, osmolarité) ainsi que la coagulabilité sanguine.

Complications : Diverses complications peuvent survenir qui doivent rendre le médecin particulièrement vigilant. On peut voir :
— une déshydratation avec hyperglycémie et hyperosmolarité sans acido-cétose pouvant aller jusqu'au coma
— une hypoglycémie due à l'interruption brusque de l'administration de la perfusion ; il y a à ce moment hyperinsulinisme, c'est la raison pour laquelle avant d'interrompre, il faut réduire progressivement la quantité de glucose administré.

A côté de ces complications métaboliques il existe quantité d'autres complications :
— pleurales : pneumothorax, hydrothorax, hémothorax
— médiastinales : hydro ou hémomédiastin, syndrome de la veine cave supérieure
— cou : emphysème, lésion artérielle
— nerveuses : lésions du phrénique, du vague, du récurrent, du plexus brachial
— du canal thoracique : thrombose, chylothorax, fistule
— veineuse : ulcération de la paroi, embolie aérique, fistule
— cardiaque : arythmie, bloc coronaire
— infection du cathétère
Chacune de ces complications exigera une thérapeutique rapide.

L'assistance nutritionnelle des cancéreux

La technique de l'alimentation parentérale prolongée mise au point par Dudrick aux Etats Unis et par Solassol et Joyeux à Montpellier a permis d'améliorer grandement l'état général des cancéreux et d'augmenter leur résistance à la maladie et au choc opératoire.

Causes de la dénutrition

Le cancéreux présente un état de malnutrition qui est du à une série de causes :
1) la tumeur détourne à son profit une partie des nutriments et notamment les acides aminés ramifiés (leucine, isoleucine et valine) même lorsque les apports nutritionnels sont faibles.
2) le métabolisme du cancéreux est augmenté.
3) L'inappétence peut être due à un déséquilibre protidique entraînant un excès de tryptophane cérébral.
4) des infections surajoutées stimulent le catabolisme protidique et favorisent l'anorexie.
5) la chimiothérapie crée souvent des désordres digestifs, anorexie, nausées, vomissements qui n'incitent pas le patient à manger.

Caractéristiques de la malnutrition

La malnutrition du cancéreux se caractérise par
1) une perte de poids supérieure à 10 %.
2) une diminution de l'albuminémie en dessous de 35 g/l et même souvent en dessous de 30 g/l.
3) une diminution du taux de transferrine.
4) une fonte de la musculature que l'on peut objectiver en mesurant le périmètre du bras ou de la cuisse et en testant la force au dynamomètre.

Avantages de l'assistance nutritionnelle

Il fut un temps où on redoutait de nourrir la tumeur en alimentant le cancéreux ; on s'était basé entre autres sur le fait que chez l'animal d'expérience, un régime sans cholestérol diminuerait de manière significative le nombre de tumeurs.

L'expérience de ces dernières années a montré que au contraire, l'alimentation hyperprotéique favorise une diminution de la croissance tumorale en volume et l'association de lipides aux acides aminés favorise l'hôte au dépens de la tumeur.

L'amélioration de l'état nutritionnel du cancéreux a pour effet
1) d'améliorer la résistance du patient à la maladie.
2) de l'amener à la table d'opération, si le besoin s'en fait sentir dans un beaucoup meilleur état général ce qui a pour conséquence de réduire le risque opératoire et le temps de cicatrisation.
3) d'augmenter l'efficacité de la chimiothérapie car l'état nutritionnel a une influence sur la cinétique des médicaments.

Rythme

L'alimentation parentérale totale pourra être administrée à divers rythmes.

Cette méthode de nutrition peut être temporaire, elle peut être intermittente, une semaine par mois par exemple. Elle peut être très prolongée, plusieurs mois.

Dans la mesure où cette méthode est utilisée durant une période très longue, il faut qu'elle couvre tous les besoins nutritifs en sels minéraux, en vitamines et en oligoéléments sous peine de voir apparaître les signes spécifiques de carence de l'un ou l'autre d'entre eux.

La possibilité de poursuivre cette méthode à domicile grâce à la mise au point d'un matériel adéquat a beaucoup amélioré les conditions de vie de ces patients et a réduit les frais du traitement.

Il faut toutefois que cette méthode soit appliquée de manière très soigneuse pour éviter des complications infectieuses ; il faut avoir donné un minimum d'information à quelqu'un de l'entourage du patient. Enfin, il est nécessaire de surveiller les différents paramètres sanguins pour corriger à temps la composition des liquides que l'on administre. (voir chapitre II)

L'alimentation parentérale totale prolongée

L'alimentation parentérale totale prolongée pose des problèmes encore plus importants car elle peut devoir être poursuivie des mois voire des années. Il faut donc qu'elle couvre absolument tous les besoins de l'organisme sous peine de voir apparaître le tableau clinique de certaines carences .

Les indications de l'alimentation parentérale totale prolongée sont multiples et très variées allant des résections larges de l'intestin grêle aux mutilations de l'oropharynx ou de l'oesophage, au coma prolongé, aux dénutritions graves, etc.

1* Couverture des besoins énergétiques

Etant donné la longue durée d'application de ce mode d'alimentation, il faut que l'apport calorique couvre la dépense énergétique totale. Comme l'activité physique est réduite, 2.000 calories par jour peuvent suffire. Gazzaniga aux U.S.A. a recommandé 45 cal/kg/j ce qui peut convenir dans des états de dénutrition ; Shils recommande 30 calories/kg/j.

2* Couverture du besoin en protéines et en acides aminés

Autrefois on perfusait du plasma puis des hydrolysats de protéines.

Il faut que les protéines ou leurs constituants les acides aminés apportent environ 15 % des calories et que les 8 acides aminés essentiels s'y trouvent en proportion adéquate. La composition idéale en acides aminés essentiels est celle du blanc d'oeuf, la protéine de la plus haute valeur biologique.

A l'époque où la seule source de calories non protéiniques était le glucose, Jeejeebhoy estimait qu'il fallait 2,4 g de protéines par kg, mais maintenant que l'on administre aussi des lipides on estime que 1 g/kg/j est suffisant, pourvu que l'équilibre entre les différents acides aminés soit respecté. Notons que chez les patients en alimentation parentérale totale prolongée il faut introduire dans le mélange de l'histidine car chez ces patients celle-ci se comporte comme un acide aminé essentiel tout comme chez l'enfant.

On renonce de plus en plus aux hydrolysats de protéines parce que très souvent les peptides sont incomplètement hydrolysés ce qui provoque l'apparition d'ammoniac dans le sang, élève le taux d'urée et rend incomplète l'utilisation des acides aminés.

On utilise de plus en plus les solutions d'acides aminés cristallisés en veillant à ce qu'ils s'y trouvent dans la même proportion que dans l'albumine de l'oeuf. De Wijn insiste sur le fait qu'il ne faut pas perfuser trop rapidement parce que les tissus risquent de ne pas pouvoir utiliser tous les acides aminés et une partie de ceux-ci est éliminée dans les urines.

Chez les patients qui font de l'insuffisance hépatique grave ou de grandes infections on recommande d'augmenter la teneur en acides aminés ramifiés (leucine, isoleucine et valine) jusqu'à 30 % de l'ensemble des acides aminés.

Tableau 2 - Acides aminés en mg/100 g d'un mélange servant à l'alimentation parentérale totale prolongée (Trophamine)

Acides aminés	Quantité en mg/100 g
N-Acétyl-L-tyrosine (en tyrosine)	1.600
L-cystéine	5.040
L-histidine	4.560
L-isoleucine	7.800
L-leucine	13.320
Lysine	7.800
L-méthionine	3.240
L-phénylalanine	4.560
L-thréonine	4.000
L-tryptophane	1.920
L-tyrosine	680
L-valine	7.400
L-alanine	5.120
L-arginine	11.600
L-acide aspartique	3.040

Acides aminés	Quantité en mg/100 g
glycine	3.440
L-acide glutamique	4.760
L-proline	6.480
L-sérine	3.600
Taurine	240

3* Les glucides

La source idéale de glucides au cours de l'alimentation parentérale totale prolongée est le glucose.

Certains ont préféré le fructose ou le sorbitol sous prétexte qu'ils seraient assimilés plus rapidement que le glucose et seraient utilisés sans l'intervention de l'insuline. Il s'est avéré cependant que le glucose reste la meilleure source de glucides pour l'alimentation parentérale. On a parfois conseillé pour activer son utilisation d'ajouter 10 unités d'insuline par 50 g de glucose dans la solution nutritive, mais ce n'est pas nécessaire s'il n'y a pas de diabète.

A quelle concentration le glucose doit-il être ajouté ? On l'administre généralement à la concentration de 5 % (isotonique) soit à la concentration de 10 %.

Il faut que la quantité totale soit suffisante pour couvrir le besoin calorique sinon il y aura catabolisme azoté. Les glucides ont à ce point de vue un pouvoir d'épargne nettement supérieur à celui des lipides.

Dans certains services aux U.S.A. on a utilisé des oligosaccharides contenant de 3 à 10 molécules de glucose. Ceux-ci ont été abandonnés parce qu'il s'est avéré qu'ils étaient moins bien utilisés que le glucose chez beaucoup de patients. D'après Steginc, 14 % seulement des malades utilisent bien les oligosaccharides administrés par voie veineuse.

Il est important de ne pas mélanger les acides aminés et le glucose dans le même récipient de solution nutritive car même à la température ambiante, la réaction de Maillard rendrait inutilisable une partie des acides aminés et en tout premier lieu la lysine. Il faut administrer simultanément le glucose et les acides aminés provenant de deux flacons différents. On administre généralement le glucose à la dose de 15 g/kg du poids idéal.

L'apport calorique peut devoir être modifié d'après l'affection. En cas de malnutrition on peut administrer jusqu'à 50 calories/kg/j. En cas de fièvre ou de traumatisme grave on augmente l'apport calorique de 10 ou de 30 %.

En cas de brûlures étendues on l'augmente de 50 à 100 %.

4* Les lipides

Durant longtemps on n'a pas pu administrer de lipides par voie veineuse et à cette époque le glucose était la seule source de calories non protéiniques. Depuis que l'on a pu faire des émulsions suffisamment fines pour les administrer par voie veineuse, l'alimentation parentérale des malades hospitalisés a rapidement évolué.

L'apport calorique élevé des graisses a permis un premier bénéfice ; il n'a plus été nécessaire de perfuser des concentrations élevées de glucose ce qui a ménagé les veines.

Jeejeebhoy a montré qu'il est possible d'obtenir un bilan azoté positif chez les patients atteints d'affections sévères plus facilement lorsqu'une partie des calories non protéiques est fournie sous forme de lipides même lorsque l'apport d'acides aminés et de calories est le même.

Au début on a administré une émulsion fine d'huile de soja à la concentration de 10 % en veillant à ne jamais donner plus de 2 g de lipides par kilo ; il faut veiller à ce que les lipides n'apportent jamais plus de 40 % des calories.

L'huile de soja a l'avantage d'apporter l'acide linoléique ; il est apparu que les acides gras à longue chaîne ont l'avantage d'inhiber la lipogénèse à partir du glucose au niveau du foie. L'huile de soja a l'avantage de contenir 7 à 8 % d'acide linolénique un acide gras ω_3 nécessaire pour le cerveau et la rétine.

Fischer a montré que les acides gras à longue chaîne dépriment le système immunitaire, c'est la raison pour laquelle différents auteurs se sont adressés aux triglycérides à chaîne moyenne. Ceux-ci sont mieux utilisés par les tissus extrahépatiques. Davies a préconisé des émulsions constituées à parties égales de triglycérides à chaînes moyennes et de triglycérides à chaînes longues.Il a obtenu d'excellents résultats et Randall a confirmé leur excellente utilisation.

5* Les sels minéraux

La teneur des liquides de perfusion en sels minéraux a de l'importance pour l'homoeostase du milieu intérieur et pour l'assimilation des nutriments.

On ne peut se baser sur leur concentration dans le sérum, c'est ainsi que l'administration prolongée d'une dose de calcium insuffisante peut provoquer une déminéralisation du squelette alors que la calcémie se maintient normale lorsque la fonction parathyroïdienne est normale. Par ailleurs une calcémie abaissée chez le sujet en perfusion peut être la conséquence d'une déplétion en magnésium.

Il est important de fournir une dose adéquate de phosphore car il intervient dans la minéralisation de l'os. Par ailleurs il est un des constituants de l'acide nucléique, des phospholipides et des phosphoprotéines.

Tableau 3 - Besoins en sels minéraux dans l'alimentation parentérale totale prolongée chez l'adulte selon Shils

Sels minéraux	Besoin par jour	
Sodium	60 méq	soit 1.380 mg
Potassium	60 méq	soit 2.340 mg
Magnésium	8 à 20 méq	soit 192 à 480 mg
Calcium	10 à 20 méq	soit 200 à 400 mg
Phosphore	6 à 8 méq	soit 300 à 400 mg

Ces quantités conviennent pour l'adulte qui n'a pas de lésions rénales et qui a une fonction cardio-circulatoire normale. En cas d'insuffisance cardiaque ou rénale, on sera amené à réduire la quantité de sodium.

6* Les oligoéléments

Le problème se pose lorsque l'alimentation parentérale totale doit être poursuivie très longtemps, des semaines, des mois voire des années. Si on n'y pourvoit pas on peut voir se développer les symptômes de carence propre à chacun d'eux.

Il y a une grande différence entre la quantité à fournir par voie veineuse ou par voie entérale car une partie seulement d'entre eux est absorbée au niveau de l'intestin.Il faut tenir compte aussi des interactions avec certains nutriments ; le zinc peut être complexé par des acides aminés et être excrété dans les urines.

Une autre difficulté réside dans le fait que certaines affections pour lesquelles le patient est mis en alimentation parentérale totale s'accompagnent d'une perte élevée en l'un ou l'autre

oligoélément. La dose qui suffit à maintenir le stock normal ne suffit pas à combler une carence.
Voici les besoins journaliers recommandés par l'American Medical Association

Tableau 4 - Besoin journalier en oligoéléments dans l'alimentation entérale totale et l'alimentation parentérale totale prolongée (en mg)

Oligo-éléments	Alimentation entérale	Alimentation parentérale
Fer	10	1,1
Zinc	15	6,0
Cuivre	2,5	1,3
Iode	0,150	0,127
Manganèse	2,5 à 5	0,8
Fluor	1,5 à 4	0,95
Chrome	0,05 à 0,2	0,01
Sélénium	0,05 à 0,2	0,03
Molybdène	0,15 à 0,5	0,02

7* Les vitamines

Tout comme on a pu voir des carences en oligoéléments au cours de l'alimentation parentérale totale prolongée on a pu voir aussi des carences de toutes les vitamines. On doit donc administrer celles-ci dans les liquides nutritifs

Tableau 5 - Dose journalière de vitamines

Vitamines	Alimentation entérale	Alimentation parentérale
Rétinol (µg)	750 à 1.000	1.000
Cholécalciférol (µg)	5 à 10	5
α-tocophérol (mg)	10	10
Vitamine K (µg)	70 à 140	150
Vitamine C (mg)	30 à 60	100
Thiamine (mg)	1 à 1,4	3
Riboflavine (mg)	1,6	3,6
Pyridoxine (mg)	2, 2	4
Niacine (mg)	18	40
Vitamine B_{12} (µg)	3,0	5,0
Acide pantothénique (mg)	4 à 7	15
Biotine (µg)	100 à 200	60
Acide folique (µg)	400	400

8* Le danger de l'aluminium

L' eau servant à préparer la solution des différents ingrédients administrés au cours de l'alimentation parentérale prolongée doit être très pure et il faut particulièrement veiller à ce qu'elle ne contienne quasi pas d'aluminium.

La chose a été découverte par Alfrey en 1972 chez des patients en hémodialyse. La présence d'aluminium dans le liquide de perfusion provoque
a) une encéphalopathie décrite sous le nom de démence aluminique. Alfrey a décrit la présence de dépôts anormaux d'aluminium qui se localisent dans la matière grise du cerveau où il peut atteindre la concentration de 25 p.p.m.
b) une ostéomalacie vitamino-résistante avec présence d'aluminium sur le fond de calcification ostéoïde.
c) une anémie microcytaire sans déficit de fer et qui guérit en chélatant l'aluminium au moyen de la desferoxamine.

Les intoxications par l'aluminium sont favorisées par l'insuffisance rénale d'où la fréquence chez les hémodialysés mais on en a aussi décrit au cours de l'alimentation parentérale.

La teneur des liquides de perfusion en aluminium doit être inférieure à 10 µg/l.

9* La technique d'administration

Lorsque l'alimentation parentérale ne doit être poursuivie que quelques jours on peut utiliser une veine périphérique, mais lorsqu'elle doit être prolongée il faut utiliser une veine profonde.

On choisit généralement la veine sous-clavière dans laquelle on introduit un cathétère qui peut être relié à un flacon débitant par gravité le liquide nutritif. Généralement on perfuse 3 litres par jour chez l'adulte.

Les veines profondes font rarement une phlébite provoquée par le contact avec les solutions nutritives ce qui est fréquemment le cas des veines périphériques ;

D'autre part l'utilisation de celles-ci immobilise le patient une grande partie de la journée. Les veines profondes permettent aussi l'utilisation de cathétères plus larges. Si on l'introduit dans la veine sous-clavière ou dans la veine jugulaire, le patient ne doit pas être immobilisé car on peut relier le cathétère à un système portable. Ceci a permis l'utilisation chez des patients à leur domicile. Il faut veiller à ce que l'extrémité de la canule se trouve dans la veine cave supérieure.

CHAPITRE VII

La goutte

I. - PATHOGÉNIE DE LA GOUTTE

La goutte est caractérisée par des attaques aiguës ou chroniques d'inflammation, gonflement et douleurs des articulations et surtout de l'articulation métatarsophalangienne du gros orteil. Il se dépose des cristaux d'urate de soude dans les cartilages articulaires, la gaine des tendons et la bourse synoviale, de même que dans les cartilages auriculaires.

Il s'agit d'un trouble du métabolisme des purines avec une élévation anormale du taux d'acide urique dans le sang.

Même à un régime entièrement dépourvu de purines, il y a encore une élimination importante d'acide urique par les urines; celui-ci provient de la dégradation des nucléoprotéines du corps. D'autre part, la moitié seulement des purines ingérées sont excrétées sous forme d'acide urique.

Dans la goutte, l'excrétion à la fois de l'acide urique endogène et de l'acide urique exogène est modifiée. Entre les crises, il y a une diminution de l'excrétion d'acide urique endogène, mais lors des crises, il y a une forte modification de l'excrétion d'acide urique ; celle-ci diminue fort durant les 48 heures précédant la crise pour augmenter rapidement au-dessus de la normale dès le début de la crise, ensuite l'excrétion diminue en dessous du niveau d'avant la crise. D'autre part, lorsque le goutteux est soumis à un régime contenant une quantité déterminée de purines, on constate que, chez lui, l'excrétion d'acide urique exogène est égale à la moitié de ce qu'elle est chez le sujet normal.

La coexistence d'un taux élevé d'acide urique dans le sang et d'une élimination faible dans les urines fait songer à une difficulté d'excrétion de l'acide urique par le rein.

L'acide urique se forme sous l'action d'un enzyme, la xanthine-oxydase métallo-enzyme contenant du molybdène. Dans les cas exceptionnels de carence en molybdène, il ne se forme pas d'acide urique aux dépens de la xanthine.

L'existence d'uricosuriques efficaces fait perdre aux yeux de certains médecins l'importance d'un régime pauvre en purines.

Voici le schéma de formation de l'acide urique dans le tube digestif à partir des nucléoprotéines :

			Lieu de formation
┌─────── nucléoprotéines ───────┐			
protéines		polynucléotides	estomac
┌─────────── nucléotides simples ───────────┐			grêle
glucides	acide phosphorique	bases nucléiniques	bases pyrimidiques	grêle
		adénine, guanine,		
ferment oxydant ─────────── hypoxanthine, xanthine			grêle
		acide urique	sang

Le tissu cartilagineux ayant une affinité particulière pour l'acide urique, celui-ci s'y déposera avec prédilection, c'est-à-dire dans le cartilage articulaire.

Trois facteurs concourent à favoriser l'apparition de la goutte :

1° La suralimentation - Les goutteux sont généralement de gros mangeurs de viande ; la goutte était beaucoup plus fréquente autrefois lorsque dans la classe aisée on consommait d'énormes quantités de viande ; d'autre part, en période de restriction, le nombre de cas de goutte diminue.

Il faut noter que la crise de goutte survient souvent à l'occasion d'un excès alimentaire; celui-ci ne doit pas nécessairement avoir été commis aux dépens des purines. Il faut reconnaître du reste que des excès alimentaires sont fréquemment copieusement arrosés.

Curieusement on peut voir survenir une crise de goutte lors de cures de jeûne total prolongé, comme certains en font dans le traitement de l'obésité. Brûlant leur tissu musculaire et leur graisse, les patients sont dans la situation métabolique de celui qui ne consommerait que de la viande.

2° L'alcoolisme - Les goutteux se recrutent surtout chez les buveurs de bourgogne et de vins forts (porto, madère, sherry). La bière brune favorise aussi l'éclosion de la goutte car elle contient jusqu'à 20 cg par litre d'azote susceptible de se transformer en purines.

L'alcool n'est pas le facteur déterminant puisque des liqueurs titrant 40 ° ne provoquent pas la goutte.

Chez les gens modestes, la goutte se rencontre avec prédilection dans les professions où l'on est exposé à boire (brasseurs, cavistes, etc).

Certains goutteux font leur crise chaque fois qu'ils consomment un cru déterminé comme s'il s'agissait d'une allergie. Le Bourgogne surtout paraît pouvoir provoquer les crises de goutte.

3° L'hérédité - La goutte se rencontre avec prédilection chez les fils de goutteux. Les excès alimentaires qui provoqueront de l'obésité simple chez la plupart des sujets provoqueront la goutte chez les descendants de goutteux.

II. - LE RÉGIME DANS LA GOUTTE CHRONIQUE

Bien que l'acide urique qui s'accumule dans les tissus des goutteux soit en grande partie d'origine endogène, bien que l'organisme ait probablement le pouvoir de synthétiser les purines, il y a un intérêt manifeste à donner aux goutteux un régime pauvre en nucléoprotéines. Un régime totalement exempt de purines n'est pas possible car de nombreux aliments contiennent une trace de purines. L'expérience montre que le maintien durant un temps prolongé à un régime presque dépourvu de purines ne cause aucun tort à l'organisme. Le maximum de purines admissible dans un régime du goutteux est celui qui permet la formation de 200 mg d'acide urique exogène.

Voir le tableau donnant d'après Hench et Schmidt et Bessau la capacité de divers aliments à provoquer la formation d'acide urique exogène d'après leur teneur en purines.

Les aliments très riches sont les abats (composés de viscères), certains poissons et ensuite la viande. Contrairement à certains préjugés, il n'y a aucune distinction à faire entre viande rouge et viande blanche, d'une part, et entre viande provenant d'animaux jeunes et viande provenant d'animaux adultes, d'autre part.

La viande bouillie abandonne dans le bouillon une grande partie de ses purines, aussi est-ce elle que l'on préfèrera. Par contre, on interdira le bouillon de viande, qui contient environ 45 mg/100 ml d'acide urique sous forme de purines. Les extraits de viande seront formellement interdits car extrêmement riches en purines.

Dans la viande rôtie, les purines se trouvent protégées contre l'élimination par la croûte dure qui se forme à la surface de la viande quand elle est frite. Seul le boudin est totalement exempt de purines, à condition de n'être fait que de sang et de carrés de lard.

ALIMENTS	ACIDE URIQUE mg p. 100 g	ALIMENTS	ACIDE URIQUE mg p. 100 g
Viandes :		*Poissons :*	
Ris de veau	990	Anchois	465
Rognons	290	Sardine	360
Foie de veau	280	Hareng	200
Foie d'oie	260	Truite, carpe	165
Cervelle	195	Saumon, brochet	130
Pigeon, poule	175	Cabillaud	114
Langue de boeuf	165	Huître	87
Saucisse au foie	145	Homard	66
Viande de porc	125		
Viande de chevreuil	117	*Légumes :*	
Viande de veau	115		
Viande de boeuf	110	Lentilles	162
Canard, oie	100	Epinards	72
Poulet	90	Pois	54
Viande de mouton	80	Haricots	51
Jambon	75	Mâche, choux-raves	33
Salamis	69	Choux-fleurs	24
Saucisson fumé	30	Asperges	24
Boudin	0	Radis, céleris	15
		Salades	9
Farineux :		Choux verts	6
		Pommes de terre	6
Pain complet	75	Haricots verts	6
Pain de seigle	9	Concombres, choux, betteraves,	
Pain blanc	traces	tomates	0
Semoules, gruau, riz, avoine, millet, tapioca	0	*Champignons :*	
Oeufs, laitages, graisses :		Cèpes	54
		Girolles	54
Fromage fermenté	66	Morilles	33
Hollande, Gruyère, Gervais, fromages à la crème	15	Champignons de couche	15
Lait, crème	0	*Divers :*	
Oeufs de poule	0		
Caviar	0	Levure	2.000
Corps gras	0	Bouillon	45
		Bières anglaises	20
Fruits :		Sucre, miel	0
Confitures	0		
Bananes, pêches, raisin, poires, pruneaux, abricots, airelles, myrtilles, pommes, oranges	0	*Graines :*	
		Noix, noisettes	0
		Amandes	0

Il en va du poisson comme de la viande. Le poisson bouilli abandonne une très grande partie de ses purines dans l'eau de cuisson, aussi est-ce lui qui sera conseillé.

On interdira comme légumes, les légumineuses, les épinards, les choux-fleurs et les asperges.

On autorisera les fruits et les céréales blutées de manière très complète, mais on se souviendra néanmoins de la très haute teneur en purines de la levure qui peut introduire, même dans le pain blanc, un élément défavorable.

La nocivité du café, du thé et du cacao a été fortement discutée, parce qu'ils contiennent des méthyl purines, la caféine et la théobromine. Il a été démontré que ces substances ne se modifiaient pas dans l'organisme en acide urique, aussi les autorise-t-on à l'heure actuelle.

On a parfois interdit les aliments riches en acide oxalique : fraises, rhubarbe, épinards. Cette interdiction est justifiée pour les épinards, relativement riches en purines ; il n'en est pas de même pour les fraises qui contiennent un peu de salicylate, uricosurique efficace. Linné le grand botaniste suédois a amélioré sa goutte grâce aux cures de fraises ; celles-ci sont parfois recommandées en Allemagne. (3 fois par jour une livre de fraises avec du lait et du sucre). Cette cure n'est possible que durant une partie de l'année. On a préconisé d'autres cures de fruits : cure de raisins, surtout dans les stations proches de vignobles (le raisin fournit 500 calories par kg), cure de citrons, jusqu'à 20 citrons par jour dans l'espoir de solubiliser davantage l'acide urique par la formation de sels alcalins. On a préconisé dans le même but des cures de pommes. Ces cures ne sont que peu utilisées à l'heure actuelle.

Voici la liste des aliments considérés comme exempts ou très pauvres en purines :

Viandes et poissons :

    Boudins
    Gélatine
    Caviar

Oeufs :

Laitages :

    Laits et ses dérivés
    Fromages (sauf fermentés)

Corps gras :

    Beurre
    Graisses végétales
    Huile

Sucre :

    Sucreries
    Miel

Farineux :

    Pain blanc
    Farines à blutage élevé
    Pâtes

Fruits :

    Tous les fruits, y compris les fruits graines

Légumes :

    Artichaut
    Choux, choucroute
    Laitue, salade
    Pommes de terre
    Carotte, tomate
    Céleri, concombres.

Condiments :

    Cacao, chocolat
    Café, thé

Dans les cas de goutte peu grave, on admet que la teneur en purines du régime peut atteindre 200 mg par jour, ceci permet d'admettre une ration quotidienne de 150 g de la plupart des viandes ou des poissons, de même une quantité limitée de légumineuses ou de champignons.

Faut-il réduire les protéines dans le régime du goutteux ? Cela avait été soutenu par divers auteurs mais ne paraît pas se justifier, du moins comme mesure à appliquer systématiquement ;

en effet, en 1905 déjà, Falin avait montré l'effet favorable des protéines alimentaires sur le métabolisme des purines; en passant d'une diète ovolactée à un régime de féculents et de graisse, tous deux exempts de purines, il voyait l'excrétion d'acide urique diminuer de moitié. On ne peut justifier une réduction de la ration des protéines dans le régime d'un goutteux que s'il y a en même temps une insuffisance rénale avec rétention azotée.

Il faut dans le régime d'un goutteux tenir compte, outre de l'apport des purines, des facteurs suivants :

1° de l'état de nutrition : s'il est obèse, ce qui est fréquent, on le fera maigrir par un faible apport calorique ;

2° de son état rénal et on réduira la ration de protéines, s'il y a rétention azotée ; on réduira le sodium s'il y a oedèmes. On donnera peu d'épices ;

3° des allergies éventuelles pour supprimer les aliments qui, dans un cas déterminé, se comportent comme un allergène déclenchant la crise de goutte.

Un point capital du traitement de la goutte consiste à assurer une large diurèse en veillant à faire boire abondamment le patient. C'est ce qui a assuré depuis la plus haute antiquité le succès de certaines sources. Pline le jeune vantait déjà la qualité de l'eau de Spa. Les eaux pauvres en sels minéraux paraissent plus actives que les autres (Spa, Vittel, Evian, Contrexéville). L'importance de l'élimination de l'acide urique est dépendante dans une certaine mesure de l'importance de la diurèse. Le patient peut prendre non seulement de l'eau mais aussi du thé ou du café qui sont diurétiques. Par contre, il doit éviter les boissons alcooliques.

L'existence depuis déjà pas mal de temps d'uricosuriques efficaces a permis d'être beaucoup moins sévère dans l'application du régime.

Voici un type de régime sévère pour un goutteux :

Matin :

Fruits frais ou en compotes.
Un oeuf
Pain ou toast beurré
Lait ou cacao, café

Midi :

Potage crème aux légumes
Pommes de terre
Légumes cuits
Fruits
Pain et beurre
Pudding, flan, crème glacée
Lait, café ou thé

Souper :

un oeuf ou fromage frais
Légume cuit
Riz, macaroni, spaghetti ou pommes de terre
Fruit
Pain beurré
Lait, café ou thé

III. - LE RÉGIME AU COURS DE LA CRISE DE GOUTTE

Au cours de la crise de goutte, l'appétit est altéré et le malade préfère prendre un régime liquide. On aura soin de le poursuivre durant une semaine après la cessation de la crise. A ce moment, le malade qui souffre fort accepte tous les régimes qu'on lui impose.

Voici un type de régime au cours de l'accès de goutte :

8 heures matin :

Lait 200 ml

10 heures matin :

Lait malté 200 ml

Midi :

Soupe au lait

Thé très léger avec 30 g de crème et sucre

2 heures après-midi :

Lait de poule (1 oeuf, 200 ml lait et sucre)

4 heures après-midi :

Jus de fruits additionné de lactose

6 heures après-midi :

Lait 200 ml

8 heures soir :

Lait de poule (comme à 2 heures)

10 heures soir :

Lait malté 200 ml

CHAPITRE VIII

Le régime du diabétique

Le régime est l'élément le plus important du traitement du diabète. On ne peut assez insister sur ce fait car hélas trop souvent les diabétiques ont l'impression que lorsqu'ils prennent des médicaments qui combattent le sucre, le régime n'a plus beaucoup d'importance.

Le régime doit remplir un tripe but :

1) corriger les anomalies métaboliques caractéristiques de la maladie diabétique.
2) maintenir un poids normal.
3) prévenir les complications éloignées du diabète.

I. - EN QUOI LE DIABÈTE CONSISTE-T-IL ?

Le diabète est caractérisé au premier chef par une hyperglycémie entraînant secondairement une glycosurie dans la plupart des cas. Il faut cependant savoir qu'il existe des hyperglycémies sans glycosurie et des glycosuries sans hyperglycémie.

Cela revient à dire qu'on ne peut se baser sur le seul examen des urines pour affirmer ou infirmer un diagnostic de diabète. Le sucre passe du sang dans les urines lorsque la glycémie dépasse le seuil rénal du glucose qui est situé chez la plupart des sujets aux alentours de 1,80 g par litre. Il existe des personnes chez qui le seuil rénal du glucose est trop bas, à 1,20 ou 1,40 g par litre et qui présentent une glycosurie bien qu'elles ne soient pas diabétiques. Il s'agit alors du *diabète rénal* qui est une curiosité plus qu'une maladie et ne nécessite aucun régime, ni aucun traitement. Il existe par ailleurs des diabétiques, souvent âgés et scléreux, chez qui le seuil rénal est fort élevé et peut dépasser 2,50 g par litre ; l'absence de glycosurie masque un diabète qui peut être parfois fort grave et générateur de toutes les complications qui guettent le diabète mal équilibré durant une période prolongée.

Quelle est la cause de l'hyperglycémie ? Dans tous les cas, elle est due à un déficit absolu ou relatif de la sécrétion d'insuline par les cellules bêta des îlots de Langerhans du pancréas.

La glycémie est en effet le résultat d'un équilibre entre facteurs hyperglycémiants et facteurs hypoglycémiants.

L'organisme produit une série de *facteurs hyperglycémiants*

1) l'adrénaline sécrétée par la médullo-surrénale et qui produit la glycogénolyse
2) la cortisone, sécrétée par la cortico-surrénale qui intervient par la néo-glucogénèse, c'est-à-dire formation de glucose à partir des produits de dégradation des protéines
3) le glucagon, sécrété par les cellules alpha des îlots de Langerhans du pancréas qui intervient par glycogénolyse
4) l'hormone de croissance hypophysaire.

Ajoutons enfin que la thyroïde intervient dans une certaine mesure en sensibilisant les tissus à l'action des différentes hormones hyperglycémiantes.

Face à tous ces facteurs hyperglycémiants, l'organisme n'élabore qu'un seul facteur hypoglycémiant, l'insuline sécrétée par les cellules bêta des îlots de Langerhans.

Ce qui déclenche la sécrétion d'insuline, c'est l'élévation du taux de glycémie. Normalement à jeun, la glycémie est aux environs de 0,80 g par litre. Lorsqu'à la suite d'ingestion de glucose ou après un repas, la glycémie s'élève, les cellules bêta réagissent en sécrétant de l'insuline de manière à ramener la glycémie à son taux de départ. On voit le taux d'insuline sanguin passer de ± 0,50 ng/ml à 2,5 ou même 10 ng/ml, en même temps que se produit un abaissement du taux d'hormone de croissance et de glucagon.

Chez le diabétique, l'insulinémie de base est inférieure à la normale et l'insulinémie ne s'élève pas suffisamment. Toutefois, l'insuffisance de la sécrétion d'insuline peut n'être que relative par rapport à des besoins accrus, le taux d'insuline à jeun et l'élévation postprandiale étant supérieurs à ce qu'ils sont chez le sujet normal.

Cette éventualité se rencontre très fréquemment chez les obèses : elle se voit aussi dans les cas beaucoup plus rares d'hypercortisonisme ou d'hypersécrétion d'hormone de croissance (acromégalie, gigantisme). Notons que l'adrénaline, qui produit de l'hyperglycémie par glycogénolyse, arrête la sécrétion d'insuline.

L'hyperglycémie déclenchée par l'adrénaline est la seule hyperglycémie sans hyperinsulinisme qui peut exister chez le sujet normal.

II. - Moyens de détection du diabète

Comme nous venons de le voir, l'examen des seules urines ne permet ni d'affirmer ni d'infirmer un diagnostic de diabète. Seule la détermination de la glycémie permet de le faire ; n'empêche que la recherche du glucose dans les urines est le moyen grâce auquel on dépiste le plus souvent le diabète.

a) *dépistage du glucose urinaire*. A la vieille liqueur de Fehling qui réagissait de manière globale à un certain pouvoir réducteur et était fort peu spécifique se sont substituées des méthodes beaucoup plus sûres basées sur la glucose-oxydase imprégnant des bandelettes de papier (clinistix ou testape) ; ces bandelettes se colorent en présence de glucose et permettent une certaine évaluation quantitative. Le dosage devra toutefois être fait au moyen de méthodes, moins spécifiques peut-être mais permettant une appréciation plus nuancée.

b) *la glycémie à jeun* déterminée avec des méthodes spécifiques se situe généralement entre 0,70 et 0,80 g/l chez le sujet normal ; avec des méthodes non spécifiques, elle se situe aux environs de 1 g/l. Si la glycémie à jeun se situe avec une méthode spécifique entre 0,80 et 1,10 g/l et avec une méthode non spécifique entre 0,80 et 1,40 g/l, il faudra pour affirmer un diabète, recourir à l'épreuve d'hyperglycémie.

Au dessus de 1,10 g/l avec une méthode spécifique et 1,40 g/l avec une méthode non spécifique, on peut affirmer l'existence du diabète sur la seule glycémie à jeun.

c) *la glycémie en cours de journée* est beaucoup moins utilisée mais peut cependant donner des renseignements intéressants

Chez le sujet normal, le glycémie dosée par une méthode spécifique dépasse rarement 1,40 g/l dans la période post-prandiale et évolue généralement entre 1 et 1,20 g/l.

La découverte d'un taux égal ou supérieur à 1,60 g/l à l'occasion d'une glycémie déterminée au hasard en cours de journée permet d'affirmer l'existence d'un diabète.

Lambert propose de déterminer la glycémie 2 heures après l'ingestion de 75 g de glucose ; si la glycémie est supérieure à 200 mg/dl, le diagnostique de diabète doit être posé.

d) *l'épreuve d'hyperglycémie provoquée,* (encore appelée épreuve de tolérance au glucose ou triangle d'hyperglycémie ou triangle de Marcel Labbé) est indiquée chaque fois qu'il y a doute sur l'existence d'un diabète. Par contre, la pratiquer là où le diagnostic est certain est une erreur.

Pour se conformer aux directives de l'O.M.S., il faut qu'à l'occasion de l'ingestion de 100 g de glucose dilué dans 300 ml d'eau, la glycémie soit inférieure à

      1,00 g/l   à jeun

      1,80 g/l   après 30 minutes

      1,60 g/l   après 60 minutes

      1,40 g/l   après 90 minutes

      1,20 g/l   après 120 minutes.

Ce sont surtout les glycémies déterminées à 90 et 120 minutes auxquelles on attache de l'importance.

Conn a proposé pour dépister le diabète et en même temps apprécier son degré de sévérité, l'addition des 5 taux de glycémie trouvés au cours de cette épreuve.

Chez les sujets normaux, l'indice de Conn est généralement inférieur à 5, dans les cas de diabète il est supérieur à 7 ; plus le trouble de la glycorégulation glucidique est grave, plus cet indice est élevé.

Certains ont proposé de mesurer l'aire du triangle formé par la courbe d'hyperglycémie.

III. Les degrés de sévérité du diabète

On peut distinguer trois degrés de sévérité du diabète.

A. - Le diabète insulinodépendant ou de type I

C'est celui où la sécrétion d'insuline est nulle ou si faible que sans administration d'insuline, le patient entre en acidocétose puis en coma en 48 à 78 heures.

Ce type de diabète se voit surtout chez l'enfant ou chez le jeune de mois de 30 ans. Tout diabète non insulinodépendant peut parfois après de nombreuses années aboutir au diabète insulinodépendant.

On peut affirmer qu'un diabète est insulinodépendant lorsqu'en présence d'une glycémie à 200 mg/dl ou plus le taux de peptide C est égal ou inférieur à 0,1 pmol/ml ou d'insulinémie est égale ou inférieure à 15 µU/ml.

B. - Le diabète non insulinodépendant ou de type II

Ce type de diabète apparaît généralement au delà de l'âge de 40 ans (diabète de la maturité) chez les sujets obèses. La glycémie peut rester longtemps supérieure à 200 mg/dl sans que le patient ne présente de symptômes attirant l'attention. Leur insulinémie est normale ou même élevée ; à l'épreuve d'hyperglycémie leur glycémie s'élève de manière parfois considérable de même que l'insulinémie dont le pic est retardé.

Un amaigrissement par un régime hypocalorique peut atténuer ou même faire disparaître ce diabète.

Le taux de C peptide peut être normal (0,3 à 0,7 pmol/ml) à jeun mais son élévation postprandiale est faible.

C. - Le diabète de type intermédiaire

C'est l'étape de passage du type II au type I survenant généralement chez des patients évoluant depuis de nombreuses années ; les réserves insuliniques étant épuisées, il apparaît des symptômes d'insulinopénie : soif, polyurie, amaigrissement.

A coté de ces cas qui doivent être considérés comme des diabètes authentiques il existe une intolérance glucidique qui se caractérise par une glycémie à jeun normale et une courbe d'hyperglycémie trop élevée. On la rencontre au cours de certains états pathologiques tels l'hypercorticisme, l'hyperthyroïdie, l'excès d'hormone de croissance, l'hyperoestrogénie (par pilules contraceptives p. ex.). Il s'agit de facteurs extrapancréatiques créant une résistance périphérique à l'action de l'insuline.

Le facteur entrant le plus souvent en jeu est l'obésité où la diminution des récepteurs au niveau de la membrane des adipocytes réduit la capacité d'action de l'insuline.

Les courbes d'hyperglycémie et d'insulinémie se normalisent avec la guérison de l'état pathologique associé.

D. - La gravité du diabète

La gravité d'un cas de diabète ne se juge pas au nombre d'unités d'insuline qu'il doit s'injecter journellement ni aux taux de glycémie et de glycosurie lors de la visite chez le médecin. Elle se juge au risque qu'il court de faire certaines complications ou de la présence de celles-ci.

Ces risques dépendent en très grande partie (mais pas exclusivement) de la qualité du contrôle du métabolisme glucidique. Certains diabétiques suivent mal leur traitement mais s'arrangent lorsqu'ils doivent consulter leur médecin pour avoir une glycémie acceptable et une glycosurie nulle ou très faible.

Il existe 2 moyens de les dépister.

— Le taux d'hémoglobine glycolysée Hb_{a1c}

Du glucose se fixe sur la molécule d'hémoglobine par glycation ; la quantité d'hémoglobine subissant cette glycosylation dépend de l'importance de l'hyperglycémie et de sa durée. Ce taux est le reflet de ce qui s'est passé au cours des 6 dernières semaines.

Chez le sujet normal ou chez le diabétique très bien équilibré, le taux de Hb_{a1c} est inférieur à 6 % ; Lorsque ce contrôle glycémique est bon, il est de 6 à 8 % ; lorsque ce contrôle est moyen, il est de 8 à 10 % : lorsqu'il est médiocre, il est de 10 à 11 % ; lorsqu'il est mauvais, il est de plus de 11 %.

— Le taux de fructosamine

Les protéines du sérum en présence de glucose subissent la réaction de Maillard (réaction de brunissement non enzymatique). Le premier stade de cette réaction est la conversion du glucose en fructose qui se lie ensuite à une amine secondaire.

Chez le sujet normal, le taux de fructosamine sérique est de $\pm$ 2,5 mmol/l. Ce taux s'élève en cas d'hyperglycémie persistante et cette élévation dépend de l'importance de l'hyperglycémie et de sa durée. Le taux de fructosamine est le reflet de ce qui s'est passé les 2 ou 3 derniers mois et permet aussi de dépister ceux qui suivent mal leur traitement ou ceux dont le traitement est mal adapté.

Ce dépistage est fort important car il révèle l'existence en cas de mauvais équilibre glycémique d'autres troubles métaboliques or ceux-ci sont générateurs des grandes complications chroniques du diabète.

— La macroangiopathie ou artériosclérose

qui frappe surtout les coronaires, les artères iliaques et tibiales y compris leurs collatérales. Elle est le résultat d'une fibrose de l'intima provoquant des sténoses. Chez le diabétique mal équilibré, il y a libération à partir du tissu adipeux des acides gras qui entraîne une hypercholestérolémie et une hypertriglycéridémie.

Notons que ces troubles sont aggravés par le tabagisme, l'obésité et l'hypertension artérielle.

Un bon contrôle glycémique réduit les taux de cholestérol et de triglycérides ce qui peut réduire le risque d'artériosclérose.

— La microangiopathie

qui frappe les capillaires et les artérioles.

La lésion fondamentale est l'épaississement de la membrane basale dans laquelle se dépose une glycoprotéine réagissant au réactif de Shiff. La synthèse de cette glycoprotéine est accrue par l'hyperglycémie.

Cette microangiopathie survient dans tout l'organisme mais elle a des répercussions cliniques surtout au niveau des yeux (rétinopathie) et des reins (néphropathie).

L'épaississement des la basale se fait de manière précoce et a pour facteur pathogénique principale l'hyperglycémie.

IV. - LES FACTEURS FAVORISANT LE DÉCLENCHEMENT DU DIABÈTE

Plusieurs facteurs et parmi eux certains d'ordre nutritionnel favorisent le déclenchement du diabète.

a) *l'hérédité* joue incontestablement un rôle ; alors qu'il n'y a que 2 % de la population qui est diabétique, 8 % des parents d'enfants diabétiques le sont eux-même.

Le mode de transmission est différent pour le diabète de type I et celui de type II.

Dans le diabète de type I, certaines fractions particulièrement HLA prédisposent les cellules à l'attaque par le virus cytotrope B. C'est surtout vrai pour les groupes HLA-B8, B15, DR3 et DR4.

Dans le diabète de type II aucun groupe HLA particulier n'a été trouvé mais des antécédents familiaux au 1er degré existent dans plus de la moitié des cas mais le mode de transmission est mal connu.

b) *l'obésité* est le facteur déclenchant qui entre le plus fréquemment en jeu parce qu'elle entraîne un surmenage important pour les cellules bêta. Plus de la moitié (pour certains auteurs 80 %) des diabètes commençant au-delà de l'âge de 45 ans surviennent chez les obèses.

Ceci est dû au fait que chez le sujet qui pèse un poids excessif, il faut que le pancréas sécrète plus d'insuline pour assurer l'assimilation de la même quantité de glucides que chez le sujet normal. Nous naissons avec une capacité d'insulino-sécrétion de 100 unités environ. Cette capacité va en diminuant progressivement avec l'âge. Pour assurer l'assimilation d'une ration de glucides normale (± 300 g), l'homme de poids normal doit sécréter chaque jour environ 40 unités d'insuline. Chez l'obèse, pour assurer l'assimilation de cette même ration, il faudra 50 ou 60 unités. En pratique, comme l'obèse consomme une ration excessive, il oblige souvent son pancréas à en sécréter plus et ainsi petit à petit, il épuise sa capacité d'insulino-sécrétion.

C'est ceci qui explique que tant de diabétiques ont à jeun comme après un repas un taux d'insulinémie supérieur à la normale. Ils sont diabétiques en sécrétant 60 unités d'insuline alors qu'il leur en faudrait 80 mais le sujet normal maintient sa glycémie avec 40 unités. Ceci explique les guérisons (toujours plus apparentes que réelles) d'un grand nombre de diabètes par la cure d'amaigrissement. Le sujet obèse diabétique parce qu'il ne sécrète que 60 unités d'insuline par jour " guérira " de son diabète si en le faisant maigrir on le place dans des conditions où pour assimiler une ration de glucides normale, il ne doit plus sécréter que 40 unités. Ceci permet de comprendre l'importance de ramener les sujets à un poids normal tant pour la prévention que pour le traitement du diabète.

c) *les habitudes alimentaires* : Les grands mangeurs de sucreries font plus fréquemment du diabète que les autres. Des études épidémiologiques montrent que la ration admissible de sucre est de l'ordre de 35 kg par an et par tête d'habitant (donc 100 g par jour pour un adulte).

d) *l'âge* : Le diabète provenant d'une lente et progressive décompensation des cellules bêta des îlots de Langerhans, il est normal que la fréquence du diabète croisse avec l'âge.

Il ne faut toutefois pas prendre pour diabète une courbe d'hyperglycémie traînante et un pic d'insulinémie retardé qui ne sont que la conséquence d'un certain degré de malabsorption et de la lenteur de réaction du vieillard.

e) *le sexe* : Les femmes sont plus fréquemment atteintes que l'homme ; ceci provient de deux facteurs : la grossesse et la surcharge métabolique qu'elle entraîne et par les modifications endocriniennes qu'elle déclenche est diabétogène

f) *la sédentarité* beaucoup plus grande de la femme que de l'homme ; le travail musculaire brûle du glucose et tend à abaisser la glycémie ; l'absence d'exercice physique favorise l'obésité.

g) *certains médicaments* sont diabétogènes : les pilules contraceptives à base d'oestrogènes, certains diurétiques, notamment ceux du groupe des thiazides, les β-bloquants non sélectifs (propanolol p. ex.), certains anticalciques dont la néfédipine et l'isoptine, certains antiépileptiques du groupe de l'hydantoïne.

Tous ces préambules sont indispensables à la compréhension de l'ordonnance et du mécanisme d'action du régime.

V. - RÉGIME PRÉVENTIF

Les mesures alimentaires de nature à prévenir l'apparition du diabète sont de mise chez chacun mais d'une manière tout à fait particulière chez tous ceux qui ont dans leurs ascendants ou leurs collatéraux des diabétiques, de même chez les femmes qui ont mis au monde des enfants de plus de 4 kg, ce qui est suspect de prédiabète.

Ces mesures se ramènent essentiellement à deux points :

1. Maintien d'un poids normal

Comme nous l'avons montré plus haut, l'excès de poids entraîne un surmenage des cellules bêta des îlots de Langerhans du pancréas parce que 1) pour être obèse, il faut avoir mangé au-delà de ses besoins 2) l'excès de poids par lui-même entraîne une sécrétion accrue d'insuline même pour une ration normale de glucides d'où surmenage et décompensation.

Pour maintenir un poids normal, il faut 1) faire suffisamment d'exercice physique 2) manger raisonnablement, c'est à dire que la ration calorique ne doit pas être supérieure à la dépense.

Ce poids doit être maintenu toute la vie à partir de l'âge de 25 ans ; on peut admettre 2 à 3 kg de moins pour les femmes et 2 ou 3 kg de plus pour les sujets à forte carrure.

Si le sujet pèse un poids normal, il lui suffira de consommer une ration calorique qui compense sa dépense calorique ; s'il pèse trop, il devra maigrir en suivant un régime de restriction calorique.

Pour perdre 1 kg de poids du corps, il faut un bilan calorique négatif d'environ 8000 calories (1 kg de tissus gras contient 140 g d'eau et 860 g de graisse à 9,3 calories par g).

a) chez le sujet normal, la ration calorique dépendra de l'importance de son activité physique. Il faudra :

chez les sédentaires	femmes ± 1.800 calories
	hommes 2.000 à 2.200 calories
activité modérée	femmes ± 2.200 calories
	hommes 2.400 à 2.800 calories
forte activité	hommes 3.000 à 5.000 calories.

Dans la société moderne, le travail physique dur étant effectué par des machines, il n'y a que fort peu de sujets qui aient besoin d'une ration calorique supérieure à 2.800 calories.

Dans l'établissement de la ration calorique, il faudra veiller à maintenir un équilibre entre les principes énergétiques.

b) chez le sujet obèse, il faudra prescrire un régime de restriction calorique. Ces restrictions devront porter principalement sur les rations lipidiques et glucidiques ; il faudra cependant tenir compte de ce qu'il ne faut pas abaisser la ration de glucides en dessous de 100 g par jour et cela pour deux raisons : 1) les glucides sont indispensables à l'assimilation des protéines (effet d'épargne des glucides sur les protéines) ; en dessous de cette ration, il existe un catabolisme azoté qui peut être important. On comprend dès lors la grosse erreur des gens qui pour maigrir suppriment entièrement le pain et les pommes de terre ; 2) les glucides sont indispensables à la combustion normale des lipides. L'aphorisme de Knoop dit : " Les graisses brûlent au feu des hydrates de carbone ". En cas de ration glucidique insuffisante, il se forme des corps cétoniques.

Aux diabétiques obèses, nous prescrivons le régime de 1.250 calories (voir chapitre obésité).

Ce régime apporte 115 g de glucides, 65 g de protides et 55 g de lipides ; il permet de vaquer à ses occupations.

Les restrictions de sel ne favorisent l'amaigrissement que par le biais du manque de sapidité du régime et peuvent créer un certain degré d'inappétence utile dans certains cas.

Aucun médicament amaigrissant ; ils sont inefficaces, toxiques et dangereux pour la santé.

2. Eviter les abus de sucreries

VI. - RÉGIME CURATIF

1) Principes directeurs

Le régime du diabète consiste avant tout à contrôler la ration de glucides. Actuellement on tend à rapprocher le régime du diabétique de celui de l'homme normal et on ne jette plus l'anathème sur le sucre comme on le faisait autrefois. On autorise la prise d'une petite quantité de sucre à l'issue d'un repas. Ceci supprime le complexe de frustration qu'avait le diabétique au moment du dessert. Slama a monté que dans ces conditions l'effet sur la courbe d'hyperglycémie était insignifiant. Il en va de même pour la bière dont un verre pourra être autorisé au repas.

On estime que le régime du diabétique doit apporter 50 à 55 % des calories sous forme de glucides, 15 % sous forme de protides et 30 à 35 % sous forme de lipides dont on veillera à ce qu'un tiers au moins soit polydésaturé pour éviter les complications vasculaires.

Il s'agit donc d'un régime légèrement hyperprotéiné ; ceci est utile car chez le diabétique le stock de protéines baisse plus rapidement avec l'âge que chez le sujet normal. On ne préconise plus comme autrefois une ration très élevée de protéines car Brenner a montré qu'une surcharge de la ration alimentaire en protéines précipite la glomérulosclérose et donc l'insuffisance rénale. Une ration de 75 g de protéines par jour dans un régime de 2.000 calories est satisfaisante.

Le régime hyperlipidique préconisé durant le 1er tiers du siècle est à proscrire ; il favorisait les complications vasculaire et l'acido-cétose.

On lui conseille un régime riche en fibres, en effet celles-ci et surtout leurs constituants visqueux tels la pectine et les gomme ralentissent l'absorption du glucose. Si lors d'une épreuve d'hyperglycémie on donne des fibres en même temps que du glucose, le pic de glycémie et le pic d'insulinémie sont abaissés ; d'autre part le profil glycémique de la journée est plus bas chez le diabétique si au régime contenant la même quantité de glucides il ajoute des fibres.

Place du chrome dans le traitement du diabète

Des animaux soumis à un régime totalement exempt de chrome font un diabète résistant à l'insuline et aux antidiabétiques peroraux. Ce diabète disparaît et ne redevient sensible à l'insuline qu'après administration de chrome. Il a été prouvé que celui-ci dans l'organisme s'incorpore dans une substance organique, le G.T.F. (glucose tolerance factor) que l'on trouve comme telle dans la levure de brasserie. Elle agit comme un intermédiaire indispensable à la fixation de l'insuline sur les récepteurs cellulaires.

Dans certains cas de diabète de type II survenant chez les personnes âgées résistant à l'insuline et aux antidiabétiques peroraux l'épreuve d'hyperglycémie provoque une riposte insulinique importante. Chez certains d'entre eux, l'administration de levure normalise la courbe d'hyperglycémie et d'insulinémie. Le diabète est apparemment guéri. Une dose de 1 g de levure sèche par jour est suffisante

2) La qualité des glucides

a autant d'importance que la quantité qui en est consommée. La même quantité de glucides provenant de sources différentes n'a pas la même influence métabolique. Les glucides provenant des légumineuses provoquent une élévation moindre de la glycémie et de l'insulinémie que ceux de la pomme de terre parce qu'ils sont digérés et donc résorbés plus lentement que ceux de la pomme de terre et ceux de la pomme de terre ont une action moindre que le glucose qui ne doit pas être digéré et est absorbé directement.

Ces considérations ont amené Jenkins à établir un index glycémique pour les différents aliments contenant des glucides ; il est basé sur la comparaison de l'aire du triangle d'hyperglycémie qu'ils provoquent par rapport à celle due à l'ingestion de la même quantité sous forme de glucose.

$$\frac{\text{aire de la courbe de glycémie en 2 h pour un aliment}}{\text{aire de la courbe de glycémie pour le glucose}} \times 100$$

Cet index a été établi par Jenkins pour une série d'aliments après une ingestion d'une ration apportant 50 g de glucides. Il y a intérêt pour le diabétique à consommer surtout ceux dont l'index glycémique est le plus bas et d'éviter ou de limiter ceux dont l'index glycémique est le plus élevé.

D'autres facteurs peuvent encore intervenir ; la même ration de pâtes prises avec du beurre élèvera moins la glycémie que prises sans beurre, cependant l'élévation de l'insulinémie sera de la même importance dans les deux cas.

La ration de glucides sera fournie principalement par le pain qui contient 50 % de glucides (pain gris 47 %, pain blanc 52 %).

On préfère le pain gris au pain blanc non pas tant à cause de sa teneur un peu plus faible en amidon mais parce qu'il ralentit l'absorption du glucose et des lipides et a donc un effet favorable sur la glycémie et la lipidémie.

Les pommes de terre qui contiennent 20 % de glucides, les pâtes qui pesées sèches contiennent 65 % de glucides, le riz qui contient 80 % de glucides, les fruits : ici, il y a une grande diversité ;

Index glycémique d'une série d'aliments

Céréales		*Légumineuses*		*Fruits*	
Pain blanc	69	Grosses fèves	70	Pommes	39
Pain complet	72	Petits pois	51	Bananes	62
Sarrasin	51			Oranges	40
Millet	71	*Racines*		Jus d'orange	46
Pâtisserie	69	Betteraves	64	Raisin	64
Riz complet	66	Carottes	92		
Riz blanc	72	Panais	97	*Sucres*	
Spaghetti gris	42	P. de terre (poudre)	80	Fructose	20
Spaghetti blanc	50	P. de terre fraîches	70	Glucose	100
Cake	46	Patate douce	48	Maltose	105
Maïs	59	Rutabaga	72	Saccharose	59
		Igname	51		
Petit déjeuner				*Produits lactés*	
All bran	51	*Légumes en boîte*		Crème glacée	36
Corn flakes	80	Haricots verts	40	Lait écrémé	32
Muesli	66	Haricots blancs	36	Lait entier	34
Gruau d'avoine	49	Fèves	29	Yoghourt	36
Gruau de blé	67	Haricots jaunes	31		
Weetabix	75	Soja	15	*Divers*	
Biscuits		Soja en boîte	14	Miel	87
Digestifs	59	Pois à côtes	33	Cacahuète	13
Farine d'avoine	54	Pois chiches	36	Chips	51
Ryvita	69	Pois fins	47	Saucisses	29
A l'eau	63	Lentilles	29	Soupe tomate	38

on les classe selon leur teneur en glucides :

5 %	10 %	15 %	20 %
mandarines	abricots	cerises	bananes
fraises	ananas	pêches	coings
framboises	citrons	pommes	raisins
pastèques	oranges	poires	Reine-Claude
melons	pamplemousse	prunes	
cerises du nord	groseilles		
rhubarbe	myrtilles		

Les légumes : on choisira de préférence les légumes feuilles qui contenant moins de 3 % de glucides peuvent être comptés dans le bilan comme dépourvus de glucides de même que les asperges et les tomates.

On classe les légumes d'après leur teneur en glucides :

3 %	5 %	10 %	15 %
asperges	aubergines	betterave	artichaut
céleris	champignons	carotte	échalotes
chicorées	choux	céleri rave	petit pois
cressons	choux-fleurs	choux de Bruxelles	
épinards	haricots verts	oignons	
laitue	oseille	persil	
tomate	poireau		

On déconseille les pois secs, les haricots secs, les fèves qui contiennent environ 25 % de glucides.

Les crudités doivent être consommées régulièrement 'par le diabétiques car outre les précieuses vitamines qu'elles apportent beaucoup de fruits et de légumes contiennent de la pectine qui a pour effet de ralentir l'absorption du glucose et des lipides, ce qui a un effet favorable sur la glycémie, la cholestérolémie et la triglycéridémie.

On ne jette plus l'anathème sur les sucres et les sucreries d'une manière aussi catégorique qu'autrefois. S'il faut proscrire le sucre en dehors des repas parce qu'il provoque une hyperglycémie trop élevée et trop brutale, il n'en va pas de même quand il est pris au cours ou au décours d'un repas contenant des fibres à haute teneur en pectine. Slama a montré que la prise d'un dessert sucré ne modifie que de manière insignifiante la glycémie du diabétique ce qui permet d'éliminer le complexe de frustration qu'il ressent souvent.

Il n'y a pas intérêt à recommander le fructose plutôt que le saccharose parce que d'une part il est presque aussi hyperglycémiant que le saccharose et d'autre part parce qu'il est lipidogène ce qui peut favoriser l'athéromatose. La même remarque s'applique au miel qui n'est qu'un mélange de glucose, de fructose et de saccharose.

Les édulcorants

On distingue les édulcorants non calorigènes et les édulcorants calorigènes.

a) Les édulcorants non calorigènes sont 1) la saccharine qui, à condition de contenir moins de 100 mg/kg d'impuretés organiques, est inoffensive. Par prudence, on l'évitera chez la femme enceinte. 2) l'aspartame ou aspartylphénylalinine méthyl ester, dipeptide dénué de tout effet toxique. Il faut cependant l'ajouter extemporanément dans des aliments froids car à la température ambiante en 3 mois, il se dégrade pour 20 à 25 % en dicétopipérazine. 3) le cyclamate est à rejeter car il provoque des lésions chromosomales. 4) l'acésulfame moins employé est atoxique.

b) Les édulcorants calorigènes qui sont des polyols 1) le sorbitol est à rejeter parce que les lésions caractérisant les complications du diabète sont dues à la formation endogène de sorbitol dans les cellules. Il paraît donc illogique de donner du sorbitol par la bouche. 2) le xylitol est peu hyperglycémiant et n'est guère toxique. 3) le maltitol n'est pas à utiliser chez le diabétique car il provoque un pic d'hyperglycémie aussi élevé que le glucose, mais retardé. 4) les fructosucres (2, 3 ou 4 molécules de fructose sur une molécule de glucose) et l'inuline (plus de 4 molécules de fructose sur une molécule de glucose) ne sont pas hyperglycémiants parce qu'il ne sont pas hydrolysés dans le tube digestif mais ils sont calorigènes par suite d'attaques microbiennes au niveau du côlon ($\pm$ 2 calories/g).

La *ration de protides* sera couverte au dépens des deux grandes sources
a) les protides végétaux seront surtout apportés par les céréales : le pain en contient 9 %, le riz 8 à 13 %, les pâtes environ 15 %. Toutefois, cet apport sera relativement faible puisque les céréales sont la principale source d'amidon dont l'usage doit être limité chez le diabétique.

Les légumineuses, qui sont relativement riches en protéines, ne sont également utilisées que très occasionnellement par le diabétique puisqu'elles apportent aussi beaucoup de glucides et ne sont prises alors qu'en remplacement des pommes de terre qui sont beaucoup plus consommées dans nos pays.

Les autres légumes n'apportent que peu de protéines, généralement 1 à 2 %, et les fruits en apportent encore moins, environ 1 %.

L'apport de protides végétaux est donc relativement faible chez le diabétique. D'autre part, à l'exception du pois chiche et du soja qui ne sont guère consommés chez nous, les céréales ne contiennent que des protides d'une valeur biologique médiocre ou même basse, les facteurs limitants étant avant tout la lysine mais aussi le tryptophane et les acides aminés soufrés.

b) Les protides consommés par le diabétique sont surtout d'origine animale ; ceci offre un avantage, c'est que la grosse part des protides qu'il consomme est de haute valeur biologique. Il y a cependant un écueil à éviter, c'est que toutes les sources de protides d'origine animale apportent à peu près un g de lipide pour un gramme de protide et les graisses d'origine animale sont presque toutes très saturées alors que le diabétique doit éviter les graisses saturées pour prévenir la plus redoutable complication du diabète à longue échéance. La viande maigre contient 20 % de protides mais 12 à 15 % de lipides, le lait contient 3,5 % de protides et 3,5 % de lipides, l'oeuf apporte 6 g de protides et 5 g de lipides.

Il n'y a que deux aliments qui apportent une ration importante de protides en n'apportant guère de lipides, ce sont le poisson maigre (20 % de protides, 1 % de lipides) et le fromage blanc maigre (± 15 % de protides et moins de 1 % de lipides).

Le diabétique aura donc intérêt à user volontiers de ces 2 aliments et à ne consommer que du lait écrémé et du yaourt maigre.

Les crustacés et les coquillages, en dehors des réserves à faire actuellement du fait de la pollution des mers, peuvent être consommés par le diabétique ; ils sont de bonnes sources de protéines et fort pauvres en graisse.

On n'est plus partisan de rations protidiques trop élevées et on estime que 75 g par jour dans le cadre d'un régime de 2.000 calories est suffisant ; il faudra adapter la ration de protéines au niveau d'urée en cas de glomérulo-sclérose intercapillaire, en cas de maladie de Kimmelstiel-Wilson.

La ration de lipides du diabétique sera fournie surtout sous forme de graisses polydésaturées puisqu'il faut tenir compte de sa propension à faire de l'athéromatose plus accusée que chez le sujet non diabétique ; ceci veut dire qu'on bannira le beurre de sa table et qu'on le remplacera par des margarines polydésaturées et vitaminées (becel, roda, vitelma, lyra, etc) ; pour cuisiner, on utilisera ces margarines plutôt que du beurre ou la graisse de boeuf ou de porc, en évitant de les faire frire, ce qui oxyderait les liaisons énoïques.

Comme huile de table, on utilisera les huiles de maïs, de tournesol ou de soja et si possible obtenues par pression à froid ; elles sont beaucoup plus riches en acides gras polydésaturés que les huiles d'olive ou d'arachides.

Il faudra éliminer les viandes grasses et surtout la charcuterie ; cette dernière outre qu'elle est riche en graisse est indigeste car elle est faite avec les bas morceaux qui sans l'ingéniosité des charcutiers eussent dû être jetés (cartilage, tendons, etc).

Etant donné l'action antiathérogène particulièrement efficace des huiles des poissons gras, non seulement on les autorisera, mais on recommandera au diabétique d'en manger au moins deux fois par semaine.

3) la répartition des repas

La répartition des repas a une grande importance chez le diabétique, surtout s'il est traité par l'insuline ou les antidiabétiques peroraux car il doit y avoir une certaine synchronisation entre l'action hypoglycémiante des remèdes et l'action hyperglycémiante des repas.

a) chez les diabétiques justifiables du seul régime cette répartition a de l'importance car il s'agit presque toujours d'obèses, or Fabri, confirmé par beaucoup d'autres, a montré que la même ration calorique prise en 4 repas sur la journée fait maigrir davantage que prise en 1 repas. Certains auteurs ont même conseillé de ne pas prendre de vrai repas mais de grignoter des aliments tout le long de la journée. Trop d'obèses croient bien faire en ne prenant qu'un seul repas par jour et s'étonnent de ne pas maigrir. En agissant de la sorte, ils provoquent une fois par jour une forte surcharge pour la fonction langerhansienne et risquent de précipiter sa décompensation.

b) Chez les diabétiques traités par l'insuline ou par les antidiabétiques peroraux, la répartition des repas doit assurer une harmonie entre l'effet des repas et celui des médicaments sur la glycémie.

1) Lorsque le diabète est stable et peu grave, il peut être traité par une dose unique d'insuline à longue durée d'action administrée le matin 20 minutes avant le petit déjeuner.

Dans ce cas, et on y est contraint chez les gens qui travaillent, on peut répartir la prise des aliments en 3 repas.

Le premier sera pris 20 minutes après la piqûre et comportera 20 % de la ration de glucides.

Le deuxième sera pris 4 heures après la piqûre et comportera 40 % de la ration de glucides.

Le troisième sera pris 10 à 11 heures au grand maximum après la piqûre et comportera 40 % de la ration de glucides.

Cette répartition permet d'obtenir un bon équilibre dans les cas peu graves mais même dans ces cas, il peut y avoir de petits épisodes d'hypoglycémie ; ceux-ci surviennent le plus fréquemment le soir tard ou la nuit ; c'est la raison pour laquelle on recommande volontiers de distraire une dizaine de grammes des glucides du repas du soir pour les administrer au moment du coucher (1 jus d'orange, 1 tasse de lait, une biscotte, etc).

Chez d'autres, c'est plutôt dans l'après-midi vers 16 heures que se manifestera l'hypoglycémie ; dans ces cas, on conseillera de distraire 15 ou 20 g de la ration glucidique du repas de midi que l'on administrera sous forme d'une tranche de pain (30 à 40 g) au goûter.

Plus rarement, c'est dans l'avant-midi que se manifesteront les malaises ; dans ce cas, tout en respectant la ration globale de glucides, on donnera 15 à 20 g de glucides vers 10 heures du matin (1 tranche de pain, un fruit, etc).

2) Lorsque le diabète est plus grave et surtout si, comme on y est alors très fréquemment acculé, on doit administrer 2 piqûres d'insuline par jour, on est tenu de répartir les glucides en 6 fractions, 3 repas et 3 collations.

La première piqûre se fera le matin ; elle sera suivie après 20 minutes du petit déjeuner ; 2 heures plus tard, on donnera une collation ($\pm$ 15 g de glucides) ; 4 heures plus tard, le déjeuner de midi et 7 à 8 heures plus tard une collation.

La seconde piqûre, comportant généralement une dose plus faible d'insuline, sera suivie 20 minutes plus tard du dîner ; 3 ou 4 heures plus tard, au moment de se coucher, le patient prendra encore une collation. Si la seconde piqûre est relativement contraignante pour le patient, elle a l'avantage de permettre plus de souplesse dans l'horaire du dernier repas qui pourra être retardé davantage que lorsque le malade ne reçoit qu'une seule piqûre.

Les mêmes règles valent pour les patients traités avec des tablettes perorales ; chez eux, cependant, on peut se permettre plus de souplesse dans l'horaire des repas que chez les malades traités par l'insuline.

La généralisation de l'insuline humaine de différentes durées d'action et la mise au point de cartouches contenant 1.000 unités d'insuline rapide a modifié le modèle de traitement de nombreux patients. Ils se font le matin à jeun une piqûre d'une dose moyenne d'insuline ultra lente (souvent encore d'origine porcine) et avant chaque repas une piqûre d'une petite dose (5 à 10 unités) d'insuline ordinaire.

3) Lorsque le diabète est fort instable et que le patient passe plusieurs fois par jour de l'hypoglycérnie à une forte hyperglycémie, le médecin est contraint d'administrer de l'insuline ordinaire 3 ou 4 fois par jour et à répartir la ration de glucides en 6 à 8 prises par jour d'une importance à peu près égale.

Même de cette manière dans les cas fort instables, il est difficile d'arriver à éviter les à coups d'hyperglycémie avec parfois poussée d'acidose et les hypoglycémies intempestives provoquant des malaises plusieurs fois par jour.

Voici deux menus à 2.000 calories et 220 g de glucides ; le premier est réparti en trois repas, plus une légère collation le soir ; le second est réparti en 6 repas.

1° Menu à 2.000 calories et 220 g de glucides réparti en 3 repas

Matin :
100 g de pain gris
10 g de margarine désaturée et vitaminée
100 g de fromage maigre
ou 50 g de viande maigre
ou 50 g de poisson mi-gras (hareng, p. ex.).
ou 1 oeuf
café avec 50 g de lait écrémé

Midi :
200 g de potage sans graisse et peu lié
200 g de pommes de terre
200 g de viande maigre ou 350 g de poisson maigre ou 175 g de poisson gras
200 g de légumes non farineux
15 g de margarine désaturée et vitaminée
150 g de pommes ou poires

Soir :
100 g de pain gris
15 g de margarine désaturée et vitaminée
100 g de viande maigre ou 200 g de poisson maigre ou 2 oeufs
100 g de légumes crus
150 g de pommes, poires, oranges

Au coucher :
200 g de lait écrémé

Comme boisson le diabétique peut prendre de l'eau ; aucune eau minérale n'a de valeur particulière dans le domaine du métabolisme glucidique. Il peut prendre du vin, de préférence non sucré et en quantités modérées car un litre apporte 600 calories. Il peut prendre de la bière en quantité raisonnable (1 verre de $\pm$ 300 ml) car elle apporte à la fois des glucides (maltodextrines) et des calories.

Il peut prendre en faible quantité des alcools type whisky, fine champagne, alcool de grain mais évitera les liqueurs sucrées. Il évitera d'autres formes d'apéritifs pour 2 raisons, la plupart des apéritifs sont sucrés et Fiessinger a montré que l'alcool pris à jeun est plus toxique qu'au cours d'un repas.

Le diabétique pourra prendre du thé, du café et toutes les tisanes ; toutefois
1) s'il est hypertendu, ce qui est fréquent chez les diabétiques âgés, il devra prendre du café décaféiné ou du thé léger 2) il doit bien savoir qu'aucune tisane n'est susceptible d'améliorer son diabète, même si cela est inscrit sur l'emballage.

2° Menu à 2.000 calories et 220 g de glucides réparti en 3 repas et 3 collations

Matin :
80 g de pain gris
10 g de margarine désaturée et vitaminée
80 g de fromage blanc maigre
ou 40 g de viande maigre
ou 1 oeuf

café avec 50 g de lait écrémé

10 heures :
1 biscotte (10 g)
100 g de lait écrémé (+ café éventuellement)

Midi :
150 g de potage maigre peu lié
150 g de pommes de terre
175 g de viande maigre ou 300 g de poisson maigre ou 150 g de poisson gras
200 g de légumes non farineux
15 g de margarine polydésaturée et vitaminée
150 g de pommes, poires ou orange

16 heures :
1 biscotte
100 g de lait écrémé (+ café)

Soir :
80 g de pain gris
15 g de margarine désaturée et vitaminée
100 g de viande maigre ou 200 g de poisson maigre ou 2 oeufs
100 g de légumes crus
150 g de pommes, poires, oranges

Au coucher :
200 g de lait écrémé
1 biscotte (10 g)

Pour le reste, mêmes recommandations que pour le régime précédent.

VII. - LE DIABÈTE COMPLIQUÉ

Les recommandations ci-dessus sont celles qui conviennent au diabétique qui n'est atteint d'aucune complication. Les choses peuvent être un peu plus difficiles devant certaines complications.

1. Diabète avec insuffisance rénale, hypertension et oedème

Ceci se voit dans un certain nombre de cas de diabète de longue durée avec rétinopathie et néphropathie. Ceci peut se voir notamment au 3ème trimestre de la grossesse.

Il faut tenir compte avant tout de l'état rénal, mettre le malade au repos au lit et lui prescrire un régime pauvre à la fois en sodium et en protéines, comme par exemple celui-ci :

Matin :
50 g de riz cuit à l'eau
200 g de lait désodé (Penac ou Natrinon)
thé léger ou café décaféiné

10 heures :
    un jus d'orange (± 200 ml)

Midi :
    50 g de riz cuit à l'eau
    30 g de viande
    5 g de beurre ou margarine désaturée et vitaminée
    50 g de salade
    10 g d'huile de maïs
    200 g de pomme, poire, orange

16 heures :
    200 g de lait désodé + café décaféiné

Soir :
    50 g de riz cuit à l'eau
    10 g de beurre ou margarine désaturée et vitaminée
    200 g de fruits (comme le midi)

Au coucher :
    1 jus d'orange (± 100 g)

Ce régime sera suivi strictement durant quelques jours et pourra être progressivement élargi par l'introduction de légumes, d'une ration plus importante de viande, de pain désodé, en tenant compte de l'évolution du cas.

Ce régime ne peut être suivi que par une personne alitée ; il apporte 1.200 calories, 170 g de glucides, 40 g de protéines et 40 g de lipides.

Bien entendu, la glycémie doit au début être suivie de près et la dose d'insuline devra être adaptée aussi bien que possible.

2. Diabète avec urémie

L'urémie compliquant le diabète est due dans un grand nombre de cas à l'évolution de la néphropathie de Kimmelstiel-Wilson arrivant à son stade final. Dans d'autres cas, elle est l'aboutissant d'une néphrite ascendante ayant eu pour origine une pyélite évoluant à bas bruit. Ceci est particulièrement fréquent chez la femme diabétique âgée.

Quoiqu'il en soit, on se trouve souvent devant un dilemme car dans la néphropathie de Kimmelstiel Wilson, il y a presque toujours hypoprotéinémie ; le malade est bouffi et il fait même parfois un oedème peu important mais généralisé, ce qui nécessiterait un régime hyperprotéiné de manière à relever la protéinémie alors que l'urémie demanderait au contraire un régime pauvre en protéines.

L'expérience a montré que le régime le plus favorable dans ces cas est un régime modérément hyperprotéiné, c'est-à-dire comportant une ration de 100 g de protéines par jour car l'hypoprotéinémie a une répercussion défavorable sur le pouvoir d'excrétion de l'urée.

Bien entendu si l'urémie ne survient pas chez un malade atteint d'hypoprotéinémie, le régime pauvre en protéines sera de rigueur.

La règle est de donner
- dans les cas peu graves de 50 à 60 g de protéines par jour
- dans les cas moyens de 40 à 50 g de protéines par jour
- dans les cas sévères de 30 à 40 g par jour.

Dans cette dernière éventualité, pour être sûr que le besoin en acides aminés essentiels soit plus ou moins satisfait, il faudra toujours veiller à ce que le patient prenne chaque jour 150 g de lait et 25 g de viande ou de poisson.

3. Diabète et ictère à virus

En cas d'atteinte hépatique aiguë, le régime doit être modifié puisque l'hépatite demande des restrictions de la ration de lipides, bien qu'on ne soit plus partisan à l'heure actuelle des restrictions extrêmement sévères imposées autrefois ; il faut que le régime soit modérément hyperprotéiné c'est-à-dire qu'il comporte 100 g de protéines. Il faut veiller aussi à ce que le besoin calorique soit bien couvert. Comme ces patients doivent être alités, il est possible de tenir compte de tous ces impératifs sans guère modifier la ration de glucides.

Voici un exemple de régime :

Matin :
   80 g de pain
   5 g de beurre
   100 g de fromage blanc maigre

10 heures :
   1 jus d'orange (± 150 ml)

Midi :
   potage de légumes
   150 g de viande maigre
   200 g de pommes de terre ou 50 g de riz (pesé sec)
   150 g de légumes non farineux
   15 g de beurre
   100 g de fromage blanc maigre
   100 g de fruits

16 heures :
   un jus d'orange (± 150 ml)

Soir :
   80 g de pain
   15 g de beurre
   50 g de viande maigre ou 1 oeuf à la coque
   100 g de légumes non farineux
   100 g de fromage blanc maigre
   100 g de fruits

22 heures :
   1 jus d'orange (± 150 ml).

Ce régime comporte 1.750 calories, 200 g de glucides, 100 g de protides et 60 g de lipides.
   Bien entendu, la cuisine doit être faite à l'eau, le beurre fondant à la chaleur, la viande doit être grillée. On ne peut tolérer aucun alcool.

4. Décours du coma diabétique

Le traitement du coma diabétique consiste à administrer de l'eau, des ions et de l'insuline jusqu'à reprise de la conscience, rééquilibration hydro-saline, rééquilibration glycémique et élimination des corps cétoniques.

Au moment où le traitement de l'état aigu peut cesser et où on peut réalimenter le malade, il n'y a qu'un moyen d'éviter des perturbations glycémiques et de ménager le tube digestif fortement irrité par les corps cétoniques, c'est de faire une piqûre d'insuline ordinaire toutes les 6 heures et de donner un petit repas léger contenant 25 g de glucides toutes les 3 heures.

Il faut bien entendu suivre la glycémie et la glycosurie de près de manière à adapter chaque fois la dose d'insuline à l'état du patient. Ceci doit être poursuivi nuit et jour.

Cette phase peut durer 48 à 72 heures après quoi on peut reprendre le traitement habituel du diabète.

Voici à titre d'exemple 4 repas qui pourront être donnés :

1°) jus d'orange 100 ml
      glucose 15 g

2°) gruau d'avoine 25 g
     lait chaud 150 ml

3°) pain 25 g
     sucre 5 g
     lait 150 ml

4°) farineux 15 g
     lait 150 ml
     sucre 5 g
     pour faire une panade.

Il y a un point sur lequel nous ne pourrions assez insister. C'est que trop de comas surviennent encore parce que lorsque le diabétique vomit et ne mange pas, on lui supprime sa piqûre d'insuline. Si le diabétique peut faire comme tout le monde une indigestion pour une cause banale, le vomissement est toujours hautement suspect chez lui d'être l'indice d'une poussée d'acidose. Les corps cétoniques sont si irritants pour l'estomac qu'ils provoquent souvent des vomissements sanguinolents qui peuvent s'accompagner de douleurs gastriques intenses (qui ont même parfois été prises pour une perforation d'estomac).

Le premier réflexe devant un vomissement chez le diabétique doit être de rechercher le sucre et l'acétone dans les urines (et si on en a la possibilité de faire une prise de sang pour glycémie, ionogramme et réserve alcaline). S'il y a du sucre et de l'acétone, en attendant l'arrivée du médecin ou le transport en clinique, il faudra faire toutes les heures une piqûre de 10 unités d'insuline ordinaire en vérifiant chaque fois les urines, jusqu'à désucrage éventuel, et cela même si le malade ne mange pas. Il faudra aussi, si c'est possible, le réhydrater en lui donnant du bouillon de légumes (apport d'eau, de Na et de K) ; malheureusement souvent il le vomira.

5. Diabète par pancréatite calcifiante

La pancréatite calcifiante survient chez les alcooliques chroniques ; elle frappe généralement des hommes d'environ 40 ans, amaigris et présentant les stigmates de l'alcoolisme.

La radiographie de l'abdomen à blanc montre un semis de calcifications traversant l'abdomen au niveau de L_1-L_2.

Ces sujets outre le diabète présentent de la stéatorrhée qui joue un rôle dans leur dénutrition ; ils se plaignent de douleurs abdominales.

Ces sujets font un diabète insulinodépendant mais ils sont très sensibles à l'hypoglycémie parce qu'ils sont dénutris et que l'atteinte des cellules α fait qu'ils ne réagissent pas par une décharge de glucagon.

Le régime doit être celui du diabète avec une limitation des lipides et une suppression de tout alcool.

6. Le diabète tropical

Il 's'agit d'une forme particulière de diabète survenant dans l'enfance. Ce diabète est insulinodépendant et survient sur un pancréas fibreux et calcifié. Il est souvent compliqué de neuropathie et d'hypertrophie des glandes parotides.

On pense que l'origine est alimentaire. Ces enfants se nourrissent surtout de galette de manioc et l'apport en protéines et en graisses est faible.

Le manioc contient de la linamarine qui serait responsable de ces complications. Il existe des procédés technologiques pour éliminer la linamarine (rouissage, fanage, séchage).

7. Le diabète bronzé ou hémochromatose

L'hémochromatose est due à une accumulation de fer dans certains organes comme le foie, le pancréas, le myocarde, les surrénales.

Le diabète survient tardivement et surtout chez l'homme. Il s'agit d'un diabète insulinodépendant très sensible à l'action de l'insuline aussi faut-il veiller à une grande rigueur dans l'application de l'insuline et l'ordonnance du régime. En cas d'hypoglycémie, ils ont une possibilité réduite de réagir par une décharge de glucagon ou de cortisol.

Leur régime est celui du diabète insulinodépendant ; en outre il faut éliminer l'alcool et éviter les surcharges en fer.

CHAPITRE IX

Régime des hypoglycémies fonctionnelles

On peut observer des hypoglycémies spontanées en dehors de toutes les causes organiques qui classiquement peuvent amener à l'hypoglycémie telles que adénome ou carcinome langerhansien, maladies hépatiques, tumeurs cancéreuses, insuffisance hypophysaire ou surrénalienne, hypoglycémie à l'éthanol ou à la leucine ; bien entendu, il y a les hypoglycémies dues à des administrations intempestives d'insuline ou de sulfonylurée.

En dehors de toutes ces causes requérant un traitement spécifique, il reste tout un groupe d'hypoglycémies que l'on peut grouper sous le vocable d'hypoglycémie fonctionnelle et qui sont dues à :
1) hyperinsulinisme fonctionnel
2) hyperinsulinisme alimentaire
3) inanition
4) diabète sucré léger
5) glycosurie rénale
6) lactation
7) travail musculaire

On estime généralement que l'on peut parler d'hypoglycémie dans les cas où le taux de glucose sanguin tombe sous 50 à 60 mg %, mais ce qui compte surtout pour le clinicien, ce sont les symptômes ressentis par le malade ; or, il existe des gens qui ont une glycémie inférieure à 50 mg % sans ressentir aucun symptôme comme il y en a d'autres qui présentent des symptômes d'hypoglycémie avec un taux de glucose sanguin supérieur à 60 mg %.

La diététique doit être la première arme thérapeutique à essayer dans l'hypoglycémie fonctionnelle et souvent elle suffit à elle seule.

Elle peut faire disparaître les deux grandes catégories de symptômes selon la classification qu'en a donné Kelly

a) les symptômes dus à la décharge d'adrénaline : transpiration, sensation de faiblesse, faim, tremblement, tachycardie, hypertension ;

b) les symptômes cérébraux : paresthésie, narcolepsie, confusion mentale, maux de tête et même dans les cas graves manifestations convulsives. On sait en effet que le glucose est le combustible majeur de la cellule cérébrale.

a) Cause d'accidents

Ces hypoglycémies fonctionnelles sont loin d'être rares et sont fréquemment méconnues ; elles sont cause d'accident de travail et d'accident d'avion par suite du manque de maîtrise du pilote, c'est pourquoi elles sont soigneusement recherchées dans l'aviation américaine. Harper et Kidera font en 3 ans une épreuve d'hyperglycémie chez 175 pilotes ; chez 44 d'entre eux, celle-ci se caractérise par une hyperglycémie initiale, en moyenne 176 mg/dl, dont le pic se situe entre 30 et 60 minutes, suivie d'une hypoglycémie en moyenne à 54 mg/100 dl après 2 ou 3 heures. Une anamnèse montre qu'à ce moment, 65 % de ces pilotes ressentent des symptômes d'hypoglycémie : somnolence, manque de concentration, irritabilité, tremblement, impression de faiblesse. On leur donne des directives précises: limiter les glucides, éviter le sucre et les sucreries, prendre un repas toutes les 4 heures lorsqu'ils sont en vol, prendre entre les repas des aliments riches en protéines : fromage, noix et remplacer les limonades et le café sucré par du lait, des jus de fruits non sucrés ou des fruits. Ces auteurs avaient en effet montré chez 12 pilotes que le fructose ne provoquait ni hyperglycémie initiale, ni hypoglycémie secondaire.

L'influence favorable de la modification du régime est due à un ensemble de facteurs complexes.

1°) Comme l'a proposé Duncan, le fait de réduire la ration de glucides en produisant une hyperglycémie moindre entraîne une riposte insulinique moindre également d'où la suppression des dépressions glycémiques à des niveaux dangereux ; même en maintenant le sujet à 3 repas par jour, on a une régulation glycémique suffisante pour faire disparaître les malaises, mais il est plus sûr cependant de diviser la ration alimentaire en 3 repas et 3 collations.

Dewijn et Weits ont donné à divers sujets à 7 h du matin un petit déjeuner isocalorique chargé une fois en glucides, une fois en lipides, une fois en protides ; puis sans plus leur faire prendre rien d'autre, ils ont déterminé la glycémie d'heure en heure jusqu'à 14 heures.

Avec le repas glucidique, il y a une chute de la glycémie avec faim vers 10 heures environ ; avec le repas lipidique, cette chute de la glycémie et la faim apparaissent vers 12 heures ; avec le repas protidique, il n'y a pas, même à 14 heures, une chute importante de la glycémie ni de sensation de faim.

2°) La suppression ou la réduction des sucres raffinés est particulièrement importante; c'est par leur effet brutal sur la glycémie dont ils provoquent une ascension rapide que ceux-ci déclenchent une forte décharge insulinique et une hypoglycémie spontanée, même excessive.

Szanto a montré qu'ils agissaient de manière plus profonde encore; il met 2 sujets jeunes durant une semaine à un régime comportant 400 g de saccharose ; à la fin de la semaine, il fait chez tous deux une épreuve d'hyperglycémie au moyen de 100 g de glucose; l'insulinémie s'est élevée au-dessus de 100 µU/ml, limite au delà de laquelle il faut parler d'hyperinsulinisme ; deux semaines après, remplacement du sucre par de l'amidon, la même épreuve d'hyperglycémie ne provoque plus qu'un pic d'insulinémie à 60 µU/ml.

Dans certains cas, il suffit de supprimer les sucres raffinés tout en maintenant une ration de glucides normale pour voir disparaître les hypoglycémies et les hyperinsulinismes réactionnels; mais dans des cas sérieux où le pic d'insulinémie dépasse les 200 ou les 300 µU/ml et où la glycémie tombe en-dessous de 30 mg %, il faut des restrictions très sévères de la ration totale de glucides. Fineberg propose d'abaisser celle-ci aux environs de 100 g par jour.

Il propose de limiter l'apport des sources de glucides à

1) 720 ml de lait écrémé   soit   36 g de glucides

2) 2 tranches de pain (de 30 g)   30 g de glucides

3) 120 ml de jus de fruit + 1 pomme   25 g de glucides

4) 70 g de pommes de terre   14 g de glucides

                                 total   105 g de glucides.

Le patient choisit le reste de sa ration dans les aliments riches en protéines: viande, poisson, fromage, oeufs. Il devra veiller à ne pas surcharger son régime en graisse car beaucoup de ces aliments sont riches en graisses ; il s'adressera surtout aux viandes et aux poissons maigres.

3°) La fréquence des repas peut modifier aussi la réactivité du pancréas.

Debry a étudié durant 2 périodes de 16 jours un groupe de 8 adultes auxquels la ration alimentaire était administrée soit en 3 repas, soit en 7 repas. Il fait une épreuve d'hyperglycémie au début et à la fin de chacune des périodes.

La glycémie à jeun était significativement plus élevée à la fin de la période où la ration alimentaire était administrée en 7 repas qu'avant chacune des deux périodes ou à la fin de la période où la ration alimentaire était donnée en 3 repas.

Les modifications du rythme alimentaire ne s'accompagnaient guère de modifications de poids, des lipides sériques, d'insulinémie ou de glycémie post-prandiale.

Chez des adultes consommant leur ration alimentaire en 2 repas, la consommation de 100 g de glucose provoque un pic d'insulinémie anormalement élevé ; lorsqu'on leur administre la même ration en 8 repas, il suffit d'une semaine pour voir l'insulino-sécrétion redevenir normale.

4°) Le fructose a été proposé comme moyen de traitement des hypoglycémies fonctionnelles car son administration à la place de saccharose ou de glucose provoque une diminution de la riposte insulinique et une hypoglycémie moindre ; ceci ne nous paraît cependant pas une solution souhaitable car Maruhama a montré que le fructose favorise l'hypertriglycéridémie et que notamment c'est lui le responsable de l'action du saccharose sur la triglycéridémie.

5°) Dans le prédiabète, c'est le pic excessif de glycémie qui entraîne une riposte excessive et retardée du pancréas, créant une asynchronie entre la glycémie et l'insulinémie. Une insulinémie élevée au moment où la glycémie est déjà abaissée fait tomber celle-ci en-dessous du niveau où apparaissent des troubles cliniques.

La réduction de la ration en glucides en empêchant une élévation trop grande de la glycémie élimine la forte décharge d'insuline.

6°) La surcharge en protéines du régime améliore, comme le notent Anderson et Herman, la plupart des cas d'hypoglycémie fonctionnelle ; ils observent cependant des cas d'hypoglycémie aggravés par un régime riche en protéines et les explorations montrent qu'il ne s'agit ni d'hypoglycémie à la leucine ni d'hypoglycémie à l'arginine ; à l'occasion d'une épreuve d'hyperglycémie, la réponse insulinique est ou excessive ou retardée ; les hypoglycémies aggravées par le régime riche en protéines constitueraient une manifestation précoce du diabète sucré.

7°) On sait depuis longtemps que l'exercice physique potentialise l'action de l'insuline chez le diabétique et ceci a été bien mis en évidence au moyen de la méthode des enregistrements continus. Même chez le sujet normal, l'exercice physique provoque une chute de la glycémie.

Il existe une relation entre l'importance de la chute de la glycémie et l'importance du travail fourni.

Chez certains travailleurs à la chute secondaire de la glycémie suivant un repas sucré s'ajoute l'effet hypoglycémiant du travail au point de créer des malaises et notamment une incertitude des mouvements génératrice d'accidents du travail.

L'heureuse influence d'un régime riche en protéines sur la régulation glycémique du travailleur a été mise en évidence par Thorn ; avec un repas riche en glucides, il observe chez des travailleurs manuels d'abord une élévation de la glycémie suivie environ deux heures après le repas d'une chute jusqu'à 69 mg/100 ml avec malaises hypoglycémiques ; après un repas riche en lipides, il n'y a pas d'élévation initiale de la glycémie mais une baisse progressive jusqu'à 71 mg/100 ml après 5 heures environ et s'accompagnant de malaise ; après un repas riche en protides, il n'y a qu'une légère élévation de la glycémie et pas de chute de celle ci à des niveaux qui donnent des malaises.

b) cause d'échec scolaire

On a attiré récemment l'attention sur les échecs scolaires dus à des hypoglycémies fonction-nelles chez des écoliers ou des étudiants. Il y en a plus qu'on ne pense, 5 à 10 %, qui se rendent en classe ou au cours sans avoir pris d'aliments solides le matin, se contentant d'une tasse de café, avec ou sans lait, avec ou sans sucre ; beaucoup ont un petit déjeuner mal équilibré, constitué de pain avec de la confiture, ou de couques au sucre, ou de couques au chocolat.

Ces petits déjeuners mal équilibrés favorisent des hypoglycémies peu sévères mais suffisantes pour provoquer une certaine obnubilation et des maux de têtes en fin de matinée, à l'heure où se donnent souvent des cours importants.

Trop facilement les parents accusent les programmes scolaires trop chargés, le surmenage alors que la véritable cause est le mauvais équilibre du petit déjeuner ou l'absence de celui-ci.

L'enfant qui se rend en classe ou l'étudiant qui se rend au cours doit prendre un petit déjeuner comportant des glucides à résorption lente et des protéines. Le petit déjeuner idéal est la tartine de pain gris avec du fromage. Il n'est pas interdit alors de prendre en plus une tartine à la confiture.

c) l'hypoglycémie nocturne du vieillard

L'hypoglycémie nocturne des vieillards est une chose assez fréquente et qui provient souvent d'erreurs commises dans leur mode d'alimentation. Dans beaucoup de maisons de retraite, on donne le soir, assez tôt, pour la facilité du personnel, un souper léger, c'est-à-dire une panade sucrée. Les pensionnaires des maisons de retraite restent ainsi souvent privés de toute nourriture entre 18 heures et 8 heures le lendemain ; il n'est pas étonnant que dans ces conditions, on puisse observer des hypoglycémies.

De Wijn et Weits se sont élevés contre l'habitude de beaucoup de maisons de retraite de donner des repas trop espacés ; ils ont insisté sur la nécessité de maintenir la glycémie à un niveau assez élevé en donnant 5 ou 6 repas peu importants dont un le soir tard, vers 21 ou 22 heures ; ceci est d'autant plus important que le vieillard supporte plus mal l'hypoglycémie que le jeune ; elle peut revêtir l'allure d'une douleur rétrosternale évoquant l'angine de poitrine. Ce dernier repas doit être non sucré et riche en protéines car fréquemment chez les personnes âgées, la réponse insulinique à la surcharge glucosée est tardive et inadéquate, provoquant une chute glycémique avec malaises comme dans le prédiabète.

Il faudra se méfier de l'alcool le soir ; Murdock a démontré que tous les vins provoquent chez le vieillard une chute de glycémie dont la dépression la plus marquée survenait 3 h après la prise de 0,3 g d'éthanol par kg de poids du corps, ce qui correspondait à 120 à 180 ml de vin ; le taux moyen passait en 3 heures de $91 \pm 6,4$ mg % à $78 \pm 7,8$ mg %. On connaît d'ailleurs de longue date les hypoglycémies à l'alcool.

d) le régime

Le régime des hypoglycémies fonctionnelles doit consister en :
1) suppression des sucres raffinés ou forte réduction de ceux-ci ;
2) réduction de la ration de glucides qui dans les cas graves devra être sévère et descendre aux environs de 100 g par jour ;
3) division de la ration alimentaire en 3 repas et 2 ou 3 collations ; chez le vieillard, il sera particulièrement utile de donner une collation tard le soir ;
4) augmentation de la ration de protéines; celles ci ne provoquent qu'une élévation modeste de la glycémie qui n'est pas suivie d'hypoglycémie réactionnelle ;
5) se méfier de l'alcool, même sous forme de vin, pris le soir, surtout sans ingestion d'aliments ;
6) dans les cas rares où l'hypoglycémie est due aux protéines, il faudra réduire la ration de protéines ;
7) chez les écoliers et les étudiants leur faire prendre un petit déjeuner substantiel contenant des glucides à résorption lente et de protéines, l'idéal étant des tartines de pain gris avec du fromage.

CHAPITRE X

L'obésité

I. - Définition

S'il est facile de définir l'obésité comme l'accumulation excessive de graisse dans les dépôts, il est moins aisé de déterminer à partir de quel moment commence l'obésité.

Les études faites par de grandes compagnies d'assurances ont apporté des documents objectifs sur ce sujet. Les médecins de ces firmes ont montré que le poids était un des facteurs influençant le plus fortement la longueur de la vie. Ils ont montré que le poids pour lequel la mortalité est la plus basse est fort inférieur à l'ancienne règle : on doit peser autant de kilogrammes que la taille en centimètres dépasse le mètre ; d'après cette règle, un sujet de 1,75 m doit peser 75 kg. On autorisait souvent une marge de 10 %, ce qui permettait de peser 82,5 kg.

Le poids idéal est beaucoup inférieur.

Voici le tableau du poids idéal chez l'homme et chez la femme en fonction de leur carrure, tel qu'il est apparu à la suite des études des spécialistes de la nutrition aux Etats-Unis :

poids idéal chez l'homme de 25 ans et plus
(poids en kilogrammes ; taille en centimètres)

Taille	Carrure étroite	Carrure moyenne	Carrure large
157,4	52,5 - 56,6	56,2 - 60,2	59,3 - 64,3
159,9	53,9 - 57,9	57,5 - 61,6	60,2 - 65,2
162,5	55,2 - 59,8	58,9 - 63,4	62,0 - 67,5
165,1	57,1 - 61,6	60,7 - 65,2	63,9 - 69,3
167,6	58,4 - 62,9	62,0 - 66,6	65,7 - 71,1
170,1	60,2 - 64,8	63,9 - 68,4	67,5 - 73,4
172,7	61,6 - 66,6	65,7 - 70,6	69,3 - 75,2
175,2	63,4 - 68,4	67,5 - 72,5	71,1 - 77,0
177,7	65,2 - 70,2	69,3 - 74,3	72,9 - 79,3
180,3	67,0 - 72,0	71,1 - 76,1	74,7 - 81,5
182,8	68,8 - 74,3	72,9 - 78,3	76,5 - 83,8
185,4	71,1 - 76,5	75,2 - 80,6	78,8 - 86,1
187,9	73,8 - 79,3	77,5 - 83,3	81,1 - 88,8
190,4	76,1 - 81,5	79,7 - 85,6	83,3 - 91,5

poids idéal chez la femme de 25 ans et plus

Taille	Carrure étroite	Carrure moyenne	Carrure large
149,8	47,1 - 50,3	49,8 - 53,4	53,0 - 57,5
152,3	47,5 - 51,2	50,7 - 54,3	53,9 - 58,4
154,9	48,5 - 52,1	51,6 - 55,2	54,8 - 59,3
157,4	49,8 - 53,4	53,0 - 56,6	56,1 - 61,1
160,0	51,2 - 54,8	54,3 - 58,0	57,5 - 62,5
162,5	52,5 - 56,6	56,1 - 58,8	59,3 - 64,3
165,1	53,9 - 57,9	57,5 - 61,1	60,2 - 65,7
167,6	55,7 - 59,8	58,9 - 63,4	62,5 - 67,9
170,1	57,1 - 61,6	60,7 - 65,2	64,3 - 69,7
172,7	58,4 - 62,9	62,0 - 66,6	65,7 - 71,6
175,2	60,2 - 64,8	63,9 - 68,4	67,5 - 73,4
177,7	61,6 - 66,6	65,7 - 70,2	68,9 - 75,2
180,3	62,9 - 67,9	67,0 - 71,6	70,2 - 76,6

Ces études ont montré que non seulement ceci correspondait au poids que devait peser l'adulte jeune, mais qu'il fallait rester à ce poids, toute sa vie, qu'on ne pouvait pas peser plus à 50 ans qu'à 25 ans et que l'incidence d'un excès de poids sur la mortalité était fonction de son importance mais aussi du temps pendant lequel on avait été obèse.

Deux formules paraissent adéquates

1) celle de Lorenz modifiée par Vanderwael

$$P = T - 100 - \frac{(T - 150)}{4}$$

ou ce qui revient au même

$$P = 50 + 0,75 \ (T - 150)$$

où P = le poids en kg et T la taille en cm.
Ceci correspond au poids normal pour l'homme : pour la femme il faut en retrancher 10 %.

2) la formule de Quetelet

$$P/T^2$$

où P = le poids en kg et T la taille en m.

Ceci correspond à ce que les anglo-saxons appellent le body mass index. La normale est aux alentours de 25

L'influence du poids sur la santé est considérable. Ceci apparait clairement si on étudie la mortalité en fonction du poids.

Voici un tableau qui a été dressé aux Etats-Unis et donnant le nombre de morts par 100.000 habitants, toutes causes et tous âges, par classe de poids :

	Nombre de morts par 100.000	*Pourcentage par rapport au* taux des individus de poids normal
Sous-nutrition :		
15 % à 34 % d'insuffisance.	913	108
5 % à 14 % d'insuffisance.	833	99
Poids normal	844	100
Obésité :		
5 % à 14 % d'excès	1.027	122
15 % à 24 % d'excès	1.215	144
25 % et plus d'excès	1.472	174

La société des actuaires de la Metropolitan Life Insurance Company a montré d'autre part que :

1) chez les hommes de 15 à 69 ans

un excès de poids de 10 % augmente la mortalité de 20 %

un excès de poids de 20 % augmente la mortalité de 33 %

un excès de poids de 30 % augmente la mortalité de 42 %

2) chez les femmes de 15 à 69 ans

un excès de poids de 10 % augmente la mortalité de 18 %

un excès de poids de 20 % augmente la mortalité de 25 %

un excès de poids de 30 % augmente la mortalité de 30 %

Il ressort de ceci qu'un excès de poids est plus nocif chez l'homme que chez la femme.

Newburgh est arrivé à des conclusions similaires en ce qui concerne la gravité de l'obésité : en effet, il observe que :

Un excès de   4,5   kg augmente la mortalité de   8 %

Un excès de   9,0   kg augmente la mortalité de   18 %

Un excès de 13,5   kg augmente la mortalité de   28 %

Un excès de 18,0   kg augmente la mortalité de   45 %

Un excès de 22,5   kg augmente la mortalité de   56 %

Un excès de 27,0   kg augmente la mortalité de   67 %

Un excès de 31,5   kg augmente la mortalité de   81 %

Un excès de 40,5   kg augmente la mortalité de 116 %

L'obésité apparaît donc comme une maladie beaucoup plus grave qu'on ne l'imagine couramment. Il est donc très important de pouvoir la combattre. Le régime pourra-t-il suffire ? L'opinion des auteurs a varié à ce sujet avec l'idée qu'ils se faisaient de la cause de l'obésité.

II. - Pathogénie de l'obésité

Les gros mangeurs deviennent obèses, mais de nombreux obèses, surtout des femmes, prétendent manger peu. Sur la base de ces affirmations, von Noorden a distingué deux catégories : l'obésité de cause exogène, c'est-à-dire due à un apport calorique excessif et l'obésité de cause endogène, c'est-à-dire qui aurait été due à une prédisposition à fabriquer de la graisse.

Toutes les observations où un contrôle scientifique a pu être établi ont montré que dans tous les cas sans exception, l'obésité provient d'un apport calorique supérieur aux dépenses et un régime de restriction calorique provoquait une diminution de poids.

1° Théorie hypothalamique

On a voulu expliquer l'obésité par un dysfonctionnement hypothalamique. Smith, par une lésion bien limitée du noyau paraventriculaire de l'hypothalamus chez le rat a pu provoquer une obésité vraiment monstrueuse. Brooks a montré que ces rats consommaient une ration alimentaire 4 à 5 fois supérieure à celle de leurs congénères et que si on ne leur fournit qu'une ration normale, leur poids ne se modifie pas.

On voit en clinique des cas d'obésité importante survenant à la suite d'une fracture de la base du crâne, mais ils sont toujours liés à de la polyphagie. Nous avons eu l'occasion d'en observer deux cas, et ceux-ci maigrirent grâce à un régime de restriction calorique.

Le centre nerveux contrôlant l'appétit se trouve dans l'hypothalamus. Ce contrôle de l'appétit provient de la sensation de rassasiement pour une ration déterminée. Chez les animaux dont l'hypothalamus est lésé, cette sensation de rassasiement ne survient que pour une ration alimentaire supérieure à celle de l'animal normal.

C'est là l'explication de l'obésité. L'obèse n'a une impression de rassasiement que pour une ration alimentaire importante. Comme il a encore faim après une ration normale, de bonne foi, il prétend qu'il a peu mangé. Le vrai trouble pathologique de l'obèse, c'est un trouble du contrôle de l'appétit, peut-être un trouble fonctionnel de l'hypothalamus.

2° Facteurs psychologiques

On voit à la suite d'émotions violentes certains sujets grossir d'une manière importante. Ce fut le cas au cours de la guerre où l'on vit des femmes, dont le mari ou le fiancé venait d'être arrêté grossir ; chez ces personnes l'acte de manger diminuait la tension nerveuse.

Chez l'enfant, des facteurs psychologiques entrent en jeu. Il s'agit souvent d'enfants uniques que les parents choient et gavent pour en faire des êtres forts qui réussiront dans la vie. Ces enfants isolés par les moqueries de leurs camarades rejettent leur faim affective sur la nourriture.

D'autre part, l'obèse a une psychologie particulière. L'alimentation tient toujours une grande place dans ses conversations, il se complait dans le récit de ses bonnes fortunes alimentaires, ou il insiste sur la petite ration alimentaire dont il se contente.

L'obèse s'illusionne sur la valeur de ce qu'il mange, parce qu'il se nourrit surtout d'aliments fort concentrés : sucreries, graisses, etc.

Chaque fois qu'à la suite d'un conflit émotionnel, un sujet grossit, on peut observer, qu'à son insu il consomme plus qu'auparavant.

3° Facteurs endocriniens

On a voulu rattacher certaines obésités à des altérations endocriniennes. On a décrit même certaines dispositions de l'adiposité comme la preuve de leur origine endocrinienne. Nous allons passer ces facteurs en revue.

a) Facteurs hypophysaires

Fröhlich a cru pouvoir rattacher l'obésité à une lésion hypophysaire. Malheureusement les partisans d'une origine hypophysaire de l'obésité ont rattaché celle-ci tour à tour à une hypofonction du lobe antérieur, à une hyperfonction du lobe antérieur, à une hypofonction du lobe postérieur et à une hyperfonction du lobe postérieur. On n'a jamais pu provoquer de modification du poids des animaux si, en enlevant l'hypophyse, on ne lésait pas l'hypothalamus ; on n'a jamais provoqué d'obésité par des injections d'extraits hypophysaires.

b) Facteurs thyroïdiens

On a souvent sans preuve attribué l'obésité à de l'insuffisance thyroïdienne ; or, souvent le myxoedémateux n'est pas obèse : d'autre part, l'obèse a fréquemment un métabolisme au-dessus de la normale, ce qui constitue de la part de son organisme un moyen de défense contre sa polyphagie

Nous avons déterminé le taux plasmatique de thyroxine et de tri-iodo-thyronine chez de nombreux sujets classés d'après leurs poids ; le taux moyen était le même pour ces deux hormones dans toutes les catégories de poids.

c) Facteurs pancréatiques

On a attribué l'obésité à une stimulation de l'appétit par une hypoglycémie due à un excès d'insuline. On sait à l'heure actuelle que, sauf dans quelques cas exceptionnels, l'hyperinsulinisme des obèses est la conséquence de l'obésité et se corrige par un amaigrissement. D'autre part, souvent l'obésité entraîne du diabète.

d) Facteurs ovariens

On a invoqué l'ovaire à cause de la fréquence des obésités survenant à la ménopause ou à la suite d'une grossesse. Chez beaucoup de femmes ces deux circonstances déclenchent un drame intérieur. Elles éprouvent, consciemment ou non, le besoin de se prémunir contre les dangers qui les guettent à cette époque de la vie et mangent avec excès.

On a aussi invoqué comme argument en faveur d'une origine ovarienne ou hypophysaire le fait que de nombreuses jeunes filles obèses sont aménorrhéiques, oligoménorrhéiques ou spanioménorrhéiques. Il a cependant été démontré que cette aménorrhée est la conséquence de la pauvreté du régime en protéines de ces jeunes obèses avides de sucreries, de farineux et de corps gras. Un enrichissement du régime en protéines et l'amaigrissement sans aucune hormonothérapie suffit à rétablir le cycle menstruel.

4° Rétention d'eau et de sel

Faisant crédit aux affirmations des obèses qui prétendent peu manger, on a voulu trouver une explication à leur excès de poids, et sur la foi d'une soi-disant insuffisance de la diurèse ; on a élaboré une théorie de l'obésité par rétention d'eau et de sel.

Une étude critique réduit cette théorie à néant. Cachera et Mach ont montré que le volume du liquide interstitiel est chez l'obèse normal pour son poids. D'autre part, l'emploi des résines échangeuses d'ions n'a permis ni à de Gennes, ni à Laroche de provoquer la moindre perte de poids. Enfin, le tissu gras contient d'une manière assez constante 86 % de graisse et 14 % d'eau.

En outre, Trémolières par la méthode des bilans a montré que les modifications de poids provoquées chez l'obèse ne sont jamais liées à des éliminations ou à des rétentions de sodium et d'eau.

III. - Prévention de l'obésité

Devant les conséquences néfastes de l'obésité pour l'avenir de la santé, il est plus important de prévenir l'obésité que de la guérir. On ne peut assez insister sur certains aspects de cette prévention.

1° Elle doit être faite dès le plus jeune âge.

Plusieurs arguments militent en faveur de cette affirmation.

A) En 1970, Hirsch et Knittle ont affirmé que le nombre d'adipocytes n'est susceptible d'augmenter que dans les premiers mois de la vie ; au delà de la première enfance, il ne se modifie plus, de telle sorte que celui chez qui la prolifération des adipocytes a été fort active dans le début de la vie est destiné à être obèse adolescent et plus tard adulte. Ils affirment que dans ces conditions l'obésité est inévitable et que les traitements sont inefficaces.

Ceci est toutefois sujet à caution car c'est faire bon marché des bilans caloriques et d'autre part on a émis de sérieuses critiques aux méthodes utilisées pour faire la numération des adipocytes. Ashwell et Garrow ont montré que si on prélève des fragments de tissus graisseux en différents endroits du corps, on obtient des résultats fort peu concordants.

B) Eid a suivi le poids de 474 enfants à l'âge de 3 semaines, de 3 mois et de 6 mois.

Il les a divisé en

306 dont le gain de poids était rapide

72 dont le gain de poids était moyen

96 dont le gain de poids était lent.

Il peut retrouver une partie de ces enfants entre l'âge de 6 et l'âge de 8 ans. Il classe ceux-ci en obèses (plus de 20 % au dessus du poids normal) et en gros (plus de 10 % au dessus du poids normal). Il trouve chez ceux

du premier groupe, 9,42 % d'obèses et 20.3 % de gros

du deuxième groupe 0,30 % d'obèses et 0,90 % de gros

C) Même l'excès de poids à la naissance favorise l'obésité. Eid a en effet constaté que chez ceux dont le poids de naissance avait été de

moins de 2,75 kg il y a 6,7 % d'obèses et 6,7 % de gros

de 2,75 à 3,75 kg il y a 9,3 % d'obèses et 20,6 % de gros

plus de 3,75 kg il y a 11,5 % d'obèses et 19,2 % de gros.

D) L'excès de poids dans l'adolescence mène à l'obésité chez l'adulte. Abraham et Nordsieck examinent 100 adultes de chaque sexe. Ils déterminent leur taille et leur poids 20 ans plus tôt quand ils avaient de 10 à 13 ans.

Dans chaque sexe, la moitié était obèse dans l'enfance et l'autre moitié de poids normal.

Les enfants obèses ont beaucoup plus de risques de devenir obèses à l'âge adulte que les enfants non obèses.

sur 50 garçons obèses, 43 sont des adultes obèses

sur 50 garçons normaux, 21 sont des adultes obèses

sur 50 filles obèses, 40 sont des femmes obèses

sur 50 filles normales, 9 sont des femmes obèses.

De tout ceci il ressort qu'il y a lieu de combattre l'obésité dès la plus tendre enfance et qu'il ne faut pas escompter un amaigrissement spontané au moment de la puberté.

2° Encourager l'exercice physique.

L'inactivité physique déséquilibre autant le bilan énergétique que la suralimentation. Trop de jeunes ne prennent pas l'habitude de faire du sport.

Bullen, Reed et Mayer ont pris 27.211 photographies de jeunes filles âgées de 13 à 17 ans et se livrant au sport. Il y avait parmi elles 109 obèses et 72 de poids normal. Les jeunes filles obèses prenaient beaucoup moins souvent une part active au jeu (tennis, volley-ball, natation) que les jeunes filles minces.

3° Informer le public de la valeur calorique des aliments.

On est souvent étonné de voir l'ignorance du public au sujet de la valeur calorique des différents aliments. Il y a toute une éducation à faire à ce sujet. Beaucoup de gens ne se rendent pas compte que la sauce qu'ils mettent sur un plat a souvent une valeur calorique supérieure au plat lui-même ; beaucoup de gens ne se rendent pas compte que les boissons telles que vin, bière, limonade, etc. peuvent constituer des suppléments d'apport calorique importants.

Il ne faut pas consommer chaque jour un grand excès de calories pour arriver à des poids largement excédentaires. Nous donnons plus loin le calcul qu'ont fait Rynearson et Gastineau à ce sujet.

4° Recommander en cas de cessation d'activité physique de réduire l'apport calorique.

Très fréquemment, lorsqu'un travailleur de force est mis à la retraite ou lorsqu'un athlète quitte la compétition il gagne un nombre important de kilos dans les mois qui suivent le changement de vie. Ceci provient de ce que l'appétit reste réglé sur la ration calorique importante dont ils avaient besoin en raison de leurs grandes dépenses. Il faut qu'à ce moment ils veillent à se restreindre volontairement de manière à rééquilibrer leur bilan énergétique.

IV. - LE BILAN CALORIQUE

Quelles que soient les affirmations des obèses, l'obésité est toujours due à un apport calorique supérieur aux besoins. Certains auteurs ont, hélas, décrit des obèses qui resteraient gros malgré des régimes de l'ordre de 400 calories. Il s'agit de cas où l'on s'est contenté d'écouter les affirmations des patients et où l'on s'est laissé convaincre par les arguments qu'ils développent. Beaucoup de femmes obèses regrettent fort leur disgrâce, voudraient être élégantes... et croient suivre un régime. Leur désespoir suffit, hélas, souvent à convaincre le médecin. L'obèse affirme toujours qu'il mange peu.

Des faits précis viennent montrer qu'on ne peut jamais les croire.

1° Strang a étudié 8 obèses qui prétendaient ne pas pouvoir maigrir malgré un régime de restriction calorique importante. Il les a interrogés minutieusement Le régime moyen qu'ils voulaient bien avouer après interrogatoire serré, comportait 2.570 calories. Il soumit alors, dans des conditions où toute tricherie était exclue, ces patients à ce régime pourtant fort libéral ; ils perdaient en moyenne 200 g par jour, ce qui permet de conclure que chez eux ils consommaient probablement plus de 4.000 calories.

2° Evans a " espionné " le régime réel que suivaient 5 obèses, qui prétendaient ne pas maigrir malgré qu'ils se considérassent comme de petits mangeurs. Ils consommaient 4.500 calories par jour !

On peut affirmer que l'*obèse a une attirance pour la nourriture à peu près égale à celle du morphinomane pour la morphine. Jamais il ne viendrait à l'esprit d'un médecin de laisser traîner des ampoules de morphine près d'un morphinomane* en se fiant à ses promesses de n'en pas user. On ne peut avoir plus de confiance dans un obèse.

Il est possible que certains individus aient un besoin calorique moindre que d'autres parce que leur métabolisme est inférieur à la normale. S'ils consomment la même ration alimentaire que le sujet normal, ils engraisseront, mais s'ils se soumettent à un régime de restriction, ils maigrissent sûrement.

On peut, connaissant le poids d'un individu, calculer de manière précise les excès alimentaires qu'il commet ; d'autre part, lorsqu'à un individu on prescrit un régime de restriction calorique, on peut calculer de manière précise le nombre de grammes qu'il doit perdre chaque jour et faire ainsi sortir la question du poids corporel du mysticisme dont on l'a longtemps entouré.

a) Calcul de la ration alimentaire d'après le poids

Il ne faut pas croire, comme l'a affirmé von Noorden, qu'un petit excès alimentaire quotidien peut provoquer un gain de poids quasi illimité.

Rubner a montré que le métabolisme au repos est directement proportionnel à la surface cutanée. Celle-ci est fonction du poids et de la taille des individus.

Le besoin d'un individu est égal au métabolisme basal augmenté d'un certain pourcentage dépendant de son activité. On estime que, pour une activité modérée, la dépense calorique quotidienne est égale au métabolisme basal augmenté de 50 %.

Un individu de 35 ans, mesurant 1,70 m, doit peser normalement pour Gastineau 68 kg. Dans ces conditions, sa surface cutanée est de 1,79 m². Son métabolisme basal est normalement de 1.610 calories et son besoin calorique pour une activité modérée de 2.415 calories par 24 heures.

S'il commet des excès alimentaires, son poids augmentera jusqu'à ce que les pertes caloriques résultant de l'augmentation de sa surface cutanée compensent ses excès alimentaires.

Si au lieu de consommer chaque jour 2.415 calories, il en consomme chaque jour 3.255, son poids n'augmentera pas indéfiniment mais se stabilisera à 136 kg parce qu'à ce niveau sa surface cutanée permettra une perte calorique de 3.255 calories par jour.

Voici un tableau qui a été dressé par Gastineau et Rynearson et indiquant le besoin nutritif d'un homme de 35 ans, mesurant 1,70 m, à différents poids :

Poids en kg	Surface cutanée en mètres carrés	Besoin calorique par 24 heures	
		Conditions basales	Activité modérée
45,3	1,50	1.360	2040
68	1,79	1.610	2.415
90,6	2,02	1.840	2.760
113,3	2,22	2.020	3.030
135,9	2,40	2.170	3.255

Un tableau semblable peut être dressé pour chaque individu. Il permet connaissant son poids de connaître sa ration alimentaire et, partant, l'importance des excès qu'il commet.

b) Calcul du rythme d'amaigrissement d'après le régime prescrit

De la même manière qu'on peut calculer l'importance des excès alimentaires commis par un individu, connaissant son poids, on peut aussi prédire le rythme d'amaigrissement d'un obèse s'il suit le régime qu'on lui a prescrit.

Le tissu gras qui forme pratiquement la totalité de l'excès de poids chez l'obèse contient, par 100 g, 14 g d'eau et 86 g de graisse.

On peut en conclure qu'une modification de 100 g de poids du corps dans un sens ou dans l'autre exige un écart de 800 calories par rapport aux besoins, en effet, chaque gramme de graisse a un pouvoir calorique de 9,3 calories. La disparition de 100 g de poids du corps suppose donc un déficit de 86 x 9,3 = 800 calories.

Supposons, reprenant l'exemple précédent, que l'on soumette un individu de 35 ans, mesurant 1,70 m et pesant 136 kg à un régime de 1.200 calories.

Son besoin calorique quotidien, lorsqu'il se livre à une activité modérée est de 3.255 calories. Le déficit calorique quotidien sera donc de 3.255 - 1.200 = 2.055 calories

Un déficit de 2.055 calories doit entraîner une diminution de poids en gramme de 2.055 : 8 = 257 g par jour, soit 1,8 kg par semaine.

Dans la pratique, la première semaine il y a souvent une perte de poids un peu plus importante, car les excès alimentaires auxquels se livrait précédemment le patient entraînent toujours la rétention d'une quantité modérée de sels minéraux et d'eau qui est rapidement éliminée mais n'équivaut jamais à plus de 1 ou 2 kg, s'il n'y a ni insuffisance cardiaque, ni insuffisance rénale.

Il est bon pour stimuler le zèle du malade de lui remettre un graphique indiquant la courbe que doit suivre son poids avec le régime qu'on lui a prescrit en le priant de se peser régulièrement et de tracer sur le même graphique la courbe que suit effectivement son poids.

Ces prévisions ne peuvent être faites que pour les premières semaines car ensuite la chute de poids se ralentit pour trois raisons 1) au fur et à mesure que le patient maigrit l'écart entre sa surface cutanée et celle qu'il devrait atteindre diminue 2) en cas d'insuffisance alimentaire, le métabolisme basal diminue (c'est le pendant en sens inverse de la dépense de luxe des gros mangeurs). 3)La conversion partielle du T3 en T3 réverse joue peut-être un rôle.

1° Couverture des besoins qualitatifs

Si le seul moyen de faire perdre du poids à un obèse, c'est de lui faire consommer moins de calories qu'il n'en dépense, il faut veiller à ne pas altérer sa santé en créant des carences.

McCullagh a été le premier à insister sur la nécessité de fournir à l'obèse une ration de protéines satisfaisante, un large apport en sels minéraux et en vitamines. On s'efforcera de fournir au patient 1 g de protéines par kilogramme du poids qu'il devrait peser, aussi permettra-t-on une ration de viande assez large, en insistant pour qu'elle soit fort maigre, on permettra un oeuf en outre pour assurer une large ration de sels minéraux, on prescrira dans tout régime d'obèse 400 g de lait par jour.

Certains ont parfois affirmé que les nutriments composant le régime de restriction pouvaient avoir une influence sur le rythme de réduction pondérale. Bortz d'une part et Kinsell d'autre part ont montré que la perte de poids à un régime basse calorie est de la même importance que celui-ci soit composé principalement de protéines, de graisse ou de glucides.

Si certaines observations semblaient montrer qu'un régime basse calorie à base de glucides faisait moins rapidement maigrir, c'est parce qu'elles avaient été établies sur une courte période, or au début d'un tel régime, pour des raisons mal expliquées, il y a une rétention hydrosaline, mais ensuite la perte de poids est la même que celle qu'on observe avec les autres régimes ; ceci a été bien montré par Elsbach et Schwartz et par Bloom et Azar.

2° Le nombre de repas

Fabri a attiré l'attention sur l'importance du nombre de repas ; la même ration alimentaire donnée en un repas fait prendre plus de poids à l'animal d'expérience que si elle est répartie sur la journée. La même chose a été observée chez l'homme, toutefois tout le monde n'est pas du même avis. Quoiqu'il en soit certains se sont fait les partisans du grignotage s'opposant à la prise de repas.

L'expérience montre que certains obèses croient suivre un régime parce qu'ils ne mangent qu'une fois par jour ; ils ne se rendent pas compte qu'au cours de ce seul repas ils consomment autant de calories que d'autres en 3 ou 4 repas ; d'autre part il semble que lorsqu'ils sont loin du repas, ils se tiennent plus tranquilles et réduisent ainsi leur dépense calorique d'autant plus qu'à ce moment ils sont en hypotonie musculaire.

Généralement on recommande aux obèses de répartir leur ration calorique au moins en quatre repas.

3° L'exercice physique

Du simple point de vue nutritionnel il faut recommander l'exercice physique à l'obèse.

S'il faut se méfier de l'exercice physique violent chez l'obèse adulte, il faut cependant lui recommander de ne pas rester inactif ; dans une expérience fort bien conduite, Slabochova, Rath, Placer et Masek (1962) ont observé 19 femmes obèses, âgées de 19 à 38 ans ; ils les ont divisées en deux groupes. La première semaine elles sont toutes à un régime de 2.300 calories (304 g H.C., 40 g de graisses et 73 g de protéines) ; le premier groupe reste au repos tandis que le second fait chaque jour 4 heures d'exercice modéré (natation, gymnastique, jeu de balle). Durant la quatrième semaine elles reçoivent toutes le régime de restriction à 1.200 calories et sont mises au repos.

Durant la première semaine, le bilan azoté est positif chez toutes.

Durant la deuxième et la troisième semaine, le bilan azoté est positif chez celles qui font de l'exercice et devient négatif chez celles qui sont au repos.

Durant la quatrième semaine, le bilan azoté est négatif chez toutes.

Ceci montre que l'exercice physique modéré au cours de la cure de restriction calorique a une influence tout à fait heureuse sur le bilan azoté ; il empêche le catabolisme azoté et favorise même l'anabolisme.

En outre les travaux de l'école suédoise (Bjorntorp, Holloszy) ont montré que l'exercice physique fait baisser de manière appréciable les triglycérides et de manière modérée le cholestérol et fait augmenter le HDL cholestérol. Autrement dit il diminue le risque d'athéromatose. Enfin l'exercice physique abaisse à la fois la glycémie et l'insulinémie à jeun et après surcharge glucosée.

Certains auteurs ont préconisé des régimes ayant une valeur calorique extrêmement basse, de l'ordre de 600 à 800 calories par jour. Nous n'en sommes pas fort partisans pour plusieurs raisons : 1° avec des régimes aussi pauvres en calories, il est presque impossible de couvrir les besoins essentiels du malade, notamment en ce qui concerne les protéines ; pour assurer la ration de sels minéraux et de vitamines, on doit recourir à des préparations pharmaceutiques ; 2° de pareils régimes exigent que le malade soit hospitalisé et soumis à une surveillance sévère, notamment pour éviter les fraudes toujours possibles ; 3° ce qui est généralement important, ce n'est pas tant de faire maigrir très rapidement un malade que de lui rééduquer l'appétit. Le malade qui mange beaucoup le fait très souvent par laisser-aller. Le centre de l'appétit est éducable et c'est là la principale préoccupation qui doit animer le médecin.

On prescrira le plus souvent des régimes à 1.250 ou 1.500 calories qui pourront être suivis par un patient vivant dans son milieu familial et vaquant à ses occupations. Il faudra toutefois exiger qu'il pèse tous les jours ses aliments sans quoi après quelques jours il prendra, du moins pour les plus nourrissants d'entre eux, le double de la ration permise, presque sans s'en rendre compte.

Chez un grand nombre d'obèses les difficultés à suivre un régime de restrictions n'existent que durant les quelques premiers jours ; très rapidement, ils sont habitués à ce nouveau régime et ils avouent qu'ils ne pourraient plus commettre les abus qu'ils commettaient auparavant. C'est souvent à ce moment qu'ils prennent conscience de l'ampleur des abus qu'ils commettaient autrefois.

4° Différents types de régime

Voici quelques régimes pouvant convenir chez les obèses.

En premier lieu, voici un régime de 600 calories recommandé par le National Research Council des Etats-Unis. Ce régime ne doit être prescrit qu'exceptionnellement et uniquement chez des malades hospitalisés et surveillés par un personnel sur qui l'on puisse compter pour éviter toute fraude. Il faut que les aliments soient soigneusement pesés :

Régime à 600 calories par 24 heures

Légumes à 3 % d'hydrates de carbone	300 g
Fruits à 5 % d'hydrates de carbone	200 g
Fruits à 10 % d'hydrates de carbone	100 g
Pain	10 g
Lait écrémé	400 g
Oeuf	1
Viande très maigre	150 g

Ce régime contient 55 g d'hydrates de carbone, 60 g de protéines et 15 g de graisse, ce qui représente 620 calories. Son apport en sels minéraux est satisfaisant car il est de 660 mg pour le calcium et de 9 mg pour le fer. Il est carencé en vitamine A car il n'en renferme que 2.400 unités.

Le régime suivant à 1.000 calories, également recommandé par la National Research Council des Etats-Unis, trouve des indications plus fréquentes. C'est lui qu'on recommandera notamment aux obèses que la maladie condamne à l'inaction :

Régime à 1.000 calories par 24 heures

Légumes à 3 % d'hydrates de carbone	400 g
Fruits à 10 % d'hydrates de carbone	300 g
Pain	60 g
Crème à 20 % de graisse	30 g
Lait écrémé	480 g
Oeuf	1
Viande très maigre	150 g
Beurre	15 g

Ce régime est beaucoup plus satisfaisant que le précédent, au point de vue de la couverture des besoins essentiels de l'organisme. Il apporte 100 g d'hydrates de carbone, 70 g de protéines,

40 g de graisse et 1.030 calories. Il est riche en sels minéraux car il renferme 870 mg de calcium et 11 mg de fer. Son apport en vitamines est tout à fait suffisant et notamment il contient 6.200 unités de vitamine A.

Chez les personnes qui se livrent à une activité physique très modérée, nous avons l'habitude de prescrire un régime à 1.250 calories. Il faut avoir soin de veiller à ce que ce régime soit suivi à la lettre, c'est-à-dire que tous les aliments soient pesés.

Voici le menu de ce **régime à 1.250 calories** :

Matin :

    30 g de pain

    5 g de beurre

    240 g de lait entier

Midi :

    Bouillon dégraissé

    100 g de pommes de terre 150 g de légumes à 3 % d'hydrates de carbone

    125 g de viande très maigre ou de poisson maigre

    10 g de beurre

    150 g de fruits à 10 % d'hydrates de carbone

16 heures :

    240 g de lait entier

Soir :

    30 g de pain

    5 g de beurre

    1 oeuf

    150 g de légumes à 3 % d'hydrates de carbone

    150 g de fruits à 10 % d'hydrates de carbone

En outre, le malade est autorisé à prendre à volonté de l'eau, du thé, du café, du bouillon dégraissé et des jus de fruits non sucrés.

Il faut noter que le bouillon dégraissé calme assez bien la sensation de faim tout en étant d'un apport calorique nul. On a pu augmenter considérablement sa propriété de couper la faim sans augmenter sa valeur calorique en l'épaississant au moyen de gomme de caroube, introduite dans le commerce sous le nom de Nestargel. On ajoute au bouillon une pincée de ce produit qu'on laisse tomber en pluie fine dans le potage bouillant. Il s'épaissit instantanément, on le sert chaud.

Ce régime comporte 115 g d'hydrates de carbone, 85 g de protéines et 45 g de graisse. Il est très large en sels minéraux et en vitamines.

Chez les sujets qui continuent à exercer leur activité normale, nous prescrivons un régime un peu plus large qui comporte 1.500 calories.

Menu du régime à 1.500 calories :

Matin :

    40 g de pain

    5 g de beurre

    250 g de lait entier

Midi :

    Bouillon dégraissé (épaissi au Nestargel)

    100 g de pommes de terre

    200 g de légumes à 3 % d'hydrates de carbone

    150 g de viande maigre ou 200 g de poisson maigre

    15 g de beurre

    200 g de fruits à 10 % d'hydrates de carbone

Soir :

    40 g de pain

    5 g de sucre

    1 oeuf ou 40 g de viande maigre

    200 g de légumes à 3 % d'hydrates de carbone

    200 g de fruits à 10 % d'hydrates de carbone

    250 g de lait.

A volonté : eau, thé, café, jus de fruits non sucrés, bouillons dégraissés que l'on peut épaissir au Nestargel.

Avec ces quatre régimes, on peut faire maigrir tous les obèses, pourvu qu'on leur insuffle suffisamment de conviction ; la première condition de succès est la persuasion du médecin. *On ne fait pas partager par le malade une conviction que l'on n'a pas.*

Si, avec ce régime, le malade ne maigrit pas, c'est qu'il ne le suit pas. Si l'on maintient fermement ce point de vue, on finit par recueillir ses aveux ou ceux de son entourage.

Il est aisé de calculer qu'avec le régime de 1.500 calories, un individu qui dépense 3.000 calories par jour doit perdre environ 200 g par jour de son poids. Rares sont les malades qui suivent leur régime avec assez d'assiduité pour perdre autant.

Il est bon dans certains cas d'user de subterfuges ; on peut prescrire certains régimes particuliers qui, contrairement à l'opinion des auteurs qui les ont préconisés, n'agissent que par leur faible teneur en calories. Etant donné le déséquilibre qui existe entre les principes alimentaires, ils ne peuvent jamais être prescrits que quelques jours par semaine.

1° Jours de lait et bananes

Nous avons l'habitude de prescrire chez nos malades qui ne maigrissent pas assez rapidement par un des régimes précédents de prendre deux ou trois jours par semaine (jamais deux jours consécutifs) :

    3/4 de litre de lait écrémé

    6 bananes

Cette ration est divisée en 3 repas d'égale importance ; elle comporte environ 145 g d'hydrates de carbone, 32 g de protéines et 5 g de graisse, ce qui représente 770 calories.

2° Jours de fruits

— On peut recommander aux obèses des jours de fruits ; 2 ou 3 par semaine. Comme la ration en protéine est trop faible, on y ajoute un peu de pain complet, de fromage ou de lait.

Voici l'ordonnance d'une de ces journées :

Matin :

> 100 g de pommes ou oranges
>
> 50 g de pain complet
>
> 200 g de lait écrémé

Midi :

> 200 g de pommes
>
> 200 g d'oranges
>
> 50 g pain complet
>
> 30 g de fromage
>
> 1 tasse de thé ou café

Soir :

> 200 g de pommes
>
> 200 g d'oranges
>
> 50 g de pain complet
>
> 1 tasse de thé ou café

Ce régime contient 200 g d'hydrates de carbone, 40 g de protéines et 14 g de graisses et comporte 1.115 calories.

3° Jours de crudités

— On a recommandé, et surtout en Suisse, sous l'influence de Bircher, des jours de crudités. Ce régime a l'avantage d'être peu nourrissant, malgré un volume important ; il est alcalinisant, ce qui est favorable, car les obèses sont gros consommateurs de viande et de graisse.

Voici l'ordonnance d'un jour de crudités

Matin :

> 200 g de pommes ou oranges
>
> 30 g de pain complet
>
> 200 g de lait

Midi :

> 100 g de carottes
>
> 100 g de betteraves
>
> 100 g de céleri-raves

100 g de choux

10 g d'huile

40 g de pain complet

1 oeuf

200 g de pommes ou oranges

Soir :

    100 g de tomates

    100 g de laitue

    100 g carottes

    100 g de chicorée

    10 g d'huile

    200 g de pommes ou oranges

    200 g de lait

    30 g de pain complet

Ce régime comporte 180 g d'hydrates de carbone, 40 g de protéines et 43 g de graisses, ce qui constitue un apport de 1.300 calories.

4° *Le jeûne total*

Cette méthode a été introduite en thérapeutique par Bloom en 1959 et a été surtout popularisée par Duncan et ses élèves. Elle consiste à ne donner au malade que de l'eau à volonté et un comprimé de complexe vitaminique durant un temps qui peut varier d'une semaine à plus d'un mois.

Cette méthode permet au patient de perdre du poids assez rapidement et assez paradoxalement sans qu'il ne souffre de la faim. Certains sont partisans de poursuivre ce régime durant plusieurs semaines de manière à faire perdre rapidement de nombreux kilos au patient, d'autres ne sont partisans que d'une cure de courte durée, d'une semaine par exemple, de manière à prouver aux obèses qui prétendent ne pas pouvoir maigrir qu'un régime de restriction entraîne une perte de poids.

Le jeûne total nous paraît devoir être évité dans la pratique courante pour trois raisons :

a) Ball et coll. ont montré que si l'on comparait deux groupes d'obèses, les uns soumis au jeûne total et les autres à un régime de restriction de 600 à 800 calories, la perte de poids était sensiblement la même dans les deux groupes mais que cette perte se faisait au cours de la période de restriction alimentaire pour 70 % aux dépens du tissu gras et au cours de la période de jeune pour 15 % seulement aux dépens du tissu gras le reste se perdant à partir des tissus maigres.

b) On a décrit divers accidents au cours des cures de jeûne total. Drenick et coll. ont décrit l'apparition d'une encéphalopathie aiguë de Wernicke survenant chez un homme de 35 ans après 23 jours de jeûne. Il guérit du reste de manière rapide par l'administration de hautes doses de vitamine B1. Cet accident était dû au fait qu'on n'avait pas donné au patient de suppléments de vitamines.

Duncan, Jenson, Cristofori et Schless ont du reste recommandé de donner chaque jour une tablette polyvitaminée au cours de la période de jeûne.

Mayer signale un cas de dépression nerveuse grave survenue après 8 à 10 jours de jeûne et un cas de colite ulcéreuse.

Dans tous les cas de jeûne total, on assiste à une ascension progressive du taux d'acide urique dans le sang tandis que l'élimination urinaire d'acide urique diminue ; ce phénomène, bien étudié par Cristofori et Duncan est dû à une augmentation de la réabsorption d'acide urique au niveau du tube rénal. Deux patients de Drenick et coll. firent même une crise de goutte aiguë.

C'est la raison pour laquelle Drenick et Smith considèrent que l'obèse atteint de goutte et celui qui a un taux élevé d'acide urique sanguin et chez qui l'anamnèse révèle des antécédents familiaux de goutte ne peuvent être mis au jeûne total.

Ces mêmes auteurs, confirmés du reste par tous ceux qui ont une expérience de ce traitement ont montré qu'au cours de la période de jeûne il existe une hypotension orthostatique chez un grand nombre de patients ; ceci constitue une contre indication pour les sujets qui ont fait un infarctus myocardique récent ou des accidents vasculaires cérébraux car ils peuvent s'en trouver aggravés.

c) Il y a eu des morts subites d'origine cardiaque chez les patients soumis à ce régime. Divers auteurs dont Garnett ont eu l'occasion de faire une autopsie ; ils ont constaté une atrophie des fibres myocardiques et même leur dissociation avec fragmentation.

5) La diète protéique

Pour obvier à l'inconvénient du bilan azoté fort négatif et s'opposer à l'affaiblissement du malade, Linn et Stuart préconisèrent sous le nom de « Last chance diet » un régime comportant 25 à 40 g de protéines, de l'eau à volonté et une capsule polyvitaminée. Ce fut une catastrophe puisqu'en quelques mois, le Centre Fédéral de Contrôle des Maladies enregistra 60 morts de femmes d'environ 30 ans et il y en eut encore bien d'autres. Elles mouraient en fibrillation ventriculaire et les autopsies faites par Iner montrèrent une atrophie des fibres myocardiques avec fragmentation et dans certains cas une infiltration lymphocytaire.

On attribua les morts soit à la piètre qualité des protéines administrées, soit au déséquilibre de ce régime. Toujours est-il qu'il est à proscrire.

6) Le régime de Cambridge ou régime équilibré à teneur vraiment basse en calories

Blair Bell a fait une étude vraiment très minutieuse de l'apport minimal d'acides aminés et de glucides permettant de maintenir l'équilibre azoté et éviter une trop forte acidose. Il est arrivé à la conclusion que c'était possible en donnant 15 g d'acides aminés et 30 à 45 g d'hydrates de carbone, des sels minéraux et des vitamines.

La composition en acides aminés par 100 g était en g :

L Isoleucine	: 0,344	L Arginine
L Leucine	: 0,544	L Acide aspartique
L Lysine	: 0,408	L Acide glutamique
L Méthionine	: 0,352	Glycocolle
L Phénylalanine	: 0,392	L Histidine
L Thréonine	: 0,344	L Proline
L Tryptophane	: 0,106	L Sérine
L Valine	: 0,379	L Tyrosine
L Alanine	: 0,367	

Glucose ou oligomères du glucose 30 à 45 g
Sels minéraux 20 g.

La composition des sels minéraux par 100 g :

Sodium	0,481 g	Zinc	0,083 mg
Potassium	0,444 g	Chlore	1,037 g
Calcium	0,167 g	Phosphate	0,167 g
Magnésium	32,5 mg	Acétate	3,06 mg
Manganèse	0,585 mg	Sulfate	2,37 mg
Fer	2,50 mg	Iode	0,031 mg
Cuivre	0,44 mg	Gluconate	1,444 g

Oligoéléments 0,5 g dont par 100 g, 50 mg d'iodure de potassium ; acétate de cuivre monohydrate, 1,40 mg ; acétate de zinc déshydraté, 300 mg ; acétate de manganèse, 2,86 mg.

Vitamines : 2 mg B_1, 2 mg B_2, 2 mg B_6, 2 µg B_{12}, 20 mg nicotinamide, 50 mg C, 5.000 unités A et 400 unités D.

Acides gras essentiels : 1 capsule 1 ml d'huile de tournesol.

Ce régime apportant 190 à 250 calories a été élargi en augmentant la quantité d'acides aminés et la quantité d'hydrates de carbone.

Notamment, Apfelbaum proposa de porter la ration de protéines à 75 g chez l'homme et à 55 g chez la femme.

Plusieurs milliers de patients furent traités avec ce régime sans qu'il n'y ait eu d'accidents ; des sujets modérément obèses arrivent à l'équilibre azoté en 2 ou 3 semaines même s'ils se livrent à un exercice modéré.

Wadden recommande néanmoins de n'appliquer ce régime qu'aux obèses dont l'excès de poids dépasse 40 %.

Le régime de Cambridge se prépare à partir de poudres contenant les divers ingrédients que l'on dissout dans de l'eau, en les aromatisant.

Ceci a provoqué la mise sur le marché de diverses spécialités contenant ces mélanges.

7) Les repas liquides équilibrés

Devant la difficulté qu'ont les obèses de modérer leur appétit lorsqu'ils sont à table, différentes firmes ont mis sur le marché des sachets contenant un mélange d'acides aminés ou de glucides à dissoudre dans de l'eau ou du lait écrémé selon le cas.

Ces sachets peuvent être destinés à remplacer un repas, les autres repas étant ceux de la diète hypocalorique, ou ils peuvent être consommés comme seul aliment durant plusieurs semaines à raison de 3 repas par jour.

Ces repas, grâce à un bon équilibre évitent chez les obèses les troubles métaboliques (acidose, hyperuricémie) et sont chez certains d'entre eux un moyen efficace de les faire maigrir.

L'alimentation exclusive sous cette forme constitue une application du régime de Cambridge. Les différentes spécialités sont Vivonex, Shape metriecal, Gevral, Alburone, Equiline, etc.

V. - LA VALEUR CALORIQUE DES ALIMENTS

Etant donné que le seul élément qui entre en ligne de compte dans le traitement de l'obésité est le bilan calorique, il est de la plus haute importance pour le diététicien de connaître la valeur calorique des aliments. Le tableau indique d'après Demole la quantité d'aliments qu'il faut consommer pour obtenir 100 calories.

Pour fournir aux obèses la ration de protéines dont ils ont besoin, leur régime est toujours déséquilibré dans le sens d'un excès relatif de protéines, ce qui est favorable car celles-ci par leur pouvoir spécifique dynamique augmentent encore le niveau des combustions et favorisent la perte de poids.

L'obèse est souvent avide d'entrées ou de desserts, plats qui sont généralement fort nourrissants, les premiers à cause de leur teneur en graisse ou en huile, les seconds à cause de leur teneur en sucre et en farineux. On peut, grâce à la gomme de caroube (Nestargel), préparer des recettes appétissantes et pauvres en calories.

	grammes pour 100 calories		*grammes pour 100 calories*
Tomates ·	300	Pain	40
Choux blancs	290	Sardines à l'huile	40
Carottes	280	Cacao (sans sucre)	30
Oranges	270	Farine complète	30
Pommes	190	Haricots secs	30
Lait	150	Semoule	29
Poisson (préparé)	140	Fromage gras	28
Pommes de terre	110	Pâtes alimentaires	28
Bananes	100	Riz	28
Oeufs (1 1/2)	75	Sucre cristallisé	25
Boeuf	70	Lard	17
Confiture	40	Beurre	13
Jambon	40	Huile	11

Voici deux recettes proposées par Demole :

1° Entrée

- Délayer très lentement 12 g de Nestargel dans un peu de bouillon de viande dégraissé très chaud, puis rallonger jusqu'à 400 ml, assaisonner avec de l'extrait de Liebig. Porter à ébullition durant quelques minutes. Ajouter des câpres ou des cornichons pour augmenter la saveur. Verser dans des moules et laisser refroidir cette gelée que l'on sert comme un aspic.

Cette préparation, de couleur foncée, a un goût agréable de jus de viande épais. Une portion de 100 g de cette entrée fournit seulement 40 calories, alors qu'un aspic contenant 30 g de jambon représente 120 calories.

2° *Dessert aux fruits*

- Délayer très lentement 12 g de Nestargel et 10 g de sucre dans 500 cm³ d'eau froide à laquelle on ajoute 1 jus de citron, 1 orange coupée en morceaux et de la saccharine ou du cyclamate de sodium pour sucrer. On porte à ébullition durant quelques minutes, il se forme de nombreux grumeaux difficiles à éviter.

On passe au Turmix cette préparation chaude. La gelée s'homogénéise parfaitement. On verse dans des moules et on laisse refroidir. La consistance du dessert n'augmente pas au cours du refroidissement et conserve son aspect de gelée·assez molle. Il ne faut pas chercher à obtenir une masse plus compacte qui puisse se démouler facilement car le produit trop riche en Nestargel prend volontiers une consistance caoutchoutée.

Une portion d'un quart de cet entremets n'a une valeur énergétique que de 45 calories contre 200 d'un pudding de même apparence.

Souvent les obèses sont avides de sauce ; on peut pour les illusionner faire une mayonnaise où l'huile est remplacée par de la paraffine liquide qui n'est pas utilisée par le tube digestif.

L'abstention de sel, préconisée par Zondek qui croyait un grand nombre d'obésités dues à la rétention de sel n'a aucune valeur, sauf si l'obésité est compliquée d'insuffisance rénale ou cardiaque. Tout au plus peut-elle faire perdre 2 ou 4 kg car l'obèse, gros mangeur, a un organisme surchargé en électrolytes. L'abstention de sel, en permettant l'élimination de ce supplément d'électrolytes, permet l'élimination de la quantité de liquide qu'ils retenaient.

La preuve de l'absence du rôle des électrolytes a été fournie par les résines échangeuses d'ions dont l'emploi par de Gennes et par Laroche n'a permis en aucun cas une diminution de poids.

VI. - RÉSULTATS DU TRAITEMENT DIÉTÉTIQUE

Comme dans tout traitement diététique, le succès exige la coopération intelligente du malade. A ce point de vue, il est utile de lui donner à lire des articles bien faits sur cette question.

Le patient perd, s'il suit bien son régime, environ 1 kg par semaine ; s'il perd davantage, il y a intérêt à élargir un peu son régime. Il est habituel que la perte soit un peu plus importante au cours des deux premières semaines ; cela provient de la perte d'électrolytes entraînant une certaine quantité de liquide. L'amaigrissement exige donc un effort durant de nombreux mois. Si le rythme de l'amaigrissement n'est pas suffisant, il faut interroger le malade. C'est qu'il ne suit pas suffisamment son régime. Il y a lieu de porter l'interrogatoire principalement sur les sucreries qu'il consomme entre les repas, l'huile qu'il met sur ses légumes, les sauces ou les corps gras qu'il ajoute aux mets qu'il consomme.

Il est bon, au début, que le médecin voie fréquemment son malade pour le surveiller et l'encourager.

Au fur et à mesure que le malade maigrit, si on parvient à lui faire perdre quelques kilogrammes, il éprouve une sensation de bien-être qui l'encourage à continuer. Ses digestions sont plus faciles, il n'a plus de lourdeurs de tête et est moins dyspnéique à l'effort. Si l'on a fait des courbes d'hyperglycémie provoquée, on voit que celle-ci, souvent pathologique au départ, se normalise au fur et à mesure que le poids diminue. Bien souvent, la tension diminue.

Lorsque le malade a atteint le poids normal, il suffit souvent de garder les restrictions portant sur les sucreries et les corps gras pour voir le poids se maintenir. Il faut éviter qu'il retombe dans les erreurs du passé sous peine de le voir reprendre son obésité.

CHAPITRE XI

La maigreur

La maigreur peut être liée à un état pathologique, mais elle peut aussi être le fait d'un état de nutrition déficient. Généralement, lorsqu'elle est secondaire à une maladie, on apprend par les commémoratifs que le sujet a perdu assez rapidement un certain nombre de kilogrammes. Ces amaigrissements rapides nécessitent une mise en observation pour dépister la cause. Il s'agira souvent d'une hyperthyroïdie, d'un diabète, d'une néoplasie ; parfois, cet amaigrissement sera lié à un état émotif qui fait perdre l'appétit. Dans ces cas le traitement sera avant tout étiologique. Il faut soigner la cause de l'amaigrissement.

La maigreur chronique peut elle aussi être liée à un état pathologique: tuberculose chronique, insuffisance digestive, etc. Il faut donc également avoir soin d'en repérer par une observation médicale les causes pathologiques éventuelles.

I. - L'ANOREXIE MENTALE

L'anorexie mentale est le plus souvent le résultat d'un conflit émotionnel chez des jeunes filles ou des jeunes femmes qui s'installent dans un état d'inappétence. Elles ne ressentent plus la faim, et ont l'impression d'être rassasiées avec des rations alimentaires absolument insuffisantes. Ces malades peuvent arriver à un état de maigreur tout à fait extraordinaire et peuvent même en mourir. Leur état de nutrition déficitaire peut entraîner divers signes d'insuffisance endocrinienne et notamment d'insuffisance hypophysaire.

Il faut d'emblée imposer d'autorité un régime au malade et l'avertir que les jours où il n'aura pas gagné de poids on le nourrira à la sonde. Il faut peser le malade chaque jour et mettre la menace à exécution s'il n'a pas grossi ; ces patients sont capables sinon d'absorber une ration favorable mais de la rejeter ensuite par vomissement. Il faut traiter ces malades comme des mentales.

Souvent ces patientes supportent d'emblée 2.800 calories ; avec cet apport toutes gagnent du poids et, surtout si le médecin a de l'autorité, elles se mettent à manger.

Il faut profiter de cette période pour faire l'évaluation psychiatrique.

Il est rare que ces patientes présentent des diarrhées ou des vomissements parce que l'intestin grêle reste intact plus longtemps que les autres tissus ; il est le premier à avoir accès aux acides aminés.

Dans des cas extrêmes, il peut y avoir, comme dans le kwashiorkor, une atrophie des muqueuses ; ce sont les protéines qu'il faut donner avant tout car ce sont elles qui restaureront la muqueuse. Il peut y avoir parfois une insuffisance en lactase ce qui rend la renutrition protéinique plus difficile car on ne peut alors donner du lait.

Les aliments doivent être donnés sous une forme très digeste. On donnera, par exemple, un litre de lait enrichi en sucre (50 g de sucre par litre) et en crème fraîche (50 g de crème par litre). On y ajoutera de la purée de pommes de terre dans laquelle auront été écrasés du beurre et de la viande finement hachée, un oeuf ou deux qui peuvent être introduits dans le lait.

Pour enrichir la ration en protéines on peut ajouter une ou deux panades par jour à base d'hydrolysat de protéines ou des potages agréablement aromatisés et contenant des hydrolysats de protéines. On y ajoutera quelques fruits qui apporteront un complément de vitamine C.

Dans les anorexies mentales de longue durée il peut y avoir une carence en oligoéléments qui peut entraîner de l'inappétence et inhiber la réhabilitation nutritionnelle ; c'est le cas surtout du zinc étant donné le rôle qu'il joue dans la synthèse des protéines. Il est bon de donner chaque jour une capsule contenant la dose journalière recommandée des différentes vitamines et des différents oligoéléments.

Voici une ration que l'on pourra servir dans un de ces cas :

	Protéines (g)	Graisse (g)	Hydrates de carbone (g)
1 litre de lait	35	35	50
50 g crème fraîche	2	10	2
50 g sucre	—	—	50
2 oeufs	12	10	—
150 g viande maigre	27	15	—
2 potages Nesmida	15	—	—
200 g pommes de terre	2	—	40
20 g beurre	—	20	—
50 g hydrolysat protéines	50	—	—
100 g pain	9	1	53
200 g oranges	1	0,20	

Ce régime comporte 2.300 calories réparties en 150 g de protéines, 90 g de graisse et 215 g d'hydrates de carbone. Lorsque la malade reprend ses forces et du poids, on peut progressivement passer à un régime normal. Il y a intérêt chez ces malades à multiplier les petits repas (cinq repas par jour) pour éviter le ballonnement que pourraient provoquer des repas trop importants, ce qui serait vite pris comme prétexte pour refuser les aliments.

L'élément psychologique est capital. La confiance du malade dans son médecin d'une part, l'autorité du médecin sur son malade d'autre part, sont des éléments indispensables à la réussite de la diétothérapie.

II. - LA PTOSE DIGESTIVE

Beaucoup d'amaigris sont des ptosés digestifs. Les repas importants provoquent des malaises dans la région épigastrique, ce que ces malades interprètent comme des troubles digestifs provoqués par les aliments ; ils en prennent prétexte pour s'alimenter peu. L'amaigrissement provenant de cette alimentation insuffisante aggrave la ptose et ainsi s'accentuent les troubles digestifs. En outre, ces malades atteints de déséquilibre neuro-végétatif ressentent avec particulièrement d'intensité les moindres malaises.

Il y a un intérêt majeur à mettre ces malades dans le calme et à les éloigner de leur milieu habituel. On les met en clinique au repos au lit absolu, ce qui a pour effet de provoquer la détente nerveuse. Le repos au lit supprime ou diminue fortement les malaises déclenchés par la ptose.

Le malade a besoin d'une ambiance, il faut que l'on s'intéresse à ses malaises, qu'il se sente compris. On doit lui rendre souvent visite.

Au début, l'alimentation de base est le lait, par très petites fractions; on passera ensuite à de petits repas fractionnés pour arriver en une quinzaine de jours à une alimentation normale.

On a décrit un ensemble psycho-physio-diététique sous le nom de cure de Weir-Mitchell ; la voici :

Les trois ou quatre premiers jours, 2 litres de lait par fraction de 250 à 300 g à la fois.

Les deux jours suivants, on ajoute :

   1 jaune d'oeuf battu dans le lait du matin,

   1 ou 2 tranches de pain beurré, consommées avec le lait vers 13 heures.

   1 compote de fruits ou 1 fruit

   1 bouillie de farines au lait ou un entremets le soir

Les jours suivants, on ajoute encore

   1 viande grillée à midi

   1 purée de pommes de terre ou de légumes secs

   des légumes verts.

Lorsque le régime devient copieux, on réduit le lait à 1 litre par jour. En une quinzaine de jours on arrive à un régime normal, qu'il faut maintenir à une valeur calorique élevée grâce à l'apport de lait et d'aliments nourrissants concentrés.

De toute façon, il faut donner de nombreux petits repas.

III. - LA MAIGREUR CONSTITUTIONNELLE

Il est plus difficile peut-être de faire grossir un maigre que de faire maigrir un obèse. Ceci est surtout vrai chez certaines femmes fort maigres qui ne présentent aucun signe pathologique en dehors de l'insuffisance de poids.

Dans cette catégorie de patients il existe au moins deux grandes variétés : d'une part de mauvais mangeurs dont la ration calorique explique l'insuffisance de poids et d'autre part des sujets qui mangent normalement ou même beaucoup et qui semblent gaspiller leurs aliments ; chez eux l'action spécifique dynamique des protéines est élevée, mais ils semblent avoir une vie végétative trop intense. Il est frappant de comparer la différence entre un obèse et un maigre de cette catégorie lorsqu'ils montent un escalier ; le premier est économe de ses mouvements, monte lentement dans des conditions de rendement musculaire optimales, le second monte les escaliers rapidement, souvent enjambant deux ou trois marches à la fois, dans de très mauvaises conditions de rendement musculaire. Leur maigreur ne les empêche pas d'être fort résistants à l'effort et ce n'est du reste souvent que sur les instances de leur entourage qu'ils consultent le médecin. Ces patients ont un bon estomac et, malgré la pauvreté des résultats généralement obtenus, le problème sera avant tout de leur faire consommer un grand nombre de calories. Il faudra donc leur donner les aliments interdits chez l'obèse, c'est-à-dire ceux qui, sous un volume réduit, apportent la plus grande quantité de calories.

En voici la liste :

Tableau des aliments à haute valeur calorique

100g donnent	calories	100g donnent	calories
Huile végétale	930	Jambon cuit	410
Saindoux	910	Fromage à la crème	400
Graisses végétales	790	Sucre	400
Margarines	780	Pâtisserie	380
Beurre	760	Oie	360
Mayonnaise	750	Fromage gras	350
Lard salé	650	Macaronis, pâtes	355
Noix, amandes	600	Saucissons au foie	330
Saucisses fines	540	Farines et semoules	320
Chocolat au lait	530	Miel	320

Il faut une assez grande fermeté avec ces malades et exiger qu'ils consomment l'intégralité de la ration alimentaire, sans s'arrêter à leurs plaintes, sauf dans de rares cas d'allergie alimentaire dûment constatée. Les repas seront servis à intervalles réguliers. Si malgré le régime le malade ne grossit pas, il peut être nécessaire de le faire entrer en clinique et le médecin devra même éventuellement assister au début aux repas de manière à vaincre par une ferme bonté les résistances du malade. Il y aura intérêt dans certains cas à prescrire avant chaque repas une cuillerée de potion chlorhydro-pepsique de manière à faciliter la digestion et éviter ainsi certains malaises qui pourraient servir de prétexte.

En principe, l'apport calorique sera environ 50 % supérieur à la ration nécessaire au maintien du poids idéal du malade. Le régime contiendra 100 à 120 g de protéines dont une moitié d'origine animale. Il pourra être utile, pour augmenter la ration protéique et favoriser la formation de tissu musculaire, de donner des acides aminés ou des hydrolysats de protéines, sous forme de potages ou de panades (Nesmida, Pronutrine, etc.).

Heupke conseille de ne pas augmenter brusquement la ration alimentaire, mais au contraire de l'augmenter progressivement.

Le même auteur estime inutile d'interroger les malades sur leurs goûts, il croit préférable de leur présenter les mets sans chercher spécialement à leur plaire, car, dit-il, il faut les rééduquer. Il est cependant fort important que les mets soient préparés de façon agréable. Il est utile aussi de les présenter les uns après les autres et non tous en même temps. Il est important de confier l'éducation psychique du malade à une personne qui ait de l'autorité et sache lui imposer ses vues. On obtient ainsi beaucoup plus aisément la collaboration du malade qui est essentielle.

Les hydrates de carbone seront donnés sous forme concentrée (pâtes, céréales, pommes de terre, pain, sucre); on ne donnera que de faibles quantités de fruits frais et de légumes, car leur volume pourrait gêner le malade et fournir ainsi un prétexte à ne pas prendre des aliments de haute valeur calorique. La ration en graisse sera aussi importante que possible ; il faudra toutefois éviter qu'un excès de celle-ci ne provoque des nausées ; on donnera avec prédilection la crème fraîche, le beurre, les oeufs, le lard et l'huile d'olive qui sont plus facilement digérés que les autres formes de graisse.

Un moyen assez pratique de donner un aliment de haute valeur calorique qui n'encombre pas trop le tube digestif est d'enrichir le lait. A 1/2 litre de lait on ajoute 100 g de crème fraîche et 50 g de lactose (qui n'écoeure pas comme le saccharose ou le glucose). On fait consommer chaque jour cette ration en supplément du régime, elle représente environ 680 calories.

Heupke recommande, surtout dans les cas de maigreur légère d'ajouter l'un ou l'autre supplément entre les repas. Il recommande comme appoint la recette suivante qui représente 500 calories.

Cacao au beurre

Avec une cuillerée à soupe de cacao, du sucre, de l'eau ou du lait qu'on fait cuire, on prépare 3/4 d'une tasse de cacao. Après avoir retiré cette préparation du feu on y fait fondre 50 g de beurre que l'on bat énergiquement pour faire une émulsion aussi fine que possible. Le cacao dissimule le goût du beurre qui est ainsi absorbé plus facilement ; il faut éviter de chauffer le beurre en même temps que le cacao, car cette manière de préparer peut occasionner la formation de produits de torréfaction qui peuvent provoquer du dégoût.

Pour satisfaire le besoin en vitamine C, on fera prendre au malade des jus de fruits.

Il y a intérêt à donner 5 repas de moyenne importance plutôt que 3 grands repas.

Pour augmenter la valeur calorique du régime, on a recommandé d'user de fruits oléagineux (noix, noisettes, amandes), de mayonnaise, de sauces au fromage, de sauces à la crème (à noter que certains légumes absorbent facilement de grosses quantités de ces sauces). Il faut se méfier des légumineuses qui donnent très facilement du ballonnement.

L'huile de foie de morue n'est plus guère recommandée car elle provoque facilement du dégoût. On la remplace par des spécialités contenant les vitamines sous forme concentrée et qui peuvent exciter l'appétit.

Voici une liste de fruits riches en calories et qui doivent être recommandés chez le sujet maigre, car, contrairement aux fruits frais, ils l'alimenteront d'une manière substantielle sans encombrer son tube digestif.

100 g	*donnent*	*calories*
Noix ou noisettes (décortiquées)		650
Amandes		590
Dattes		300
Raisins secs		300
Figues sèches		280
Pruneaux secs		270
Pommes desséchées		260

Comme boissons, on donnera la préférence à celles apportant une quantité importante de calories et en premier lieu au lait (600 calories par litre). Il y a souvent intérêt chez l'adulte à masquer son goût par l'addition de thé, de café ou de cacao. On peut y ajouter de la crème fraîche et du lactose. On pourra aussi, donner, en quantité modérée, de la bière ; elle apporte par 100 g 40 à 60 calories, selon sa qualité.

On ne négligera pas de donner au malade des desserts nourrissants, faits de farineux, de crème fraîche et de sucre. A ce point de vue, les crèmes glacées peuvent rendre service car elles sont généralement consommées avec plaisir par les malades.

Heupke a conseillé ce que l'on a appelé le régime en zigzag qui a pour but de ne pas surcharger l'estomac du malade ; un jour on sert un régime à 3.500 calories et le lendemain un régime normal et ainsi de suite.

Les cures à l'insuline

- L'insuline a été recommandée dans la cure d'engraissement chez l'adulte par Falta en 1925. Cet auteur avait été frappé par l'engraissement des diabétiques soumis à l'insuline et la sensation de faim impérieuse déclenchée par l'hypoglycémie. Depuis, cette méthode a été adoptée par de nombreux auteurs. On commence par donner 5 à 10 unités d'insuline 1/2 heure avant chaque repas. On augmente ensuite progressivement la dose selon les réactions du malade et on peut aller jusqu'à 2 fois 20 ou même 2 fois 30 unités d'insuline par jour. Certains ont conseillé de donner après chaque injection deux cuillers à soupe de glucose dans un verre d'eau. On a conseillé également de donner des sucreries dans l'après-midi et dans la soirée pour éviter des hypoglycémies après la fin de la digestion.

On peut par ce traitement obtenir au début un gain rapide de 1 ou 2 kg. Il est surtout dû à une rétention aqueuse. Ensuite le poids augmente plus lentement, il s'agit alors véritablement de la constitution de réserves. On gagne assez aisément 5 kg en 3 semaines. On conseille de ne pas poursuivre ces cures plus de 3 à 5 semaines. Après ce laps de temps on interrompt, quitte à recommencer après un intervalle de 2 ou 3 mois.

L'insuline a une action métabolique importante. Elle favorise la transformation des hydrates de carbone en graisse et elle est nécessaire à l'anabolisme protidique. La sensation de faim déclenchée par l'hypoglycémie peut jouer un rôle aussi, mais si l'on veut utiliser ce moyen il ne faut pas donner de sucre au moment de la piqûre ; cette méthode peut déclencher chez le malade des malaises assez désagréables, aussi ne faut-il pas négliger de laisser à proximité du sucre ou du sirop qu'il puisse consommer immédiatement en cas de réaction exagérée. On profite de la faim canine déclenchée par l'insuline pour donner une ration importante d'hydrates de carbone au repas.

On a parfois conseillé de donner le matin à jeun, assez tôt, 10 ou 15 morceaux de sucre. Il se produit après 2 ou 3 heures une hypoglycémie réactionnelle secondaire dont on profite pour donner au patient un repas important. Cette méthode a l'avantage de fournir déjà une première ration calorique importante avec le sucre du matin. Elle est cependant dangereuse car elle risque de provoquer un surmenage des cellules langerhansiennes et de favoriser le diabète. Elle ne pourrait, en tout cas, pas être utilisée chez des patients à ascendance diabétique et nécessite une surveillance des urines et même de la glycémie.

Ces cures ont connu une grande vogue autrefois mais sont moins appliquées actuellement car trop souvent les résultats acquis ne se maintiennent pas et le patient revient lentement et progressivement à son poids antérieur.

CHAPITRE XII

La malnutrition calorico-protidique

On a regroupé actuellement sous le nom de malnutrition calorico-protidique une série d'affections de carence décrites autrefois sous divers noms et qui avaient une étiologie commune, l'insuffisance alimentaire entraînant à la fois un amaigrissement et un épuisement progressif du stock de protéines de l'organisme.

I. - HISTORIQUE

En 1906, Czerny décrivit sous le nom de dystrophie des farineux, le cas d'enfants des quartiers pauvres de Budapest qui nourris de bouillies farineuses souvent trop diluées les rendaient épais et les empêchaient de grandir. Cette affection fut retrouvée au Nigéria par Miss Cicely Williams qui la décrivit sous le nom que lui donnaient les indigènes de la région, le kwashiorkor.

Quelques années plus tard, Waterlow décrivit sous le nom de marasme le cas d'enfants qui généralement à la suite de famines présentaient un état de maigreur.

On voulut opposer ces deux tableaux cliniques car les enfants atteints de kwashiorkor étaient apathiques et hostiles à l'entourage, bouffis d'oedème masquant en réalité une maigreur extrême ; ils refusaient la nourriture de force. Cette affection frappe les enfants entre 2 et 4 ans. La marasme survient chez des enfants plus jeunes, souvent de moins d'un an ; ils sont d'une maigreur extrême, ont l'oeil vif et cherchent avidement la nourriture.

On décrivit bientôt des états intermédiaires sous le nom de marasme kwashiorkorique ou de kwashiorkor marasmique. Jelliffe proposa de regrouper tous ces états sous le nom de malnutrition calorico-protidique.

Chez l'adulte, on vit au cours de la guerre 1914-1918 apparaître des oedèmes chez les prisonniers des camps de concentration en Allemagne qui étaient nourris presque exclusivement de pommes de terre. Le grand pathologiste allemand, Max Buerger, soupçonnant une toxine présente dans les pommes de terre d'être en cause l'appela " Maladie des pommes de terre ". C'est Falta, de Vienne, qui en 1916 la rattacha à sa véritable cause, la carence en protéines créant l'hypoprotéinémie.

II. - MÉCANISME DE L'HYPOPROTÉINÉMIE

Le métabolisme des protéines est assez complexe ; celles-ci ne sont pas des substances inertes, elles sont en perpétuel remaniement ; les acides aminés de manière incessante s'unissent entre eux, sous l'action d'innombrables enzymes dans un certain ordre pour former les nombreuses protéines de notre organisme ; de manière tout aussi incessante, sous l'action d'autres enzymes, ils se détachent les uns des autres pour se retrouver dans d'autres protéines. Au cours de ce flux incessant d'échanges, certains d'entre eux sont détruits ; il y a une perte obligatoire d'azote.

C'est la raison pour laquelle nous devons chaque jour consommer sous forme de protéines les acides aminés nécessaires à l'entretien de notre stock ; nous devons notamment veiller à consommer en quantité suffisante des protéines de haute valeur biologique de manière à couvrir le besoin de chacun des huit acides aminés essentiels.

Il y a plusieurs manières d'arriver à l'hypoprotéinémie :

— ration calorique insuffisante, car dans ce cas, les protéines de l'organisme sont détournées de leur rôle plastique pour servir de substances énergétiques ;

— ration calorique suffisante mais ration de protéines insuffisante pour assurer le renouvellement des protéines détruites par le jeu normal du catabolisme ;

— ration calorique suffisante, ration normale de protéines mais celles-ci sont de basse valeur biologique ; il n'y a pas d'acides aminés essentiels en quantité suffisante pour assurer le renouvellement des protéines détruites au cours du métabolisme.

Dans le Tiers Monde, il y a généralement à la fois une ration calorique insuffisante, une ration de protéines insuffisante et des protéines de haute valeur biologique en quantité insuffisante.

A côté de ces causes purement alimentaires d'hypoprotéinémie, il existe de nombreuses causes pathologiques se rattachant principalement à trois mécanismes :

— catabolisme accru au cours du choc opératoire, chez les polytraumatisés, dans les stress importants et prolongés, etc ;

— perte de protéines au cours de néphropathies chroniques, par des fistules digestives, par les plaies étendues des grands brûlés, grossesses répétées, allaitements prolongés ;

— insuffisance de digestion et d'assimilation des protéines ; c'est fréquemment le cas chez les vieillards, d'où leur hypoprotéinémie souvent latente ; c'est le cas aussi dans la malabsorption.

Les protéines prennent une part importante à la constitution de tous les tissus. Les protéines plasmatiques jouent un rôle particulièrement important. D'abord, leur taux est le reflet de la charge en protéines de l'organisme. Weech a montré qu'il existe une relation très constante entre la quantité de protéines présente dans le plasma et celle présente dans l'organisme. Chaque gramme de protéines plasmatiques correspond à environ 30 g de protéines dans l'ensemble de l'organisme.

La teneur normale du plasma en protéines est de 7 %. Un organisme de 70 kg contient environ 3,5 litres de plasma et donc environ 245 g de protéines plasmatiques, c'est-à-dire qu'il y a 30 fois plus de protéines dans l'ensemble des différents organes, soit 7,350 kg.

En cas d'hypoprotéinémie, si le taux de protéines plasmatiques tombe à 4,5 %, on pourra calculer qu'il existe 4,5 x 35, soit 157,5 g de protéines plasmatiques et que donc l'organisme ne contient que 157,5 x 30, soit 4,725 kg de protéines totales. Il existe donc dans ce cas un déficit de 87,5 g de protéines plasmatiques, ce qui traduit un déficit total de 2,625 kg de protéines dans l'organisme.

Les protéines plasmatiques jouent un rôle important ; il en existe deux grandes variétés, les albumines et les globulines. Il existe normalement 1,5 à 2 fois plus d'albumines que de globulines dans le plasma. En cas de déficit protéique d'origine alimentaire et dans de nombreuses affections, la diminution porte d'une manière tout à fait prépondérante sur les albumines tandis que les globulines sont peu affectées et on assiste à une inversion du rapport albumines/globulines. Or, les albumines jouent un rôle beaucoup plus considérable que les globulines dans la pression oncotique du sang car leur poids moléculaire n'est que de 70.000 tandis que celui des globulines est de 180.000. On a calculé que normalement 85 % de la pression oncotique du sérum vient des albumines. En cas d'hypoprotéinémie avec inversion du rapport albumines/globulines, il y a donc une chute considérable de la pression oncotique.

C'est cette chute de la pression oncotique (ou pression osmotique colloïdale) qui permet la fuite du liquide des capillaires vers l'espace interstitiel, entraînant les électrolytes. Ainsi se constitue l'oedème de famine.

L'hypoprotéinémie avec la chute de la pression oncotique est l'élément déterminant capital de l'oedème de carence. D'autres facteurs influencent cependant grandement la constitution de celui-ci : les carences associées, la valeur calorique du régime alimentaire, le travail auquel l'organisme est astreint (dans les camps de l'Allemagne nazie les oedèmes étaient grandement favorisés par la basse valeur calorique de la ration alimentaire et la quantité de travail exigée des prisonniers).

Le tableau suivant, publié par Mollison au sujet de ses constations à Bergen-Belsen, illustre bien la complexité des facteurs qui doivent intervenir :

	Nombre de cas	Taux moyen de protéines (g %)	Ecarts de taux de protéines (g %)
Oedèmes graves	4	4,0	3,6 à 4,4
Oedèmes moyens	10	4,7	3,5 à 6,5
Oedèmes légers	13	5,1	4,5 à 5,9
Pas d'oedèmes	23	5,8	4,5 à 7,5

Si, dans certains cas, l'hypoprotéinémie se traduit par des oedèmes, il y a de nombreux cas où elle ne se traduit par aucun signe objectif, où elle ne se manifeste que par une sensation de grande fatigue. Cette hypoprotéinémie est très importante à dépister car elle entraîne une diminution considérable de la résistance de l'organisme. Les chirurgiens surtout ont été dans l'occasion d'en apprécier toute l'importance.

Dans l'hypoprotéinémie, même tout à fait latente, les tissus sont infiltrés ; friables, ils se déchirent et les points de suture ne tiennent pas ; d'autre part, la cicatrisation se fait trop lentement.

Les hypoprotéinémies sont compliquées généralement d'avitaminoses multiples mais latentes ; le métabolisme est si ralenti au cours de la malnutrition que le besoin vitaminique est fort réduit ; c'est sous l'effet de sa stimulation au début de la réalimentation que l'on voit apparaître les manifestations de différentes avitaminoses.

L'hypoprotéinémie due à la malnutrition calorico-protidique s'accompagne toujours d'une déplétion en zinc qui joue également un rôle dans la lenteur de cicatrisation, aussi l'administration de zinc est-elle capitale au cours de la réhabilitation nutritionnelle. Elle hâte la reconstitution du stock de protéines et stimule la synthèse des immunoglobulines ce qui a pour effet de diminuer les complications infectieuses auxquelles ils sont si sensibles.

III. - TRAITEMENT DE LA MALNUTRITION

En principe, chaque cas de malnutrition calorico-protidique est susceptible d'être traité par les méthodes d'hyperalimentation entérale et parentérale qui sont exposées dans un chapitre spécialement consacré à ce sujet. En pratique, cela n'est qu'exceptionnellement possible parce que la plupart du temps, la malnutrition calorico-protidique frappe un grand nombre de sujets dans une région pauvre démunie de l'équipement hospitalier et technique, du personnel compétent en quantité suffisante et des ressources pécuniaires suffisantes.

A) Chez l'adulte

1. Famine aiguë

Le traitement de la maigreur due à une sous-alimentation extrême telle qu'elle a été rencontrée dans les camps de concentration en Allemagne, ou telle qu'elle a existé en Hollande à la fin de l'occupation en 1945 ou telle qu'on la rencontre en Chine ou aux Indes, requiert des précautions tout à fat particulières qui relèvent pour une grosse part des lésions provoquées par la famine.

La maigreur intense des malades est compliquée par l'hypoprotéinémie qui peut devenir extrême. Cette hypoprotéinémie entraîne dans bon nombre de cas de l'oedème. C'est le fameux oedème de famine. Durant la guerre 1914-1918, cet oedème fut attribué aux pommes de terre car on le rencontrait dans des camps où les prisonniers ne recevaient pas d'autre alimentation que les pommes de terre, d'où le nom qui est parfois resté : la maladie des pommes de terre. Il faut toutefois noter que cet oedème peut manquer, même en cas d'hypoprotéinémie extrême, lorsque les affamés sont à un régime tout à fait exempt de sodium. Cela s'est vu, par exemple dans les camps de réfugiés arabes au cours de la campagne de Palestine.

A cette hypoprotéinémie s'ajoutent généralement de nombreuses avitaminoses qui compliquent le tableau clinique : scorbut, béribéri, pellagre ; d'une manière générale, on observe les signes de carence des vitamines du groupe B.

La dénutrition avec les différentes complications surajoutées entraîne souvent une anémie qui peut cependant, en cas de déshydratation par diarrhée, être masquée parce qu'il y a hémoconcentration.

La sous-alimentation chronique entraîne une altération profonde du tube digestif dont les muqueuses sont atrophiées ; il en est de même pour les glandes annexes, foie et pancréas. Il s'ensuit une diminution importante des sécrétions digestives. Les aliments ordinaires sont digérés de manière imparfaite dans le tube digestif et les aliments non digérés irritent particulièrement la muqueuse atrophiée du côlon, entraînant des diarrhées qui peuvent être mortelles. Beaucoup de prisonniers des camps de concentration allemands ont dû la mort pour s'être jetés sur la ration des soldats qui venaient les délivrer.

Les études ayant permis de codifier le traitement de ces grands états de dénutrition ont été surtout réalisées par les médecins qui ont eu à s'occuper du camp de Belsen où furent trouvés environ 60.000 affamés, tandis que des dizaines de milliers avaient déjà péri, victimes de la barbarie traditionnelle des Allemands.

Le traitement des grands états de dénutrition nécessite quatre sortes de mesures : 1° le repos au lit bien couvert pour éviter les pertes caloriques ; 2° une bonne hygiène générale ; 3° le traitement et la prévention des infections ; et 4° un régime adéquat. C'est cette dernière mesure que nous exposerons ici.

Le fait qu'à Belsen, beaucoup de dénutris eurent à souffrir de diarrhées graves, liées à la mauvaise résorption des aliments, a mis en lumière toute l'importance des méthodes d'alimentation par voie parentérale.

Il existe certaines divergences au sujet de la ration alimentaire à fournir au début de la réalimentation des grands dénutris :

a) Lipscome insiste sur le fait que ces patients se sont adaptés à un faible apport de nourriture et d'eau et que par conséquent le tube digestif ne pourra tolérer des régimes apportant une quantité importante de nourriture ou une augmentation rapide du régime.

Pour les cas graves, il recommande de ne pas commencer par des régimes de plus de 800 calories contenant 64 g de protéines. La base de ce régime est constituée par 2 litres de lait écrémé auquel il ajoute 60 g de sucre. Après 3 ou 4 jours, il passe à un régime de 1.700 calories contenant 92 g de protéines et enfin après quelques jours il administre 3.000 calories contenant 140 g de protéines. Il donne en outre trois fois par jour une tablette de vitamines contenant 1 mg de riboflavine, 10 mg de nicotinamide et 25 mg d'acide ascorbique.

b) Drummond ne croit pas au danger de régimes trop riches au début et commence par 2.500 calories avec au moins 80 à 100 g de protéines. Chez les patients trop affaiblis pour déglutir, il passe la sonde nasale. Ensuite, le régime est porté à 3.000 calories au moins avec 200 à 300 g de protéines.

Voici l'ordonnance de ce régime :

7 heures matin :

gruau d'avoine préparé avec du lait entier auquel on a ajouté 3 cuillers à soupe de lait écrémé en poudre et 3 cuillers à soupe de glucose. Trois tranches de pain avec de la confiture, de la viande, du fromage et du beurre.

10 h. 30 :

ration protéique, c'est-à-dire 3 cuillers à soupe de lait écrémé en poudre plus 1 cuiller à soupe de glucose et des fruits crus ou en compote, servis froids.

12 heures :

pommes de terre, viande maigre rôtie ou grillée, légumes facilement digestibles, cuits à la vapeur, plus une ration protéique.

15 heures :

ration protéique

18 heures :

comme le matin à 7 heures plus un oeuf.

c) Davidson estime qu'il faut commencer avec une certaine prudence et il croit notamment qu'il n'y a pas intérêt à dépasser 150 à 200 g de protéines par jour.

Voici le procédé de réalimentation qu'il prône pour les dénutris.

Le premier et le deuxième jour : 1,750 litre de lait écrémé sucré avec 60 g de sucre et aromatisé avec du thé ou du café ou de la vanille. On en donne une portion toutes les 2 heures, au besoin par la sonde nasale si le malade est trop faible et ne peut déglutir. On ajoute en outre, par jour, 3 à 5 mg d'aneurine, 5 mg de riboflavine, 50 mg d'acide nicotinique, 100 mg d'acide ascorbique. Cette ration apporte 1.000 calories et 70 g de protéines.

Du troisième au septième jour, si le traitement a été bien supporté, on ajoute chaque jour 200 calories pour arriver à .2000 calories et 100 g de protéines à la fin de la première semaine. Ceci se fait par l'addition des préparations suivantes apportant chacune 100 calories :

1° un oeuf brouillé ;

2° un lait de poule fait d'un oeuf battu avec une cuiller à café de sucre dans une des rations de lait ;

3° 25 g d'Ovomaltine et une cuiller à café de sucre ajoutés à une des rations de lait ;

4° une panade légère faite avec 25 g de gruau d'avoine et une cuiller à café de sucre ajoutés à une ration de lait ;

5° 30 g de pain et une cuiller à café de sucre ajouté au lait.

La deuxième semaine on augmente progressivement la ration calorique à 3.000 calories et la ration de protéines à 150 g en ajoutant prudemment de la viande, du fromage, des pommes de terre, du pain et du beurre. Pour les rations élevées de protéines on se servira beaucoup du lait écrémé en poudre. On ne recommandera le régime désodé qu'en cas d'oedèmes.

Le régime riche en protéines sera servi jusqu'à ce que le patient ait reconstitué sa musculature.

Davidson conseille de commencer le traitement de tous les cas, même les cas apparemment peu graves, par la méthode qu'il prône pour les deux premiers jours, car, dit-il, on voit parfois des cas, même peu graves, évoluer de manière défavorable par un mauvais départ de la réalimentation. De cette manière, on peut tâter le pouvoir d'assimilation de l'individu. Si le cas paraît très favorable, on peut, après 48 heures, passer directement au traitement recommandé pour la deuxième semaine.

De toute façon quelle que soit la forme de régime adoptée il est important d'ajouter des vitamines et des oligoéléments. On peut donner tous les jours une capsule contenant la dose journalière recommandée des différentes vitamines et des oligoéléments : en ce qui concerne le zinc, il faut donner une rations plus importante car il y a toujours une déplétion importante en zinc et avec Bitega (Rwanda) nous avons démontré que l'addition de zinc au régime accélère la renutrition nutritionnelle ; le taux de protéines et surtout d'albumine sériques augmente plus rapidement. Il faut administrer ± 50 mg de zinc par jour sous forme d'acétate ou de sulfate que l'on répartit en 3 ou 4 prises par jour. (3 ou 4 capsules de 60 mg par jour).

2. Forme chronique

Pour les cas chroniques, on sera amené à prescrire le régime hyperprotéiné. Celui-ci consiste à faire consommer par le malade une quantité importante d'aliments riches en protéines. Si l'on veut effectivement relever un taux de protéines abaissé, il faudra maintenir le malade longtemps à ce régime, car le taux de protéines ne se relève que lentement, ce qui n'est pas étonnant si l'on considère que chaque gramme de protéines manquant dans le sérum correspondra à 30 g de déficit dans l'organisme. Il est donc important de prescrire au malade un régime qu'il puisse accepter pendant le temps voulu.

Dans cette forme également, il y a déplétion en zinc et l'administration d'un supplément de ± 50 mg de zinc hâte la réhabilitation nutritionnelle.

Les aliments de base pour arriver à réaliser le régime hyperprotéiné seront la viande, les oeufs, le poisson et le lait avec ses sous-produits. Il faut arriver à faire consommer au malade de 150 à 200 g de protéines par jour tout en donnant un régime à haute teneur calorique pour éviter que les protides supplémentaires ne servent à fournir de l'énergie et soient brûlés. Ce n'est pas toujours facile chez un malade inappétent, surtout s'il est alité.

Il n'est pas difficile, au moyen des aliments usuels d'arriver à fournir 100 g de protéines par jour. Pour dépasser la centaine de grammes, il faut fournir des suppléments qui pourront être donnés sous forme :

1° De lait en poudre écrémé - Celui-ci contient 35 à 40 % de protéines. Il peut s'ajouter au pain où il est incorporé à la pâte, à la purée de pommes de terre, à des sauces et à des desserts.

Une excellente formule consiste à donner du lait ordinaire enrichi de lait en poudre écrémé à raison de 100 g pour 1 litre. Le litre de ce lait épaissi fournira environ 1.000 calories et contient environ 70 g de protéines. Il ne sera pas difficile d'en faire prendre 1/2 litre par jour au patient et de lui fournir ainsi 35 g de protéines.

On peut aussi donner le lait hyperprotéiné selon la formule de Baumann modifiée par Demole dont voici la préparation :

Lait ordinaire	600 g
Poudre de lait écrémé	150 g
Blanc d'oeuf	300 g

Cette ration contient environ 100 g de protéines. On bat le blanc d'oeuf avec la poudre de lait écrémé, on ajoute ensuite le lait ordinaire et on aromatise au moyen d'une cuillère à café de kirsch pour couper la saveur douceâtre du lait en poudre.

2° De fromage - Il existe une gamme étendue de fromages recherchés du reste par les gourmets. Il pourra être consommé aux repas du matin et de 4 heures avec du pain ou comme condiments dans les préparations culinaires (fromage rapé avec le potage et les pâtes, sauces au fromage, gratins, etc). L'inconvénient de beaucoup de fromages au point de vue diététique, c'est leur teneur élevée en graisse, aussi choisira-t-on de préférence les fromages maigres.

Le plus digestible de tous les fromages reste le fromage blanc maigre et c'est celui-ci qui pourra être utilisé le plus aisément dans la préparation des régimes hyperprotéinés.

Nous prescrivons volontiers à nos malades la préparation suivante assez facile à faire accepter.

Fromage blanc maigre	400 g
Blanc d'oeuf	200 g

Cette préparation apporte environ 100 g de protéines et peut facilement être ingérée. On bat les blancs d'oeufs en neige, soit avec 40 g de sucre en poudre, soit avec 50 g de sirop de grenadine et on ajoute progressivement le fromage blanc.

3° De caséine - Celle-ci renferme 85 % de protéines. Elle est extraite à partir du lait écrémé, mais a un goût assez désagréable de colle. Toutefois, on a préparé des granulés de caséine enrobée dans du glucose (croustilles Eneco : 65 % de caséine et 35 % de glucose) qui contiennent 45 % de protéines.

4° D'hydrolysats de caséine - Ils apportent 100 % d'acides aminés faciles à résorber et riches en acides aminés essentiels. Autrefois, ces préparations avaient un goût désagréable qui les faisait difficilement accepter par le malade ; actuellement, il existe des préparations exemptes de saveur désagréable (Nesmida) qui peuvent être incorporées à diverses préparations culinaires. Il existe des potages aux acides aminés (le sachet pour un potage en contient 7,5 g), des préparations chocolatées, de la poudre qui peut être ajoutée à du jus de tomate ou à des sauces et enrichir ainsi utilement la teneur en protéines du régime.

Il y a plusieurs manières de prescrire un régime hyperprotéiné. On peut recommander au malade un régime qui se rapproche de la normale et y ajouter un supplément de protéines sous l'une des formes que nous venons de décrire. Par exemple, on prescrira comme régime :

	Protéines (g)
Matin :	
125 g pain complet	11
10 g beurre	
150 g lait	5
10 heures :	
1 pomme ou 1 orange	1
Midi :	
150 g viande	30
200 g pommes de terre	4

150 g légumes	3
20 g beurre	—
1 fruit	5

16 heures :

125 g pain complet	11
10 g beurre	—
150 g lait	5

Soir :

75 g viande	15
125 g pain complet	11
150 g légumes	3
20 g beurre	—
1 fruit	1

Total	101 g

A ce régime, qui ne s'écarte pas fort de la normale, on ajoutera par exemple deux potages aux acides aminés (Nesmida), soit 15 g de protéines et 1/2 litre de lait enrichi de lait écrémé en poudre, soit 35 g de protéines ou 1/2 litre de lait hyperprotéiné, soit 50 g de protéines. D'autres préfèrent prendre divisée en deux ou trois fois sur la journée la préparation au fromage blanc et blanc d'oeufs qui semble moins fatiguer les malades. On pourra aussi recommander de prendre des croustilles.

Il y a des malades qui préfèrent ne prendre aucune préparation spéciale. On pourra alors leur prescrire le régime suivant :

	Protéines (g)

Matin :

125 g pain complet	11
10 g beurre	
1 oeuf à la coque	5
150 g fromage blanc maigre	30

10 heures :

150 g lait	5

Midi :

150 g viande maigre	30
150 g légumes	3
200 g pommes de terre	4
50 g pain complet	4

20 g fromage	5
20 g beurre	—
1 fruit	1

16 heures :

150 g yoghourt	5

Soir :

100 g viande maigre	20
150 g légumes	3
200 g pain complet	18
20 g beurre	—
150 g fromage blanc	30
1 fruit	1
Soit au total	175 g

Il faudra adapter la formule du régime hyperprotéiné selon les goûts et les capacités digestives du malade. C'est ainsi que chez les malades dont l'hypoprotéinémie est le résultat de lésions anciennes du tube digestif ayant depuis longtemps perturbé leur fonction digestive, les formules les plus sûres consistent à leur donner de l'hydrolysat de caséine, du lait hyperprotéiné et du fromage blanc hyperprotéiné ajoutés en quantité suffisante à un régime léger.

Il ne faut pas perdre de vue qu'il n'est pas facile de faire monter un taux de protéines abaissé et qu'il faut de longues semaines de régime hyperprotéiné pour y arriver. Dans les cas où il faut agir vite, par exemple, pour préparer un malade à une intervention chirurgicale qui ne peut être longtemps retardée, le régime ne peut suffire ; on recourra dans ce cas à l'administration parentérale de protéines.

B) Chez l'enfant

Chez les Noirs d'Afrique et dans d'autres régions du monde (et autrefois en Europe au XVe et XVIe siècle), la malnutrition des enfants est due plus à une insuffisance calorique qu'à une insuffisance d'apport protéinique. Trop souvent, on leur donne des panades de farineux beaucoup trop diluées. Leur estomac, d'une contenance fort réduite, ne leur permet pas d'absorber les quantités de nourriture nécessaires pour assurer leur croissance fort rapide.

Les lésions du tube digestif provoquées par la dénutrition exigent une grande prudence dans la réalimentation, il y a en effet une atrophie de toutes les muqueuses digestives, des parotides et du pancréas, il existe une infiltration graisseuse du foie ; au point de vue biochimique, il y a une chute du taux de lipase, de trypsinogène et d'amylase dans le suc pancréatique ; dans de nombreux cas, il y a insuffisance de lactase rendant difficile si pas impossible l'usage du lait.

Divers types de régime ont été décrits.

1° *Le régime de De Maeyer*

Première phase

Elle tend à reconstituer le plus rapidement les enzymes digestives et particulièrement les enzymes pancréatiques, but qui ne peut être atteint que par l'administration de protéines de haute valeur biologique aisément digestibles et en quantités assez élevées pour compenser les pertes éventuelles par manque de digestion.

Les premiers jours, il administre de la poudre de lait écrémé diluée et homogénéisée dans l'eau à la concentration de 7 %, le premier jour, de 9 % le deuxième jour, de 11 % le troisième jour, de 13 % le quatrième jour et les suivants.

Il est indispensable de commencer par de basses dilutions sous peine de voir des accidents mortels d'intolérance digestive, de même pour éviter les intolérances il ne faut ajouter ni saccharose, ni même glucose. On peut dans des cas graves se compliquant d'anorexie devoir administrer ces solutions par sonde durant les deux premiers jours.

On administrera chaque jour 1 litre de la préparation, divisé en quatre ou cinq repas ; toutefois, lorsqu'il faut se servir de la sonde, on ne dépassera pas le demi litre. On administre ainsi à partir du quatrième jour 130 g de poudre de lait, soit 45 g de protéines, ce qui chez un enfant de 10 kg signifie 4,5 g par kilogramme de poids du corps.

Cette première phase dure environ 5 jours.

Deuxième phase

ou phase de réalimentation progressive ; il faut augmenter la ration calorique ; les enzymes pancréatiques sont à ce moment suffisamment régénérées pour permettre l'addition d'hydrates de carbone ; deux sources d'hydrates de carbone sont particulièrement bien tolérées : le riz poli et la farine de bananes séchées. On ajoute au lait 30 g par jour de riz poli sec (soit 100 g lorsqu'il est cuit) que l'on peut porter progressivement selon le poids de l'enfant à 60, puis 90 et enfin 120 g par jour. Entretemps, on ajoute des panades de farine de bananes à la ration de 30 g de farine de bananes au début que l'on porte progressivement à 60 g. On fait cuire durant 10 minutes cette farine de bananes dans le lait écrémé de manière à obtenir une pâte homogène. On peut rapidement donner des bananes fraîches et crues qui sont fort bien tolérées, par contre, il faut attendre au moins 15 jours avant d'ajouter à la panade du saccharose ou tout autre sucre. Cette deuxième phase dure 15 jours environ.

Troisième phase

ou phase de réalimentation intensive. Le poids des enfants atteints de kwashiorkor est déficitaire, aussi faut-il les suralimenter ; on leur donne une ration comportant 150 calories par kilogramme et par jour.

On procède en remplaçant le lait écrémé par le lait entier, en ajoutant à la ration 20 à 30 g d'huile de palme et une centaine de grammes de viande ou de poisson par jour.

Au cours de la quatrième semaine, on peut remplacer le riz et la farine de bananes par d'autres aliments aussi nourrissants, mais il faut éviter tout aliment laissant des déchets qui irriteraient l'intestin dont la muqueuse est en voie de régénération et provoqueraient des diarrhées.

Cette phase doit durer au moins 1 mois.

Dans certains cas, le lactose contenu dans la poudre de lait écrémé peut être à concentration suffisante pour provoquer des diarrhées de fermentation. Il faut diminuer la concentration de lactose en ajoutant à la poudre de lait écrémé de la caséine. On ajoute 200 g de caséine pour 250 g de poudre de lait écrémé.

Il y a intérêt à ajouter à ce régime des mélanges vitaminiques (type Protovit Roche) de la vitamine B_{12} et du fer ; toutefois, le fer ne peut pas être administré avant le quinzième jour du traitement sous peine d'intolérances digestives.

2° *Le régime de Dean.*

Dean, travaillant dans l'Ouganda, a recommandé deux types de régime dans cette affection, l'un à base de lait écrémé, l'autre à base de farine de soja ; ils sont toutefois moins complets que le régime de De Maeyer mais ont donné des résultats fort satisfaisants dans les mains de cet auteur.

1° *Régime lacté*

L'auteur donne du lait fait à partir de poudre de lait écrémé (contenant 34 % de protéines) et y ajoute soit un peu de saccharose, soit un peu de glucose. Parfois il y ajoute dès le début une protéine concentrée.

Chez certains enfants atteints de kwashiorkor, il existe une intolérance aux hydrates de carbone et il faut alors éviter ou fortement réduire le sucre au début de leur réalimentation. Dean donne dans ce cas exclusivement de la poudre de lait écrémé (75 %) et des protéines concentrées (25 %) de manière à réduire considérablement l'apport d'hydrates de carbone.

Après quelques jours, lorsque l'état général s'est amélioré, il ajoute des aliments que l'on peut trouver sur place et dont les plus avantageux se sont révélés être la banane et la farine de maïs tout à fait fine (fleur de maïs).

Lorsque les enfants sont en voie de convalescence, il recommande une panade comprenant :

Farine de maïs	4 parties
Lait écrémé (poudre)	2 parties
Sucre	1 partie

On ajoute de l'eau de manière à obtenir une bouillie peu épaisse et l'on sert à 37 °.

2° *Régime à base de protéines végétales*

La base en est une farine de soja contenant 48 % de protéines et 7 % de graisse. Il associe ce soja à d'autres aliments : banane, fleur de maïs et saccharose.

Pour un enfant de 2 ans, il donne chaque jour :

500 g de bananes cuites.

150 g de fleur de maïs.

50 g de saccharose.

25 g de farine de soja.

La farine de maïs est cuite avec 400 g d'eau.

A ce régime, il ajoute une préparation polyvitaminique et 8 g de lactate de calcium.

Le régime contient 31 g de protéines et 7 g de graisse.

Après une quinzaine de jours, lorsque l'enfant va mieux, il remplace la farine de soja par des fèves de soja cuites.

La farine de maïs est indispensable dans ce régime comme source de méthionine qui est absente et dans le soja et dans la banane.

Pour les enfants dans un état fort grave, le régime lacté paraît préférable, du moins au début.

3° *Le régime préventif*

Si les symptômes dominants de cette affection sont dus à la carence en protéines, la cause profonde est davantage la carence calorique de la ration alimentaire. Les protéines de l'organisme sont utilisées comme source d'énergie.

La prévention consistera avant tout à faire l'éducation sanitaire des jeunes mères et à leur apprendre à donner à leur enfant lors du sevrage des bouillies plus consistantes à base de lait.

Dans certaines régions on a obtenu d'excellents résultats en incorporant dans ces bouillies une certaine proportion de farine de soja (10 à 15 %).

La malnutrition calorico-protidique est le problème sanitaire le plus important de la seconde moitié du XXe siècle. Sa solution satisfaisante demandera de nombreuses années encore parce que l'expansion de la population est presque aussi rapide que l'expansion de la production de vivres et que les conditions climatiques de la zone tropicale rendent impossible l'élevage du fait des épizooties.

Il existe cependant d'une part des sources de protéines végétales peu exploitées ; c'est ainsi que si les racines de manioc sont un aliment fort déséquilibré parce qu'il contient 1,2 à 1,8 % de protéines pour 60 à 70 % de glucides, les feuilles sont riches en protéines. Il faut apprendre aux indigènes à incorporer des feuilles de manioc dans leurs préparations traditionnelles.

Il faut promouvoir partout où la chose est possible la culture à la fois de céréales et de légumineuses parce que si les céréales sont pauvres en lysine, elles sont riches en acides aminés soufrés et si les légumineuses sont riches en lysine elles sont pauvres en acides aminés soufrés. Les protéines des deux se complémentent admirablement à condition d'être consommées au même repas.

Des recherches doivent être entreprises partout pour y adapter des espèces dont le rendement est le meilleur et pour rechercher quelles sont les plantes vivrières dont les protéines se complémentent le mieux.

CHAPITRE XIII

Le régime
dans les maladies des reins

Les principales maladies du rein qui sont justiciables d'un régime sont la néphrite, la néphrose et la lithiase.

I. - LA NÉPHRITE

La néphrite est une maladie rénale caractérisée par la perte constante d'albumine par les urines. Elle est la conséquence d'une lésion du tissu rénal causée par un toxique ou une infection. La fonction rénale ne s'accomplit plus normalement et l'excrétion d'eau, de sel et d'urée est insuffisante. La quantité d'urine excrétée est faible et dans les cas graves presque nulle. L'urée s'accumule dans le sang, le sel et l'eau dans les tissus, enfin la tension sanguine s'élève.

La néphrite est une des maladies dont le cours et le pronostic sont des plus fortement influencés par le régime alimentaire, non que le choix des aliments puisse modifier la lésion rénale, mais en donnant un régime pauvre en déchet on évite l'intoxication de l'organisme et on met, dans une certaine mesure, le rein au repos. Le repos complet n'est pas possible pour le rein car le métabolisme étant une fonction constante, continuellement il y a dans l'organisme la formation de déchets qui doivent être éliminés. Le régime aura pour but de demander au rein un effort minimum et d'éliminer les substances irritantes de l'alimentation.

1. La néphrite aiguë

C'est dans la néphrite aiguë que l'on voit les plus grands troubles de l'élimination, aussi est-ce dans ces cas que l'on prescrit les régimes les plus sévères.

Sous l'influence de Volhard, on a longtemps considéré que la meilleure diétothérapie de la néphrite aiguë avec anurie ou forte oligurie consistait en une restriction alimentaire stricte.

On prescrivait un régime pauvre en calories. D'habitude, on commençait par le régime lacté exclusif, donnant de 1/2 litre à 1 litre de lait par jour.

Cependant, dans certains cas, le trouble de l'élimination du sel est si grand, que la faible quantité de sel que contient le lait (0,16 %) suffit à entretenir les oedèmes du malade. Dans ces cas, on prescrivait du lait désodé. C'est un lait dont le sel a été éliminé en grande partie (il en contient encore 0,023 %). Le seul fait de mettre le malade à ce régime permettait souvent d'assister à la fonte rapide des oedèmes. En fait, ce qui compte, ce n'est pas le chlore mais le sodium.

Le malade était souvent mis les cinq premiers jours à la diète lactée exclusive. On donne 200 ml à 8 heures du matin, midi, 4 heures après midi et 8 heures du soir. On peut augmenter la valeur énergétique en ajoutant du glucose ou du sucre de canne.

Parfois le malade ne supportait pas bien cette diète lactée exclusive, on réduisait alors la quantité de lait qu'on remplaçait en partie par des jus de fruits. Il faut cependant être fort prudent avec les jus de fruits et s'être assuré qu'il n'y a pas de rétention de potassium car on pourrait aggraver dangereusement des troubles dus à l'hyperkaliémie.

Ce régime provoque souvent de la constipation et l'on est amené à donner des lavements.

Le retour à une alimentation solide se fait lentement et progressivement. On commence par ajouter en premier lieu des céréales, ensuite des fruits et des légumes. Il faudra éviter le chou, le chou-fleur, les oignons, les navets, les asperges et les fraises qui sont légèrement irritants pour les reins. On a recommandé spécialement les bananes.

Plus tard, le médecin juge du moment où il pourra introduire la viande et les oeufs et il en fixe la quantité d'après l'état du malade.

La préparation des aliments se faisait durant tout un temps avec le moins de sel possible.

Actuellement, les idées ont fort changé et l'on préconise, au contraire, dans un but d'épargne, un régime riche en calories dans les cas de néphrite anurique ou oligurique.

On sait que le jeûne total engendre des dégradations protéiques importantes ; la perte d'azote urinaire s'élève à 5 ou 6 g par jour correspondant à 30 à 40 g de protéines, par l'effet du catabolisme tissulaire. Par contre, si la ration calorique d'entretien est assurée par des glucides et des lipides, l'excrétion azotée s'abaisse de 2,5 à 4 g par jour, correspondant à 15 à 25 g de protéines.

En fournissant à l'organisme des principes énergétiques non azotés, en quantité suffisante, on diminue le catabolisme tissulaire et on réduit la quantité d'urée à éliminer, urée qui s'accumule dans le sang en cas de barrage rénal.

Diverses méthodes ont été proposées :

1° *Roch et Martin* conseillent des infusions glucosées hypertoniques dans la veine.

2° *Borst* propose d'administrer aux urémiques une ration de 2.600 calories composées uniquement de beurre et de sucre. Pour faire accepter cette ration au néphritique, volontiers écoeuré, Borst recommande de pétrir ensemble le beurre et le sucre (100 g de sucre pour 80 g de beurre) pour obtenir de petites boulettes homogènes servies glacées. Demole recommande des caramels mous obtenus en laissant caraméliser légèrement à feu doux, en remuant, 100 g de sucre auquel on ajoute le beurre par petits morceaux. On verse la masse dans un plat froid. On laisse refroidir. On coupe en carrés, 100 g de ces caramels, pratiquement privés d'azote, apportent 580 calories.

3° *Hamburger* a voulu modifier le régime de Borst trop facilement écoeurant et fort monotone. Il conseille le régime suivant qui comporte 1.800 à 2.000 calories et 5 g seulement de protéines :

Pain hypoazoté	50 g
Beurre	60 g
Miel	100 g
Compote de poires ou pommes	200 g
Confiture	100 g
Sucre	150 g

Ce régime est mieux supporté que le régime de Borst mais il ne peut être maintenu plus d'une dizaine de jours.

4° Alimentation par la sonde. Souvent le malade anurique est intolérant à toute alimentation par voie buccale, soit d'emblée, soit après quelques jours d'un des régimes précédents. Hamburger considère dans ces cas la mise en place d'une sonde duodénale comme un acte thérapeutique essentiel. On peut instiller par cette sonde soit l'émulsion de Bull, qui consiste à émulsionner 100 g d'huile dans I litre de solution glucosée à 400 %o, ce qui fait 2.500 calories, soit le lait déprotéiné de Hamburger, qui consiste en l'émulsion suivante :

Huile	125 g
Lactose	125 g
Saccharose	175 g
Amidon	30 g
Eau	1 litre

Ce mélange contient seulement 0,8 g d'azote et correspond à 2.500 calories.

Il y a intérêt à administrer en plus des vitamines B_1 (15 mg), B_2 (6 mg), C (50 mg), PP (60 mg) et K (20 mg).

Certains auteurs, entre autres Cameron, estiment qu'il n'y a pas intérêt à supprimer entièrement les protéines du régime dans la néphrite aiguë et conseillent de donner 1/2 litre de lait par jour. Ils ont constaté que les 15 à 20 g de protéines administrés de cette manière n'augmentent pas l'excrétion d'urée. Ceci signifierait qu'ils épargnent la dégradation des protéines de l'organisme. Ce n'est pas la suppression de protéines du régime qui arrête en effet le catabolisme azoté et empêche la formation d'urée. Il vaut mieux que celle-ci se forme aux dépens de protéines exogènes que de protéines endogènes, cela affaiblira moins le malade.

D'une manière générale, il faut toutefois veiller à ne pas dépasser la quantité d'un litre de liquide par jour car il y a difficulté d'élimination de l'eau.

2. Le mal de Bright ou insuffisance rénale progressive

En 1836, Bright décrit une maladie caractérisée sur le plan anatomique par l'existence d'un rein petit et de couleur pâle avec sclérose de nombreux glomérules et sur le plan pathologique par de l'albuminurie d'abondance variable avec présence de globules rouges dans les urines, hypertension, oedèmes et insuffisance rénale progressive.

On distingue des formes inflammatoires ou néphrites frappant les glomérules, des néphroses avec atteinte surtout des tubes rénaux et la néphrosclérose due à la sclérose des petits vaisseaux rénaux, aboutissant à la sclérose des glomérules et provoquant surtout de l'hypertension mais finissant par l'insuffisance rénale globale.

C'est à cette dernière forme surtout que l'on a réservé le nom de mal de Bright.

Pathogénie

Les travaux de Brenner ont renouvelé nos connaissances sur la pathogénie du mal de Bright et d'une manière générale sur l'influence de la ration de protéines sur l'évolution d'une insuffisance rénale.

La surcharge occasionnelle en protéines, comme c'était le cas autrefois chez les chasseurs ou comme on peut le faire chez l'animal d'expérience, entraîne des modifications de la fonction et de la structure rénale.

A chaque surcharge protéinique du régime survient au niveau des glomérules superficiels surtout et dans une moindre mesure au niveau des glomérules profonds une augmentation du flux sanguin et de la filtration glomérulaire favorisant l'élimination de déchets occasionnels importants.

Lorsque la surconsommation de protéines est permanente, comme c'est le cas actuellement dans les pays riches, il y a un flux sanguin élevé en permanence au niveau des glomérules pour permettre l'élimination des déchets abondants et ceci aussi bien au niveau des glomérules profonds que des glomérules superficiels.

Cette hyperfonction permanente des glomérules entraîne une accélération du processus naturel de sclérose glomérulaire. On estime que chez le sujet soumis à un régime normal, il y a entre l'âge de 40 et celui de 80 ans une sclérose de 10 à 30 % des glomérules .

En cas de surcharge habituelle du régime en protéines, une proportion plus importante de glomérules entre en sclérose. Ceci explique la mort relativement prématurée de certains athlètes (haltérophiles, boxeurs, catcheurs) qui, pour obtenir un développement musculaire extrême, consomment des quantités fort importantes de viande durant plusieurs années.

Des altérations rénales préexistantes favorisent cette évolution, ce qui se comprend aisément ; moins il persiste de glomérules fonctionnels, plus chacun d'eux devra éliminer une quantité importante de déchets. Cela se voit chez l'animal d'expérience auquel on a enlevé une partie du tissu rénal. Les altérations pathologiques du tissu glomérulaire augmentent en proportion de l'importance de la masse du tissu rénal enlevé. Il en va de même pour ce qui concerne les altérations pathologiques du rein. Moins il reste de glomérules sains, plus rapide est la sclérose des glomérules restant.

On comprend dès lors l'importance de la diminution d'apport protidique dans le traitement de l'insuffisance rénale.

Notons que Brenner a montré qu'il en allait de même en ce qui concerne les glycosuries importantes et prolongées chez les diabétiques mal équilibrés. L'élimination de quantités importantes de glucose entraîne aussi une vasodilatation rénale favorisant la sclérose du glomérule.

L'augmentation du flux rénal, surtout si elle coexiste avec une hypertension, modifie les propriétés de perméabilité sélective du glomérule qui laisse passer des macromolécules ; il y a albuminurie.

Cette filtration transglomérulaire accrue de protéines lèse à son tour le glomérule accélérant encore le processus de sclérose glomérulaire. Plus il y a de glomérules détruits, plus la charge hémodynamique est importante pour les glomérules restants.

Pour certains chercheurs, le phosphore dont la ration va de pair avec celle des protéines jouerait aussi un rôle dans ce processus. En règle générale, l'importance de la ration du phosphore va de pair avec celle de la ration de protéines.

Prévention

Les abus habituels de protéines favorisent la sclérose rénale par le mécanisme qui vient d'être décrit. Ce sont eux qui expliquent la fréquence de cette affection dans certaines classes de la société à la fin du XIXème et au début du XXème siècle.

Après la fin de la seconde guerre mondiale, sous l'influence des effets de privations, surtout d'aliments riches en protéines, il y eut une tendance à préconiser des rations de protéines plus élevées que par le passé et notamment à recommander chez l'adulte une ration de 1,5 g de protéines par kg plutôt que le g qui avait été longtemps préconisé. On y voyait un avantage au point de vue résistance et force physique.

Actuellement, devant les risques de sclérose rénale, on est d'avis qu'il vaut mieux en dehors de cas particuliers s'en tenir à 1 g par kg de poids du corps et par jour. Il y a lieu aussi de remettre en question les rations élevées de protéines de l'ordre de 1,5 à 2 g/kg/jour recommandées chez le vieillard sous prétexte que celles-ci s'opposent à la lente érosion du stock de protéines de l'organisme en permettant de mieux en équilibrer le bilan. Il y a chez le vieillard normal destruction par sclérose d'un certain nombre de glomérules, or comme l'a écrit Addis, une prise normale de protéines est pour une masse rénale réduite ce que l'exercice musculaire est au coeur malade.

Ce n'est pas parce que le développement de l'hémodialyse et des transplantations a ouvert des perspectives qui n'existaient pas autrefois que l'on doit négliger l'aspect nutritionnel de la genèse de la sclérose rénale.

Traitement

Deux grands types de régime sont prescrits dans l'insuffisance rénale progressive.

1) Le régime pauvre en protéines

La *limitation de l'apport de protéines* est l'acte capital du traitement de l'insuffisance rénale et ce pour deux raisons :

— la diminution de la ration de protéines ralentit la progression de l'insuffisance rénale chronique pour les raisons dites plus haut : Giordano a montré que chez des patients recevant 30 à 40 g de protéines par jour, le pouvoir de filtration glomérulaire n'avait pas diminué en 2 ans, mais il faut que :

1) une grande partie des protéines (75 %) soit de haute valeur biologique,

2) que l'apport calorique soit suffisant, c'est-à-dire 45 cal/kg/j ;

— un faible apport de protéines en diminuant la quantité d'urée formée ralentit la progression de l'urémie et retarde l'apparition des symptômes qui en dépendent (anorexie, vomissements, selles liquides, etc.).

On estime qu'une ration de 0,6 g/kg/j est suffisante, à condition que les trois quarts des protéines soient de haute valeur biologique et que l'apport calorique couvre bien les dépenses.

Un apport protéique trop faible pourrait provoquer un affaiblissement du patient, de l'hypoprotéinémie et par là l'accroissement des oedèmes.

On peut, avec von Noorden, distinguer trois degrés dans la pauvreté du régime en protéines :

a) Le régime modéré, qui ne contiendra que 60 g de protéines par jour et qui consistera surtout à limiter la viande, le poisson et les oeufs et autorisera une quantité de lait normale.

b) Le régime moyen qui consiste à autoriser 40 à 50 g de protéines ; on veillera à ce que les protéines de haute valeur biologique fournissent les trois quarts de la ration ; on donnera un pain hypoazoté fait avec la farine Juvela ou Wheatex et des pâtes ou des biscottes Aproten ; on éliminera les légumineuses et on permettra les fruits et les légumes ne contenant que 1% de protéines de manière à limiter au maximum les protéines de basse valeur biologique.

c) Le régime sévère qui doit contenir 40 g de protéines.

Autrefois, on s'efforçait de donner des régimes presque dépourvus d'azote. On sait actuellement que cette façon de procéder est néfaste. Charles Richet a montré que la ration protidique ne doit pas descendre en dessous de 0,5 g par kilogramme de poids du corps et par jour. Il a été démontré que la clearance uréique diminue en cas de faible apport protidique et augmente en cas d'apport protidique important. Hamburger a montré que les régimes carencés en protides appliqués à des malades atteints de néphrite chronique tendaient à provoquer une diminution progressive du pouvoir excréteur du rein vis-à-vis de l'urée.

Il a établi que la ration minimum de protéines chez le malade en néphrite chronique avec rétention azotée était de 30 à 40 g. Il faut en outre, que ce régime ait une teneur suffisante en calories pour empêcher le catabolisme des tissus propres de l'organisme. Ces malades étant d'habitude soumis à une activité physique modérée, il leur faudra 2.000 à 2.500 calories.

Pour faciliter l'application du régime. il sera bon de fournir au malade une liste des portions d'aliments apportant 5 g de protéines de haute valeur biologique où on lui recommandera de puiser la part principale de la ration de protéines.

Portions d'aliments apportant 5 g de protéines
de haute valeur biologique

Viande maigre	25 g	Lard gras	100 g
Viande grasse	30 g	Lait de vache	150 g
Volaille (poulet, dinde)	25 g	Yoghourt	100 g
Canard	30 g	Fromage pâte dure	20 g
Saucisse	55 g	Camembert	25 g
Salami	30 g	Fromage crème (Gervais)	65 g
Oeuf	1 g	Crème fraîche	200 g
Poissons maigres	25 g	Poissons gras	30 g

Portions d'aliments apportant 1 g de protéines
de basse valeur biologique

Pain Juvela	165 g	Pommes de terre	50 g
Pain froment blanc	8 g	Asperges	90 g
Pain de seigle	9 g	Carottes	90 g
Corn Flakes	12,5 g	Céléris	90 g
Pâtes normales	7,5 g	Chou fleur	40 g
Tapioca	150 g	Chou rouge	50 g
Abricots	110 g	Chou de Bruxelles	22 g
Ananas	250 g	Chicon	100 g
Banane	80 g	Endives	50 g
Cerise	90 g	Epinards	45 g
Fraises	125 g	Haricots verts	40 g
Framboises	90 g	Laitue	50 g
Groseilles	70 g	Oignons frais	70 g
Melon	200 g	Poireau	50 g
Oranges	110 g	Tomates	100 g
Pamplemousse	160 g	Prunes	150 g
Pêche	125 g	Raisins	125 g
Poire	200 g	Myrtilles	150 g
Pomme	300 g	Chocolat	15 g
Miel	250 g	Bière	150 g

Aliments n'apportant pas de protéines

Beurre, margarine, saindoux, graisses diverses, huiles diverses, sucre, cassonade.

Le patient choisira les 3/4 de sa ration parmi les aliments contenant des protéines de haute valeur biologique et rejettera les légumineuses (petits pois, fèves, lentilles, soja, pois chiches, etc.) qui contiennent 15 à 25 % de protéines.

L'expérience montre que, si on n'exige pas du patient la pesée régulière des aliments, sources de protéines, assez rapidement les quantités autorisées sont dépassées, ce qui a un effet néfaste sur l'évolution de l'insuffisance rénale par accélération du processus de sclérose glomérulaire.

2) Le régime pauvre en sodium ou régime désodé

On sait à l'heure actuelle que ce qui compte, ce n'est pas la teneur en chlore, mais celle en sodium, c'est pourquoi il faut bannir le mot régime déchloruré.

Ce régime est indiqué dans tous les cas d'hypertension. Le régime désodé à lui seul suffit à abaisser la tension sans l'aide d'aucun médicament et c'est la première mesure à appliquer dans tous les cas.

La quantité de sodium présente naturellement dans les aliments peut suffire, dans les conditions normales à assurer les besoins. On peut se passer entièrement de sel ajouté sans danger. Toutefois, l'habitude qu'ont prise les gens des pays occidentaux de saler leurs aliments a provoqué une atrophie fonctionnelle de leurs papilles gustatives et le régime leur paraît fade et monotone. Toutefois, s'ils s'imposent de suivre correctement celui-ci, en moins d'un mois, ils retrouvent le goût normal des aliments et trouvent plutôt désagréables les aliments salés comme auparavant.

Il faut savoir prescrire un régime au malade avec toutes les précisions voulues, car si on se contente de lui conseiller un régime sans sel, sans autres précisions, il éliminera le sel ajouté à la préparation des aliments ;dans ces conditions,son régime contiendra environ 5 g de sel, ce qui sera encore beaucoup trop, il faut en effet viser à se rapprocher du gramme de sel. Le pain ordinaire contient environ 20 g de sel par kilogramme et constitue un apport important. Il faudra donc ou le supprimer ou donner un pain ne contenant pas de sel.

Le lait contient 1,6 g de sel par litre et à ce titre est défavorable comme tel chez les cardio-rénaux qui en consomment facilement plus d'un litre.

Les légumes et les fruits sont pauvres en sodium et riches en potassium. Ils favorisent donc l'élimination du sodium et à ce titre sont utiles. Le régime végétarien ou crudivorisme peut donc être fort utile pour éliminer le sodium. Signalons que seuls certains légumes ont un rapport potassium/sodium assez bas et à ce titre doivent être déconseillés : la betterave, le céleri, les épinards.

Les oeufs contiennent le chlorure de sodium presque exclusivement dans le blanc. On pourra donc donner les jaunes (10 mg de sel par jaune) pour les préparations culinaires.

Voici quelques conseils positifs au sujet de l'administration et la préparation des aliments dans le régime pauvre en sodium :

1° *Le pain* sans sel est très fade lorsqu'il est blanc et c'est l'aliment qui risque de rebuter le plus le malade. Par contre le pain gris sans sel, et surtout s'il est fait en partie au moins avec du seigle, a une saveur agréable qui ne rebute pas.

2° *Les pommes de terre* sans sel sont excessivement fades sauf lorsqu'elles sont cuites au four ou frites avec un peu de beurre sans sel.

3° *Les potages de légumes* sans sel sont fades et le patient n'en veut souvent pas. On peut, par contre, recommander des potages de fruits (abricots, framboises, cerises, etc) légèrement sucrés qui excitent l'appétit. Ces potages se prennent couramment en été en Allemagne.

4° *Beaucoup de légumes* sans sel sont fades. Il faut pouvoir choisir ceux qui sont sapides même préparés sans sel. Les carottes, les petits pois et même les princesses peuvent se passer de sel et gagnent dans ce cas à être légèrement sucrés. Les salades et les tomates seront assaisonnées de jus de citron.

5° *Les poissons* contiennent peu de sodium, même lorsqu'ils sont d'origine marine, mais la truite est celui dont la saveur est la plus agréable cuite sans sel. Les autres poissons seront bouillis à l'eau non salée ou frits ou cuits au four et on pourra relever leur saveur au moyen d'herbes aromatiques ou de condiments.

6° *Les viandes* sont parfois fort fades lorsqu'elles sont cuites sans sel. Le veau et le porc sont les viandes qui se passent le plus facilement de sel, de même que le blanc de poulet.

Ces mesures suffisent généralement car il n'y a pas lieu dans la plupart des cas de descendre sous 2 ou 3 g de sel. Si on veut arriver au g de sel, il faut encore ajouter.

7° *Le lait désodé* (lait Pennac de Guigoz) complète heureusement le régime.

En tenant compte de ces données, il est possible de prescrire un régime de haute valeur calorique contenant moins de 1 g de sel. Voici un menu de Otth :

	Sel (mg)	Calories
400 g pain sans sel	28	960
1/2 litre lait Pennac	115	325
500 g légumes (moyenne)	300	150
500 g fruits (moyenne)	185	200
200 g pommes de terre	110	180
100 g amandes	132	560
100 g sucre	0	400
50 g graisse ou huile	65	430
2 jaunes d'oeufs	20	115
	955	3.320

Les régimes sans sel sont désagréables par leur fadeur, aussi devra-t-on s'efforcer d'en relever le goût par des condiments. Signalons d'abord que de nombreux sels artificiels n'étaient que des sels de sodium autres que le chlorure. Ils ne conviennent naturellement pas puisque c'est le sodium qui est nocif et non le chlore. Par contre, les sels de potassium sont utiles puisqu'ils ont une action favorable sur l'élimination du sodium et qu'ils sont diurétiques avec la réserve toutefois qu'il faut s'être assuré qu'il n'y a pas de rétention de potassium. On pourra utiliser comme condiment l'extrait de soja, le jus de citron, le zeste de citron, des herbes aromatiques (persil, ciboulette, estragon, etc.), la noix de muscade, le poivre, le clou de girofle, etc.

Le régime de Kempner - Ce régime, qui a connu pas mal de vogue ces dernières années est un régime désodé particulièrement sévère qui se distingue de l'habituel régime sans sel : a) par la suppression des protéines animales ; b) par la réduction des graisses à 5 g seulement ; c) par la suppression des hydrates de carbone contenant une certaine quantité de chlorure de sodium.

Ce régime comporte deux phases :

A) **Régime d'attaque** ou régime strict de Kempner (1 à 3 mois) ; on donne chaque jour : 1° 250 à 300 g de riz (pesé sec, cru) ; 2° autant de fruits que l'intestin peut en tolérer, à l'exclusion des noix et des dattes et pas plus d'une banane par jour ; 3° du sucre ad libitum. Comme boisson, l'eau est remplacée par 400 à 500 ml de jus de fruit

B) Régime d'entretien. Au régime précédent on ajoute progressivement 1° des hydrates de carbone sous forme de légumes : carottes, betteraves, asperges, tomates, salades (épinards, choux et céleris sont interdits parce qu'ils contiennent 0,3 à 0,4 % de sel). On autorise un peu de café, un peu de thé et 100 g de lait ; 2° des protéines après 2 ou 3 semaines du régime précédent. On autorise 3 jours par semaine 100 g de viande ou de poisson maigre (peuvent être consommés bouillis ou grillés avec un peu de beurre) et les autres jours 1 oeuf ; 3° enfin, dans un stade ultérieur, on permet au malade de prendre 3 fois par semaine 100 g de pain sans sel et 100 g de pommes de terre ; 4° enfin, plus tard, on peut ajouter chaque jour 100 à 150 g de légumes verts, 100 g de viande ou de poisson et 1 oeuf.

Ce régime a été recommandé particulièrement dans l'hypertension où il donne parfois de très brillants résultats. Il faut noter cependant qu'il n'est pas indiqué dans les hypertensions spasmodiques, dans les hypertensions de la ménopause, chez les vieillards de plus de 70 ans et chez les diabétiques.

A cause de sa faible teneur en sodium, le régime de Kempner à côté de brillants résultats provoque parfois des malaises graves qui vont de la perte de l'appétit, à l'anorexie et même rarement aux vomissements avec diarrhées ; il provoque également de l'amaigrissement et de l'asthénie. Ces malaises sont dus à l'hyponatrémie. Dans ces cas, il faudra déterminer celle-ci.

3) Le régime pauvre en potassium

Dans le stade terminal de l'insuffisance rénale, il peut apparaître une difficulté d'élimination du potassium qui va entraîner de l'hyperkaliémie avec danger si celle-ci dépasse 10 méq/l de provoquer l'arrêt du coeur en diastole ventriculaire.

Pour limiter l'apport de potassium, il faudra limiter les aliments d'origine végétale et s'efforcer d'éliminer au maximum le potassium lors de leur préparation.

— Les pommes de terre sont pelées la veille et mises à tremper dans une eau qu'on déverse avant cuisson. Avant de les cuire, on les coupe en petits dés, on les cuit dans une quantité d'eau importante que l'on rejette.

3. La néphrite chronique

La néphrite chronique est l'expression d'une glomérulopathie chronique d'étiologies fort variées, faisant suite dans pas mal de cas à une glomérulopathie aiguë (angine à streptocoque, scarlatine, etc.) insuffisamment soignée.

Son évolution normale est l'oblitération progressive des différents néphrons. Elle se caractérise par une albuminurie constante qui peut être importante dans certains cas et entraîner de l'hypoprotéinémie et de l'insuffisance rénale qui va entraîner de l'urémie à cause de l'excrétion insuffisante de l'urée et de l'hypertension et des oedèmes à cause de la rétention sodée.

Dans les cas présentant de l'oedème avec une forte albuminurie, on parle parfois de syndrome néphrotique ; il y a alors dans ces cas lipidurie et hyperlipémie.

Si tout le monde est d'accord sur l'importance qu'il faut attacher aux restrictions de sel, l'accord n'est pas fait au sujet de l'importance des restrictions à faire en matière de protéines. Certains comme Brenner, Giordano, Maggiore, estiment qu'il faut donner une ration très faible de protéines, de l'ordre de 25 g par jour, mais qu'elles doivent être uniquement de haute valeur biologique.

Walser estime que, même s'il y a un bilan azoté négatif durant un temps en cas de forte albuminurie, celle-ci diminuait assez rapidement et le bilan azoté finissait par s'équilibrer.

D'autres sont d'un avis différent.

Ces cas sont toujours fort graves et généralement de mauvais pronostic. Il faut en premier lieu s'efforcer de combattre l'oedème. Pour cela, il faudra en premier lieu que l'apport de sel soit réduit au minimum. Il y aura intérêt également à ne donner qu'une faible quantité de liquides. Auparavant, on ne donnait à ces malades que 30 à 40 g de protéines par jour, mais il s'est avéré que ce procédé provoquait de la malnutrition, de l'anémie et une diminution de la résistance.

Aldrich et Boyle, en 1933, étudiant un groupe d'enfants atteints de néphrite chronique avec oedème, hypertension et rétention azotée, ont montré l'énorme amélioration qui se produisait chez eux lorsqu'on les faisait passer d'un régime pauvre en protéines à un régime à teneur adéquate. Non seulement l'état général s'améliorait, mais il n'y avait aucun effet défavorable sur l'albuminurie, l'hypertension ou la rétention azotée. Davidson et Olbrich ont, du reste, montré qu'il est impossible de maintenir ces patients en équilibre azoté si on ne leur fournit au moins 0,75 g de protéines par kilogramme dans leur ration alimentaire.

Ces données datent cependant d'une période où on ne connaissait pas l'importance de la valeur biologique des protéines. Walser comparant deux groupes d'urémiques montre que chez ceux qui consommaient 25 g de protéines de haute valeur biologique, la survie était de 275 jours tandis que dans un groupe comparable à qui on donnait 40 g de protéines diverses, la survie n'était que de 105 jours.

Les patients atteints d'une néphrite chronique font une anémie progressive due à l'absence d'érythroporétine. Celle-ci ne cède à l'administration ni de fer, ni d'acide folique, ni de vitamine B_{12}.

En 1963, Giordano proclama que la valeur biologique des protéines administrées au cours de l'insuffisance rénale chronique était un élément essentiel du traitement. Il se basait sur le fait que l'administration de faibles quantités d'azote sous forme d'acides aminés essentiels les rendait capables d'incorporer l'azote endogène dans les protéines de leurs tissus. Ceci engendre la mise au point de divers régimes.

Le régime italien.

Giovannetti et Maggiore montrèrent que la quantité et la qualité des protéines administrées jouaient un rôle crucial dans le traitement de l'urémie chronique. Grâce au réemploi de l'azote non protéique, l'urémique est le seul malade capable de maintenir un bilan azoté équilibré avec une ration de protéines de 18 à 20 g par jour.

Il faut éliminer du régime les aliments contenant beaucoup d'acides aminés non essentiels (légumineuses, céréales). Le pain est fait avec de l'amidon de blé et la source principale de protéines est l'oeuf.

On provoque ainsi une chute importante du taux d'urée, le bilan azoté est positif et les signes cliniques d'urémie s'estompent.

Le défaut de ce régime est son manque de sapidité.

Le régime anglais.

Shaw permet 18 à 20 g de protéines dont 4 à 5 g proviennent de légumes à l'exclusion des légumineuses. Le reste provient d'un oeuf et de 200 g de lait ; il permet en outre 1/2 oeuf par 3 g d'albumine perdue dans les urines.

Il donne le pain spécial pour phénylcétonurique, très pauvre en protéines ; il utilise l'amidon de blé pour faire des biscuits. Il n'admet pas le beurre mais les margarines désaturées et il permet les fritures à l'huile.

Le sucre et le glucose sont autorisés très largement. La viande, le poisson, les fromages et les farines ordinaires sont interdits.

Le régime américain.

Franklin permet 13 à 14 g de protéines animales apportées par 2 oeufs, mais il permet pour apporter de la variété de remplacer de temps à autre un oeuf par son équivalent en protéines sous forme de viande, de poisson ou de volaille (c'est-à-dire 30 g), ou éventuellement par 250 ml de lait ; les protéines doivent être réparties en 3 repas.

Il recommande en outre 1/2 oeuf par 3 g d'albumine perdue par les urines. Il permet aussi 5 à 6 g par jour de protéines végétales provenant de fruits, de légumes ou de jus de fruits pauvres en protéines.

Il complète l'apport calorique en utilisant largement le sucre, l'huile, la graisse, le beurre, la margarine.

L'amidon de blé peut servir à faire des biscuits, du pain, des puddings, des galettes tout en se souvenant qu'il contient 0,2 g de protéines/100 g. Il autorise aussi le pain spécial pour phénylcétonuriques. Il ajoute une capsule polyvitaminée et en cas d'hypocalcémie du calcium.

Ce régime contient 40 méq de Na et 40 à 50 méq de K ; s'il n'y a ni oedème, ni hypertension, on peut ajouter du sel de table jusqu'à concurrence de 100 méq de Na.

L'effet clinique est souvent remarquable ; on voit baisser l'urée là où les régimes classiques avaient été inefficaces. On voit surtout :

- une amélioration de l'état général caractérisée par la disparition de l'impression de fatigue et de faiblesse ;
- une disparition des symptômes digestifs : nausées et vomissements ;
- une amélioration de l'état nerveux : atténuation de la somnolence, disparition des tremblements, euphorie.

Ce régime doit être réservé aux cas graves, car la réincorporation de l'azote de l'urée dans les tissus n'est possible qu'en cas d'urémie élevée.

4. Les céto-analogues

Sans qu'on ne sache pourquoi certains patients ont des besoins protéiniques plus importants que d'autres et qui ne peuvent être satisfaits par le régime de Giordano Giovannetti.

Lee et Bergstrom avaient conseillé dans ces cas d'ajouter des acides aminés essentiels au régime, mais cela a l'inconvénient de libérer plus d'ions H+ et d'accentuer l'acidose.

Richards a conseillé d'administrer à ces patients des analogues alpha-céto-acides des acides aminés essentiels. Ceux-ci peuvent être transaminés en utilisant des produits azotés tels que l'ammoniac, la glutamine et l'alanine, éliminant ainsi de l'organisme des produits toxiques qui sans cela devraient être excrétés.

On administre à ces patients des tablettes contenant les céto-analogues de la leucine, l'iso-leucine, la valine, la phénylalanine et la méthionine ; en outre elles contiennent un peu de lysine, de thréonine, de tryptophane, de tyrosine et d'histidine. Les céto-analogues s'y trouvent sous forme de sels calciques. Chaque tablette contient environ 36 mg d'azote et le patient en prend 3 x 4 à 3 x 8 par jour.

Un des avantages de cette méthode est de permettre une ration plus large de protéine d'une valeur biologique moindre. On a décrit des améliorations très importantes chez certains patients ; ceci permet aussi dans plusieurs cas d'éviter les dialyses ou de les espacer.

L'administration de céto-analogues provoque parfois de gros inconvénients liés à de l'hypercalcémie ; nausées, vomissements, hypotension orthostatique.

Chez des patients bien sélectionnés, cette méthode peut rendre de grands services et notamment elle permet de rendre positif un bilan azoté négatif chez ceux qui sont astreints à une très faible ration de protéines.

Le régime dans l'ostéodystrophie d'origine rénale :

Dans l'insuffisance rénale chronique, il existe une diminution de l'absorption intestinale du calcium, il s'ensuit une déperdition calcique importante dans les selles, en outre le régime pauvre en protéines prescrit à ces patients vient réduire l'apport alimentaire de calcium. Les troubles de l'absorption du calcium apparaissent généralement lorsque le taux sanguin de créatinine atteint 25 mg/l ; c'est l'absorption active de calcium au niveau du duodénum et de la partie supérieure du jéjunum qui est diminuée tandis que l'absorption passive qui se fait dans les fractions plus distales de l'intestin est conservée. Autrement dit c'est la fraction de l'intestin où l'absorption du calcium est contrôlée par la vitamine D qui est atteinte ; cette malabsorption du calcium est résistante à l'administration de vitamine D.

En outre au cours de l'insuffisance rénale, ni la vitamine D, ni le 25 hydroxycholécalciférol ne sont susceptibles de se transformer en 1-25 hydroxycholécalciférol, la seule forme vraiment active de la vitamine D.

Enfin déjà en 1883 Lucas avait montré qu'au cours de l'insuffisance rénale chronique il y a des lésions osseuses dont on put démontrer plus tard qu'elles étaient dues à une hyperparathyroïdie, cette hyperparathyroïdie est due en partie à l'hypocalcémie avec hyperphosphatémie observée au cours de l'insuffisance rénale, en partie à l'augmentation du taux de vitamine A plasmatique et en partie à une action directe de l'insuffisance rénale sur la production de parathormone. L'hyperphosphatémie est due à une diminution du pouvoir d'excrétion des phosphates du rein qui apparait lorsque le pouvoir d'épuration rénale tombe en-dessous de 25 à 30 ml/min.

L'acidose observée au cours de l'insuffisance rénale chronique jouerait aussi un rôle dans la déminéralisation du squelette, mais le mécanisme en est complexe et encore mal élucidé.

Quoiqu'il en soit il apparait au cours de l'insuffisance rénale chronique :
— des déformations squelettiques qualifiées de rachitisme rénal
— des lésions histologiques osseuses évoquant celles de l'hyperparathyroïdie
— des calcifications des tissus mous.

Le régime est la conséquence logique des troubles métaboliques.

Puisque le taux élevé de vitamine A plasmatique favorise la résorption osseuse, il faut éviter les préparations vitaminiques contenant de la vitamine A ; par contre le taux de pyridoxine et de vitamine C étant abaissé il y a intérêt à administrer ces deux vitamines.

Pour atténuer l'hypocalcémie il faut veiller à donner au moins 1 g à 1,5 g de calcium sous forme de gluconate de carbonate ou de lactate, il faut viser à maintenir le taux de calcium entre 6 et 8 mg/100 ml car avec des taux supérieurs, surtout si on administre du 1–25 hydroxycholécalciférol on risque de provoquer des calcifications tissulaires.

Pour atténuer l'hyperphosphatémie il faudra donner un régime pauvre en phosphate ; on peut pour empêcher la résorption des phosphates ajouter un gel d'hydroxyde d'aluminium ou de sodium.

Il faut viser à maintenir le taux de phosphate entre 3 et 4 mg/100 ml de plasma ; il y a lieu d'éviter l'hypophosphatémie qui pourrait favoriser de la myopathie et de l'ostéomalacie.

L'alimentation des hémodialysés

De plus en plus de personnes atteintes d'insuffisance rénale chronique sont maintenues en vie grâce à l'hémodialyse ; de méthode expérimentale qu'elle était il y a une vingtaine d'années, elle est devenue une méthode de routine, ce qui ne veut pas dire qu'elle ne pose pas bien des problèmes, notamment dans le domaine de l'alimentation.

L'hémodialyse a pour but de suppléer aux fonctions essentielles du rein, à savoir
1) l'éliminaffon des déchets azotés (urée, créatinine, acide urique)
2) maintien d'une concentration normale en électrolytes du plasma (sodium, potassium, chlore, calcium, phosphate)
3) correction de l'acidose métabolique

4) élimination de l'eau.

Le résultat de l'hémodialyse et le rythme des séances pourront être grandement influencés par le mode d'alimentation du malade.

Le régime pourra surtout influencer certains désordres

1) la rétention hydrosaline qui peut être responsable et de l'hypertension et des oedèmes ; c'est la raison pour laquelle les apports d'eau et de sel devront être contrôlés avec rigueur, surtout dans les grandes hypertensions.

2) l'hyperkaliémie qui peut entraîner des accidents cardiaques mortels ; l'apport de potassium est l'élément du régime qui doit être le mieux contrôlé car la plupart des hémodialysés ayant une fonction rénale presque nulle, la kaliémie augmente entre deux dialyses ; l'augmentation dépendra surtout de la teneur en potassium du régime et notamment de l'usage par le malade de sels de remplacement contenant du potassium.

3) l'urémie dont l'ascension va être dépendante de la richesse en protéines du régime ; on permet toutefois un apport normal de protéines, de l'ordre de 60 à 80 g par jour car il est bien prouvé que l'urée ne joue qu'un rôle mineur dans les accidents dus à l'insuffisance rénale.

L'ordonnance du régime

Celle-ci doit préciser de manière explicite un certain nombre de points :

1) *l'apport liquidien* - En cas d'anurie totale, on tolère 400 ml de boisson en sus de l'eau prenant part à la constitution des aliments, en prenant soin toutefois d'éviter les aliments fort aqueux. En cas d'oligurie, on permettra 400 ml de boisson plus une quantité égale au débit urinaire de la veille.

C'est une recommandation sur laquelle il faut particulièrement insister car elle est fort souvent mal suivie par le malade ; il a été constaté à Louvain que sur une série de 32 patients, 24 avaient un apport liquidien excessif, ce qui entraîne

— soit de l'hypertension ; sur 9 hypertendus, 7 prenaient trop de poids, c'est-à-dire plus de 1,5 kg entre deux séances, ce qui permet de penser que chez la plupart, cette hypertension était due à l'hypervolémie.

— soit une prise de poids excessive, ce qui était le cas de 21 des dialysés qui buvaient trop.

Le contrôle de l'apport liquidien est extrêmement important car l'hypertension influence fortement le pronostic de l'hémodialysé. Les morts en hémodialyse sont dues dans 20 % des cas à l'insuffisance cardiaque, dans 16 % à des accidents cardio-vasculaires et dans 9,5 % à un infarctus, tous accidents liés grandement à l'hypertension.

2) *l'apport en sodium* - Le régime désodé est souvent mal suivi ; les causes en sont multiples ; la principale est le manque de volonté du malade mais jouent aussi un rôle important les raisons professionnelles et les raisons familiales ; on ne peut assez insister cependant sur l'importance qu'il y a pour le patient de suivre les restrictions sodées qu'on lui recommande et ceci pour deux raisons : l'excès de sel conduit à

— l'hypertension. La chose est classique mais est surtout importante dans la grande insuffisance rénale

— boire de manière excessive ; il a été constaté à Louvain que

a) les patients qui respectent les quantités de boissons permises consomment en moyenne 690 mg de Na (1,725 mg NaCl) par jour

b) les patients dont l'excès de boisson ne dépasse pas 200 ml par jour consomment 1,170 mg de Na (2,925 mg NaCl) par jour

c) ceux qui boivent 200 à 500 ml de trop consomment 1,490 mg de Na (3,725 mg NaCl) par jour

d) ceux qui boivent plus de 500 ml de trop consomment 2,620 mg de Na (6,550 mg NaCl) par jour.

3) *l'apport calorique* - Il doit être suffisant pour éviter la dénutrition du patient, c'est-à-dire apporter de 2000 à 2500 calories selon le poids et la taille du patient et son mode de vie. Un apport calorique insuffisant risque d'avoir chez l'hémodialysé des conséquences particulièrement néfastes :

— la dénutrition ; il faut noter du reste que beaucoup de patients amenés à l'hémodialyse sont déjà en dénutrition

— un catabolisme protidique qui entraînera la fonte musculaire et une ascension du taux d'urée

— de l'hyperkaliémie indépendamment de l'apport exogène de potassium

— de l'acidose

4) *l'apport protidique* - Celui-ci doit couvrir les besoins et être de l'ordre de 1 g par kg de poids et par jour. Outre que le régime hypoprotidique est monotone, il a une série d'inconvénients, il peut provoquer :

— une aggravation des lésions osseuses si fréquentes chez les hémodialysés

— une hypoprotéinémie favorisant l'oedème

— des carences en certains acides aminés essentiels.

Giordano a insisté sur le fait que les protéines doivent être de haute valeur biologique ; il a montré que l'on peut espacer les séances de dialyse si on donne 0,7 à 1 g de protéines de haute valeur biologique par kg et par jour plutôt que la même quantité sous forme de protéines de diverses provenances.

Knopple a montré que les patients recevant un régime suffisamment riche en protéines relevaient leur taux de protéines sériques et pouvaient être en bilan azoté positif.

5) *l'apport de potassium* - Le régime du dialysé doit apporter de 2 g à 2,5 g de potassium au maximum. Un excès de potassium dans le régime conduit à l'hyperkaliémie ; or, celle-ci est la cause de plus de 2 % des morts de dialysés. Des rations de potassium supérieures à 3 g par jour conduisent dans la très grande majorité des cas à l'hyperkaliémie.

Les trois causes les plus fréquentes d'hyperkaliémie sont 1) l'abus de pommes de terre 2) l'abus de légumes 3) l'abus de sels de remplacement.

Pour éviter un usage excessif des sels de remplacement, il pourra être extrêmement important de bien informer le malade de la liste des condiments et épices qui lui permettront de relever le goût de ses aliments tout en tenant compte des prescriptions diététiques.

6) *l'apport de calcium* - Chez certains patients atteints de néphropathie chronique il apparaît une ostéodystrophie (rachitisme rénal) due à l'absence d'hydroxylation du cholécalciférol en C_1 et au faible apport en calcium lié à la suppression des fromages ; ceci entraîne une insuffisance de résorption calcique et de l'hyperparathyroïdie secondaire.

Il faut donner systématiquement un supplément de $\pm$ 2 g de carbonate de calcium et 400 unités de 1,25-dihydroxycholécalciférol.

7) *Importance de l'exercice physique*. Goldberg a montré le très grand intérêt de l'exercice physique chez les dialysés. Il faut au début leur faire faire durant quelques minutes sur le vélo ergométrique un exercice correspondant à 40% de la VO_2 max. Il augmente lentement la durée et l'intensité de l'effort en se basant sur les possibilités du patient ; ensuite il leur fait faire des promenades et même du jogging de 2 miles après 8 mois. Chez certains on peut encore augmenter l'effort.

Ceci a pour effet de

— permettre la diminution des drogues antihypertensives

— une augmentation de l'hématocrite de 34%

— réduire la glycémie et l'insulinémie

— abaisser les triglycérides de 41% et d'élever les HDL de 20%

— améliorer le psychisme en réduisant l'anxiété, l'attitude hostile et en facilitant les contacts sociaux et la confiance dans l'avenir.

Alimentation dans la dialyse péritonéale continue ambulatoire

Devant les difficultés que rencontrent certains patients à subir l'hémodialyse au rythme voulu, Popovich a introduit en 1976 une nouvelle technique, la dialyse péritonéale continue ambulatoire.

Elle a des avantages certains :

— il ne faut pas d'appareil coûteux,

— elle est techniquement si simple que le malade la fait chez lui,

— elle permet une meilleure élimination des métabolites malgré un coefficient d'épuration bas,

— elle permet un apport plus large de liquide, de sodium, de potassium et de phosphore.

Il y a cependant deux inconvénients :

— le risque d'infection,

— la contrainte psychologique.

a) *Technique de la dialyse péritonéale continue*

Le chirurgien met en place un cathéter en silicone de 32 cm de long qu'il introduit jusque dans le cul de sac de Douglas ; il y a en quelques semaines formation d'un tissu fibreux qui va le maintenir en place. Le cathéter est relié à une trousse dont l'embout est relié à un sac de plastique stérile dans lequel on introduit 2 litres d'une solution de glucose à une concentration qui peut varier de 15 à 45 g par litre.

Le liquide est chauffé à 37°C et introduit par gravité (en élevant le sac) dans la cavité péritonéale où il séjourne environ 4 heures. Après quoi on pratique la vidange en déposant le sac à terre. Cette vidange prend 20 à 25 minutes.

L'opération est renouvelée 2 ou 3 fois sur la journée.

Il est capital que les opérations d'abouchement de l'embout au sac se fassent de manière aseptique.

b) *Les résultats* sont remarquables en ce sens que l'on obtient :

— une normalisation de la tension artérielle par soustraction d'eau et de sel, si on emploie une solution hypertonique,

— un bon contrôle de la kaliémie même en alimentation normale,

— une normalisation de la phosphorémie,

— une amélioration de l'anémie.

Mais il y a des inconvénients :

— une perte de protéines de l'ordre de 5 à 10 g par jour,

— une prise de poids due à l'absorption de 150 à 200 g de glucose par jour à partir du liquide de dialyse,

— une hypertriglycéridémie due à la fois à la prise de poids et du glucose,

— le risque de péritonite si les dialyses ne sont pas faites avec toute la rigueur dans l'asepsie.

c) *Le régime alimentaire* est en principe libre mais il faut veiller à :

— une prise de protéines de l'ordre de 100 g par jour pour compenser les pertes,

— un apport calorique réduit de l'ordre de 1.000 à 1.100 calories, car il s'y ajoute 600 à 800 calories dues au glucose,

— un apport glucidique réduit à 40% de la ration calorique avec abstention de sucre qui pourrait favoriser l'hypertriglycéridémie,

— remplacer au maximum les graisses saturées par des graisses polydésaturées,

— en ce qui concerne le sodium, on peut autoriser 6 g de sel par jour ; ceci suppose qu'on évite les salaisons, les charcuteries et qu'on ne sale guère les aliments durant la cuisson,

— il n'y a aucune raison de réduire le potassium et même en cas d'hypokaliémie, il faudra donner les aliments riches en potassium,

— le phosphore étant apporté surtout par les aliments riches en protéines, il n'y a guère de restriction de ce côté.

II. - LA NÉPHROSE

La néphrose est une maladie qui se caractérise par une albuminurie importante, de l'hypoprotéinémie, des oedèmes, de l'hypercholestérolémie et l'absence de signes d'insuffisance rénale. De grosses discussions existent au sujet : 1° de l'existence même de la néphrose (c'est-à-dire lésion tubulaire avec intégrité du glomérule) ; 2° de sa pathogénie (maladie prérénale liée à une dysprotéinémie ou maladie rénale).

Quoi qu'il en soit, le régime a une influence assez importante sur le cours de cette maladie. Celui-ci doit répondre à trois exigences : 1° il doit être pauvre en sodium. Il est, en effet, hors de doute que les électrolytes peuvent influencer assez grandement non seulement les oedèmes, mais l'importance de l'albuminurie et de l'hypoprotéinémie ; 2° il doit être riche en protéines, de manière à relever de façon aussi efficace que possible le taux de protéines sériques. C'est le taux de protéines qui dicte dans une large mesure l'importance des oedèmes et la perméabilité du rein pour l'albumine ; 3° il doit être riche en fer, de manière à combattre l'anémie assez habituelle dans ces cas.

On s'efforcera de donner 120 g de protéines principalement sous forme de viande (éviter les viandes fumées, qui sont toujours salées), de poisson d'eau douce, de lait, de fromage et d'oeufs.

III. - LES INFECTIONS URINAIRES

Alors que dans les atteintes du parenchyme rénal, le régime joue un rôle de premier plan, celui-ci est d'importance moindre dans les infections du tractus urinaire. Néanmoins quelques points sont intéressants à signaler.

Cystite et pyélite aiguës

Le traitement de base consistera à administrer les antibiotiques ou désinfectants adaptés à l'espèce microbienne responsable.

Au point de vue diététique, il faudra :

1° une large quantité de liquides de manière à assurer un drainage suffisant des foyers infectés ;

2° changer la réaction des urines, de manière à la rendre défavorable à la croissance et à la reproduction de l'agent infectant. On fera cela par le régime acidifiant ou alcalinisant (voir le paragraphe de la lithiase).

Certains désinfectants n'agissent bien que dans un milieu déterminé : hexaméthylènetétramine et mandélate en milieu acide, sulfamides en milieu alcalin. Il faudra en tenir compte.

Cystite et pyélite chroniques

Depuis la découverte des sulfamides et des antibiotiques, le rôle du régime a perdu de son importance dans ces infections qui étaient parfois fort rebelles et étaient influencées par le régime autrefois.

L'infection rénale est d'habitude secondaire. Le foyer primitif est le plus fréquemment le gros intestin ; il peut s'agir d'une colite chronique manifeste dont le malade se plaint spontanément ou d'une simple constipation passant inaperçue. Il sera important dans ces cas d'adapter le régime à l'état de l'intestin.

Ici, comme dans les infections aiguës, la réaction des urines peut être importante, soit pour inhiber le développement des microbes, soit pour favoriser l'action des médicaments. Généralement les urines infectées sont alcalines et il y a intérêt à les acidifier.

Il peut être intéressant d'augmenter la diurèse par des boissons abondantes pour assurer le lavage des bassinets, sauf durant la période de désinfection énergique où les médicaments doivent être maintenus aussi longtemps que possible concentrés en présence des foyers infectieux.

D'une manière générale, dans les infections des voies urinaires, même basses (urétrite de la blennorragie, par exemple), il faut éviter de prendre des aliments qui peuvent rendre les urines irritantes. Il faut interdire de manière absolue l'alcool, la bière même légère et les épices.

IV. - LA LITHIASE RÉNALE

Il existe trois sortes de calcul rénal : des calculs phosphatiques formés par la précipitation des phosphates dans des urines alcalines et des calculs uratiques formés par la précipitation de l'acide urique dans des urines acides. Enfin, il existe des calculs oxaliques.

Le régime dans les calculs phosphatiques devra être acidifiant de manière à combattre l'alcalinité des urines et éviter ainsi la précipitation d'une nouvelle quantité de phosphate. Il ne suffit malheureusement pas d'acidifier les urines pour faire dissoudre les calculs phosphatiques.

Le régime dans les calculs uratiques devra être alcalinisant pour combattre l'acidité des urines et éviter ainsi la précipitation d'acide urique. Il ne suffit pas non plus d'alcaliniser les urines pour faire dissoudre l'acide urique précipité.

Un point est important, aussi bien chez les lithiasiques que chez les infectés : la teneur en vitamine A. Une carence en vitamine A favorise la formation des calculs et entretient l'infection. Il faut donc chez ces malades un régime riche en vitamine A.

1° Régime alcalinisant

Le régime alcalinisant sera à base d'aliments végétaux, les céréales exceptées, et de lait.

On le prescrit dans la lithiase uratique et les infections des voies urinaires avec urines acides. Enfin, certains médecins américains l'ont recommandé dans la néphrite.

Matin :

Jus d'orange

Compote de pommes

Lait avec crème : 1 verre

Pain beurré : 1 tranche

Midi :

Pommes de terre avec beurre

Légumes (sauf épinards)

Pain beurré : 1 tranche

Fruits, jus de fruit et 1 verre de lait.

Soir :

   Pommes de terre, légumes

   Salades de fruits, jus de fruits

   1/2 tartine beurrée, 1 verre de lait.

On peut accentuer l'effet alcalinisant de ce régime en conseillant au malade de prendre du bicarbonate de soude, ce qui fera monter le pH sûrement au-dessus de 8.

2° Régime acidifiant

Est à base d'aliments d'origine animale, sauf le lait, et de céréales.
On le prescrit dans la lithiase phosphatique et dans les infections urinaires avec urines alcalines

Matin :

   3 tranches pain beurré

   2 oeufs

   Café ou thé avec peu de lait.

Midi :

   Bouillon avec vermicelle

   Viande, macaroni, épinards

   Crème au riz

Soir :

   Gruau d'avoine

   1 oeuf, pain beurré

   Prunes ou fraises ou biscuits.

On peut accentuer l'action acidifiante de ce régime en recommandant au malade de prendre de l'acide phosphorique, de l'acide chlorhydrique, des sels d'ammonium ou du chlorure calcique.

3° Les calculs oxaliques

Pour certains auteurs, Loeper notamment, la lithiase oxalique serait fort fréquente. C'est une élévation anormale de l'oxalémie qui en serait la cause directe. Elle atteint dans cette affection 60 à 100 mg par litre au lieu de 10 mg par litre.
Cette hyperoxalémie serait responsable d'un syndrome se caractérisant par des douleurs musculaires et articulaires, de l'asthénie, des réactions nerveuses, de l'hypotension artérielle et du météorisme abdominal.
Loeper attribue l'oxalémie à un excès d'hydrates de carbone de la ration alimentaire. Ceux-ci, mal assimilés, donneraient naissance à l'acide oxalique. L'oxalémie est très fréquente chez les diabétiques.

Les oxalates que l'on trouve dans les urines sont de diverses origines :

1° endogène, par excès de formation tissulaire, surtout au niveau du foie ;

2° gastro-intestinale, par les fermentations intestinales ;

3° alimentaires, soit par l'ingestion d'aliments riches en oxalates (oxalophores), soit par l'ingestion d'aliments susceptibles de se transformer en acide oxalique (oxalogènes) tels que le sucre ou la viande (muscle).

La seule arme dont on dispose, bien que son efficacité soit limitée, consiste à supprimer les aliments oxalophores.

En voici la liste :

Teneur des aliments en acide oxalique

Condiments :	(‰)		(‰)
Cacao	4,5	Tomates ⎫	0,5
Thé	3,7	Concombres ⎬	
Poivre	3,2	Carottes ⎫	0,4
Chocolat	0,9	Pommes de terre ⎬	
Légumes et fruits		Haricots secs ⎫	0,3
		Choux ⎬	
Epinards	3,2		
Oseille	3,0	Haricots verts	0,2
Rhubarbe	2,4	Prunes ⎫	0,1
Figues sèches	1,0	Endives ⎬	

Seuls sont supprimés les aliments de la première colonne, les autres étant permis en quantité modérée.

Par ailleurs, l'acide oxalique ne précipite qu'en milieu alcalin, il faudra donc veiller à maintenir les urines acides par le régime acidifiant. L'acide oxalique précipitant surtout sous forme de sels de calcium on évitera de donner trop de calcium à ces malades.

Il faut enfin éviter les fermentations intestinales.

Chez beaucoup de malades, les choses ne sont pas aussi schématiques qu'elles sont représentées ici et la lithiase peut être mixte, ce qui devient fort embarrassant. Souvent la lithiase est la signature d'un trouble métabolique général. Un bilan complet de l'organisme doit donc être fait en cas de lithiase.

L'oxalurie dans les affections iléales

Les patients atteints d'une maladie iléale ou ayant subi une résection iléale sont beaucoup plus fréquemment atteints de lithiase oxalique que la population générale ; elle frappe 5 à 15 % d'entre eux. Environ 60 % d'entre eux ont une hyperoxalurie. Chadwick d'une part, Earnest d'autre part ont montré qu'il y avait chez eux une augmentation de l'absorption intestinale de l'oxalate.

Les patients ayant des calculs à oxalate ou de l'hyperoxalurie après résection intestinale ont toujours une absorption intestinale d'oxalate supérieure à ceux qui n'en n'ont pas ; le mécanisme en est que chez le sujet normal, l'oxalate est précipité sous forme d'oxalate de calcium peu absorbable ; en cas de résection intestinale, la résorption des graisses se fait mal et les acides gras précipitent sous forme de savons calcaires, ne laissant pas de calcium disponible pour la précipitation de l'acide oxalique ; celui-ci reste sous forme d'oxalate de sodium soluble et facilement résorbable.

Il existe selon Anderson et Earnest une corrélation entre la stéatorrhée et l'oxalurie. L'apport de calcium par voie orale diminuerait l'élimination urinaire d'oxalate selon Earnest et selon Modigliani.

Le siège de la résorption de l'oxalate paraît être le côlon ; il n'y a en effet pas d'hyperoxalurie chez les patients ayant subi une résection iléale étendue associée à une colectomie.

On a préconisé avec des succès discutables :

a) un régime pauvre en graisse, c'est-à-dire 30 à 40 g (Anderson)

b) les triglycérides à chaînes moyennes qui n'augmenteraient pas la résorption colique des oxalates pour Earnest

c) l'apport de calcium ou de magnesium qui complexeraient d'après Earnest l'oxalate ; Chadwick n'a pas vu d'effet de cette méthode.

CHAPITRE XIV

Le régime
dans les affections cardiaques

Le problème du traitement des maladies cardiaques n'est pas uniquement un problème hémodynamique, mais aussi un problème métabolique. A ce titre, la diététique occupe une place de choix dans le traitement des affections cardio-vasculaires.

I. - CARDIOPATHIES NON DÉCOMPENSÉES

L'état de nutrition de l'organisme peut influencer de manière importante le travail du muscle cardiaque ; l'excès de nutrition, l'obésité, tout comme la sous-nutrition, l'influencent de manière défavorable.

1° L'obésité

Elle influence le coeur de manière défavorable pour différentes raisons :

1° L'excès de poids entraîne pour le myocarde un supplément de travail d'autant plus important qu'il est considérable. Un individu qui pèse 20 kg de trop impose à son coeur le même travail qu'imposerait un individu de poids normal portant continuellement un sac de 20 kg sur son dos. Pour le coeur, il est d'autant plus important d'être mince que l'individu accomplit un travail physique important.

2° La graisse se dépose dans les fibres myocardiques, ce qui diminue la force de leurs contractions ; elle se dépose entre les fibres myocardiques et diminue ainsi l'efficacité de leurs contractions.

3° L'obésité, entraînant d'habitude de l'hypercholestérolémie, favorise la formation d'athéromes et notamment au niveau des coronaires, d'où diminution d'apport sanguin au niveau du myocarde et malnutrition de celui-ci avec risque d'infarctus.

4° L'accumulation de graisse dans la paroi abdominale gêne les mouvements du diaphragme et contrecarre ainsi le travail normal du coeur.

5° L'augmentation de poids du coeur avec sa répercussion sur le travail du myocarde d'une part et la diminution d'efficacité des contractions du myocarde d'autre part limitent l'activité de l'obèse qui est rapidement dyspnéique. Cette diminution d'activité physique qui n'est habituellement pas accompagnée de restrictions alimentaires favorise l'engraissement et ainsi s'établit un cercle vicieux qu'il appartient au médecin de rompre par ses conseils judicieux.

Un point capital dans le traitement de toute cardiopathie est de veiller à ramener le patient à son poids idéal, on soulage ainsi considérablement le travail du myocarde.

Ce sont les mesures diététiques qui ont été exposées dans le chapitre de l'obésité qui seules peuvent atteindre ce but. Il y a lieu de noter que la très grande majorité des patients qui consulte le cardiologue est obèse.

Il est bon d'éviter chez les cardiopathes les excès de protéines, en effet celles-ci ont une action stimulante sur le métabolisme et par là augmentent la vitesse circulatoire, ce qui entraîne une augmentation de travail pour le myocarde.

2° La sous-nutrition

et particulièrement celle qui s'accompagne d'une hypoprotéinémie ou d'une avitaminose B_1 est nocive pour le coeur. Govaerts et Lequime ont noté dans les oedèmes de famine des altérations électrocardiographiques qui sont constituées surtout par l'allongement de l'espace QT et l'aplatissement de l'onde T. Chez les prisonniers des camps de concentration on a trouvé des atrophies importantes du coeur.

Il est important dans les cas de cardiopathie avec grande sous-nutrition de veiller à ce que le taux de protéines plasmatiques soit normal.

La vitamine B_1 joue un rôle important dans la nutrition du myocarde. Les patients atteints de béri- béri- présentent une hypertrophie du coeur et leurs oedèmes sont en partie liés à l'insuffisance myocardique. Il faut donc veiller à ce que le cardiopathe dispose d'une large ration de vitamine B_1 et on peut au besoin lui en prescrire des suppléments sous forme médicamenteuse.

3° Recommandations générales

Le patient qui est atteint d'une cardiopathie bien compensée n'a généralement pas besoin d'un régime sévère pour autant qu'il ne soit ni un obèse ni un dénutri. Il faut avant tout régler ses heures de repos et la quantité de travail qu'il pourra fournir.

Au point de vue alimentaire, il y a certaines recommandations à faire :

1° Les repas doivent être peu abondants et peu volumineux de manière à ne jamais surcharger le tube digestif et à ne jamais demander un supplément d'effort trop important de la part du coeur. Il vaut mieux faire chaque jour 5 petits repas que 3 repas plus importants. Le travail de la digestion entraîne une irrigation accrue du tube digestif ; le supplément d'irrigation est d'autant plus important que le repas est plus important.

L'augmentation de volume de l'estomac par la compression des gros troncs vasculaires et le refoulement du diaphragme qu'elle provoque, gêne le travail du coeur, aussi faut-il éviter les réplétions gastriques importantes : a) en recommandant des repas de petits volumes ; b) en recommandant de ne pas boire durant les repas mais entre les repas ; c) en évitant les légumes flatulents ou les aliments fermentés qui par l'accumulation des gaz dans le tube digestif peuvent accentuer très fort les malaises des cardiaques.

Ces précautions doivent être suivies surtout pour le repas du soir car lorsque le malade se couche le risque de voir refouler le diaphragme par la poche à air de l'estomac et donc d'accentuer les malaises est fort augmenté.

2° Les liquides doivent être consommés en quantité réduite, en effet tous les liquides ingérés devront être résorbés, et par le système circulatoire être portés vers les reins qui les élimineront. Ceci entraîne un travail supplémentaire pour le coeur.

Toutefois, chez les hypotendus, il faut éviter de trop restreindre les boissons car la déshydratation pourrait entraîner une accentuation de la chute de la tension, ce qui pourrait favoriser des syncopes.

Il ne faut pas perdre de vue que le métabolisme de l'eau est commandé en grande partie par celui du sodium.

Lorsqu'il n'y a pas de décompensation cardiaque, il ne faut pas de restriction sévère d'eau et de sel. On peut permettre 1,250 litre par jour. Le thé et le café, s'ils ne sont pas trop forts, sont favorables, à cause de leur action diurétique.

3° L'horaire des repas sera réglé de manière à les espacer suffisamment ; le dernier repas sera particulièrement léger et pris assez tôt de manière à ce que la digestion soit à peu près achevée lorsque le malade se met au lit.

Il faut que le patient prenne son repas dans le calme, mange lentement et mastique convenablement. La mastication, en facilitant la digestion, soulage le travail du coeur.

Le repas devra être précédé et surtout suivi d'une période de repos. La digestion entraînant un surcroît de travail pour le coeur, il est tout à fait contre-indiqué pour le cardiaque d'effectuer un travail comportant une dépense physique durant la phase active de la digestion. D'après l'importance de l'atteinte cardiaque ce repos sera de 1 ou 2 heures.

4° Il faut donner une cuisine préparée simplement et éviter les mets lourds et indigestes qui, dans la mesure où ils digèrent lentement, prolongent le travail du coeur.

Il faut éviter les aliments gras et imprégnés de graisses. A ce point de vue, la grande cuisine avec ses sauces grasses et compliquées est nocive. Il faut éviter les pâtisseries qui comportent toujours l'emploi de margarine, de crème au beurre, de crème fraîche ou de chocolat. Il faut éviter les cakes ou les puddings compacts qui se laissent difficilement pénétrer par les sucs digestifs. Il faut éviter les crudités qui digèrent toujours lentement, de même que les fruits secs. Il faut encore éviter les condiments (épices, pickles), les viandes fumées, les conserves.

Le pain ne sera jamais consommé frais, mais rassis ou grillé car ainsi il se laisse mieux pénétrer par le suc gastrique et digère plus facilement.

5° Certains auteurs attachent une très grande importance au glucose qui est l'aliment spécifique de la fibre myocardique et permet à celle ci de reconstituer ses réserves de glycogène. On sait que le glycogène est réparti de manière fort inégale dans le myocarde. Il est abondant surtout dans le faisceau atrio-ventriculaire ; aussi a-t-on recommandé de donner du glucose surtout dans les troubles du rythme. Gudingen aurait constaté des résultats particulièrement favorables dans les affections des coronaires.

Quoi qu'il en soit, des expériences de perfusion de coeurs isolés ont montré que le coeur consomme du glucose. Certains ont été jusqu'à conseiller de fournir aux cardiopathes du glucose et de leur faire de l'insuline pour en favoriser l'assimilation. Il faut en tout cas éviter l'hypoglycémie qui pourrait engendrer un spasme de la coronaire.

6° D'une manière générale, il faut soigner les troubles de la nutrition que l'on rencontre chez ces malades ; en effet, un trouble de la nutrition générale ne peut jamais qu'avoir une répercussion défavorable sur le myocarde.

Le diabète a une action manifeste sur le myocarde et chez le diabétique le meilleur moyen de prévenir les cardiopathies est le traitement minutieux de son diabète.

En cas d'anémie, il faudra corriger celle-ci par la thérapeutique martiale, s'il s'agit d'une anémie ferriprive ou par la vitamine B_{12} et les extraits hépatiques s'il s'agit d'une anémie pernicieuse. Ceci est surtout important en cas d'altération des coronaires. L'anémie peut, en effet, considérablement accentuer les conséquences d'une sténose des coronaires et rendre manifestes des lésions latentes, notamment par l'apparition de crises angineuses.

D'autre part, le sang appauvri en hémoglobine doit circuler plus vite pour apporter aux organes la quantité d'oxygène nécessaire à leur métabolisme. Ceci entraîne un surcroît de travail pour un myocarde mal nourri ; il importe de mettre fin à cet état par le traitement de l'anémie.

7° Le cardiaque doit éviter les indigestions car les efforts de vomissement demandent au coeur un surcroît de travail ; il doit de la même manière éviter la constipation, car les efforts de défécation avec la presse abdominale qu'ils entraînent constituent un obstacle à la circulation et exigent un supplément de travail pour le coeur.

II. - CARDIOPATHIES DÉCOMPENSÉES

Toutes les recommandations données pour les cardiopathies non décompensées sont d'application dans les cardiopathies décompensées, mais il s'y en ajoute de nouvelles.

Le fait qui domine la décompensation cardiaque c'est le bouleversement hémodynamique qui provoque la stase, l'oligurie et les oedèmes. La diététique de cet état doit viser à éviter toute surcharge anormale à un myocarde incapable de suffire à son travail physiologique.

La décompensation entraîne un ralentissement de la circulation ; le coeur n'est plus capable d'irriguer simultanément de manière suffisante les muscles de la vie de relation et les organes de la vie végétative. Durant la journée, les urines sont rares et concentrées, durant la nuit elles sont plus abondantes et plus diluées ; c'est la nycturie des asystoliques.

Le ralentissement de la circulation entraîne une augmentation de la tension de CO_2 dans le sang, ce qui provoque une tendance à l'acidose. Celle-ci est aggravée par le fait que la reconversion d'acide lactique en glycogène ne se fait bien qu'en présence d'oxygène. L'encombrement du sang veineux en CO_2 entrave ce processus, les produits acides de la combustion musculaire passent dans le sang et entretiennent l'acidose.

Dans le domaine de la circulation porte, la saturation du sang en gaz carbonique entraîne du ballonnement ; ceci ne provient pas d'un excès de fermentation intestinale mais d'une incapacité pour le sang chargé de CO_2 de résorber le gaz carbonique qui se forme dans l'intestin ; celui ci s'accumule dans la lumière intestinale et provoque de la flatulence.

Ces particularités entraînent les directives dont il faudra tenir compte dans la diététique du cardiaque décompensé.

Voici les recommandations qu'il faudra faire :

1° **Réduire la valeur énergétique du régime** - On permettra au maximum 1500 calories par jour de manière à ménager le tube digestif et à diminuer le supplément de travail demandé au coeur du fait de la digestion.

2° **Réduire l'apport en protéines** parce que celles-ci, en stimulant le métabolisme, augmentent le débit circulatoire et fatiguent le coeur. On a recommandé, en cas de décompensation importante, de ne pas dépasser l'apport de 30 à 40 g par jour ; dans les cas moins sévères, on permettra une ration de 60 à 70 g par 24 heures.

La réduction de l'apport en protéines ne peut toutefois être maintenue que durant un temps assez court, celui nécessaire à recompenser le coeur malade car il a été démontré au moyen de protéines marquées qu'il existait au cours de la décompensation de fortes pertes intestinales d'albumines conduisant à l'hypoprotéinémie et entretenant les oedèmes.

Lorsque l'hémodynamique circulatoire est rétablie, il peut y avoir au contraire intérêt à donner un régime modérément hyperprotéiné pour relever la protéinémie à la normale et ainsi éliminer ou atténuer une cause d'oedèmes

3° **Assurer un apport important de sucre** facilement assimilable, car on sait que le glucose a un effet particulièrement favorable sur la restauration du coeur décompensé. On donnera du sucre, du glucose ou du miel dans des jus de fruit.

4° **Lutter contre l'acidose.** - Il faut pour cela donner des aliments riches en valences basiques. Certains auteurs ont recommandé à cet effet de prescrire des jours de lait et de fruits. D'autres craignent la digestion difficile des fruits et recommandent de donner les boissons sous forme de jus de fruit.

L'apport de fruits ou de légumes est favorable encore parce qu'il apporte une ration élevée de potassium qui favorise l'élimination de l'eau et du sodium.

C'est ainsi qu'au cours de la guerre 1914-1918, la digitaline manquant à Vienne, Seiler obtint d'excellents résultats au moyen de sa cure de pommes de terre.

5° **Lutter contre la flatulence**. - Celle-ci, nous l'avons vue, n'est pas seulement la conséquence de fermentations anormales dans l'intestin, mais celle de l'acidose parce que le sang surchargé de CO_2 ne peut résorber les gaz intestinaux.

Cette flatulence est une cause de gêne pénible pour le malade et il faudra s'efforcer de la diminuer. Dans ce but, on évitera les légumineuses, on défendra le pain complet que l'on remplacera par du pain blanc rassis ou des biscottes. On évitera le régime des crudités qui contient des légumes grossiers favorisant la flatulence : choux, betteraves, etc. On évitera les fromages fermentés.

6° **Réduire le sel et les liquides** - Le ralentissement de la circulation par suite de la stase veineuse qu'il produit et probablement aussi par suite des perturbations métaboliques qu'il entraîne au niveau des tissus, provoque de l'oedème qui est aggravé par la difficulté d'élimination du chlorure de sodium au niveau du rein.

Le rein, par suite du ralentissement de la circulation, voit son pouvoir d'excrétion diminuer non seulement vis-à-vis de l'eau et du sel mais dans les cas graves également vis-à-vis de l'urée et de l'acide urique.

Toute surcharge liquidienne, en obligeant le coeur à assurer la circulation d'une masse supplémentaire, ne peut qu'aggraver les difficultés de travail du myocarde. Il y a donc un intérêt majeur à réduire les liquides et pour cela à réduire la quantité de sel du régime.

Dans les cas d'asystolie grave, on permet comme boisson 3 verres de 150 ml. Ceci ne provoque pas de sensation de soif surtout si le régime contient des fruits. Dans les cas moins graves on autorisera des quantités de liquide supérieures. On se limite généralement au litre.

Les restrictions de sel sont indispensables si on veut obtenir l'élimination des oedèmes. En fait, les restrictions de sel et en particulier de sodium passent avant les restrictions de liquide car c'est l'ion sodium qui va régler les mouvements d'eau dans l'organisme. C'est Widal qui a montré la relation étroite qui existait entre le développement des oedèmes et la ration de sel. Schroeder a montré que pour être efficaces les restrictions de sel devaient être sévères et qu'il fallait abaisser sa consommation au-dessous du gramme. L'organisme du cardiaque est imbibé de sel parce que le rein a perdu une partie de son pouvoir d'excréter du sel ; il en résulte une rétention qui augmente la pression veineuse.

On peut en arriver à prescrire un régime aussi sévère que le régime de Kempner (voir maladies du rein) à base de riz, fruit et sucre qui contient moins d'un demi-gramme de sel.

Le régime désodé a été grandement facilité par l'introduction des résines échangeuses de cation qui permettent l'introduction dans le régime d'une quantité de sel compatible avec une saveur normale des aliments. Il ne faut, chez le cardiaque, se servir que des résines carboxyliques. C'est du reste leur plus belle indication.

7° On a coutume également de **défendre les excitants**, épices, alcool, thé, café, pour ne pas irriter un estomac fatigué par la stase.

On a préconisé différents types de régime chez le cardiaque décompensé.

1° *Cure de Karell* - En 1866, le médecin russe Karell a préconisé chez les cardiaques décompensés la diète lactée pure parce que le lait était diurétique. On sait à l'heure actuelle qu'il doit ses propriétés à sa teneur relativement élevée en calcium et en potassium par rapport au sodium. On peut du reste renforcer cet effet diurétique du lait en donnant le lait désodé qui ne contient que 0,23 g de NaCl par litre.

Le 1er jour, Karell donnait 4 à 5 fois 200 g de lait, une des prises pouvant être remplacée par du yoghourt ou du lait caillé. Il y ajoutait 1 ou 2 biscottes.

Le 2e jour, il ajoutait 1 oeuf ou 1 tranche de viande ou des légumes.
Le 3e jour, il ajoutait des pommes de terre, jus de fruits, pain.

Ensuite, retour progressif à une nourriture plus complète en 1 semaine.
Si on veut poursuivre la cure sans augmenter les liquides, il faut augmenter son pouvoir calorique ce qui se fait en prescrivant :

1/2 litre de lait

1/2 litre de lait caillé.

100 à 200 g de fromage frais

100 à 200 g de crème fraîche.

Pour ne pas augmenter les protides, on peut élargir la cure de Karell de la manière suivante :

5 x 150 g de lait

5 x 150 g de fruits (intercalés entre les prises de lait).
On peut encore remplacer 2 ou 3 prises de lait par des pâtes, du riz, des biscottes beurrées.

2° *Les cures de pommes de terre*, préconisées autrefois par Seiler à Vienne, durant la guerre 1914-1918.

3° *Les farineux* sous forme de bouillies. Il faudra toujours les donner sous forme raffinée, blutée pour éviter le ballonnement.

III. - AFFECTIONS DES CORONAIRES

Les affections des artères coronaires sont les soucis majeurs dans les pays à haut niveau de vie ; elles sont justiciables d'un régime tant préventif que curatif. Ces affections sont dues à une athéromatose des artères coronaires, qui peuvent être l'objet d'une sclérose secondaire ; à cette déficience circulatoire d'ordre anatomique peut s'en ajouter une d'ordre fonctionnel liée aux spasmes et se traduisant par les douleurs caractéristiques de l'angine de poitrine.
Cet état favorise la thrombose coronarienne avec sa conséquence l'infarctus ; la thrombose est la formation intravasculaire d'un caillot. Elle se produit lorsque sont réalisées, comme ici, les 3 conditions de la thrombose qu'Aschoff avait déjà précisées au début du siècle ;

1) altération de la paroi vasculaire,

2) hypercoagulabilité sanguine,

3) ralentissement de la circulation.

L'infarctus est la nécrose suivie de sclérose de la portion du myocarde qui n'est plus irriguée.
En tout état de cause, l'atteinte des coronaires entraîne une mauvaise irrigation du myocarde, d'où une diminution de la valeur fonctionnelle du coeur qui prédispose à l'insuffisance cardiaque. Tous ces patients devront dans une mesure qui dépendra de l'état de leur myocarde suivre les directives qui ont été données soit pour la cardiopathie non décompensée, soit pour la cardiophatie compensée. En outre, devront être suivies toutes les recommandations faites pour l'athéromatose.

1°) L'angine de poitrine

L'angine de poitrine, qui se caractérise par une douleur précordiale apparaissant brusquement et irradiant vers le bras gauche, jusque dans l'auriculaire.
D'autres irradiations sont possibles. Elle traduit la brusque insuffisance circulatoire d'un

segment du myocarde, qui sera de durée brève dans l'angine de poitrine vraie, de longue durée lorsqu'elle est révélatrice d'un infarctus.

La déficience circulatoire peut être due à un effort physique. Le débit circulatoire réduit empêche l'apport d'une quantité d'oxygène suffisante par rapport à la demande accrue du myocarde ; elle peut être due aussi à un spasme des coronaires sous l'effet d'une émotion.

La question de l'alcool a été assez débattue autrefois ; on avait conseillé la consommation régulière de quantités modérées d'alcool pur, type whisky ou alcool de grain, sous prétexte qu'il provoquerait une dilatation des coronaires. Aujourd'hui, on n'y croit plus.

A éviter les repas trop copieux ou indigestes qui provoquent un afflux trop important de sang vers les organes splanchniques, entraînant une accélération de la circulation, tout comme l'effort physique.

Au moment de la crise d'angine de poitrine, il sera prudent de laisser le tube digestif au repos ; dans les suites de cette crise, la sévérité dépendra de l'état du patient et pourra aller de la diète hydrique au régime de ménagement.

2°) L'infarctus

La crise d'angine de poitrine ressentie au moment d'infarctus est généralement plus sévère, plus prolongée et plus grave de conséquences sur l'état général du patient ; il y a une réduction brutale de la tension artérielle qui peut aller jusqu'à la chute avec angoisse et même jusqu'à la syncope. Il existe cependant de petits infarctus quasi inapparents.

Le premier impératif sera de calmer l'affolement de l'entourage ; le deuxième sera de mettre le patient au repos et au calme les plus absolus. Le troisième sera de mettre le tube digestif au repos.

Le premier jour, le patient sera mis à la diète hydrique en veillant en même temps qu'elle soit totalement désodée et des restrictions sodées sévères devront être poursuivies durant les jours qui suivent. Cette consigne devra être suivie de manière absolue parce que généralement, autour de la zone infarcie, il existe un halo d'oedème qui entraîne une diminution fonctionnelle du myocarde. Il y a intérêt à faire disparaître cet oedème le plus rapidement possible.

Les jours suivants, le patient sera mis au régime lacté ou lacto-farineux en utilisant de préférence les laits désodés et le médecin jugera, selon l'état du patient, le moment où il passera au régime normal. Il faudra cependant que ce régime corresponde aux bonnes règles de l'hygiène alimentaire qui sont exposées dans le paragraphe du chapitre suivant consacré au régime préventif de l'athéromatose.

On ne peut assez insister chez ceux qui ont fait un infarctus sur la nécessité de suivre un régime très pauvre en sodium. Il existe une relation évidente même chez les bien-portants, entre la ration habituelle de sel et l'élévation de la tension avec l'âge d'une part et entre le nombre de morts par infarctus d'autre part.

Voici une statistique établie par Paul (1978) à l'occasion de l'enquête de Framingham sur les relations qui existent entre la tension artérielle et les morts par infarctus. Il a suivi 1.816 hommes durant 17 ans, classés en fonction de la tension initiale.

Tableau 1 - Mortalité en 17 ans en fonction de la tension initiale en mm Hg.

Tension systolique initiale	Mortalité % par infarctus	Tension diastolique initiale	Mortalité % par infarctus
120	4,5	80	5,4
120 à 129	7,1	80 à 89	6,2
130 à 139	9,7	90 à 99	8,8
140 à 149	8,5	100 à 109	10,2
150 à 159	9,1		

L'élévation de la tension systolique est donc aussi nocive que l'élévation de la tension diastolique, contrairement à un préjugé trop courant.

Déplétion en magnésium et mort subite

La mort subite par infarctus est due à une fibrillation ventriculaire dans la très grande majorité des cas. Diverses enquêtes épidémiologiques avaient montré que le nombre de morts subites par infarctus était plus élevé dans les régions où l'eau est douce, aussi avait-on attribué d'abord à la charge en calcium des eaux dures un effet protecteur. Toutefois, à la suite des travaux de Seelig, il s'avéra que c'était le magnésium qui joue le rôle capital. On attribue à l'heure actuelle la fibrillation ventriculaire après infarctus à une déplétion intracellulaire en magnésium des fibres myocardiques. On a pour cela une série d'arguments.

1) Enormément de gens (les 2/3, selon certaines statistiques), consomment une quantité de magnésium nettement inférieure à celle recommandée par le National Research Council des Etats-Unis (300 mg par jour chez la femme, 350 mg par jour chez l'homme).

2) La carence en magnésium peut favoriser chez l'homme comme chez l'animal d'expérience des lésions myocardiques de différentes étiologies et notamment elle sensibilise le myocarde à l'effet toxique de la digitaline et chez l'animal aux conséquences de la ligature d'une coronaire.

3) Le myocarde des personnes mortes d'infarctus est toujours beaucoup plus pauvre en magnésium que le myocarde des personnes mortes accidentellement.

4) Les zones infarcies du coeur des personnes mortes d'infarctus sont plus pauvres en magnésium que les autres zones.

5) On a pu arrêter la fibrillation ventriculaire après infarctus par des injections intraveineuses ou intramusculaires de sulfate de magnésium. On a pu guérir du reste d'autres arrythmies par l'administration de magnésium.

Quoi qu'il en soit, il paraît fort important chez les gens menacés d'infarctus de prévenir la carence en magnésium pour empêcher la mort subite.

Dans le régime alimentaire, le magnésium se trouve principalement dans les céréales complètes, les légumineuses et les légumes verts.

Ajoutons qu'on ne peut se baser sur le taux de magnésium sérique pour dépister une déplétion en magnésium ; celle-ci étant intra-cellulaire, les globules rouges seront un meilleur indicateur, mais même le taux de magnésium érythrocytaire peut ne pas être révélateur.

IV. - HYPERTENSION

De nombreux facteurs peuvent jouer un rôle dans la pathogénie de l'hypertension au premier rang desquels se trouvent des facteurs d'ordre alimentaire. Voici les recommandations à faire à ce sujet aux hypertendus.

1 - Lutter contre l'obésité

Il existe un lien indiscutable entre l'obésité et l'hypertension qui a été observé notamment par Kannel au cours de l'enquête de Framingham.

Une diminution de la tension artérielle a été observée à l'occasion de cures d'amaigrissement par de nombreux auteurs mais Dahl conteste qu'elle soit due à la perte de poids ; pour lui comme pour Joossens, elle serait due au fait qu'un régime hypocalorique entraîne toujours une diminution de l'apport de Na.

Différents auteurs ont administré à des obèses avec tension normale, atteints d'hypertension modérée ou d'hypertension importante, un régime de restriction calorique en veillant à ce que l'apport de sodium soit maintenu identique. Ils ont observé chez la majorité d'entre eux une diminution de la tension artérielle. Sur 17 études similaires, Chang en a trouvé 15 où les auteurs concluaient à une relation entre l'obésité et l'hypertension. On peut donc considérer comme prouvé que la diminution de poids peut par elle-même entraîner une diminution de la tension artérielle.

On a décrit des cas d'hypertension où l'administration de médicaments anti-hypertensifs était inefficace jusqu'au jour où on y associa un régime de restriction calorique.

Un régime de restriction calorique doit être considéré comme un acte essentiel dans le traitement de l'hypertension chez les obèses. Si on y ajoute des restrictions de sodium, l'effet sur la tension sera encore plus marqué.

2 - Eviter les abus de sel

C'est en 1904 déjà qu'Ambard et Beaujard avaient noté que des restrictions de sel avaient un effet salutaire dans l'hypertension mais ce sont surtout les études épidémiologiques de Dahl qui ont entraîné chez les médecins la conviction du rôle de l'apport de sodium dans la régulation de la tension.

Cet auteur a montré qu'il existait une relation entre la consommation moyenne de sel dans les différentes régions et la tension artérielle moyenne de la population. Il a montré également que dans les pays industrialisés l'hypertension et ses complications étaient beaucoup plus fréquentes chez les personnes mangeant très salé que chez celles mangeant peu salé.

Prior étudiant la tension artérielle chez les habitants de diverses îles de l'Océan Pacifique a montré que celle-ci ne s'élevait pas avec l'âge là où on ne consommait presque pas de sel et que dans celles où on consommait une ration de sel comparable à celle des Occidentaux, comme chez eux elle s'élevait avec l'âge.

D'autre part dans le Nord-Est du Japon, où l'on consomme en moyenne 26 g de sel par jour, la mortalité par accidents vasculaires cérébraux est de 220 par 100.000 habitants et dans le Sud où on ne consomme que 14 g de sel par jour elle n'est que de I40 par 100.000 habitants.

Ceci revient à poser la question de savoir quelle est la ration de sel idéale. De l'avis des épidémiologistes, l'idéal serait de ne pas dépasser l'équivalent de 6 g de sel par jour. Compte tenu de ce que les aliments contiennent en moyenne une quantité de sodium équivalent à 3 g par jour, cela veut dire que l'on ne devrait ajouter que 3 g pour la préparation.

En Belgique, la diminution de la ration de sel de 13,5 g en 1976 à 9,3 g en 1982 a provoqué une diminution des morts par accident vasculaire cérébral de 50 %, des morts par infarctus de 40 % et de cancer gastrique de 40 % en données corrigées pour l'âge et le sexe.

3 - Veiller à un large apport de potassium

En 1928, Addison avait montré en expérimentant sur lui-même et sur 5 patients volontaires que lorsqu'il enrichit le régime en sodium la tension monte et que lorsqu'il l'enrichit en potassium, la tension baisse. Il en conclut que le potassium fait partie de la prévention et du traitement de l'hypertension.

De nombreux auteurs ont montré depuis que des suppléments de potassium ne modifient guère la tension du normotendu mais abaissent la tension de l'hypertendu.

Le potassium peut empêcher ou atténuer l'effet hypertensif du sodium.Cela se voit bien dans les villages du Nord du Japon où l'on consomme une ration de sel fort élevée (en moyenne 26 g par jour) ; dans certains d'entre eux la ration de potassium est aussi élevée ; dans ces derniers, la tension artérielle est moins élevée que dans les premiers, où la ration de potassium est faible.

Luft a empêché l'action hypertensive du sodium chez l'homme normal en donnant en même temps que des suppléments de sodium des suppléments de potassium. Des suppléments de potassium peuvent faire baisser davantage la tension chez des patients prenant des médicaments antihypertensifs.

Le mécanisme d'action du potassium est triple : il agit par

a) un effet natriurétique. Willis avait déjà montré en 1679 que le potassium fait diminuer l'importance des oedèmes mais c'est surtout Bunge (1873) qui montre que le potassium chasse le sodium.

b) un effet sur le système rénine-angiotensine-aldostérone. Bianchetti montre que chez les hypertendus, le potassium diminue l'influence de l'adrénaline sur la tension mais il ne modifie pas celle de l'angiotensine II

c) un effet vasodilatateur dû à un effet relaxant sur les muscles lisses de la paroi des vaisseaux.

4 - Veiller à ce que le rapport Na/K soit fort bas

L'abaissement du rapport Na/K est encore plus important pour l'effet hypotenseur que l'augmentation de la ration de potassium. Dans des cas d'hypertension modérée où une diminution de la ration de sodium ne provoque pas d'abaissement de la tension, on obtient cet effet en administrant des suppléments de potassium.

C'est dans ce but qu'Overlack recommande chez les hypertendus un régime hyposodé riche en légumes et en fruits frais.

Khaw et Barrett ont noté qu'il y avait une meilleure corrélation entre la tension diastolique et la tension systolique d'une part et le rapport Na/K de la ration alimentaire d'autre part, que celle qui existe avec l'apport séparément soit du Na, soit du K.

5 - Veiller à un large apport de Magnésium

Le magnésium joue un rôle dans la régulation de la tension artérielle par divers mécanismes.

Une carence en magnésium provoque une augmentation intracellulaire du Na et du Ca et une diminution intracellulaire du K et du Mg. Il s'en suit une modification de l'activité de la Na/K ATP ase.

Altura a montré que ces modifications métaboliques ont un profond retentissement sur l'état contractile des muscles lisses de la paroi des vaisseaux et par là sur la tension sanguine.

Dyckner a administré 365 mg de magnésium sous forme d'aspartate de magnésium à des sujets hypertendus qui recevaient depuis longtemps des diurétiques. Alors qu'il n'y eut guère de modifications du taux des électrolytes sanguins ou urinaires il y eut une diminution de la tension sanguine. Voici les résultats obtenus chez une série de 18 patients

Avant 152 ± 20 et 93 ± 11

Après 140 ± 15 et 85 ± 7

Ce résultat est significatif.

Petersen a trouvé que chez les personnes âgées il existe une relation inverse entre la tension artérielle et le taux sérique de magnésium.

Seelig estime que l'hypertension chez la femme enceinte est due très souvent à une déplétion en magnésium.

D'autre part Kesteloot étudiant l'excrétion urinaire de magnésium observe une corrélation inverse entre l'importance de celle-ci et la tension artérielle. Resnick observe une relation inverse entre le magnésium intracellulaire libre et la tension sanguine.

6 - Veiller à un apport suffisant de calcium

Stitt a montré qu'il y avait en Angleterre une relation inverse entre la teneur en calcium de l'eau de boisson dans les différentes localités et la tension artérielles, aussi bien diastolique que systolique. Là où l'eau est pauvre en calcium, la tension artérielle s'élève davantage chez les personnes âgées de plus de 50 ans que là où l'eau est riche en calcium. Là où l'eau est riche en calcium, la tension diastolique est en moyenne moins élevée de 10 mm Hg.

En Nouvelle Guinée, Masironi a examiné la population riveraine d'un cours d'eau qui dans sa partie supérieure contient 15,3 p.p.m. de Ca ; par suite de l'apport d'eau provenant de ruisseaux où l'eau est douce, le taux de Ca baisse progressivement jusqu'à 1,2 p.p.m. dans sa partie inférieure. La tension artérielle est progressivement plus élevée dans les villages au fur et à mesure que la teneur en Ca de l'eau diminue.

Cette relation inverse entre la teneur en calcium de l'eau de boisson et la tension artérielle a été confirmée par de nombreux auteurs.

Plusieurs explications ont été proposées :

a) chez les personnes buvant une eau riche en Ca, le taux sérique de Ca serait un peu plus élevé ce qui diminuerait le tonus des muscles lisses de la paroi des vaisseaux

b) un apport plus élevé de Ca stimulerait la natriurèse

c) un supplément de Ca stimulerait l'activité de la Na+/K+ ATPase ce qui modifierait la perméabilité des membranes au Na+ et au K+.

Toujours est-il qu'il y a avantage pour l'hypertendu à consommer une eau riche en calcium et à prendre suffisamment de lait et de fromage désodés.

7 - Consommer des aliments riches en fibres

Wright comparant des sujets consommant un régime riche en fibres avec des sujets consommant un régime pauvre en fibres constate que les premiers ont une tension artérielle plus basse que les seconds. Cette observation a cependant été contestée car la teneur en fibre du régime avait été modifiée uniquement en remplaçant le pain blanc par du pain gris mais aucune détermination n'avait été faite de la teneur en sel de ceux-ci.

Krotkiewski a démontré l'effet favorable des fibres ; il a suivi 40 sujets modérément hypertendus et modérément obèses. Il les a soumis à un régime où l'apport calorique et la teneur en sodium étaient strictement identiques. Durant 2 semaines il ajoute à celui-ci 7 g de gomme de guar. A la fin de cette période la tension systolique avait baissé de 9,8 % et la tension diastolique de 9 % sans qu'il n'y ait eu de modifications de poids.

Au cours de cette expérience il y avait aussi une diminution de la tension à l'effort de 8 % pour la tension systolique et de 7 % pour la tension diastolique.

8 - Consommer des poissons gras

Mortensen a montré que chez des sujets volontaires normotendus des suppléments d'huile de poisson, à côté de leur effet sur les lipoprotéines, l'agrégation plaquettaire et la coagulation sanguine ont aussi la particularité d'abaisser la tension artérielle.

Singer observe le même effet avec le maquereau en boîte. Il démontre que l'effet hypotenseur est dû à l'acide eicosapentaénoïque. Le maquereau dont l'huile contient 7 % de celui-ci à une action hypotensive plus importante que le hareng dont l'huile ne contient que 2,6 % d'acide eicosapentaénoïque. Ceci est aussi vrai chez le normotendu que chez l'hypertendu et chez l'hyperlipémique. Voici les résultats après 2 semaines de ce régime :

Tableau 2 - Effet du maquereau et du hareng sur la tension artérielle.

	n	AVANT		APRES	
		systole	diastole	systole	diastole
Maquereau					
Normotendus	15	128 ± 14	80 ± 9	113 ± 11	79 ± 18
Hypertendus	14	152 ± 12	93 ± 12	140 ± 11	89 ± 10
Hyperlipémiques	8	144 ± 23	95 ± 13	131 ± 20	93 ± 15
Hareng					
Normotendus	15	124 ± 12	78 ± 8	120 ± 13	73 ± 6
Hypertendus	14	141 ± 14	92 ± 10	137 ± 11	91 ± 6
Hyperlipémiques	8	143 ± 13	94 ± 16	140 ± 26	93 ± 17

Il apparaît ainsi que les acides gras polydésaturés ω3 à côté de leur action salutaire sur le métabolisme lipidique ont aussi un effet favorable sur la tension artérielle.

9 - Boire du café modérément

Le café et surtout le café fort est à éviter chez les hypertendus en effet il est prouvé que la caféine stimule la production de rénine et donc par là la production d'angiotensine et d'aldostérone. (Robertson - 1978)

Les grands buveurs de café fort ont généralement une tension artérielle élevée et j'ai vu personnellement mourir une femme au Kivu, région de planteurs de café, à la suite d'une hémorragie cérébrale due à une hypertension par abus de café.

Par contre le café décaféiné est autorisé chez eux car il contient environ 2 % seulement de la caféine avant décaféinisation. Il faut balayer la légende qui affirme que le café décaféiné est cancérogène.

Chez ceux qui ne sont que modérément hypertendus on peut autoriser une tasse de café le matin au petit déjeuner en recommandant qu'il ne soit pas trop fort.

10 - Eviter les boissons alcooliques

En 1915, Lian alors médecin aux armées en campagne constata qu'il y avait chez les territoriaux une relation entre la quantité d'alcool qu'ils buvaient habituellement et leur tension artérielle ; il avait déjà noté que l'effet était plus net sur la tension systolique que sur la tension diastolique.

Ce n'est que plus de 50 ans plus tard, en 1967, que différents auteurs au cours d'études épidémiologiques sur les différents facteurs pouvant favoriser l'hypertension retrouvèrent le rôle de l'alcool.

Diverses études sur de grands ensembles ou des études sur des paires de jumeaux dont l'un était buveur et l'autre pas montrèrent que la consommation d'alcool provoquait une élévation de la tension systolique assez nette et d'une manière moins nette de la tension diastolique.

Il s'est avéré aussi que cette hypertension était réversible ; les femmes sont aussi sensibles que les hommes à l'effet de l'alcool sur la tension ; cet effet serait plus net chez les personnes plus âgées.

Ce qui rend ces études difficiles c'est que souvent l'alcoolisme va de pair avec le tabagisme et une alimentation assez salée. Des études multivariées ont permis cependant de dégager nettement le rôle de l'alcool.

La consommation régulière d'alcool même à dose modérée peut être une cause d'échec d'une thérapeutique antihypertensive médicamenteuse.

Certains psychologues ont reproché aux médecins de se préoccuper trop de la quantité d'alcool bue et pas assez des raisons qui ont poussé le patient à boire et qui seraient les véritables causes de l'hypertension.

Le mécanisme d'action de l'alcool sur la tension a fait l'objet de recherches tant expérimentales que cliniques.

L'injection intraveineuse d'alcool provoque une élévation de la cortisolémie qui pour Jenkins ne se produit que lorsque l'alcoolémie dépasse le taux de 1 g/l. Cette élévation de la cortisolémie est réversible.

Chez certains alcooliques chroniques, la cortisolémie est constamment élevée ; elle s'abaisse lors du sevrage dans la mesure où les transaminases redeviennent normales.

Un syndrome cushingoïde peut se manifester chez certains alcooliques chroniques ; il mime tout à fait la maladie de Cushing sur le plan clinique. Il s'en différencie cependant par 2 caractéristiques : 1) il est réversible par la suppression de l'alcool sauf dans certains cas exceptionnels 2) l'hypercortisolémie est suppressible par une dose de 2 mg de dexaméthasone par jour.

On a décrit des cas où le taux de cortisol total était normal mais où le taux de cortisol libre (le seul actif) était élevé par suite d'un abaissement du taux de transcortine dû à une altération du métabolisme des protéines. Elle a pour cause l'altération fonctionnelle des hépatocytes.

CHAPITRE XV

L'athéromatose

L'athéromatose est à l'heure actuelle la cause de mort la plus importante dans les pays à haut niveau de vie et où le développement de l'hygiène a éliminé progressivement les nombreux facteurs qui abrégeaient la vie. Le rapprochement de deux chiffres fait par le médecin Sud Africain Bronte-Stewart justifie l'intérêt que l'on attache aujourd'hui à ce problème ; en Grande-Bretagne, 743 hommes mouraient d'infarctus en 1921 ; ce nombre était passé à 45.000 en 1956.

Bien que l'on ait mis récemment en évidence le rôle de certains facteurs constitutionnels dans la pathogénie de l'athéromatose, depuis 60 ans environ toute l'attention a été portée sur les facteurs alimentaires. Toutefois au fil du temps, les opinions sur les facteurs alimentaires de l'athéromatose ont évolué et on peut distinguer un certain nombre d'étapes.

PATHOGÉNIE DE L'ATHÉROMATOSE

L'athéromatose est constituée de plaques de graisse et de tissu fibreux des parois artérielles provoquant un rétrécissement de la lumière. Des agrégats de plaquettes ou thrombi peuvent se former à ce niveau et empêcher la circulation d'où ischémie avec ses conséquences.

La couche superficielle de la paroi des vaisseaux est formée de cellules endothéliales aplaties (l'intima) ; séparant l'intima de la media existe une membrane grillagée composée surtout d'élastine.

La media est constituée de couches concentriques de muscles lisses, d'élastine et de matériel fibreux déposés dans une matrice de glycoprotéines (protéoglycans et glycosamineglycans).

L'adventice, couche externe, contient des fibroblastes et des cellules musculaires lisses disposées à côté des fibres collagènes.

La partie externe est nourrie par les vasa vasorum et la partie interne est nourrie par diffusion des nutriments contenus dans le sang.

Une lésion de l'intima est le point de départ de l'athéromatose. Cette lésion peut être provoquée par l'hypertension. La lésion des cellules endothéliales accroit leur perméabilité ; ceci permet l'entrée du cholestérol à partir des phospholipides jusque dans les couches profondes de la paroi artérielle.

Les lipoprotéines sont des molécules complexes synthétisées par le foie servant au transport du cholestérol et des triglycérides ; elles sont constituées de phospholipides et de protéines spécifiques, les apolipoprotéines.

On distingue différentes classes de lipoprotéines, celles de très basse densité (VLDL), celles de basse densité, (LDL) et celles de haute densité (HDL) ; elles diffèrent par leur volume et la proportion relative de leurs constituants (triglycérides, cholestérol et phospholipides)

En réponse à une lésion il apparait un épaississement de la paroi artérielle due à la prolifération des muscles lisses ; des zones de nécrose peuvent survenir lorsque l'épaississement de la paroi artérielle limite l'apport d'oxygène dans les parties non irriguées par les vasa-vasorum.

Le cholestérol qui se dépose dans la paroi des artères provient des LDL ; des gouttes de graisse sont déposées et peuvent former des dépôts dans l'élastine et les fibres de collagène.

Les radicaux libres augmentent la perméabilité de l'endothélium aux lipoprotéines et jouent un rôle important dans l'athéromatose.

Les cellules bourrées de graisse proviennent des cellules musculaires lisses ou des monocytes du sang circulant.

On a décrit aussi le rôle important des interactions plaquettes-paroi des vaisseaux ; une altération des cellules endothéliales joue un rôle capital dans le développement de l'athéromatose. Si la lésion endothéliale a provoqué une desquamation, les plaquettes adhèrent à la surface exposée et libèrent un facteur de croissance (PGPF), glycoprotéine de petit poids moléculaire qui provoque la migration des cellules musculaires lisses vers l'intima et leur prolifération stimule l'activité des récepteurs aux LDL.

La prolifération des cellules musculaires lisses est la réponse à l'entrée des monocytes du sang circulant et des macrophages qui assimilent les lipoprotéines, les triglycérides et le cholestérol et libèrent un mitogène très efficace ; elles libèrent aussi une substance qui provoque l'adhérence des nouvelles cellules.

Avec le temps elles forment des plaques fibreuses avec une couche superficielle de collagène. Celui-ci favorise l'adhérence des plaquettes et des macrophages et peut constituer 40 à 60 % de la matière sèche des lésions. Plus tard des cristaux d'hydroxyapatite peuvent s'y déposer formant la calcification de la paroi. Il se forme des thrombi favorisés par la stase et l'hypercoagulabilité du sang.

La formation de ces thrombi est la cause première des infarctus cardiaques et cérébraux.

Des **facteurs de risques** ont été mis en évidence par l'enquête de Framingham dont plus de 5.000 habitants sont suivis depuis 1949.

Selon Castelli un taux élevé de cholestérol total, de LDL et de VLDL favorise les lésions coronariennes par contre il y a une relation inverse avec le taux de HDL. Ce qui importe surtout c'est le rapport cholestérol total/HDL cholestérol ; il doit être inférieur à 5.

Les HDL réduisent la captation du cholestérol par la paroi de l'artère ; le cholestérol contenu dans les autres lipoprotéines se dépose dans la paroi de l'artère.Ils peuvent même dans une certaine mesure enlever le cholestérol des lésions vasculaires pour le conduire au foie où il sera détruit.

La tension artérielle joue un rôle capital ; il y a une relation positive entre l'importance de le tension artérielle et les maladies cardiovasculaires.

Récemment on a montré qu'un apport insuffisant de sélénium favorise l'athéromatose en ne combattant pas suffisamment la production de radicaux libres.

LE RÔLE DE L'ALIMENTATION

Du fait qu'elle influence les facteurs de risque, l'alimentation joue un rôle important dans la génèse de l'athéromatose, dans sa prévention et dans son traitement.

I. - LES EXCÈS CALORIQUES

Les excès caloriques conduisent à l'obésité. Celle-ci est une des causes importantes de l'athéromatose conduisant à l'infarctus du myocarde et à la thrombose cérébrale. C'est facile à comprendre.

a) les excès calorique se commettent en grande partie aux dépens de graisses saturées : lard, saindoux, charcuteries grossières chez les gens modestes, crème fraîche, foie gras, pâtisseries chez les gens riches. En outre ces aliments sont aussi assez riches en cholestérol.

b) l'obésité qui en est la conséquence favorise le diabète et l'hyperinsulinémie ; le diabète par les troubles métaboliques secondaires qu'il engendre favorise l'athéromatose et l'hyperinsulinémie favorise la pénétration des graisses dans la paroi de l'artère.

c) les excès de sucre et d'alcool non seulement favorisent le diabète et l'obésité mais aussi l'hypertriglycéridémie ; celle-ci sans être aussi nocive que l'hypercholestérolémie engendre aussi l'athéromatose.

Pour éviter l'athéromatose, il faut veiller à peser le poids normal (voir chapitre de l'obésité) car l'excès de poids favorise aussi l'hyperinsulinémie.

II. - LE CHOLESTÉROL

C'est le mérite d'Anitschkow au début de ce siècle d'avoir songé au rôle de l'alimentation dans la pathogénie de l'athéromatose. Médecin chef des troupes russes à l'époque du Tsar, il avait été frappé par la fréquence de l'artériosclérose du milieu où évoluaient les généraux et sa rareté relative chez les hommes de la troupe et leurs familles.

Il soumit des lapins les uns au même régime que les généraux, les autres au régime des hommes de la troupe. Il vit que ce qui différenciait surtout les deux séries, c'était le taux de cholestérol. Les lapins soumis au régime alimentaire des généraux avaient un taux de cholestérol nettement plus élevé que ceux soumis au régime du troupier. Il confirma ces constatations sur l'écureuil et le poulet.

Il en vint ainsi à établir une relation assez étroite entre la quantité de graisse et de cholestérol présents dans le régime, le taux sanguin de cholestérol et le degré d'athéromatose.

La netteté des résultats observés par Anitschkow était due au fait qu'il avait entrepris ses expériences sur des animaux qui ne consomment normalement que de faibles rations de graisse et dont l'homoeostasie du métabolisme lipidique est beaucoup moins bien assurée que chez beaucoup d'autres espèces animales et notamment chez l'homme.

Il apparut en effet que le taux sanguin de cholestérol n'était que fort peu influencé par l'importance de l'apport alimentaire.

En France, Cottet en 1958, Azerad en 1959, de Gennes en 1960 affirment qu'il n'y a qu'une très faible corrélation entre le taux de cholestérol sanguin et la quantité de cholestérol contenue dans le régime alimentaire.

Ceci fut confirmé aux Etats Unis notamment par Keys et en Grande-Bretagne par Beveridge. Il résulte des nombreux essais qu'ils ont fait, que pour influencer la cholestérolémie chez l'homme il faut lui administrer 600 mg de cholestérol par jour. Ces auteurs avaient aussi déjà remarqué que la qualité des graisses consommées en même temps que le cholestérol pouvait jouer un rôle important dans l'évolution de la cholestérolémie.

Ce peu d'influence de l'apport alimentaire de cholestérol sur le taux sanguin est dû au fait que la majeure partie du cholestérol présent dans le sang est d'origine endogène et que sa synthèse est influencée par l'apport exogène.

On sait depuis longtemps que le cholestérol est synthétisé dans l'organisme à partir de radicaux aussi simples que l'acétate. Au moyen d'acétate marqué par un ^{14}C, on a pu retracer toutes les étapes de la synthèse du cholestérol.

Le lieu de la synthèse du cholestérol est le foie ; l'importance de cette synthèse dépend de l'importance de l'apport exogène ; ceci a été bien démontré par les travaux de Gershberg, de Sipperstein et de Favarger.

Il n'en reste pas moins que le taux de cholestérol sanguin joue un rôle fort important dans le risque d'athéromatose. Ceci a été notamment bien mis en évidence dans l'étude classique de Framingham. L'observation durant 8 ans d'une population bien définie a montré que chez l'homme un taux de cholestérol élevé représente un risque aggravé d'athéromatose aussi bien entre 30 et 49 ans qu'entre 50 et 59 ans.

Tableau 1 - Risque d'éclosion d'une maladie coronaire en 8 ans en rapport avec le taux de cholestérol chez l'homme de 30 à 49 ans et de 50 à 59 ans (au début de l'enquête).

Cholestérol sanguin mg /100 ml	30 à 49 ans	50 à 59 ans
< 200	39	51
200 à 219	40	74
220 à 239	62	92
240 à 259	171	96
> 260	220	192

Il s'ensuit que si le taux de cholestérol n'est pas influencé par l'importance de l'apport alimentaire, il est un facteur fort important dans l'appréciation du risque d'athéromatose. Tout ceci permet de comprendre le scepticisme des médecins à l'époque où on essayait d'influencer le taux de cholestérol et de prévenir l'athéromatose par des régimes pauvres en cholestérol.

Il n'en reste pas moins que ce sont les facteurs alimentaires qui occupent la première place dans la prévention de l'athéromatose, mais c'est ailleurs que se trouve le noeud du problème.

Un consensus de chercheurs européens a estimé que le facteur de risque est surtout influencé par le taux de LDL cholestérol qui devrait être inférieur à 170 mg/dl. On peut obtenir ce taux en soustrayant du taux de cholestérol total le taux de HDL cholestérol et de 1/5 du taux de triglycérides. Le " Belgian Lipid Club " place la limite à 155 mg.

III. - L'IMPORTANCE DE LA RATION DE LIPIDES

Les études de pathologie géographique et l'étude du devenir des émigrés ont permis d'établir le rôle capital de l'importance de la ration de graisse dans la pathogénie de l'athéromatose.

Keys et coll. ont comparé les causes de mort chez 100.000 hommes de 50 à 54 ans aux Etats-Unis où l'alimentation est fort riche en graisse et au Japon où elle est particulièrement pauvre en corps gras.

Tableau 2 - Morts par 100.000 hommes de 50 à 54 ans (1953-54)

Causes	U.S.A.	Japon
Toutes causes	1189	1163
Maladies infectieuses et parasitaires	39	177
Néoplasmes	206	236
Maladies coronaires	445	33
Hypertension et lésions cérébrovasculaires	115	251
Violence	124	112
Cause non connue	13	35

L'examen de ce tableau montre que l'homme américain de 50 à 54 ans meurt 13,5 fois plus souvent d'une maladie coronaire que le Japonais du même âge.

Il est bien établi que cette différence est à mettre en rapport avec la part des graisses dans l'apport calorique. Ceci ressort d'études faites chez les émigrés ; chez le Japonais vivant au Japon et ne couvrant son besoin calorique que pour 13 % par la graisse, même entre 60 et 69 ans, on ne trouve pas plus de 10 % d'athéromatose sévère, par contre chez le Japonais émigré aux îles Hawaï et couvrant son besoin calorique pour 40 % par la graisse et chez les hommes du Minnesota où cette proportion est de 42 %, le nombre d'athéromatose est considérablement plus élevé que chez les Japonais d'Asie.

Il a aussi été établi, que le nombre d'athéromatoses est d'autant plus élevé que la ration de graisse est plus importante et chez les Japonais qui se sont expatriés et qui se sont mis à manger plus gras que la proportion d'athéromatoses sévères est en rapport avec le nombre d'années pendant lesquelles ils se sont soumis à cette surcharge lipidique alimentaire.

Ces études ont aussi montré que le taux de cholestérol était à mettre en rapport avec la part du besoin calorique couvert par les graisses. Le taux de cholestérol des Japonais vivant à Hawaï est plus élevé que celui des Japonais vivant au Japon et plus bas que celui des Américains du Minnesota.

Il a été en outre démontré que l'importance de la ration de graisse dans l'apport calorique influençait la part du cholestérol fixé sur les bêta lipoprotéines. Chez les Japonais de condition modeste, le taux de cholestérol fixé sur les bêtalipoprotéines est fort bas ; chez les médecins de Fukuoka qui mangent plus gras, le taux de cholestérol est déjà nettement plus élevé, chez les travailleurs de l'île Hawaï qui couvrent 30 % de leur besoin calorique par la graisse, il est encore nettement plus élevé. Quant aux médecins japonais vivant à Los Angeles et couvrant comme les Américains leur besoin calorique pour plus de 40 % par la graisse, ils ont un taux de cholestérol à peu près égal à celui des Américains du même âge.

Les auteurs qui ont étudié ce problème ont surtout été frappés par le taux de cholestérol proportionnellement élevé chez les jeunes Japonais vivant à Hawaï ou aux Etats-Unis par rapport à ceux qui restent au Japon ; ceci provient de ce que les premiers comme les petits Américains mangent des saucisses, des chips et des crèmes glacées avec de la crème fraîche.

Ceci a pour conséquence, comme l'a montré Larsen, que la fréquence de l'infarctus est beaucoup plus grande chez le Japonais émigré que chez le Japonais autochtone.

Il a été montré que pour toutes les races, le taux de cholestérol dépend de la part des graisses dans la couverture du besoin calorique et que l'importance du travail fourni n'y jouait aucun rôle. Par exemple, les fermiers de Koga, les mineurs de Shime, les Bantous du Cap, les travailleurs des aciéries de Naples, les mineurs de Sardaigne et les dockers de Malmoe sont des travailleurs lourds ; chez eux, comme chez les sédentaires, le taux de cholestérol est en rapport étroit avec la part des graisses dans la couverture du besoin calorique.

Il a d'ailleurs été montré, que si à la ration alimentaire des travailleurs des mines de charbon de Shime au Japon, on substitue de manière isocalorique une partie de la ration de riz par 50 g de beurre ou de margarine de manière à porter la couverture du besoin calorique au moyen des graisses de 10 à 25 %, on voit en 11 jours le taux de cholestérol augmenter d'environ 17 mg par 100 ml.

Ce qui a été vu pour les Japonais a été observé chez les Juifs yéménites immigrés en Israël ; ceux d'immigration récente continuent à se soumettre à un régime très pauvre en graisse (1750 calories dont 16 % fournies par la graisse) après quelques années, ils élargissent leur régime (2350 calories dont 21 % fournies par la graisse). Ceci a pour conséquence que chez l'homme de 55 à 64 ans, le taux de cholestérol moyen passe de 158 à 206 mg/100 ml et chez la femme du même âge de 190 à 228 mg/100 ml.

La mortalité par athéromatose est entre 45 et 64 ans pour l'homme d'immigration récente de 0,49 % et pour celui d'immigration ancienne de 3,3 %. Chez la femme du même âge, ces chiffres sont respectivement de 0,51 % et de 1,8 %.

Cette influence de la ration de graisse sur le taux de cholestérol se fait sentir même chez l'enfant. Scrimshaw l'a bien établi en étudiant 3 groupes d'enfants guatémaltèques comme le montre le tableau 3.

Tableau 3 - Taux de cholestérol sanguin (mg/100 ml) chez l'enfant guatémaltèque

âge	milieu favorisé urbain graisse 37 % calories		milieu pauvre urbain graisse 15 % calories		milieu rural graisse 8 % calories	
	garçons	filles	garçons	filles	garçons	filles
7	206	192	140	154	118	121
8	174	173	130	157	107	109
9	180	185	142	161	115	127
10	181	196	135	149	136	141
11	202	194	149	153	122	129
12	180	185	162	161	127	139

Bronte Stewart avait du reste noté que l'Européen et le Bantou viennent au monde avec le même taux de cholestérol mais que très tôt dans la vie il apparaît une différence ; il avait aussi noté que non seulement il y avait une différence entre les deux races, mais qu'au sein de la même race il y avait une différence entre les riches et les pauvres, ce qui montre bien que ce ne sont pas des facteurs génétiques qui sont en cause.

Selon Duguid, l'excès de graisse dans la ration alimentaire favorise l'athéromatose encore par un autre mécanisme. L'ingestion d'une ration importante de graisse raccourcit le temps de coagulation.

Fullerton et coll. ont étudié la coagulation du plasma recalcifié en présence de venin de serpent ; ils ont constaté que la consommation en un repas d'une ration de 85 g de graisse raccourcit le temps de coagulation de moitié, par contre l'ingestion d'une ration de 65 g de graisse n'a aucun effet sur la coagulation sanguine.

O'Brian et Keys ont observé qu'il n'y avait cependant aucune relation entre l'importance de l'hyperlipémie post-prandiale et le raccourcissement du temps de coagulation.

Duguid estime que lorsque le sang est hypercoagulable, il se forme sur la surface de l'endothélium des vaisseaux un fin film de fibrine. Cette fibrine se résorbe et va se déposer dans la couche sous-endothéliale pour constituer le dépôt de substance hyaline. Cette hyalinose des vaisseaux est selon lui une condition préalable indispensable au dépôt du cholestérol et des lipides dans la paroi des vaisseaux.

Selon Duguid, les gros abus occasionnels de graisse seraient plus athéromatogènes que l'abus modéré habituel.

IV. - LA QUALITÉ DES GRAISSES

En 1952, Groen étudiant 60 sujets normaux soumis à des régimes isocaloriques pendant 3 périodes de 12 semaines chacune avait montré que le régime riche en viande élève le taux de cholestérol tandis que le régime végétarien contenant des huiles végétales l'abaisse.

En 1954, Ahrens pour la première fois signale que toutes les graisses n'ont pas le même effet sur le taux de cholestérol sanguin et que certaines huiles végétales peuvent le déprimer. L'année suivante, il constate que l'huile de maïs est particulièrement efficace à ce point de vue et il suggère que l'influence des corps gras sur le taux de cholestérol pourrait dépendre de leur degré de saturation ou de désaturation ; on savait en effet que l'huile de mais était particulièrement riche en acide linoléique et l'on en vint même à avancer l'hypothèse que l'hypercholestérolémie était l'expression d'une carence en acides gras essentiels.

Beveridge soumet 5 sujets bien portants à un régime isocalorique où les graisses sont administrées tantôt sous forme de beurre, tantôt sous forme d'huile végétale. Lorsque les sujets consomment du beurre, le taux de cholestérol est considérablement plus élevé que lorsqu'ils prennent des huiles végétales.

Ces constatations furent rapidement confirmées et firent l'objet de nombreux travaux, surtout de la part de Keys et de Kinsell aux Etats-Unis.

Hardinge et Starr rapportent que les végétaliens, qui n'acceptent aucun aliment d'origine animale, pas même la graisse, ont un taux de cholestérol plus bas que les végétariens qui acceptent le beurre, la graisse, le lait et les oeufs. Groen constate que les trappistes qui sont végétariens ont un taux de cholestérol plus bas et une espérance de vie plus longue que les bénédictins qui consomment un régime mixte

Deux facteurs interviennent qui communiquent aux graisses leurs propriétés favorisant l'athéromatose : leur degré de désaturation et la place des liaisons énoïques dans la chaîne aliphatique.

a - le degré de désaturation

Tous les faits rapportés ci-dessus ont amené à penser que la désaturation des graisses était un facteur fort important.

A ce point de vue on distingue

1 - **Les acides gras saturés** qui ne possèdent aucune double liaison (liaison énoïque) entre 2 atomes de carbone ; parmi eux on distingue les graisses contenant

a) les acides gras volatiles qui contiennent moins de 6 atomes de carbone et qui sont particulièrement digestes.

b) les acides gras à chaîne moyenne dont la chaîne contient 8 à 12 atomes de carbone qui sont très facilement attaqués par la lipase d'où leur indication dans les cas d'insuffisance biliaire (cancer de la tête du pancréas, calcul enclavé du cholédoque, sténose congénitale du cholédoque).

c) les acides gras à longues chaînes, c'est-à-dire comptant 14 atomes de carbone ou plus.

2 - **Les acides gras monoinsaturés** (ou monodésaturés) qui ne possèdent qu'une liaison énoïque et dont les deux représentants sont l'acide palmitoléique (en C 16) et l'acide oléique (en C 18)

3 - **Les acides gras polydésaturés** qui possèdent plusieurs doubles soudures et dont les principaux représentants sont l'acide linoléique (C 18 et 2 doubles soudures), l'acide linolénique (C 18 et 3 doubles soudures), l'acide arachidonique (C 20 et 4 doubles soudures), l'acide eicosapentaénoïque ou E.P.A. (en C 20 et 5 doubles soudures) et l'acide docosohexaénoïque ou D.H.A. (en C 22 et 6 doubles soudures)

On désigne aussi les acides gras polydésaturés sous le nom d'acides gras essentiels parce que l'organisme est incapable d'en faire la synthèse ; ceci a pour conséquence, étant donné les propriétés biologiques de ceux-ci, qu'ils doivent obligatoirement se trouver dans la ration alimentaire.

b - la place de la liaison énoïque dans la chaîne aliphatique

On distingue les acides gras désaturés selon la position de la première double soudure à partir du radical méthyl terminal de la chaîne aliphatique d'où la distinction en acides gras ω9 ou N-9, acides gras ω6 ou N-6 et acides gras ω3 ou N-3.

— Les acides gras ω9 ou N-9

Ils sont monoinsaturés ; il y en a 2, l'acide palmitoléique en C 16 et l'acide oléique en C 18

— Les acides gras ω6 ou N-6

Il y en a 2, l'acide linoléique qui possède deux doubles soudures et l'acide arachidonique qui possède 4 doubles soudures

— Les acides gras ω3 ou N-3

Il y en a 3, l'acide linolénique en C 18 qui possède 3 doubles soudures, l'acide eicosapentaénoïque en C 20 qui possède 5 doubles soudures et l'acide docosahexaénoïque en C 22 qui possède 6 doubles soudures.

LES ACIDES GRAS PRESENTS DANS L'ALIMENTATION

1 - Acides gras saturés

a) acides gras volatiles

acide acétique	C2
acide butyrique	C4
acide caproïque	C6

b) acides gras à chaîne moyenne

acide caprylique	C8
acide caprique	C10
acide laurique	C12
acide myristique	C14

c) acides gras à chaînes longues

acide palmitique	C16
acide stéarique	C18
acide arachinique	C20
acide béhénique	C22
acide lignocérique	C24

2 - Acides gras désaturés

a) acides gras monoinsaturés

acide palmitoléique	C16	9:10
acide oléique	C18	9:10 cis
acide élaïdique	C18	9:10 trans
acide vaccénique	C18	11:12
acide érucique	C22	11:12

Ce dernier acide se trouve jusqu'à 50 % dans certaines huiles de colza ; actuellement celles que l'on trouve sur le marché n'en contiennent qu'environ 5 %. Chez l'animal d'expérience elle provoque une dégénérescence des fibres myocardiques et de la sclérose du myocarde. On n'en a jamais décrit de cas chez l'homme.

b) Acides gras polydésaturés

acide linoléique	C18	9:10	12:13			
acide linolénique	C18	9:10	12:13	15:16		
acide arachidonique	C20	5:6	8:9	11:12	14:15	
acide eicosapentaénoïque	C20	3:4	6:7	9:10	12:13	15:16 (E.P.A.)
acide docosohexaénoïque	C22	3:4	6:7	9:10	12:13	15:16 18:19 (D.H.A.)

L'acide linoléique est le plus important des acides gras polydésaturés car appartenant à la famille des N-6 il est le précurseur des eicosanoïdes. Il est désaturé par une désaturase et allongé par une élongase pour former l'acide arachidonique.

Goodnight a étudié de manière mathématique l'influence des acides gras saturés et désaturés sur le taux de cholestérol. Il a montré qu'un gramme d'acide gras saturé fait augmenter le taux de cholestérol environ deux fois plus qu'un gramme d'acide gras polydésaturé ne le fait baisser.

Ceci demande cependant à être un peu nuancé car Simonopoulos et Salem ont montré que si l'acide palmitique faisait augmenter le taux de cholestérol, l'acide stéarique tendait plutôt à le faire baisser.

L'effet des acides gras polydésaturés sur le taux de cholestérol dépend du rapport P/S (acides gras polydésaturés/acides gras saturés) et de la présence de cholestérol dans la ration alimentaire.

La consommation d'acides gras polydésaturés fait baisser le taux de LDL et de VLDL, et a une action incertaine sur le taux de HDL.

Le mécanisme par lequel les acides gras polydésaturés font baisser le taux de cholestérol est complexe. Il y a à la fois une diminution de l'absorption intestinale et une augmentation de l'excrétion fécale ; il y a une diminution de sa synthèse par le foie et une accélération de son catabolisme.

L'acide linoléique (C 18 n 6) joue un rôle particulièrement important en alimentation car il permet à l'organisme de synthétiser l'acide arachidonique qui joue un rôle capital dans la structure des membranes et leur fluidité et donc leur perméabilité ; il joue aussi un rôle dans l'intégrité de la peau.

2) Influence sur la fonction plaquettaire

L'acide arachidonique (C 20:4 n 6) se trouve en petites quantités dans la ration alimentaire mais est surtout synthétisé par le foie à partir de l'acide linoléique ; il sert de précurseur aux eicosanoïdes, aux prostaglandines et aux leucotriènes qui jouent un rôle important dans l'agrégation plaquettaire, le tonus des muscles de la paroi des vaisseaux et le diamètre de leur lumière.

L'acide arachidonique est encore le précurseur de deux substances importantes,

a) la thromboxane, prostanoïde formé dans les plaquettes et qui a une action puissante comme provocateur de l'agrégation plaquettaire, stimulant leur adhésivité à la paroi vasculaire, stimulant la vasoconstriction et favorisant par là l'hypertension.

b) la prostacycline qui combat l'effet de la thromboxane et synthétisée par la paroi du vaisseau ; elle inhibe l'agrégation plaquettaire et favorise la vasodilatation.

Ces substances sont toutes deux synthétisées à partir de l'acide arachidonique mais si on donne dans la ration alimentaire de l'EPA celui-ci inhibe la synthèse de la thromboxane qui peut se transformer en une substance inhibant l'agrégation plaquettaire.

Propriétés propres aux acides désaturés n 3 ou ω^3

L'étude des esquimaux du Groenland qui consomment des quantités importantes de poissons gras a été le point de départ des connaissances actuelles sur les propriétés des acides gras n 3.

On a parfois contesté leur caractère essentiel parce qu'ils ne peuvent pas supprimer tous les symptômes provoqués par une carence prolongée en acides gras polydésaturés ; depuis qu'on s'est rendu compte qu'ils sont des constituants du système nerveux central, on a admis leur caractère essentiel.

Les acides gras polydésaturés n 3 agissent sur

1) le métabolisme des graisses

Ils provoquent une diminution des taux sériques de cholestérol, de triglycérides, de LDL et de VLDL et augmentent le taux des HDL. Toutes ces modifications sont de nature à diminuer l'athéromatose et expliquent que les esquimaux font si peu d'affections des coronaires.

2) l'agrégation plaquettaire

L'agrégabilité des plaquettes diminue ce qui entraîne un allongement du temps de saignement. Ceci va de pair avec une diminution de la production de prostaglandines et de thromboxane par les plaquettes.

3) des modifications des globules rouges

Ceux-ci contiennent plus d'EPA (acide eicosapentaénoïque) et dans une moindre mesure plus de DHA (acide docosahexaénoïque)

4) une diminution de la viscosité du sang

5) la tension sanguine

Chez des sujets consommant durant 2 semaines 280 g/j de maquereau la tension systolique diminue de 12 % et la diastolique de 9 %. Des résultats similaires ont été obtenus avec la consommation de sardines.

Les sources d'acides gras $\omega 3$

Les principales sources d'acides gras $\omega 3$ sont les huiles de poissons gras ; les poissons maigres en contiennent des quantités infimes

Tableau 4 - Teneur en acides gras ω3/100 g de matière comestible en mg

Aliments	18 :3 ω3	E.P.A.	D.H.A.	Cholestérol
Anchois	—	500	900	50
Carpe	300	200	100	67
Anguille	700	100	100	100
Hareng	100	700	900	60
Maquereau	100	900	1.600	80
Saumon	200	300	900	—
Esprot	—	500	800	38
Esturgeon	—	100	500	—
Truite arc-en-ciel	100	100	400	57
Thon	-	400	1.200	47
Crevettes	-	100	100	128

Huiles de poisson

Foie de morue	700	9.000	9.500	570
Hareng	600	7.100	430	766
Saumon	100	8.800	11.100	485
menhaden	2.100	12.700	7.900	—

A côté des poissons gras, un certain nombre d'aliments végétaux contiennent des acides gras ω3 par exemple le pourpier et Simopoulos et Salem attribuent le petit nombre d'infarctus et de cancers en Grèce au fait qu'on y mange beaucoup de pourpier entre autres en potages. Ils voient aussi un autre avantage aux sources végétales de ce type d'acides gras, c'est qu'elle ne contiennent pas de cholestérol comme les poissons gras et leurs huiles.

Tableau 5 - Teneur en acides N 3 en mg/100 g matière sèche

Aliments	18:3	E.P.A.	D.H.A.
Pourpier	4,05	0,01	0,00
Epinards	0,89	0,00	0,00
Laitues feuilles jaunâtres	0,26	0,00	0,001
Laitues feuilles rouges	0,31	0,00	0,002
Moutarde	0,48	0,00	0,001

Tableau 6 - Teneur en acide linolénique en mg /100 g matière comestible

Huile germe d'avoine	1.400	Graines de soja grillée	1.500
Huile de maïs	300	Graine de soja fraîche	3.200
Huile de lin	53.300	Haricots secs	600
Noix	3.300	Pois secs	200
Arachides	8.700	Germe de blé	700
Balle de riz	200	Poireaux	700
Son de froment	200	Semence de radis	700
Gruau d'orge	300		

Les graisses polydésaturées peuvent-elles être nocives ?

En 1971, Pearce et Dayton étudiant à Los Angeles l'épidémiologie des personnes âgées consommant un régime riche en graisses polydésaturées affirmèrent que celles-ci favorisaient le cancer. Immédiatement plusieurs enquêtes furent faites à ce sujet. Ederer, colligeant les résultats de quatre grandes enquêtes faites respectivement à Oslo, à Helsinki, à Londres et dans le Minnesota détruit cette légende et montre que s'il y a une influence, elle est plutôt en sens inverse.

Il n'y a donc aucun argument permettant d'affirmer que les graisses désaturées favorisent le cancer.

En réalité les acides gras polydésaturés administrés à l'état pur à des animaux d'expérience ont des propriétés cancérogènes car leurs liaisons énoïques donnent lieu à la formation d'époxydes cancérogènes, mais les huiles qui les contiennent sont très riches en vitamine E qui par son pouvoir réducteur puissant s'oppose a ces oxydations si bien qu'en pratique les huiles ou les graisses riches en acides gras polydésaturés ne sont pas cancérogènes.

Propriétés des différentes huiles désaturées

L'huile d'olive qui contient 84 % d'acide oléique, acide gras mono-désaturé (Δ 8-9) n'a pour Enselme qu'un effet médiocre sur le taux de cholestérol. Pfeifer et coll. montrent qu'elle est incapable d'abaisser une hypercholestérolémie provoquée par l'ingestion de lard.

Keys pense que l'acide oléique est sans activité sur la cholestérolémie ; par contre Schettler et Egstein qui ont administré 80 g d'huile d'olive par jour durant 15 à 20 jours rapportent une chute de 18 % du taux de cholestérol chez les étudiants et une chute plus faible chez les artérioscléreux et relativement inconstante.

L'huile de maïs a curieusement donné des résultats assez contradictoires chez l'animal d'expérience. Chez l'homme par contre elle a toujours provoqué une chute du taux de cholestérol.

Ahrens l'a observé chez le sujet normal, chez l'obèse, chez l'hypercholestérolémique, chez l'hyperlipémique ; il a surtout montré que chez un sujet qui reçoit de l'huile de maïs, il faut administrer au moins 4 g de cholestérol pour relever sa cholestérolémie.

Beveridge provoque un abaissement du taux du cholestérol sanguin chez 48 sujets normaux en leur administrant l'huile de maïs ; ceci est confirmé par Keys qui affirme que l'huile de maïs est supérieure à toutes les autres huiles pour abaisser le taux de cholestérol sanguin. C'est avec l'huile de maïs aussi que Malmros et Wigand obtinrent les meilleurs résultats.

L'huile de maïs abaisse aussi le taux de cholestérol de l'athéromateux à condition qu'il y ait en même temps une réduction importante des graisses animales ; Rhoads et Barker en ont apporté la preuve en 1959. Ils étudient 9 sujets athéromateux dans 4 conditions alimentaires différentes :

a) leur régime habituel, riche en graisse

b) une période de 70 jours pendant laquelle, sans modifier la qualité des graisses consommées on en réduit fortement l'apport ce qui entraîne une réduction de poids. On assiste à une diminution du taux de cholestérol

c) une période de 92 jours où à la ration précédente on ajoute une ration quotidienne de 90 ml d'huile de maïs. Durant cette phase, on assiste à une chute du taux de cholestérol, aussi importante que lors du passage de la première phase à la deuxième .

d) une période où les patients reprennent l'alimentation qu'ils consommaient habituellement avant cette étude à laquelle on ajoute une ration quotidienne de 90 ml d'huile de maïs. On enregistre alors une ascension continue et progressive à la fois du taux de cholestérol et du poids.

Perkings et Wright ont également montré que pour être efficace dans l'athéromatose, l'administration d'huile de maïs devait nécessairement s'accompagner d'une réduction importante de la ration de graisses saturées.

Les conditions d'extraction de l'huile de maïs ont une très grande répercussion sur son pouvoir hypocholestérolémiant. Thevenet a montré que certains modes d'extraction réduisent considérablement la teneur en acide linoléique de l'huile de maïs ; or, c'est précisément l'acide linoléique qui donne aux huiles végétales leur pouvoir d'abaisser le taux de cholestérol sanguin. Ces huiles extraites à froid contiennent à peu près le double d'acide linoléique, soit 65 à 70 %, que les huiles extraites à chaud ; d'autre part, les huiles de première pression sont plus riches que les huiles de deuxième pression si bien qu'une huile de deuxième pression à chaud contient à peu près le tiers d'acide linoléique d'une huile de première pression extraite à froid. L'huile extraite par solvant en est encore moins riche.

Enselme estime que si l'on veut obtenir une action thérapeutique valable de l'huile de maïs, il faut en consommer de 50 à 70 g par jour. Des doses supérieures ne sont guère tolérées et provoquent des diarrhées, des lenteurs de digestion et pour finir même un certain dégoût.

L'huile de tournesol a été expérimentée par Tamari. Extraite à froid, elle contient environ 60 % d'acide linoléique.

Tamari a administré successivement à des sujets normaux de l'huile de tournesol et de l'huile de noix de coco. Cette dernière a comme caractéristique d'être particulièrement saturée. Il a montré que l'huile de tournesol abaissait nettement le taux de cholestérol tandis que l'huile de noix de coco avait une influence absolument inverse. On sait du reste que l'infarctus du myocarde est particulièrement fréquent et survient de manière particulièrement précoce dans l'île de Ceylan parce que les Cingalais utilisent surtout celle-ci comme matière grasse alimentaire.

Godon a étudié 10 Bantous auxquels il a administré successivement leur régime habituel, ce régime enrichi de 75 à 100 g d'huile de tournesol, ce régime enrichi de 75 à 100 g d'huile de palme (très saturée également) et ce régime enrichi à la fois de 75 g d'huile de tournesol et de 75 g d'huile de palme. Il a observé que l'huile de tournesol faisait baisser le taux de cholestérol, que l'huile de palme provoquait une hypercholestérolémie et que l'addition à la fois d'huile de tournesol et d'huile de palme provoquait un abaissement du taux de cholestérol sanguin.

Keys a montré que l'huile de tournesol abaisse la cholestérolémie même chez le sujet dont le taux de cholestérol sanguin est normal.

L'huile de soja contient environ 54 % d'acide linoléique et doit donc être classée parmi les graisses riches en acides gras polydésaturés. C'est ce qui a poussé plusieurs auteurs à l'étudier.

Wolfe a entrepris une étude expérimentale sur le lapin ; il lui administrait 3 ml d'huile de soja par kg de poids du corps ; il constate en 8 jours une chute du taux de cholestérol de l'ordre de 22 à 31 % de la valeur initiale.

Wolfs a étudié 15 sujets âgés de 50 à 70 ans et atteints d'athéromatose ; chez 9 d'entre eux, il existait des lésions du fonds d'oeil et chez les 6 autres de l'hypertension. Le taux de cholestérol sanguin moyen était de 3,16 g/l (de 2,42 à 4,50 g/l). Ils reçoivent chacun 1,5 ml d'huile de soja avant les deux principaux repas. Six d'entre eux ne sont suivis que durant une dizaine de jours ; leur taux de cholestérol s'abaisse d'environ 16 %. Les neuf autres sont suivis durant 2 à 3 mois et prennent leur huile de soja avec certaines interruptions ; ici les résultats sont inconstants ; chez certains d'entre eux, le taux de cholestérol baisse, chez d'autres il est instable, chez d'autres il s'élève.

Les **huiles de poisson** sont particulièrement bénéfiques.
A la suite d'études épidémiologiques sur les esquimaux et sur les pécheurs japonais on s'est rendu compte de ce que les poissons gras jouissaient de propriétés préventives vis-à-vis de l'infarctus tout à fait remarquables.

a) action préventive vis-à-vis de l'infarctus

Il y avait depuis longtemps des raisons de penser que les huiles de poissons avaient des vertus tout à fait particulières dans la prévention de l'athéromatose.
— les esquimaux du Groenland consomment à peu près 400 g de poisson par jour et malgré la ration importante de graisse que cela comporte, ils font très peu d'affections des coronaires
— le faible taux d'affections coronaires du japonais est attribué entre autres à sa consommation importante de poisson, 100 g par jour. Au Japon même, la mortalité par affection des coronaires est plus basse dans l'île d'Okinawa que dans le reste du pays et on y mange le double de poisson.
— dans la préfecture de Chiba on consomme dans les villages de pécheurs en moyenne 250 g de poisson par jour et dans les villages de fermiers on n'en consomme que 90 g par jour ; la mortalité par affection des coronaires est beaucoup plus basse dans les villages de pécheurs que dans les villages de fermiers.
Ces constatations amenèrent Kromhout aux Pays-Bas à entreprendre une étude prospective d'une durée de 20 ans sur les habitants de la petite ville de Zutphen (25.000 habitants). Environ 20 % des hommes n'y mangent jamais de poisson et les autres en consomment des quantités variables. Kromhout suivit durant 20 ans 852 hommes âgés de 40 à 60 ans indemnes d'affection des coronaires.Il leur fit noter la quantité de poisson qu'ils consommaient chaque jour.
Il apparut que la mortalité par affection coronaire était en relation inverse avec la quantité de poisson consommée. Le tableau ci-dessous indique le risque relatif des morts par infarctus par comparaison avec ceux qui ne consommaient jamais de poisson.

Tableau 7 - Risque relatif de mort par infarctus entre 1960 et 1980 en fonction de la consommation de poisson

Ration quotidienne de poisson en g	Risque relatif de mort par infarctus
0	1,00
8	0,60
22	0 57
36	0,46
67	0,42

La mortalité par infarctus était donc près de 2,5 fois moindre chez ceux qui consommaient une soixantaine de grammes de poisson par rapport à ceux qui n'en consommaient jamais. Même l'ajustement en fonction du poids, de la tension artérielle, du sédentarisme, du taux de cholestérol et du tabagisme modifiait à peine ce rapport.

Il est intéressant de relever que

— 1/3 seulement de la ration était du poisson gras, les autres 2/3 étant du poisson maigre.

— une ration moyenne d'une vingtaine de grammes de poisson a un effet préventif tout à fait significatif vis-à-vis de l'infarctus. Cette ration est considérablement plus faible que celle du japonais (100 g) ou de l'esquimau (400 g)

b) influence sur les paramètres lipidiques

Kromhout n'a pas vu de relations entre la ration de poisson et le taux de cholestérol total, mais chez les esquimaux qui consomment une beaucoup plus grande ration de poisson, le taux de cholestérol total et de triglycérides était plus bas et celui du HDL cholestérol était plus élevé que celui des danois.

Kromhout a remplacé dans la ration quotidienne des hollandais 150 g de fromage par 200 g de maquereau. Il a vu alors une chute significative du taux de cholestérol total et des triglycérides du sérum ; ceci a été confirmé par Xarris aux U.S.A.

Phillipson a observé qu'une ration élevée de poissons gras provoque une diminution du taux de cholestérol total et de triglycérides dans l'hyperlipémie type IIb plus importante que celle obtenue avec les huiles végétales.

Voici les chiffres recueillis chez une série de patients qui consommaient chacun des 3 régimes durant une période de 4 semaines.

Tableau 8 - Modifications des lipides plasmatiques par le régime chez des patients atteints d'hyperlipémie IIb

Paramètres	Lipides plasmatiques en mg/dl		
	témoins	huile de poisson	huile végétale
Cholestérol total	285 ± 8	199 ± 12	235 ± 6
Triglycérides totaux	374 ± 105	137 ± 26	258 ± 72
VLDL cholestérol	80 ± 22	18 ± 6	48 ± 18
VLDL triglycérides	304 ± 94	69 ± 21	177 ± 62
LDL cholestérol	173 ± 25	156 ± 19	149 ± 16
LDL triglycérides	59 ± 16	64 ± 11	56 ± 9
HDL cholestérol	36 ± 4,8	33 ± 7,3	44 ± 8,7

Dans les hyperlipémie de type V, les huiles de poissons provoquent une chute particulièrement importante des triglycérides comparée avec celle obtenue avec les huiles végétales

Tableau 9 - Modifications des lipides plasmatiques par le régime chez des patients atteints d'hyperlipémie type V

Paramètres		Lipides plasmatiques en mg/dl	
	témoins	huile de poisson	huile végétale
Cholestérol total	377 ± 155	195 ± 31	266 ± 97
Triglycérides totaux	1.432 ± 750	282 ± 120	841 ± 514
VLDL cholestérol	251 ± 148	74 ± 67	216 ± 219
VLDL triglycérides	1.249 ± 681	171 ± 119	550 ± 360
LDL cholestérol	77 ± 55	110 ± 34	79 ± 30
LDL triglycérides	70 ± 34	65 ± 18	71 ± 31
HDL cholestérol	31 ± 7	35 ± 12	31 ± 11

Les huiles de poisson sont donc tout à fait désignées pour combattre l'hypertriglycéridémie.

C'est la qualité de ω3 qui procure aux acides gras des huiles de poisson leurs propriétés biochimiques et biologiques tout à fait particulières.

Celles-ci ont un effet indiscutablement protecteur vis-à-vis du cancer. Ceci est prouvé par
— des enquêtes épidémiologiques de Drasar confirmées par bien d'autres auteurs ; il a relevé que les grands consommateurs de poisson au Japon et au Groenland font beaucoup moins de cancers que les danois.
— des tumeurs transplantées par Karmall chez le rat se développent beaucoup moins bien lorsque leur régime contient de faibles quantités d'acide eicosapentaénoïque ou d'acide docosohexaénoïque.
— Jurkowski déclenche moins de tumeurs mammaires par injection de N-méthyl-N-nitosourée chez des rats auxquels il administre 20 % d'huile de poisson
— in vitro, les acides ω3 empêchent comme l'a montré Begin, le développement de cellules provenant de cancers du sein.

En conclusion

En ce qui concerne les graisses,il faudra veiller à ce qu'elles n'apportent pas plus de 30 % de la ration calorique. Il faudra veiller à ce que 1/3 d'entre elles, soit des graisses saturées, 1/3 des graisses monoinsaturées et 1/3 des graisses polydésaturées. Etant donné que la graisse appartenant à la constitution des aliments est en général saturée, cela revient à dire que les graisses ajoutées devront être polydésaturées. Il y a un intérêt majeur à ce que 2 fois par semaine on consomme du poisson gras (hareng, sardine, maquereau, thon, saumon, anguille).

V. - LE RÔLE DU SUCRE

En 1956, Yudkin au cours d'une vaste enquête sur l'alimentation en Angleterre montre que lorsque la situation économique s'améliore, les gens consomment à la fois plus de graisse et plus de sucre. Dans beaucoup de pays riches, la couverture du besoin calorique est faite pour plus de 40 % par la graisse et la ration de sucre atteint à peu près la moitié de celle des glucides ; dans beaucoup de pays pauvres, la couverture du besoin calorique par la graisse atteint seulement 12 à 13 % tandis que la ration de sucre n'atteint que 5 à 8 g alors que la ration de glucides est de l'ordre de 400 à 600 g et forme l'essentiel de l'apport calorique.

L'année suivante, rompant avec toutes les idées reçues, il annonce que le grand responsable de l'infarctus du myocarde, ce n'est pas la graisse mais le sucre ; il base cette affirmation sur les résultats d'une enquête qu'il a faite auprès des malades entrant dans l'hôpital londonien où il exerce.

Il fait remettre à chaque patient âgé de 45 à 75 ans un questionnaire ne comportant que deux questions

1) combien prenez-vous par jour de tasses de thé et de café ?
2) combien mettez-vous de morceaux de sucre dans chaque tasse ?

Le résultat de cette enquête est tout à fait surprenant ; il apparaît que 1) le Londonien venant à l'hôpital pour une affection banale consomme, rien que dans son thé et son café 47 g de sucre par jour 2) le Londonien qui vient à l'hôpital pour une artériosclérose périphérique consomme dans son thé et son café 85 g de sucre 3) le Londonien qui est atteint d'un infarctus récent du myocarde consomme rien que dans son thé et son café 100 g de sucre.

Rapidement de nombreux travaux furent entrepris dans toutes les parties du monde pour vérifier les affirmations de Yudkin.

De nombreux reproches lui furent adressés.

Robb-Smith affirme que si le nombre de morts par infarctus a augmenté depuis quelques décennies en Angleterre, cette augmentation n'est qu'apparente ; dans une étude statistique sur les maladies du coeur, il constate que cette augmentation est due surtout à l'allongement de la vie ; plus de gens arrivent à l'heure actuelle à l'âge où ils font un infarctus.

A cela s'opposent cependant d'autres statistiques qui montrent qu'en Grande-Bretagne, le nombre de morts par infarctus de 15 à 49 ans a augmenté entre 1956 et 1965 de 31% chez la femme et de 36 % chez l'homme. Ceci ne veut cependant pas dire que c'est le sucre qui supporte la responsabilité de cette augmentation.

Diverses enquêtes pratiquées dans différents pays ont été loin de retrouver les différences énormes rapportées par Yudkin.

C'est à Macdonald et ses élèves surtout que l'on doit d'avoir des données plus sûres sur les relations qui existent entre le métabolisme des glucides et du saccharose en particulier et celui des lipides.

Macdonald et Braithwaite (1964) soumettent sept hommes âgés de 21 à 41 ans à un régime contenant 500 g de saccharose durant 25 jours puis, après une période de régime normal, à un régime contenant 500 g d'amidon durant 25 jours.

Le régime au saccharose provoque une élévation des lipides sériques et surtout des triglycérides, tandis que le régime à l'amidon provoque une chute, surtout des esters du cholestérol et des phospholipides.

Le cholestérol total ne se modifie pas avec le saccharose, mais s'abaisse avec l'amidon.

Macdonald soumet cinq jeunes femmes bien portantes à un régime de 25 jours qui contient une première fois de l'amidon, une seconde fois du saccharose à la dose de 450 g par jour.

Contrairement à ce qui se passe chez l'homme, le taux total de lipides baisse avec les deux types de régime ; les esters du cholestérol baissent avec le régime riche en amidon et ne sont pas affectés par le régime riche en saccharose ; le taux total de cholestérol baisse avec les deux régimes.

Les triglycérides baissent avec le régime au saccharose et les phospholipides avec les deux régimes.

Chez l'homme, l'administration de saccharose durant 25 jours provoque une modification des lipides sériques comparable à celle que l'on observe chez les patients atteints d'ischémie myocardique ; cela ne s'observe pas chez la femme.

Plus tard, Macdonald soumet six infirmières, bien portantes âgées de 54 et 68 ans, d'abord durant 25 jours, à un régime apportant par kg 7,5 g d'amidon de maïs, puis durant 25 jours, à un régime apportant par kg 7,5 g de saccharose ; avec le régime à l'amidon il y a une chute de poids de deux kg que l'on n'observe pas avec le saccharose. Avec les deux régimes, il y a une chute du taux de lipides totaux du sérum ; la chute est plus importante avec l'amidon qu'avec le saccharose ; le cholestérol total et les esters du cholestérol s'abaissent ; les triglycérides et le cholestérol libre s'élèvent et les phospholipides s'élèvent avec les deux régimes. Klugh et Irwin font des constatations du même genre.

L'ensemble des constatations de Macdonald soulevait le problème de la responsabilité de la fraction fructose dans l'effet lipidogène du saccharose.

Pour examiner dans quelle mesure c'était le fructose qui, dans le saccharose, était responsable et l'action lipidogène, Allen et Leahy soumettent des rats mâles adultes à quatre régimes contenant une forte proportion de glucides sous forme, soit de glucose, soit de fructose, soit de saccharose, soit d'amidon. Il apparaît que la cholestérolémie s'élève de manière importante chez ceux qui reçoivent le fructose et le saccharose et pas chez les autres.

De la même manière chez l'homme, Macdonald observe que si dans un régime de composition constante pour le reste, il remplace le glucose par du fructose, il provoque une élévation de la concentration du sérum en triglycérides. De ces constatations il ressort que c'est le fructose qui doit être considéré comme responsable de la lipidogenèse du saccharose.

Ceci est confirmé par Macdonald et Roberts qui, donnant à six babouins mâles 40 g de glucose ou de saccharose marqués par un ^{14}C, voient que le saccharose augmente le taux de triglycérides et l'incorporation de ^{14}C dans ces triglycérides, tandis que le glucose diminue le taux des triglycérides. Ils attribuent l'effet du saccharose à la fraction fructose.

Macdonald et Roberts avaient d'ailleurs montré que le fructose pouvait être considéré comme un véritable précurseur des triglycérides dont il stimule du reste la synthèse .

Influence de la nature des graisses alimentaires sur l' hyperlipémie provoquée par le saccharose.

Etant donné l'effet hypocholestérolémiant des acides gras polyinsaturés, on pouvait se demander dans quelle mesure la nature des graisses alimentaires ne pouvait pas influencer l'action du saccharose et du fructose sur la lipidémie.

Macdonald a vu que chez l'homme normal l'augmentation du taux des triglycérides en réponse à une surcharge du régime en saccharose ne se produit pas si en même temps, on lui administre une graisse riche en acides gras polydésaturés

L'administration durant cinq jours par Macdonald d'un régime dont l'apport calorique est constitué pour 45 % par des lipides, pour 45 % par des glucides et pour 10 % par des protides donne des résultats fort différents selon la nature des lipides et des glucides ; si les lipides sont de l'huile de tournesol, les triglycérides, le cholestérol et les phospholipides baissent, que les glucides soient du glucose ou du fructose ; si les lipides sont de la crème fraîche, le fructose provoque une augmentation du taux des triglycérides chez l'homme mais pas chez la femme.

REGIMES	TRIGLYCERIDEMIE	
	HOMMES	FEMMES
GLUCOSE CREME FRAICHE	→	→
GLUCOSE HUILE TOURNESOL	↘	↘
FRUCTOSE CREME FRAICHE	↗	→
FRUCTOSE HUILE TOURNESOL	↘	↘

C'est surtout l'association saccharose-graisse saturée qui paraît dangereuse et cela chez l'homme en ce qui concerne le danger d'athéromatose. C'est ceci qui explique le rôle particulièrement néfaste du chocolat dans la genèse des maladies coronariennes.

Kohn a interrogé 164 hommes de plus de 50 ans hospitalisés à l'hôpital de Rochester sur leurs habitudes de consommation de chocolat ; il s'est avéré que les consommateurs de chocolat sont beaucoup plus exposés à la coronarite que les autres

Tableau 10 - Affection coronaire et consommation de chocolat

groupes	nombre	affection des coronaires	%
grands amateurs de			
chocolat	38	18	47,4 %
les autres	126	22	17,4 %

VI. - LE RÔLE DE L'HYPERINSULINÉMIE

Le diabète favorise l'athéromatose ; il suffit de se rappeler la fréquence des artérites du membre inférieur et la fréquence de la coronarite chez le diabétique. Il est indéniable que cette fréquence était beaucoup plus grande autrefois et était favorisée par les erreurs au sujet des conceptions que l'on avait du régime diabétique. On considérait que les restrictions hydrocarbonées devaient être extrêmement sévères et pour satisfaire le besoin calorique on administrait une ration importante de graisses saturées (lard, oeufs, beurre, fromage) et de protéines.

Cette fréquence des atteintes vasculaires était due en partie aussi au mauvais équilibre de nombreux cas de diabète qui à lui seul, en dehors de toute surcharge lipidique du régime, favorisait l'hyperlipémie et l'hypercholestérolémie.

Ces dernières années, on s'est rendu compte que si le diabète favorise l'athéromatose, l'hyperinsulinémie la favorise aussi. On rencontre en effet fréquemment une riposte insulinique exagérée au glucose chez les sujets qui présentent des altérations vasculaires. Ceci a pu être observé dans différentes circonstances :

a) chez le sujet jeune qui fait une sclérose des artères coronaires, il existe une riposte exagérée de la sécrétion d'insuline lors de l'administration de glucose par voie orale. (Nikkila).

b) chez les sujets faisant une artériosclérose cérébrale importante (Gertler)

c) au cours de l'artériosclérose périphérique (Sloan).

Une réponse exagérée de l'insuline au glucose a été aussi observée dans les maladies où le risque d'athéromatose est élevé. C'est le cas dans

a) l'obésité. Bagdade et Porte ont montré que chez l'obèse, qu'il y ait ou qu'il n'y ait pas de diminution de la tolérance au glucose, à l'occasion d'une épreuve d'hyperglycémie provoquée, l'insulinémie de base est plus élevée que chez le sujet normal, qu'elle s'élève de manière anormale et que le pic d'insulinémie est atteint trop tardivement.

b) l'hypertriglycéridémie (Tzagournis).

Par quel mécanisme l'hyperinsulinémie peut-elle favoriser l'athéromatose ? Stout a montré qu'elle favorise le lipogénèse au niveau de la paroi vasculaire. D'autre part, elle semble aussi empêcher la lipolyse au niveau de la paroi artérielle car Stamler a constaté qu'elle inhibe la régression des lésions artérielles induites par un régime riche en cholestérol lorsque l'animal est remis à un régime normal ; elle abolit aussi l'effet protecteur des oestrogènes.

VII. - LE RÔLE DE L'ALCOOL

Le rôle de l'alcool dans la pathogénie de l'athéromatose a été diversement apprécié au fil du temps. Les données que l'on possède à l'heure actuelle sur ce sujet demandent une opinion nuancée.

1) Une consommation faible d'alcool, c'est-à-dire 40 g par jour (correspondant approximativement à 1/2 bouteille de vin) provoque une augmentation des alpha-lipoprotéines (ou HDL) de 30 %, or il est acquis que celles-ci ont un effet protecteur puisque le cholestérol, sous cette forme, est détruit au niveau du foie. Avec une telle quantité d'alcool, il n'y a guère de modifications des triglycérides et aucune modification du taux total de cholestérol.

2) Une consommation de 75 g d'alcool par jour provoque selon Belfrage une augmentation modérée de 50 % des triglycérides liés aux pré-bêta-lipoprotéines. Cette augmentation est déjà défavorable. Le cholestérol des alpha-lipoprotéines augmente de 30 % sans que le taux de cholestérol total change.

3) Une consommation importante d'alcool provoque une augmentation nette des triglycérides pouvant aboutir aux hypertriglycéridémies majeures qui peuvent se compliquer de pancréatite aiguë ; dans ces cas, il y a hypercholestérolémie.

Certains sujets sont beaucoup plus sensibles que d'autres à cet effet et l'on parle d'hypertriglycéridémie alcoolo-dépendante. Cette affection frappe principalement le sexe masculin. Le traitement est simple ; il faut supprimer totalement l'alcool.

VIII. - LES HYPERLIPOPROTÉINÉMIES

Autrefois, on désignait sous le nom d'hyperlipémie essentielle une maladie qui se caractérisait par un taux élevé de lipides sanguins, un taux élevé de cholestérol et éventuellement en cas de poussée importante de la lipémie d'un aspect lactescent du sérum, lié à la présence d'un nombre élevé de chylomicrons.

On appliquait systématiquement dans cette affection un régime pauvre en graisse. S'il existait quelques résultats brillants dus à ce traitement, dans la très grande majorité des cas, le taux de lipides n'était pas modifié.

Les études de Kuo et Bassett surtout avaient permis de distinguer deux grandes classes d'hyperlipémies, les glucido-dépendantes c'est-à-dire celles qui n'obéissaient qu'à un régime de restriction sévère des glucides et surtout du saccharose et les lipidodépendantes, c'est-à-dire celles qui n'obéissaient qu'à un régime de restriction sévère des lipides.

Les patientes études de Fredrickson ont permis de démembrer davantage encore ce syndrome et de le diviser en 5 classes qui bien qu'elles ne s'appliquent pas systématiquement à tous les cas, ont été universellement adoptées parce qu'elles constituent la meilleure approche actuelle de ce syndrome si complexe.

On peut, avec Fredrickson, distinguer :

a) L'hyperlipoprotéinémie type I

Il s'agit de sujets présentant un sérum lactescent, surtout après des repas riches en graisse. Cette affection peut être tout à fait latente ne se découvrant qu'à l'occasion d'un examen de sang ou d'une forte poussée d'hyperlipidémie entraînant des complications.

La lactescence du sérum est due à la présence d'une quantité importante de chylomicrons ; lorsqu'on laisse reposer le sang 24 heures à 4 °C, ceux-ci forment une couche crémeuse à la surface du tube tandis que le sérum est limpide.

Il faut noter que le diabète fortement décompensé ou le myxoedème grave peuvent s'accompagner d'hyperchylomicronémie qui disparaît avec le traitement de la cause.

Le Fredrickson type I est familial et ne répond qu'à un régime de carence lipidique extrêmement sévère, moins de 25 g par jour ; ce type constitue aussi une bonne indication pour l'introduction dans le régime de triglycérides à chaînes moyennes car ceux-ci après digestion et résorption ne se reconstituent pas en triglycérides ; le glycérol et les acides gras passant dans la circulation sanguine et par la veine porte sont directement transportés au foie.

En cas de fortes poussées, et on peut parfois trouver jusqu'à 150 g de lipides par litre de sang (N = 4 à 10 g/l), on peut voir des xanthomes papuloéruptifs sur la peau de tout le corps sauf le visage, une hypertrophie du foie et de la rate qui peuvent être douloureux, une pancréatite aiguë.

Il n'y a guère de propension à l'athéromatose.

La démonstration du caractère familial de cette affection est indispensable pour en affirmer le diagnostic.

b) L'hyperlipoprotéinémie type II

Elle correspond à l'affection décrite autrefois sous le nom d'hypercholestérolémie familiale xanthomateuse ; cette affection héréditaire se transmet comme un caractère dominant.

Elle se caractérise par une hyperlipémie modérée ($\pm$ 20 g/l) avec une très forte augmentation du taux de cholestérol, de l'ordre de 5 à 8 g. Le rapport cholestérol libre/cholestérol estérifié est normal, les triglycérides sont normaux tandis que les phospholipides et les bêta lipoprotéines sont augmentés. Après repos durant 24 h. à 4° C, le sérum est limpide.

Les patients font de l'athéromatose précoce, surtout au niveau des coronaires, vers l'âge de 35 à 50 ans, entraînant angine de poitrine et infarctus ; ils présentent un arc cornéen sénile même jeune. En outre, ils font du xanthélasma, des xanthomes tendineux au tendon d'Achille ou aux tendons des extenseurs des doigts du volume d'un pois à celui d'un oeuf et des xanthomes plans ou tubéreux, de couleur orangée, sur les faces d'extension des membres.

Cette forme est assez peu accessible à la diététique ; il faut un régime hypolipidique, constitué surtout de graisses polydésaturées. L'héparine a une action fugace.

On appelle type IIa la variété où seul le taux de cholestérol est élevé et type IIb une variété assez fréquente où il y a à la fois augmentation du taux de cholestérol et de triglycérides.

c) L'hyperlipoprotéinémie type III

Cette forme, extrêmement rare, ne diffère que peu du type IV qui lui est très fréquent. Elle se distingue de celui-ci.

a) par une bande particulièrement large des pré-bêta lipoprotéines à l'électrophorèse

b) par la présence de xanthomes plans dans les plis des articulations

d) L'hyperlipoprotéinémie type IV

On l'a encore appelée hypertriglycéridémie car son caractère essentiel est l'élévation du taux des triglycérides, parfois au-delà de 3 g/l alors que le maximum de la normale est au-dessous de 1,5 g/l (certains disent même 1,20 g/l). Cette élévation du taux des triglycérides va pratiquement toujours de pair avec une élévation anormale du taux des pré-bêta lipoprotéines.

Lorsque le sérum a repose 24 h. à 4° C, il est opalescent.

Dans cette forme, il y a pratiquement toujours une diminution de la tolérance au glucose avec ascension exagérée de l'insulinémie au cours de l'épreuve d'hyperglycémie.

Cette forme se caractérise par l'athéromatose des petits vaisseaux (micro-angiopathie) et notamment des coronaires. Elle se voit souvent chez les obèses et aussi chez les alcooliques,

C'est la forme la plus sensible au régime, à condition qu'il soit suivi avec sévérité. Le régime doit être 1) hypocalorique, de manière à ramener le patient à un poids normal ; on pourra prescrire un régime à 1.250 calories chez ceux qui continuent leurs activités professionnelles 2) hypoglucidiques, c'est-à-dire que la ration de glucide doit être inférieure à 100 g par jour 3) exempt de sucre puisqu'on sait que c'est le fructose qui va favoriser la formation des triglycérides 4) pauvre en graisses saturées et ne contenir que des graisses désaturées

L'atromidin S et l'acide nicotonique peuvent rendre de grands services.

Il existe de nombreuses phénocopies de cette affection (diabète, pancréatite, alcoolisme, hypothyroïdie, néphrose, grossesse, goutte, phéochromocytome, fortes doses d'oestrogènes)

Cominacini observant que les régimes pauvres en hydrates de carbone ont été recommandés après des études de courte durée sur des sujets bien portants et avec des régimes liquides et non des aliments normaux a revu ce problème.

Il a testé chez 10 patients atteints d'hypertriglycéridémie endogène familiale un régime dont l'apport énergétique était dû pour 25 % aux graisses et pour 60 % aux glucides, ces derniers étant constitués pour 90 % par de l'amidon. Il a vu une diminution significative du taux des triglycérides après 45 et 90 jours, une diminution du VLDL cholestérol et une augmentation du HDL cholestérol.

Tableau 11 - Influence du régime riche en amidon et pauvre en graisse dans l'hypertriglycéridémie.
Résultats en mmol/l.

jour	triglycérides	V.L.D.L. cholestérol	L.D.L. cholestérol	H.D.L. cholestérol
0	5,91 ± 3,82	2,45 ± 1,73	3,14 ± 0,79	0,81 ± 0,15
45	2,54 ± 1,39	0,87 ± 0,50	3,83 ± 0,70	1,11 ± 0,15
90	2,99 ± 1,79	0,93 ± 0,53	3,78 ± 0,72	1,13 ± 0,14

Ceci montre qu'un régime pauvre en graisse et riche en amidon a un effet salutaire sur l'hypertriglycéridémie, mais bien entendu il faut des restrictions sévères de sucre et l'abstention d'alcool ; il est probable que la plus grande richesse en fibres du régime riche en amidon joue aussi un rôle.

e) Hyperlipoprotéinémie type V

C'est une combinaison à la fois du type I et du type IV, autrement dit il y a à la fois hyperchylomicronémie et hypertriglycéridémie.

Le sérum est laiteux, mais lorsqu'il a reposé 24 h. à 4 °C, il y a en surface une couche crémeuse et le sérum est opalescent. Cette forme se complique précocement d'athéromatose.

Ces patients peuvent cumuler à la fois toutes les complications du type I (pancréatite, hépato splénomégalie, xanthomes papuloéruptifs, douleurs abdominales) et du type IV (coronarite).

Ces cas fort difficiles à traiter exigent un régime à la fois très pauvre en glucides (100 g au maximum), très pauvre en graisse (70 g au maximum) avec une forte proportion de graisses désaturées et exempt d'alcool.

L'atromidin S et l'acide nicotinique peuvent rendre service.

IX. - AUTRES FACTEURS INFLUENÇANT L'ATHEROMATOSE

De nombreux facteurs peuvent encore influencer l'athéromatose ou la cholestérolémie.

1° **L'hypertension** s'accompagne fréquemment d'athéromatose que l'on retrouve dans de nombreux rapports d'anatomo-pathologistes. Une preuve de l'influence de la tension sur le dépôt de cholestérol dans les parois artérielles peut être trouvée dans le fait que chez les malades atteints de sténose de l'isthme de l'aorte qui provoque de l'hypertension de la partie supérieure du corps et de l'hypotension de la partie inférieure, on observe de l'athéromatose dans la partie de l'appareil vasculaire qui est en hypertension alors qu'il n'y en a pas dans l'autre partie.

L'enquête de Framingham a également montré que le risque d'athéromatose et d'infarctus du myocarde était considérablement aggravé chez les hypertendus.

2° **La sédentarité** favorise l'hyperlipidémie et l'hypercholestérolémie. Ceci a été démontré chez l'animal d'expérience et chez l'homme. Cohen voit qu'un repas gras a une influence beaucoup moins profonde sur la lipidémie d'étudiants qui le font suivre d'exercice physique que sur celle d'étudiants sédentaires.

L'exercice physique fait baisser un peu le taux de cholestérol total mais augmente de manière significative le taux de HDL cholestérol si bien que le rapport HDL cholestérol/cholestérol total est augmenté ce qui est favorable

3° **L'habitude de fumer** - Depuis longtemps les cliniciens avaient observé l'influence néfaste des abus de tabac sur l'artériosclérose. Récemment, Wenzel a montré que la nicotine accentuait chez le lapin l'athéromatose de l'aorte et des coronaires provoquée par un régime additionné de cholestérol.

Hammond a établi la relation qui existe entre le nombre de cigarettes et le nombre d'infarctus dans la population.

Tableau 12 - Nombre de morts par infarctus/100.000 personnes en 1 an.

	n. cigarettes par jour	0	1 à 9	10 à 19	20 à 39	+ de 40
H	âges					
O	40-49	68	109	176	259	375
M	50-59	257	409	548	616	718
M	60-69	650	961	1.184	1.241	1.176
E	70-79	1.730	1.970	2.431	2.573	2.548
S						
F						
E	40-49	13	17	27	47	43
M	50-59	69	68	140	158	220
M	60-69	268	279	479	558	542
E	70-79	979	740	963	1.243	—
S						

Par ailleurs les cigarettes faibles sont aussi nocives que les fortes ; il a été établi par Russel que pour le même nombre de cigarettes, le taux de nicotine plasmatique est le même quelque soit le type de cigarette ; celui qui fume des cigarettes faibles inhale plus profondément la fumée.

Hubert a montré que, chez l'homme de plus de 60 ans qui continue à fumer après un infarctus, la mortalité après un délai de 10 ans est 6,9 fois plus forte que chez celui qui a cessé de fumer.

4° **L'usage des pilules contraceptives** a fait apparaître des infarctus chez de jeunes femmes ne présentant que des lésions très minimes des coronaires.

Il faut reconnaître que ces accidents sont survenus avec les pilules de la première génération, c'est-à-dire celles qui contenaient de grosses doses d'oestrogènes ; c'est en favorisant de l'hypertriglycéridémie et de l'hyperglycémie qui celles-ci sont athérogènes ; certaines d'entre elles contenaient aussi des progestagènes ce qui amenuisait l'hypertriglycéridémie de manière importante et annulait presqu'entièrement le risque de thrombose. Certaines pilules ne contenaient que des progestagènes et avec elles le risque était nul.

Ces pilules de la première génération sont de moins en moins employées ; il est indispensable chez celles qui en usent de suivre la triglycéridémie et de leur recommander un régime pauvre à la fois en graisses saturées et en sucre.

Les pilules de la seconde génération contiennent des doses d'oestrogènes beaucoup plus faibles, généralement 30 à 50 µg d'éthinyl oestradiol et ne provoquent ni hyperglycémie ni hypertriglycéridémie. Elles ne favorisent ni thrombose ni infarctus.

5° **Une carence en sélénium -** Au cours d'une étude portant sur 11.000 personnes, âgées de 35 à 59 ans, Salonen observe que l'infarctus du myocarde est 6,2 fois plus fréquent chez ceux dont le taux de Se sérique est inférieur à 35 µg/l que chez ceux où il est supérieur à 45 µg/l.

X. - LE RÉGIME

Mieux vaut prévenir l'athéromatose que devoir la guérir ou l'enrayer. A ce titre, on peut distinguer le régime préventif et le régime curatif.

1° Le régime préventif

Presque chaque individu étant destiné à faire de l'athéromatose à un degré plus ou moins important et généralement à partir de la cinquantaine, le régime préventif de l'athéromatose s'identifie à peu près avec l'hygiène alimentaire. Ce régime doit consister à :

1° *Eviter l'obésité*, ce qui signifie éviter la suralimentation en veillant à adapter les apports caloriques aux dépenses caloriques de manière à ne jamais dépasser le poids idéal (voir à ce sujet le chapitre de l'obésité). L'obésité se complique toujours à des degrés divers d'athéromatose.

2° *Ne consommer qu'une faible ration de graisse*. Tous les hygiénistes sont d'accord sur le fait que pour éviter l'athéromatose, il faut que les graisses apportent au maximum 30 % de la ration calorique or dans les pays industrialisés elles apportent environ 42 % des calories. Il faut en outre que 1/3 des graisses seulement soient saturées, 1/3 soient monodésaturées et 1/3 soient polydésaturées. Comme il n'est guère possible d'agir sur les graisses prenant part à la constitution des aliments, (graisses contenues dans la viande, les oeufs, le lait et le fromage), qui sont pratiquement toutes saturées, cela veut dire que les graisses ajoutées doivent être désaturées : margarine à haute teneur en acides gras désaturés, huile de maïs, de soja, de tournesol, de carthame ou de pépins de raisins. Il faut bannir la crème fraîche, ne guère user de beurre, de saindoux, de graisses de boeuf, de porc ou de mouton. Il sera bon de manger souvent du poisson car maigre il contient moins de 1 % de graisse et gras il contient surtout des graisses désaturées.

Etant donné le pouvoir antiathérogène et hypocholestérolémiant des huiles de poisson on recommande de manger assez souvent, c'est-à-dire au moins deux fois par semaine du poisson gras comme plat principal.

3° *Consommer modérément des aliments riches en cholestérol* car ceux-ci peuvent influencer la cholestérolémie. On peut se rallier à la proposition de la F.D.A. de ne pas consommer plus de 300 mg de cholestérol par jour. Se souvenir qu'un oeuf apporte 250 mg de cholestérol, le beurre 280 mg par 100 g, la cervelle plus de 2 g par 100 g, les crevettes 450 mg/100 g et le foie environ 400 mg/100 g.

4° *Eviter de consommer en même temps saccharose et graisses saturées* - A ce point de vue, il faudra particulièrement éviter le chocolat, les gâteaux à la crème au beurre ou à la crème fraîche, les desserts où est introduite la crème fraîche tels crèmes glacées, fraises au sucre et à la crème fraîche, etc.

5° *Eviter les abus de graisse commis au cours d'un repas puisque pour Duguid*, en augmentant la coagulabilité sanguine, ils favorisent l'hyalinose des vaisseaux, première étape de l'artériosclérose.
Il faut en outre recommander l'exercice physique et l'usage modéré du tabac.

6° *User du sel avec une grande modération.* De nombreuses enquêtes épidémiologiques ont montré que la tension moyenne des différentes populations est en rapport avec l'importance de la consommation de sel. L'augmentation de la tension avec l'âge ne se voit que dans les pays où on a l'habitude de saler les aliments. La ration de sel optimale semble être de 5 g par jour ; comme les aliments contiennent naturellement une quantité de sodium équivalent à 2 ou 3 g par jour cela veut dire qu'on ne devrait pas ajouter plus de 3 g de sel par jour dans leur préparation.
On pourra éventuellement se servir du sel Karppanen (65 % de NaCl, 25 % de KCl et 10 % de $MgCl_2$).

7° *Avoir une ration suffisante de sélénium*, c'est-à-dire au moins 80 µg/j ce que l'on aura si on consomme suffisamment de poisson.

2° Le régime curatif

Le régime curatif doit comporter les mêmes directives que le régime préventif, mais elles doivent être appliquées avec plus de fermeté.

1° *Réduction globale de la ration alimentaire* - Etant donné les relations étroites qui existent entre l'obésité et l'hypercholestérolémie, la plus grande attention devra être portée au poids du sujet. Il faudra toujours veiller, chez ceux qui pèsent un poids excessif, à les ramener au poids qu'ils devraient peser d'après leur taille (voir à ce sujet le chapitre de l'obésité).
Ce régime devra nécessairement comporter une réduction importante de la ration de graisse qui à elle seule provoque, d'une part, une diminution marquée de la valeur calorique du régime et une diminution modérée du taux de cholestérol.
Il faudra s'efforcer de faire maigrir le patient au rythme de 500 à 750 g par semaine.

2° *Interdiction des aliments riches en cholestérol* - Ceci était autrefois la base même du régime de l'hypercholestérolémie. Aujourd'hui, si l'on reste convaincu de la nécessité d'éviter les aliments riches en cholestérol, on sait que la teneur en cholestérol du régime n'est pas le seul élément à prendre en considération.
On interdira totalement les aliments riches en cholestérol sauf le beurre dont on conseille d'user avec beaucoup de modération, car il contient 280 mg de cholestérol par 100 g.

Voici un tableau donnant la teneur en cholestérol (mg par 100 g) de divers aliments :

Cervelle de boeuf	2.360	1 oeuf	250
Oeuf en poudre	2.140	Foie de porc	420
Jaune d'oeuf cru	2.000	Foie de veau	460
Cervelle de veau	2.100	Foie de boeuf	320
Viande de porc	900	Ris de veau	280
Rognons de veau	500	Laitance de poisson	300
Rognons de boeuf	400	Viande de boeuf	125
Viande de veau	65	Homard	145
Viande de mouton	70	Huître	230
Poulet	90	Fromages	140
Lait frais	110	Beurre	280
Lapin	50	Cabillaud	50
Crevettes	450	Saumon	60

Il faudra donc éviter de manière générale les abats, les oeufs, les viandes grasses, les crustacés, les huîtres. On consommera les viandes pauvres en cholestérol : veau, poulet, lapin et le poisson. On usera du lait écrémé.

3° *Abstention de graisses saturées et consommation d'huiles et de poissons gras* - Le rôle important des acides gras désaturés dans le transport des lipides et du cholestérol rend nécessaire la consommation d'une quantité aussi faible que possible de graisses saturées et suffisamment élevée en huile riche en acides gras désaturés.

A cet effet, nous recommandons le régime suivant à prendre sur la journée :

1/2 litre de lait écrémé.

250 g de poisson gras

    (trois fois par semaine, le poisson est remplacé par 150 g de viande très maigre).

150 à 400 g de pain blanc ou gris.

200 g de pommes de terre.

300 g de légumes.

300 g de fruits.

20 g de beurre.

60 g d'huile de maïs ou de tournesol.

40 g de sucre.

Ce régime est assez facilement accepté par les malades et apporte 30 g environ d'acides gras désaturés, ce qui permet d'éviter l'effet nocif de la quantité modérée de graisse animale et de cholestérol qu'il contient et de réduire le taux de cholestérol sanguin.

4° *Éviter les abus de graisse* - Les constatations de Fullerton montrent le rôle que joue l'abus de graisse dans la coagulation sanguine. Cet auteur a montré qu'un repas riche en graisse (65 g et surtout 85 g) est de nature à réduire considérablement le temps de coagulation et le temps de prothrombine, par contre des repas contenant une quantité modérée de graisse de 12 à 30 g n'ont pas d'action sur la coagulation sanguine. Ceci montre que ce qu'il faut surtout éviter dans la prévention de la thrombose, c'est l'abus de graisse à un repas ; l'abus occasionnel de graisse aurait plus d'importance à ce point de vue que la teneur habituelle en graisse du régime. Par contre, au point de vue de la prévention de l'évolution de l'artériosclérose, il semble que ce soit avant tout la teneur en graisse du régime qui compte et qu'il faille veiller à fournir une faible ration de graisse dans le régime habituel. L'artériosclérose serait dans une large mesure dépendante du poids.

Il faudra donc éviter avant tout les abus d'aliments riches en graisse à un repas :

Graisse	(%)
Huile	100
Beurre	80
Margarine	80
Lard	40 à 65

5° *Renoncer aux associations saccharose-graisses saturées* par les mesures identiques à celles préconisées dans le régime préventif.

6° *Réduire sévèrement la ration de sel* ; dans la mesure où cette réduction fait baisser la tension, elle amenuise la pénétration des lipides et du cholestérol dans la paroi des artères.

7° *Consommer suffisamment de sélénium.*

CHAPITRE XVI

Diététique de l'insuffisance respiratoire

L'insuffisance respiratoire peut être la conséquence de troubles nutritionnels ou métaboliques tout comme elle peut elle-même en susciter. Si la diététique de l'insuffisance respiratoire a été peu évoquée jusqu'ici, c'est surtout parce qu'elle ne crée que rarement des troubles digestifs.

I. - Troubles métaboliques et nutritionnels provoqués par l'insuffisance respiratoire

L'hypoxie et l'hypercapnie dues à l'insuffisance ventilatoire entraînent à la longue une insuffisance cardiaque aboutissant au " coeur pulmonaire chronique " ; la résistance au passage du sang à travers le poumon va engendrer une difficulté de la circulation de retour d'où apparition d'oedèmes d'une part et de congestion hépatique d'autre part. Dans les cas accentués, il peut y avoir une désaturation grave du sang en CO_2 ; ceci peut entraîner des troubles digestifs.

a) **manque d'appétit** qui peut être la conséquence d'une dyspnée grave rendant pénible l'alimentation du malade.

b) **vomissements** qui sont liés à l'hypoxie et sont à mettre en rapport avec les vomissements que l'on peut observer en haute altitude dans le " mal des montagnes " et qui sont liés à la diminution de la tension d'oxygène dans l'atmosphère. Ces vomissements accentuent fortement la dyspnée ; ils sont heureusement rares et le plus fréquemment on n'observe que des nausées.

c) **acidose respiratoire** : l'abaissement du pH sanguin entraînera une résorption excessive du bicarbonate, d'où rétention sodée et oedèmes, sueurs profuses, acides, hypersécrétion gastrique.
L'acidose respiratoire entraîne du ballonnement par manque de résorption des gaz formés dans l'intestin, ce qui va être défavorable pour la digestion.

d) **ulcère gastrique** qui n'est que la conséquence de l'augmentation des sécrétions acides par l'estomac. Arora a montré que 8% d'emphysémateux et de bronchitiques chroniques font un ulcère gastrique et Okinak observe que sur 689 résections gastriques pour ulcère, il y a 40 cas de trouble pulmonaire chronique.
La fréquence du traitement de l'insuffisance respiratoire chronique par les dérivés cortisoniques ne fait qu'augmenter la fréquence de l'ulcère gastrique ou duodénal.

e) **la congestion hépatique** passive, caractérisée par une hépatomégalie, variable d'un jour à l'autre (foie en accordéon) provoque des douleurs de la région hépatique due à la distension de la capsule de Glisson ; celles-ci risquent d'être confondues avec des douleurs d'origine vésiculaire.

f) **une dyspepsie** ou lourdeur digestive liée à la congestion passive de la muqueuse gastrique va se caractériser par une pesanteur de la région épigastrique, des sensations de brûlures, de ballonnement, de l'anorexie avec éructations.

g) **oedèmes** liés à l'insuffisance cardiaque des insuffisances respiratoires ; ceci est à combattre par le régime désodé.

h) **hypertension** liée elle aussi à la rétention hydrosaline et à combattre par le régime désodé.

II. - TROUBLES NUTRITIONNELS FAVORISANT L'INSUFFISANCE RESPIRATOIRE

a) **l'obésité** occupe de loin la première place comme facteur nutritionnel favorisant l'insuffisance respiratoire ; l'obésité intervient de diverses manières pour favoriser celle-ci.

1) elle provoque un surcroît de travail pour le coeur, puisque sur le plan thermodynamique chaque effort fait par le malade sera comparable à celui que ferait un sujet normal portant une charge correspondant au nombre de kilos excédentaires.

2) elle gêne les mouvements du diaphragme qui, refoulé vers le haut, n'assure pas la pleine expansion des poumons lors de l'inspiration.

3) elle diminue les champs pulmonaires parce que la graisse tapissant la paroi interne de la cage thoracique refoule les poumons.

4) elle provoque une infiltration graisseuse du myocarde, diminuant l'efficacité des contractions.

Trémolières a fait remarquer que la cure d'amaigrissement chez un emphysémateux obèse est souvent le geste thérapeutique le plus efficace.

b) **la sous-nutrition.** - Chez un malade en dénutrition, la dyspnée et l'oppression s'accompagnant de lassitude vont favoriser l'anorexie du malade qui peut même parfois aller jusqu'à un refus de manger. Ceci risque d'entraîner à la fois de l'hypoprotéinémie et de l'avitaminose B_1 toutes deux nocives pour le coeur.

III. - LE TRAITEMENT DIÉTÉTIQUE

Le régime de l'insuffisant respiratoire comportera un certain nombre d'exigences.

a) **régime de ménagement du tube digestif** dont la sévérité dépendra de l'importance des troubles dyspeptiques que présentera le malade. De toute façon, il faudra éviter

1) les aliments séjournant de manière prolongée dans l'estomac : graisse, aliments gras, aliments trop compacts

2) les aliments stimulant de manière excessive le tube digestif : viandes rôties, pain noir, épices, boissons alcooliques.

3) les aliments favorisant la flatulence : fromages fermentés, légumineuses.

4) les aliments mal tolérés par le patient ; ici l'anamnèse par la diététicienne sera fort importante car les intolérances sont éminemment individuelles.

Dans certains cas graves, il faudra aller jusqu'à la diète hydrique ou lactée, du moins au début.

b) **combattre tout excès de poids** - Il faut viser à rétablir rapidement le poids normal du patient. Comme l'exercice physique est contrindiqué en cas d'insuffisance respiratoire, seul un régime suivi de manière rigoureuse pourra aider le malade à perdre les kilos superflus.

Le régime devra porter sur 4 points :
1) réduction importante de l'apport calorique ; ceci veut dire que chez ces malades, il faudra descendre à 1.000 ou 1.200 calories
2) éviter toute carence en protéines, en sels minéraux et en vitamines, sans quoi le malade se sentant affaibli ne suivra plus son régime
3) rendre le régime aussi attrayant que possible en tenant compte dans la mesure du possible des habitudes alimentaires du patient ; ceci suppose une anamnèse diététique patiente.
4) rééduquer l'appétit du malade.

Voici selon Azerad trois types de régime équilibré :

	600 calories	800 calories	1.200 calories
Lait écrémé	100 cc	200 cc	200 cc
Viande maigre	200 g	200 g	200 g
Légumes frais	500 g	500 g	500 g
Salade verte	100 g	100 g	100 g
Fruits	200 g	200 g	200 g
Beurre	—	—	10 g
Huile	—	—	20 g
Pain ordinaire	—	75 g	100 g
Mélange vitaminique	ABD	ABD	ABD
Protéines	50 g	60 g	70 g
Lipides	20 g	20 g	20 g
Glucides	55 g	100 g	110 g

Les bienfaits du régime amaigrissant chez les obèses atteints d'insuffisance respiratoire sont tellement patents que cette catégorie de malade suit habituellement beaucoup mieux les directives qui lui sont données que les autres obèses.

c) **combattre la sous-nutrition** : pour cela, il faut d'abord la déceler. Tout insuffisant respiratoire hospitalisé demande que son état nutritionnel soit suivi de près ; une chute de poids sera généralement révélatrice d'une aggravation de son état ; elle demande à être combattue. Pour cela, il faudra que le régime soit
1) hypercalorique de manière à regagner le poids idéal
2) riche en protéines et notamment en viande, en poisson, en produits lactés
3) riche en vitamines et notamment en fruits et légumes
4) excitant de l'appétit par une présentation alléchante.
Il ne faudra jamais surcharger le tube digestif et pour cela fractionner la ration alimentaire en 5 ou 6 prises, éviter les quantités excessives de liquide et notamment remplacer l'eau par des liquides nourrissants (jus de fruits sucrés, boissons chocolatées).

d) **combattre la flatulence** dont sont atteints si fréquemment les insuffisants respiratoires à cause de leur acidose.

Il faudra éviter tout spécialement

1) les légumes farineux : haricots, fèves, pois secs, lentilles
2) les légumes fibreux : choux, p. ex.
3) le pain complet qui sera remplacé par du pain blanc rassis ou des biscottes
4) les crudités en abondance
5) les fromages fermentés.

La flatulence, en refoulant le diaphragme vers le haut, réduit l'amplitude des mouvements de la cage thoracique et accentue encore l'insuffisance respiratoire.

e) **le régime désodé** sera souvent indiqué lorsque l'insuffisance respiratoire aura entraîné une insuffisance cardiaque. La sévérité du régime désodé dépendra de l'intensité de l'insuffisance cardiaque ; dans la grande décompensation, il faudra appliquer le régime désodé strict. Ce régime peut entraîner, lorsqu'il est appliqué à bon escient, une amélioration considérable de l'état respiratoire.

Ce régime désodé sera toujours de mise en cas de traitement de l'insuffisance respiratoire par les corticoïdes.

f) **lutter contre l'acidose** en donnant des aliments alcalinisants (lait, fruits, légumes, pommes de terre) en large quantité et en réduisant la ration des aliments acidifiants (viande, poisson, céréales y compris pâtes et pain).

IV. - LES DANGERS D'UN RÉGIME HYPERCALORIQUE

Récemment divers auteurs américains ont attiré l'attention sur les risques d'un régime mal adapté au cours de l'insuffisance respiratoire.

Dans les maladies aiguës il y a souvent hypermétabolisme entraînant des malaises et de l'anorexie ; dans ces conditions les réserves de protéines sont entamées plus que celles de graisse et de glucide ; il y a de l'autophagie.

Contrairement à ce que l'on pensait autrefois le diaphragme est aussi atrophié que les autres muscles ce qui contribue à aggraver l'insuffisance respiratoire.

Si on fait des perfusions de glucose il y a une faible diminution de la lipolyse et une augmentation nette de l'excrétion de norépinéphrine ; ceci va de pair avec une dépense d'énergie accrue au repos avec oxydation des graisses et absence de lipogénèse. Ceci a pour conséquence une forte augmentation de la production de CO_2 et de consommation de O_2.

Chez un patient à métabolisme plus stable le glucose est utilisé pour la lipogénèse avec comme conséquence qu'il y a production de 8 molécules de CO_2 pour chaque molécule d'oxygène consommé ; ceci augmente le quotient respiratoire au dessus de 1.

Dans ces deux éventualités il y a augmentation de la production de CO_2 avec accroissement des difficultés respiratoires. Lorsque cela survient chez un patient qui est déjà en insuffisance respiratoire on peut voir survenir la détresse respiratoire.

Burke a déterminé que l'oxydation maximale de glucose perfusé survient lorsque celui-ci est administré au rythme de 5 mg/kg/min. Il faut toujours veiller à être en dessous de cette dose.

La perfusion d'acides aminés chez les patients en insuffisance respiratoire augmente la production de CO_2 et le rythme respiratoire mais si auparavant on perfuse du glucose, la production ce CO_2 diminue de même que le rythme respiratoire ; Weissman propose de perfuser 440 calories par jour sous forme de glucose à 5 % et des acides aminés à la dose de 19,4 calories par heure.

CHAPITRE XVII

Régime d'épargne du tube digestif

Auparavant, on décrivait longuement dans les différents traités de diététique les régimes propres à chacune des affections du tube digestif. En fait, quelle que soit l'affection digestive, tous ces régimes ont un grand nombre de traits communs, aussi à l'heure actuelle décrit-on un régime d'épargne du tube digestif, et l'on décrit ensuite les particularités propres à chacune des affections digestives.

Le régime d'épargne du tube digestif correspond à ce que certains auteurs appellent le régime lisse (bland diet des auteurs anglo-saxons).

La grande base du régime d'épargne consiste à éliminer :

1° les aliments difficilement tolérés par le tube digestif ;

2° les aliments qui séjournent d'une manière prolongée dans l'estomac ;

3° les aliments qui stimulent trop fortement les sécrétions digestives ;

4° les aliments qui favorisent des putréfactions importantes.

Le principe du traitement diététique des affections digestives consiste à ménager le tube digestif autant que possible durant un premier temps, de manière à permettre aux lésions de guérir, ensuite, dans un second temps, appelé parfois période d'entraînement, on essaie d'élargir progressivement le régime de manière à arriver à un régime qui puisse être poursuivi de manière permanente et qui se rapproche autant que possible de la normale.

Deux propriétés essentielles des aliments en diététique sont, d'une part, leur durée de séjour dans l'estomac qui a été étudiée surtout par Pentzoldt et, d'autre part, leur capacité à stimuler la sécrétion d'acide chlorhydrique.

Voici le tableau établi par Pentzoldt où sont classés les aliments d'après leur rapidité de transit gastrique :

Tableau de la durée du séjour des aliments dans l'estomac
Durée moyenne du transit gastrique

1 à 2 heures :

100 à 200 g d'eau pure.

220 g d'eau gazeuse.

200 g de café sans adjonction.

200 g de thé sans adjonction.

200 g de bière.

200 g de vin léger.

100 à 200 g de lait cuit.

200 g de bouillon de viande sans adjonction.

100 g d'oeufs mollet.

2 à 3 heures :

200 g de café avec crème.

200 g de cacao au lait.

300 à 500 g d'eau.

300 à 500 g de bière.

300 à 500 g de lait cuit.

100 g d'oeufs crus, brouillés, cuits durs, en omelette.

100 g de saucisse de viande de boeuf cru.

250 g de cervelle blanchie.

250 g de ris de veau blanchi.

200 g de carpe au court-bouillon.

200 g d'aiglefin au court-bouillon.

200 g de brochet au court-bouillon.

200 g de morue au court-bouillon.

150 g de choux-fleurs blanchis.

150 g de choux-fleurs en salade.

150 g d'asperges blanchies.

150 g de pommes de terre.

150 g de pommes de terre en purée.

150 g de compote de cerises.

150 g de cerises crues.

70 g de pain frais ou rassis avec ou sans thé.

70 g de biscottes avec ou sans thé.

70 g de bretzels.

50 g de biscuits Albert.

3 à 4 heures :

230 g de poulet bouilli.

220 g à 260 g de pigeon bouilli.

195 g de pigeon rôti.

250 g de viande de boeuf maigre, crue ou cuite.

250 g de pieds de veau blanchis.

160 g de jambon cuit ou cru.

100 g de veau rôti maigre chaud ou froid.

100 g de bifteck rôti froid ou chaud.

100 g de bifteck cru râpé.

100 g de faux filet.

150 g de pain noir.

150 g de pain Schrot.

150 g de pain blanc.

100 à 150 g de biscuits Albert.

150 g de légumes et pommes de terre.

150 g de riz à l'eau.

150 g de choux-raves blanchis.

150 g de carottes blanchies.

150 g d'épinards blanchis.

150 g de salade de concombres.

150 g de radis cru.

150 g de pommes.

4 à 5 heures :

210 g de pain rôti.

250 g de filet de boeuf rôti.

250 g de bifteck rôti.

250 g d'oie rôtie.

280 g de canard rôti.

200 g de hareng salé.

100 g de viande fumée en tranches.

250 g de langue de veau fumée.

250 g de lièvre rôti.

240 g de chevreuil rôti.

140 g de purée de lentilles.

200 g de pois en purée.

150 g d'haricots verts blanchis.

C'est Pavlov qui a montré que les aliments excitaient la sécrétion d'acide chlorhydrique par la muqueuse gastrique. Certains le font d'une manière considérable, d'autres le font de manière modérée. Ces notions servent de base au traitement de l'hyperacidité et de l'anacidité.

Voici un tableau où les aliments sont classés en excitants forts et en excitants faibles de l'acidité gastrique :

Excitants forts de l'acidité gastrique -
Viandes - Viande rôtie, viande bouillie peu de temps, viande crue, viandes salées ou fumées, poissons salés ou fumés, bouillon et extraits de viande. Les viandes noires passent pour plus excitantes que les viandes blanches.

Céréales - Pain noir et grillé.

Légumes - Légumes non blanchis.

Condiments - Sel de cuisine à une concentration élevée, poivre, moutarde, paprika, clous de girofle, raifort.

Boissons - Toutes les boissons alcooliques et gazeuses, café, succédanés du café, cacao dégraissé et lait maigre.

Oeufs - Oeufs cuits durs et jaunes d'oeufs.

Excitants faibles de l'acidité gastrique -
Viandes - Viande grasse mise à cuire dans l'eau froide, poissons frais et cuits au court bouillon.

Céréales - Pain blanc, biscottes.

Légumes - Légumes blanchis en purée fine.

Condiments - Sel de cuisine en solution isotonique, sucre.

Boissons - Eau ordinaire, eaux alcalines, cacao non dégraissé, lait entier, crème et thé.

Oeufs - Blancs d'oeufs.

L'excitation motrice déclenchée par les aliments est un phénomène essentiel de la physiologie digestive. C'est cette excitation qui déclenche les mouvements péristaltiques, ondes de contraction poussant les aliments d'avant en arrière et assurant leur passage à travers le pylore.

Cette excitation peut devenir trop intense, il se fait alors des contractions violentes et douloureuses devant un sphincter fermé, et ultérieurement des contractions désordonnées aboutissant à l'antipéristaltisme et au vomissement.

La distinction entre ces diverses modalités d'excitation est uniquement une question d'intensité variant souvent assez fort d'un individu à l'autre. A l'heure actuelle, on s'en tient encore toujours au tableau établi empiriquement par von Noorden.

Tableau des aliments ne provoquant pas d'excitation motrice
(von Noorden)

Viandes bouillies, hachées et de préférence jeunes ; volaille, poisson ; ris de veau, cervelle.

Oeufs crus ou battus, mollets ou pochés.

Laitages :

lait caillé ou yoghourt ;
lait additionné d'un peu de thé ou de café, ou potage au lait ;
lait d'amandes et laits végétaux, crème fraîche, additionnée à d'autres aliments ; glaces à la crème ; fromages à la crème et fromages blancs fermentés.

Farineux de toutes sortes, en potages, bouillies, puddings, soufflés, flans, enrichis par de la crème, du beurre, du blanc d'oeuf battu ; pommes de terre purée ou à la vapeur.

Légumes en purée ou passés : épinards, salade, carottes jeunes, artichauts, topinambours, asperges, choux-fleurs, petits pois, enrichis de crème ou de beurre, éventuellement saupoudrés de fromage rapé.

Graisses :

beurre frais, non salé ;
graisses végétales ;
huile d'olive.

Pain et pâtisserie : pain blanc rôti, biscottes, biscuits simples.

Boissons : lait, thé léger, eau minérale légèrement alcaline et non gazéifiée ; cacao ou chocolat au lait.

L'irritation mécanique dépend avant tout de deux facteurs, le degré de dureté des aliments et leur état d'amenuisement. Les aliments trop durs ou insuffisamment amenuisés vont provoquer une irritation mécanique de l'estomac, d'où spasme et hyperchlorhydrie, et une irritation mécanique de l'intestin, d'où spasme et colite.

Pour éliminer l'irritation mécanique que pourraient provoquer les aliments, l'on a à sa disposition plusieurs ressources :

1° La cuisson prolongée, qui ramollit les gaines cellulosiques des végétaux et peut même les faire éclater en provoquant le gonflement des substances nutritives qu'elles contiennent.

2° L'amenuisement des aliments par le hachoir, le passe-fin, la réduction en purée. A ce point de vue les instruments modernes tel le turmix rendent les plus grands services en réduisant en un minimum de temps les aliments les plus durs en une fine purée.

La mastication reste toujours le moyen physiologique le plus important dont on dispose pour amenuiser les aliments. Elle constitue un temps essentiel de la digestion et trop souvent négligé des médecins. Nous renvoyons à ce sujet le lecteur au chapitre de la physiologie (page 11). De nombreuses dyspepsies sont dues à une mastication insuffisante résultant soit de la précipitation avec laquelle sont pris les repas, soit du mauvais état de la denture. Fiessinger avait coutume de répéter : " Rien ne ressemble plus à un cancer de l'estomac qu'une pièce dentaire qui tient mal ". L'insuffisance de la mastication ralentit l'évacuation gastrique puisque le repas finement mâché qui met 1 h. 3/4 à quitter l'estomac n'est pas évacué après 2 h. 1/2 s'il est absorbé grossièrement divisé. S'il est nécessaire pour l'estomac d'avoir une nourriture suffisamment amenuisée, Fiessinger faisait remarquer qu'une alimentation lisse prolongée était défavorable à la denture en permettant, par suite de l'absence d'effort, l'atrophie des organes de fixation de la dent, ce qui favorise la paradentose et les caries.

3° L'élimination des aliments trop durs. On éliminera en ce qui concerne les viandes les morceaux riches en cartilages et en tendons. Pour les aliments végétaux, le problème de la dureté coïncide avec celui de la teneur en fibres. Plus un aliment contient de fibres plus il est consistant et plus il laisse de déchets durs capables d'exciter les parois intestinales.

La fibre est loin d'être une substance pure, homogène. En diététique on entend par fibre les enveloppes fibreuses indigestes des cellules végétales.

On peut donc avec Demole distinguer d'une part la ligno-cellulose, substance dure, infermentescible et indigeste, comme celle du son et l'hémicellulose beaucoup plus facilement attaquée par les sucs digestifs et correspondant à la cellulose des légumes frais. Cette distinction permet de comprendre les divergences des résultats des différents auteurs selon qu'ils dosent toute la cellulose ou la ligno-cellulose.

Tableau indiquant la teneur en cellulose des aliments végétaux

	Selon Hutchinson g %	Selon Schall g %		Selon Hutchinson g %	Selon Schall g %
Farines et pains.					
Son	20	28,30	Pain blanc	0,5	0,31
Pain complet	3	1,02			
Légumes					
Asperges	19	1,15	Artichauts	10	
Oignons	19	0,71	Laitues	8	
Carottes	15	0,73	Haricots verts	6	0,59
Choux	15	1,87	Haricots secs	5	8,25
Tomates	15	0,84	Pommes de terre	3	0,98
Epinards	15	0,50	Pois verts	2,5	1,94
Choux-fleurs	13		Lentilles	2,3	3,92

Fruits

Myrtilles	48		Prunes	20	0,53
Groseilles	32		Fraises	19	
Pêches	31		Pommes	16	1,32
Cerises	23	0,33	Oranges	13	0,45
Raisins	22	1,23	Figues sèches	9	
Melons	22		Noix sèches	8	2,97
Poires	20	2,58	Bananes	0,8	0,80

Il faut encore tenir compte en pratique du degré de cuisson qui peut modifier la digestibilité des aliments en rendant plus tendres et en hydratant les gaines cellulosiques.

Les légumes jeunes et frais contiennent une cellulose digestible à plus de 50 % et même jusqu'à 90 %. Les légumes secs ont une cellulose très peu digestible.

On peut avec Fiessinger accepter la classification suivante des végétaux en fonction de leur qualité dans un régime d'épargne intestinale.

1° Légumes très chargés en cellulose, à rejeter : courges, choux-fleurs, choux, tomates.

2° Légumes chargés en cellulose, de digestion relativement facile : panais, artichauts, navets, carottes, asperges, oignons, rhubarbe, épinards, céleri, laitue, salades.

3° Légumes peu chargés en cellulose : lentilles, fèves, haricots verts, pommes de terre, pois verts et riz bouilli.

La température des aliments peut influencer également la digestibilité. Parmi les facteurs d'irritation digestive, il faut ranger le froid et le chaud.

Les études de Meulengracht ont montré que le froid était irritant pour l'estomac, provoquant de la congestion de la muqueuse et des mouvements péristaltiques intenses. Ce sont du reste ces constatations qui l'on fait renoncer à donner de la glace à sucer aux malades atteints d'hémorragie gastrique. Il faut donc éviter la glace et les crèmes glacées (souvent rendues encore plus lourdes par leur composition et la crème fraîche qu'on y ajoute) chez les dyspeptiques.

La trop grande chaleur, indépendamment des brûlures qu'elle peut provoquer, congestionne également la muqueuse gastrique et est à éviter chez les dyspeptiques.

Certains aliments sont plus digestes servis chauds ; c'est le cas de tous les aliments contenant de la graisse parce qu'à la chaleur la graisse est fondue et s'émulsionne plus facilement dans le tube digestif. Toutefois la graisse trop chaude est particulièrement irritante pour l'estomac. La température idéale pour les aliments à servir chauds est comprise entre 40 et 50 ° centigrades. C'est le cas de la viande, des pâtes, des légumes, du potage, du thé, du café, etc.

D'autres aliments sont moins digestes lorsqu'ils sont chauds. C'est le cas par exemple du pain qui même rassis se ramollit lorsqu'il est réchauffé et devient un peu gommeux, s'imprégnant plus difficilement des sucs digestifs. Le pain a avantage à être servi à la température de la chambre.

La dilution des aliments intervient aussi dans leur digestibilité. Il existe une dilution optimale.

L'attaque des substances alimentaires par l'acide chlorhydrique et les ferments dans l'estomac exige un pH optimum aux environs de 3. En second lieu si les substances alimentaires sont trop concentrées, elles entrent difficilement en contact avec les ferments. Si elles sont trop diluées, elles sont peu attaquées par les ferments digestifs d'une part parce que les ferments seront également assez dilués et d'autre part le pH du milieu sera trop élevé, l'acide chlorhydrique étant trop dilué.

En cas de fonction digestive normale, il est bon de prendre une quantité modérée de liquide au moment du repas pour assurer une dilution convenable des aliments et du suc gastrique. Elle peut être évaluée à 100 à 250 g d'eau (sous forme de potage ou d'eau de boisson). Si de grandes pertes de liquides (sueurs par les grandes chaleurs) obligent à boire abondamment, il faudra le faire entre les repas.

En cas d'hyperchlorhydrie, on pourra boire un peu plus au repas, en cas d'hypochlorhydrie ou d'achylie, il sera important pour ne pas diluer davantage le suc digestif déjà fort pauvre, de ne boire que fort peu au moment du repas et de prendre ses boissons en dehors des repas.

Tous les facteurs qui viennent d'être exposés sont des éléments dont il faut tenir compte largement dans l'établissement du régime d'épargne du tube digestif. Ils ont pu être établis par les recherches effectuées sur un grand nombre de malades. Ils correspondent donc à des normes valant pour la généralité des individus. Il ne faut toutefois pas perdre de vue que des variations individuelles peuvent exister et que certains aliments réputés lourds seront bien supportés par un dyspeptique tandis que d'autres réputés facilement digestibles ne le seront pas.

Dans les différents cas il ne faudra pas négliger les réactions propres aux différents individus.

Les réactions individuelles proviennent en partie de ce que les insuffisances digestives peuvent n'être que partielles et non globales ; elles proviennent aussi de ce que chez l'homme, les phénomènes digestifs peuvent être fortement influencés par des facteurs psychologiques, tant d'ordre intellectuel (préjugés par exemple), que d'ordre émotif (plats nationaux, prescriptions religieuses).

Ceci nous amène à exposer des facteurs extra alimentaires qui peuvent influencer le régime d'épargne digestif. Les traités de médecine consacrent généralement une large place aux affections digestives organiques alors que les troubles digestifs fonctionnels sont beaucoup plus fréquents. Cela provient de l'allure généralement plus sérieuse des affections organiques. L'emploi de méthodes d'examen toujours plus précises a permis cependant de constater que beaucoup d'affections considérées comme fonctionnelles étaient cependant organiques. L'emploi du gastroscope a permis de constater que des dyspepsies où la radiographie ne montre ni altération des plis des muqueuses ni trouble de la motilité, et considérées jusque-là comme fonctionnelles, étaient dues à une gastrite.

En fait, l'on observe tous les intermédiaires entre les troubles digestifs purement fonctionnels et les affections digestives organiques graves. On s'est rendu compte qu'un trouble digestif purement fonctionnel pouvait aboutir aux lésions les plus graves. L'ulcère peptique est souvent la conséquence d'une hyperchlorhydrie déclenchée par le surmenage et l'anxiété. Dans un premier stade, il y a hyperchlorhydrie simple, ensuite, gastrite hypertrophique érosive et enfin se creuse un ulcère.

Dans des cas de ce genre, les prescriptions diététiques sont pratiquement sans effet, aussi longtemps que le repos de l'estomac n'est pas obtenu par l'élimination des facteurs de tension nerveuse. Il est donc aussi important si l'on veut guérir une lésion digestive ou un trouble fonctionnel de remédier aux facteurs émotifs ou aux mauvaises habitudes que de prescrire un régime et des médicaments.

Il faut chez tout digestif procéder à un interrogatoire minutieux, portant sur ses habitudes alimentaires : heures des repas, temps accordé à ceux-ci, régularité des repas, temps consacré à la mastication. Il faut interroger le malade sur les aliments qu'il consomme et la capacité de ceux-ci à provoquer ou à soulager les symptômes. Il faut lui demander s'il n'abuse pas de certains d'entre eux et notamment en dehors des repas (surtout pour l'alcool, le thé fort, le café fort). Il faut attacher une égale importance à l'interrogatoire sur l'état psychologique du malade (anxiété, nervosités, ennuis à la maison ou au travail). Beaucoup de troubles digestifs sont dus à des querelles conjugales, à des soucis professionnels, à des déboires financiers. Un facteur qui peut influencer de manière fort défavorable le tractus digestif c'est l'abus du tabac. Il faudra toujours avoir soin d'interroger son malade à ce point de vue.

Dans la prescription du régime, il faudra du bon sens et ne défendre un aliment totalement que s'il est vraiment tout à fait contre-indiqué. Très souvent un aliment indigeste pourra être supporté par un dyspeptique à condition d'être pris dans le calme, bien mâché, en quantités modérées, préparé de manière à le rendre aussi digeste que possible. Il faut donc, dans une certaine mesure, savoir faire des concessions au malade.

L'ensemble des données que nous venons d'exposer peut être résumé dans les recommandations que Davidson et Anderson donnent à leurs dyspeptiques.

Recommandations aux dyspeptiques

1° Prendre quatre repas par jour.

2° Prendre ses repas à horaires réguliers.

3° Ne pas dévorer ses aliments mais les mâcher soigneusement.

4° Eviter les efforts ou les énervements avant et après les repas ; si possible se reposer avant et après les repas durant quelques minutes.

5° Dormir un nombre suffisant d'heures la nuit.

6° Se souvenir que l'anxiété et le surmenage contrarient la digestion.

7° Eviter les repas lourds et abondants et les aliments que l'on sait par expérience ne pas être supportés.

8° Eviter les aliments irritants par voie mécanique ou chimique et ceux qui sont trop chauds ou trop froids.

9° Ne pas fumer ni boire de l'alcool avant le repas alors que l'estomac est vide.

10° Limiter les boissons durant les repas, mais boire largement de l'eau entre les repas.

11° Veiller à l'évacuation intestinale régulière.

12° Consulter le dentiste régulièrement.

Les degrés de sévérité dans les régimes de ménagement

On peut, avec Heupke, distinguer trois degrés dans la sévérité du régime de ménagement. Voici les recommandations qu'il donne :

1° Régime de ménagement strict.

1° Boissons : thé, cacao, cacao à l'avoine.

2° Potages : potages mucilagineux (cuits 2 ou 3 heures et comprenant 15 g de farine pour 250 ml de liquide) d'orge ou de riz ; bouillies de farine ; bouillon dégraissé au riz, au tapioca ou aux pâtes.

3° Viandes : viande finement pulpée de pigeon, de poulet et de veau ; langue de veau sans la peau, poisson maigre pelé, gelée de viande.

4° Oeufs : oeufs en petite quantité ou potage lié aux oeufs, 50 g de fromage blanc.

5° Pains divers : biscottes, pain grillé, pain blanc rassis.

6° Mets à la farine : puddings, soufflé peu gras.

7° Légumes : pommes de terre en purée et sucs de légumes.

8° Corps gras : 100 g de crème fraîche et 75 g de beurre ; lait à essayer jusqu'à 500 ml de préférence additionné de deux cuillerées à soupe d'eau de chaux ou de thé.

9° Fruits : jus de fruits sucrés au glucose ; en cas de diarrhée, vin ou gelée de myrtilles, vin rouge.

2° *Régime de ménagement moyen.*

Sont permis :

1° Boissons : lait, thé et tisanes, cacao, jus de fruit, eau minérale avec peu de vin rouge.

2° Potages : potages mucilagineux, bouillies à la farine ou au lait.

3° Viandes et abats : cervelles et ris de veau dégorgés et nettoyés ; viande de boeuf hachée, légèrement grillée ; jambon cru ou cuit pulpé ; poulet ou pigeon bouillis ; poisson de rivière ou de mer frais, sans la peau.

4° Oeufs : oeufs mollets, omelettes non grasses, soufflés légers et peu gras ; oeufs à la neige.

5° Légumes : épinards, choux-fleurs, carottes nouvelles, purée de pommes de terre, sucs de légumes.

6° Mets à la farine : pâtes fines, macaroni, bouillie et pudding de riz, de semoule, de maïzena et de farines diverses.

7° Fruits : purée de pommes, pommes crues râpées, fraises et framboises crues, jus de fruits frais, compote de poires, coings et pruneaux.

8° Pains : pain blanc rassis, biscottes, cakes, pain grillé, gâteaux secs préparés avec un peu de graisse.

9° Corps gras : beurre.

Sont interdits :

Surtout la bière, l'eau-de-vie, le café noir, les fromages (à l'exception du fromage blanc, du fromage à la crème et du gervais), les sauces grasses, les viandes fibreuses, les viandes grasses comme le porc, le canard ou l'oie ; le gibier, les poissons gras cuits au four ou fumés, la mayonnaise et les crustacés, les mets aux oeufs très cuits et gras, les salades (les salades en purée sont permises en petite quantité), les diverses espèces de choux, les radis noirs, le raifort, les oignons, le céleri, l'ail, les légumineuses non décortiquées, les pommes de terre entières, les champignons, les fruits à pépin, acides et coriaces, les amandes diverses, les pains bis et noir, le pumpernickel, le pain blanc frais, les gâteaux frais préparés avec du saindoux et de la levure de boulanger ; toutes les fritures.

Remarque : les aliments doivent être aussi mollets que possible et en purée, peu assaisonnés, peu salés, pas trop acides, ni trop chauds, ni trop froids.

3° *Régime de ménagement atténué.*

Sont permis :

1° Boissons : eau minérale, jus de fruit, thé ou tisanes, cacao, chocolat, lait, crème, vin rouge.

2° Potages : à base de lait ou de bouillon de légumes, à l'avoine, au blé vert ou à d'autres farines ; pommes de terre, pâtes, mets aux oeufs.

3° Viandes : boeuf, veau, porc maigre, chevreuil, lièvre (lapin), cerf, poulet, pigeon, perdrix, langue, cervelle, ris, tête de veau, jambon cuit.

Préparation : cuit dans son jus ou dans un peu de graisse de bonne qualité.

4° Poissons : perche, truite, brochet, tanche, sandre, cabillaud, aiglefins, plie, turbot, sole.

5° Oeufs : oeufs crus battus avec du sucre, mollets, brouillés accommodés avec des farines comme dans les omelettes et les soufflés.

6° Légumes : sucs de légumes, salsifis jeunes, navets, choux-raves, asperges, artichauts, choux-fleurs, épinards, laitues, bettes, poireaux, petits pois, choux verts, champignons de Paris, tomates, pommes de terre bouillies et en purée.

7° Mets à la farine : préparés avec du lait, du beurre, de la crème et des oeufs et très friables. Omelettes, soufflés au riz et aux farines diverses.

8° Fruits : jus de fruit, fraises crues, framboises, myrtilles, bananes, oranges, pamplemousses, pommes râpées ou cuites sans pelure ni loge ; compotes diverses.

9° Pains : petits pains au lait ou ordinaires, pain blanc pas trop frais, pain grillé, biscottes.

10° Corps gras : beurre, huiles végétales pures.

11° fromages à la crème, gervais, brie, emmenthal, hollande, fromages blancs.

Sont interdits :

Surtout la bière, les vins acides, les eaux-de-vie, le café, tous les aliments très assaisonnés, acides, marinés ou fumés, charcuterie, viandes de porc et de mouton, oie, canard, salades de viande ou de légumes, mayonnaise, saindoux, margarine, mets cuits dans beaucoup de graisse et plus spécialement les fritures, pommes de terre sautées, fruits crus et mal mûrs, pain frais et noir, raifort, moutarde, poivre, ail, céleri, glaces et boissons glacées.

Une série de prescriptions générales essentielles sont valables pour toutes les affections gastro-intestinales et doivent être enseignées au malade par le médecin qui en même temps donnera des indications sur les mets à éviter ou au contraire à choisir.
Le temps consacré aux repas doit être suffisant pour manger tranquillement et sans hâte.
Le malade se reposera ou même s'étendra une demi-heure avant chaque repas. Les aliments doivent être soigneusement mastiqués. On doit veiller à ce que la denture soit en bon état et à ce qu'elle soit complétée quand elle est trop défectueuse. Pendant le repas, le malade ne doit pas être distrait par des conversations animées ou une activité mentale comme la lecture des journaux.
La température des mets ne doit être ni trop élevée, ni trop basse, afin que des différences thermiques ne gênent pas la digestion.
Les repas ne seront pas trop importants, afin de ne pas fatiguer l'estomac. Il est donc utile de répartir les aliments de la journée en 5 ou 6 repas.
En cas de régime de ménagement strict ou moyen, le malade se couchera après les repas et mettra sur l'abdomen une bouillotte chaude ou une compresse électrique chauffante.

CHAPITRE XVIII

Diététique des affections oesophagiennes

Bien que les affections oesophagiennes ne soient pas fort fréquentes, elles posent des problèmes diététiques parfois assez ardus à résoudre.

I. - LES OESOPHAGITES

Il y a des oesophagites de différents ordres de gravité.

a) **L'oesophagite simple** peut se voir dans l'anémie chronique où la carence en fer peut entraîner secondairement une atrophie de la muqueuse oesophagienne qui s'accompagne de douleurs et de gênes à la déglutition qui font parfois penser à tort au cancer de cet organe (syndrome de Plummer-Vinson ou de Kelly-Patterson).

Le traitement est d'ordre médical ; il consiste à traiter le plus rapidement possible la carence en fer. Nous avons montré autrefois l'action particulièrement efficace des injections intraveineuses de fer qui suppriment les symptômes oesophagiens en quelques jours.

L'oesophagite simple peut être la conséquence de la déglution de mets ou de boissons trop chauds ou trop épicés ou de produits irritants à la suite d'une erreur.

Pour éviter les douleurs, il faudra administrer un régime semi-liquide d'où seront exclus tous les aliments irritants (épices, poivre, moutarde, piments, sauce anglaise, etc.) ou acides (jus de fruits, vinaigre, etc.). Pour faciliter le glissement des aliments le long de la paroi de l'oesophage, les rendre plus onctueux, on pourrait y ajouter des alginates. Il faut éviter les boissons alcooliques ou gazeuses.

b) **L'oesophagite corrosive** est toujours le résultat d'une brûlure de l'oesophage par un acide fort ou un alcalin fort. La plupart du temps il s'agit d'une erreur, une personne croyant porter à sa bouche le goulot d'une bouteille de vin ou d'eau minérale dans l'obscurité et s'apercevant de son erreur par la brûlure à la bouche qui lui fait cracher le produit. Le malade affirme toujours qu'il n'a rien bu, mais l'expérience montre toujours qu'il y a malgré tout du produit qui a passé jusque dans l'oesophage et qui donne des lésions très douloureuses qui risquent de s'infecter et de donner un phlegmon ou de se perforer. Les brûlures provoquées par les alcalis sont toujours plus profondes et plus graves que celles provoquées par les acides.

Parfois, il s'agit d'un suicide (méthode utilisée à Naples par les amoureux éconduits) ; dans ce cas, les brûlures sont beaucoup plus graves parce qu'il y a eu ingestion volontaire.

La complication tardive de l'oesophagite corrosive, c'est la sténose cicatricielle qui lorsqu'elle survient peut imposer une gastrostomie.

Certains auteurs ont conseillé de tenter de neutraliser le caustique qui a provoqué les lésions ;

en cas de brûlure par un alcalin, ils ont conseillé de prendre de l'eau vinaigrée ou du jus de citron ; en cas de brûlure par un acide, de prendre de l'eau bicarbonatée.

Il faut en tout cas éviter d'employer, pour provoquer une neutralisation illusoire, des acides forts ou des alcalins forts qui ne pourraient provoquer que de nouvelles brûlures. On risque en outre d'engendrer le dégagement de gaz carbonique et les moindres distensions qui pourraient en résulter seraient capables de produire une perforation.

Les lavages d'estomac doivent également être évités, car le danger est grand de provoquer une perforation au moyen de la sonde gastrique.

Le plus sage semble être de s'efforcer d'absorber les caustiques sur un support neutre, en l'occurrence le lait ou l'huile d'olive. Ray et Morgan conseillent de faire prendre immédiatement après la brûlure, à fréquents intervalles, de petites quantités de lait ou d'huile d'olive.

Grâce au traitement par l'association cortisone-antibiotiques, les douleurs sont beaucoup moins vives et l'inflammation beaucoup moins intense qu'autrefois.

On peut durant les 3 premiers jours donner des liquides ; on pourra administrer du lait, du bouillon, du café, des jus de fruits sucrés. On donnera ces boissons soit glacées, soit tièdes ; il faudra soigneusement éviter les liquides trop chauds.

On peut soulager les douleurs en faisant sucer au malade de petits morceaux de glace, en lui faisant prendre des boissons glacées ou de la crème à la glace.

Généralement, à partir du 4e jour, on pourra donner des purées ou une alimentation finement divisée.

On pourra donner des potages épaissis, de la purée de pommes de terre, des légumes cuits et passés, des fruits en compote, des crèmes, de la viande finement hachée, crue ou cuite, des oeufs brouillés ou en omelette.

Il faut bien entendu éviter tous les irritants : épices, tels le piment, le poivre, la moutarde. Il faut éviter les boissons fort alcoolisées ; si on peut permettre du vin de préférence coupé d'eau, il faut éviter les apéritifs et les liqueurs ; il faut aussi éviter les boissons gazeuses, eaux gazeuses, bière, cidre, champagne, car la distension pourrait provoquer une perforation gastrique en cas de brûlure étendue jusqu'à ce niveau.

Il y a intérêt à donner plusieurs repas peu abondants plutôt que trois repas copieux, toujours pour éviter la distension.

II. - LE CANCER DE L'OESOPHAGE

Le cancer de l'oesophage est une maladie qu'il faut avant tout prévenir car il est dans la presque totalité des cas provoqué soit par l'alcoolisme, soit par le tabagisme soit par l'action combinée du tabac et de l'alcool.

Régime préventif

La prévention du cancer de l'oesophage consiste avant tout à éviter les alcools forts et leurs excès (Whisky, alcool de grain, alcool de prunes, calvados etc.) ou les prendre assez dilués. Les alcool moins concentrés tels le vin (10 à 12 °) ou la bière (5 à 8 °) peuvent aussi, pris en excès, provoquer du cancer de l'oesophage.

Le tabac est la seconde cause de cancer de l'oesophage ; sa fréquence est directement en rapport avec la quantité de tabac fumé ; contrairement à une opinion trop répandue, les fumeurs de cigares et de pipes sont aussi exposés que les fumeurs de cigarettes. La fumée du tabac contient des substances aromatiques polycycliques du type du benzo-3,4-pyrène et des substances oxydantes génératrices d'ions superoxydes et de radicaux libres, autant de substances cancérogènes.

L'action combinée du tabac et de l'alcool a un effet multiplicateur. Le risque de cancer de l'oesophage est 44 fois plus élevé chez celui qui fume plus de 20 cigarettes et boit plus de 80 g d'alcool que chez celui qui fume moins de 10 cigarettes et boit moins de 40 g d'alcool par jour.

Dans certains régions du Transkei en Afrique du Sud, les indigènes consomment des légumes qui ont subi une macération acide prolongée ; si le champs contient trop d'engrais azotés, ces légumes sont riches en nitrates qui se convertissent en nitrites et s'unissent aux amines dans ce milieu acide, pour donner des nitrosamines, substances extrêmement cancérogènes. Ceci explique la fréquence du cancer de l'oesophage dans ces régions.

A côté des mesures négatives, des interdictions, il y a des mesures positives ; le régime doit être riche en
- carotène qui assure une protection vis-à-vis du cancer des épithélium
- vitamine C qui inhibe la formation des nitrosamines et diminue leur activité
- vitamine E qui par son action réductrice empêche la formation des radicaux libres
- sélénium qui agit de manière synergique avec la vitamine E

Régime palliatif

Le développement d'une tumeur maligne de la muqueuse oesophagienne ne donne, comme c'est le cas pour tous les organes creux, que des symptômes fort tardifs. Lorsque le patient s'aperçoit qu'il a de la gêne ou des douleurs à la déglutition, la tumeur est déjà fort développée et a envahi le médiastin ou donné des métastases si bien qu'une cure chirurgicale radicale est quasi toujours impossible.

Les symptômes sont de la gêne à l'occasion de l'ingestion de fragments d'aliments durs et non amenuisés (quartier de pomme, croûte de pain, etc.). Au début, les symptômes ne se manifestent que pour des fragments volumineux, mais progressivement la dysphagie apparaît pour des fragments de plus en plus petits et il apparaît des douleurs.

A ce stade, le régime doit consister en une alimentation lisse et non irritante pour éviter qu'un spasme ne diminue encore la lumière de l'oesophage et ne rende le passage des aliments plus difficile.

On donnera des bouillies de farineux, des panades, des crèmes, des laits de poule, de la viande finement moulue, de la purée de pommes de terre bien fluide, des légumes en purée, des oeufs pochés, des laitages (yaourt, fromage blanc).

Il faudra s'efforcer de donner le maximum de calories pour prévenir ou ralentir la dénutrition du malade.

Le développement progressif de la tumeur va bientôt réduire le passage à une mince filière par où ne passeront que les liquides ; à ce moment, on sera réduit à nourrir le patient exclusivement de potages, de laitage, de jus de fruits que l'on s'efforcera de rendre aussi nutritifs que possible en y faisant fondre du fromage rapé ou de la crème fraîche.

Lorsque l'oesophage est tout à fait oblitéré, se posera le problème du recours à la gastrostomie.

III. - LES VARICES OESOPHAGIENNES

Au cours des cirrhoses graves, l'hypertension portale peut être si forte qu'il se forme des varices oesophagiennes, le sang de la veine porte court-circuitant en partie le foie en refluant par la veine oesophagienne inférieure.

Si l'hypertension est forte, ces veines se dilatent, leur paroi s'amincit, elles deviennent variqueuses. Ces varices peuvent devenir fort grandes et risquent de se rompre et de saigner. Ces hémorragies sont souvent abondantes au point qu'il est difficile de les arrêter et qu'elles entraînent parfois la mort.

Le passage du bol alimentaire durant les jours qui suivent l'arrêt d'une hémorragie oesophagienne peut arracher le caillot et provoquer une récidive de l'hémorragie.

Pour éviter ces accidents, Blakemore a mis au point une sonde en caoutchouc entourée de deux ballonnets gonflables séparément au moyen de deux tuyaux très minces incorporés dans la paroi de la sonde. On introduit la sonde, les ballonnets étant dégonflés ; la sonde mise en place, on gonfle les ballonnets, ce qui assure l'hémostase par compression tout en permettant l'alimentation du malade.

IV. - LES SPASMES OESOPHAGIENS

Les spasmes oesophagiens peuvent être la conséquence d'une lésion de la paroi, inflammation ou irritation ; dans ce cas, le régime sera celui de l'oesophagite.

Dans d'autres cas, les spasmes de l'oesophage ne sont qu'un des modes d'expression d'une névropathie ; on voit alors parfois de la dysphagie paradoxale, c'est-à-dire que les aliments solides passent plus facilement que les aliments liquides. Le traitement sera surtout psychothérapique et à base de calmants. Il faudra éviter les aliments stimulant le système nerveux : café fort, thé fort, boissons à base de cola, alcool fort, etc.

V. - LE REFLUX GASTRO-OESOPHAGIEN

Il s'agit d'un inconvénient dont la fréquence croit avec l'âge et qui frapperait environ 25 % des personnes âgées de plus de 65 ans.

Le patient ressent du pyrosis, sensation de brûlure rétrosternale remontant de l'épigastre et atteignant l'arrière gorge ; parfois le patient a une impression de blocage alimentaire. Lorsqu'il se penche en avant ou la nuit, spontanément un brusque reflux acide envahit la bouche.

Ce reflux est provoqué par la baisse de la tension du sphincter inférieur de l'oesophage, l'élévation de la pression intragastrique et le relâchement bref et transitoire du sphincter.

Une hernie hiatale favorise ce reflux.

Le remplissage excessif de l'estomac peut déclencher le reflux aussi faut-il recommander de consommer des repas pas trop abondants, éviter ou limiter fortement les potages et les boissons prises au cours du repas.

Certains aliments favorisent le reflux parce qu'ils diminuent le tonus du sphincter inférieur de l'oesophage ; il s'agit du chocolat, du café et de l'alcool qu'il faut éviter. Il en va de même des excès de graisse et des épices agressives.

Notons que certains médicaments provoquent un relâchement du sphincter, la caféine, la théophylline, la belladone et donc l'atropine et les anticholinergiques.

CHAPITRE XIX

La gastrite

Autrefois, la gastrite était un diagnostic qui se faisait surtout par exclusion. A l'heure actuelle, les examens radiographiques plus précis, la gastroscopie et même la biopsie de la muqueuse gastrique ont montré que la gastrite est extrêmement fréquente.

La gastrite peut être provoquée par des toxines bactériennes, par exemple dans la pneumonie, la grippe, un phlegmon, etc. par des affections métaboliques comme la goutte, l'urémie ou le diabète ; dans ces cas, l'altération de la muqueuse se fait par voie hématogène. La gastrite peut aussi être due à une congestion anormale de la muqueuse, par exemple dans la décompensation cardiaque ou dans la cirrhose. Elle peut enfin surtout être due à l'irritation directe par l'ingestion de substances ou d'aliments nocifs ; dans ce domaine, les facteurs les plus fréquemment en cause sont les aliments indigestes, l'alcool, des aliments infectés par l'un ou l'autre germe, des médicaments (salicylate, iodure, etc.), plus rarement il s'agit d'un aliment vis-à-vis duquel le patient éprouve une idiosyncrasie. Enfin, certaines carences et notamment les carences en protéines, en fer, en vitamine A et en vitamine B peuvent créer un état de gastrite atrophique chronique.

Dans la gastrite aiguë il peut y avoir hypochlorhydrie ou hyperchlorhydrie, dans la gastrite chronique, il y a le plus souvent hypo ou achlorhydrie.

Le traitement de la gastrite exige en premier lieu le repérage de la cause ; celle-ci étant connue, c'est elle qu'il faut traiter.

Fréquemment, la gastrite a pour cause des erreurs alimentaires ; il est parfois difficile de faire comprendre au malade qu'une faute d'hygiène alimentaire ancienne soit la cause d'une maladie récente et que la correction de cette erreur amènera la guérison. Le gastritique est fort sensible aux modifications d'aliments et l'absorption d'un mets indigeste, ou la simple modification d'habitudes alimentaires même assez larges peut suffire parfois à éveiller les douleurs.

I. - LA GASTRITE AIGUË

La gastrite aiguë est fréquemment la conséquence de l'ingestion d'aliments de mauvaise qualité, d'aliments indigestes ou d'alcool en excès. Elle s'accompagne de vomissements et de diarrhées et constitue alors la simple indigestion qui guérira d'elle-même par la mise au repos de l'estomac.

Elle peut être la conséquence d'une maladie infectieuse qu'il faudra soigner par les moyens appropriés, ou de l'absorption d'un toxique. Dans ce dernier cas, le traitement dépendra surtout des répercussions du toxique sur l'état général.

Dans tous les cas, l'intolérance provoquée par les aliments impose au malade la conduite à tenir : le repos de l'estomac, le jeûne. Celui-ci sera, selon la persistance des symptômes, poursuivi 24 à 48 heures ; on mettra le malade à la diète hydrique. On a recommandé particulièrement dans les cas de gastrite la tisane de menthe ou de camomille, ou l'eau de Vichy. Si l'intolérance gastrique empêche le malade de prendre des liquides et se poursuit ou si les vomissements sont abondants, il faudra combattre la déshydratation par des perfusions intraveineuses de sérum glucosé (0,5 %) et salin (0,9 %) ou des solutions contenant à la fois Na, K et Cl ; les vomissements abondants peuvent en effet provoquer de l'hypokaliémie.

Ensuite, on pourra passer à la diète lactée et aux potages. On donnera du bouillon de légumes ou des bouillies d'avoine, de riz, de tapioca, des biscottes, du pain blanc rassis et grillé. Certains auteurs, craignant que le lait comme tel au début soit difficilement toléré, ont préconisé ou de s'en passer ou de donner soit du lait citraté, soit du lait peptonisé.

Ultérieurement, on peut passer aux régimes d'épargne en commençant par les plus sévères pour passer graduellement aux plus larges et revenir au régime normal. Il faut toutefois être très prudent si on a des raisons de craindre un passage à la chronicité, par exemple après ingestion de substances caustiques : dans ce cas, on maintiendra un régime lisse aussi longtemps que l'on n'est pas tout à fait fixé sur la nature et l'étendue des séquelles.

II. - LA GASTRITE CHRONIQUE

La gastrite chronique est une affection extrêmement fréquente ; l'absence d'étiologie précise rend souvent le traitement de celle-ci assez difficile. Le régime y tient une très large place.

Dans la gastrite chronique, il sera particulièrement important de déceler la cause, car souvent c'est une erreur du malade qui a provoqué et qui entretient celle-ci.

Erreurs à éviter - Il faudra particulièrement s'attacher aux points suivants :

1° *Erreur d'hygiène alimentaire ancienne* - Ingestions répétées d'aliments irritants (charcuteries, mets épicés, salaisons), l'abus des bons repas, la suralimentation sont des causes fréquentes de gastrite et que l'on ne fait bien souvent avouer par le malade qu'avec beaucoup de difficultés car il est inquiet à l'idée de modifier ses habitudes alimentaires.

Parmi les erreurs d'hygiène alimentaire, il faut retenir l'habitude de certains ménages d'épicer tous les mets, l'habitude de manger trop chaud ou de boire des boissons glacées, L'abus du café fort. Les abus de friture sont une cause fréquente de gastrite ; la graisse brunie et chaude est particulièrement irritante pour la muqueuse gastrique.

2° *Abus d'alcool* - L'alcool irrite la muqueuse gastrique, surtout s'il n'est pas de bonne qualité. A ce point de vue les apéritifs, alcools relativement concentrés, pris à jeun, sont particulièrement néfastes. Les gastrites par abus d'alcool ne se voient pas seulement chez les grands alcooliques, mais aussi chez des personnes qui font un usage courant d'alcool. A ce point de vue l'usage répandu des cocktails provoque d'assez nombreuses gastrites chez des gens et surtout des femmes qui ne peuvent admettre que difficilement que l'alcool est en cause. Il faut toujours avoir soin d'interroger minutieusement les gastritiques sur le chapitre de l'alcool.

3° *Une mastication insuffisante* - Celle-ci relève principalement de deux causes : L'habitude de ne pas consacrer un temps suffisant aux repas (beaucoup de personnes fort pressées ne se donnent pas la peine de mâcher suffisamment leurs aliments) et le mauvais état de la denture, soit que de nombreuses dents manquent, soit qu'une prothèse mal faite ne tienne pas suffisamment.

4° *L'abus de certains médicaments*, pris quotidiennement durant des années. Certaines personnes, souvent sans raisons plausibles, prennent durant des années certains médicaments.

Parmi ceux couramment utilisés on peut citer l'aspirine, le bicarbonate de soude, le salicylate, des laxatifs salins ou autres, des somnifères.

Ceux qui font usage immodéré d'un de ces médicaments le considèrent comme si bienfaisant qu'ils omettent de le signaler au médecin. Une enquête faite à Bruxelles a montré que près de 60 % des patients prennent des médicaments à l'insu de leur médecin.

5° *L'abus du tabac* - Nier l'influence néfaste du tabac sur la muqueuse gastrique, comme le font trop facilement les médecins grands fumeurs, c'est nier un fait démontré.

Cramer a montré que parmi 384 gastrites avec hyperacidité 11 étaient provoquées par l'alcool seul, 109 par l'usage combiné du tabac et de l'alcool et 152 par le tabac seul. Depuis longtemps, Moynihan a démontré que la nicotine est un fort excitant de la sécrétion d'acide chlorhydrique. D'autre part, Schindler et Moutier ont vu au gastroscope que le tabac est fortement spasmogène. Si 2 ou 3 cigarettes prises après le repas ne font pas de tort, l'usage du tabac à jeun est néfaste pour la muqueuse gastrique.

Le traitement de la gastrite chronique exige en premier lieu la suppression de la cause, en second lieu il faudra examiner l'état des sécrétions digestives, déterminer le taux d'acidité et le volume du suc gastrique. En effet, dans un premier stade, les irritations gastriques provoquent une hypersécrétion de la muqueuse avec hyperacidité, mais dans un second stade, la muqueuse gastrique s'épuise et s'atrophie ; il y a, après un temps plus ou moins long, achylie, hypo ou même achlorhydrie. Les directives diététiques seront différentes selon qu'il s'agit d'une gastrite hypo ou hyperacide.

Si la gastrite est hyperacide, les mesures diététiques seront celles de l'ulcère de l'estomac (voir ce chapitre), si au contraire elle est hypochlorhydrique, elles seront celles de l'achylie (voir paragraphe suivant).

Recommandations générales

— Régime

Ces malades sont souvent anorexiques, or il faut veiller à couvrir leur besoin calorique, c'est-à-dire 2.400 calories s'ils travaillent modérément et 3.000 à 3.500 calories s'ils travaillent plus dur. On ne peut descendre à 1.800 calories que chez les sujets alités. Il sera bon de surveiller le poids chaque semaine pour vérifier si le malade consomme une quantité suffisante d'aliments.

Il faut veiller à ce que le malade prenne sa ration de 100 g de protéines par jour ; ce n'est pas toujours facile car il a souvent un dégoût de la viande.

La viande rouge sera souvent mieux acceptée que la viande blanche ; il faut que cette viande soit fort maigre, grillée ou rôtie. La viande crue est difficilement acceptée ; il faut rejeter les viandes grasses, la charcuterie, les ragoûts et les sauces.

Le poisson maigre, bouilli ou au four, sans sauce, est généralement bien accepté. L'oeuf cuit, surtout mêlé à d'autres aliments est généralement bien toléré.

Le lait, utile chez les hyperchlorhydriques est mal toléré par les hypochlorhydriques. Les laits acides et le yaourt sont mieux tolérés. Les hydrates de carbone forment la partie principale de la ration énergétique, environ 400 g par jour à consommer surtout sous forme de pain blanc ; les pains de campagne ou pain complets sont trop lourds à digérer et doivent être proscrits. Les biscottes ne sont pas meilleures que le pain blanc rassi et bien levé. Les pâtes alimentaires sont bien supportées également, de même que les pommes de terre bouillies, le riz et le tapioca.

Les légumineuses (petits pois, fèves, haricots) sont mal tolérés ; les fruits sont bien supportés par les estomacs hypersécrétants et mal chez les sujets à suc gastrique hypo-acide.

Le sucre inhibe la sécrétion gastrique, aussi doit-il être pris en faible quantité seulement chez les sujets à suc gastrique hypo- ou achlorhydrique.

Si la ration en hydrates de carbone est élevée, il faut veiller à assurer une ration suffisante en vitamine B_1, sous peine de voir apparaître une carence relative.

Les *lipides* ne doivent être pris chez le gastritique qu'en quantité modérée, environ 50 g par jour, parce que ceux-ci sont inhibiteurs de la sécrétion gastrique et de la motilité du tube digestif.

Le meilleur moyen d'administrer la ration de graisse est d'incorporer le beurre frais aux aliments déjà cuits. Les graisses animales cuites sont très mal tolérées de même que la margarine. L'huile n'est bien tolérée que si elle n'est pas cuite.

Les *boissons* peuvent être permises en quantité normale, mais ne doivent être prises qu'en dehors des repas, de manière à ne pas diluer une sécrétion gastrique déjà déficiente.

Le vin, la bière et le cidre sont nocifs et doivent être proscrits.

Il n'y a pas intérêt à multiplier les repas, car l'estomac risque de ne pas encore être vide lors de l'ingestion du repas suivant. Les 3 ou 4 repas classiques conviennent parfaitement. Dans ce cas, il faudra faire une enquête minutieuse pour connaître les aliments mal tolérés et les éliminer.

Quelle que soit la nature de la gastrite, un certain nombre de précautions devront être prises :

1° Prendre les repas dans le calme et y consacrer un temps suffisant.

2° Mastiquer convenablement les aliments de manière à les réduire en fines particules et à les imprégner de salive.

3° Respecter un horaire fixe pour les aliments de manière à recréer une périodicité des sécrétions digestives. Il faudra prendre 4 repas par jour.

4° Se reposer après les repas ; il est défavorable chez le gastritique de travailler immédiatement après le repas. Il a grand intérêt à se reposer. Si la gastrite est forte, il se mettra au lit ou sur une chaise longue et se mettra une bouillote sur l'estomac.

5° Eviter le refroidissement immédiatement après le repas.

6° Prendre les repas dans une ambiance agréable peut rendre de grands services chez le gastritique.

7° La présentation des repas n'atteint une importance aussi grande dans aucune autre maladie que la gastrite. L'aspect alléchant des plats peut concourir à la facilité de leur digestion.

III. - L'ACHLORHYDRIE

L'achlorhydrie est caractérisée par l'absence d'acide chlorhydrique libre dans chacune des fractions du suc gastrique recueilli après un repas d'épreuve. Cette achlorhydrie peut être absolue ou relative, c'est-à-dire que l'acide chlorhydrique peut ne même pas apparaître après une injection d'histamine. On parle alors d'achlorhydrie histamino-réfractaire. On sait, en effet, que l'histamine est le plus puissant excitant de la sécrétion d'acide chlorhydrique par la muqueuse gastrique.

L'épreuve à l'histamine se fait de la manière suivante. On introduit le matin à jeun la sonde gastrique dans l'estomac, on recueille le suc gastrique qui s'y trouve et on injecte par voie intramusculaire 1/2 mg d'histamine. On recueille ensuite le suc gastrique de 1/4 d'heure en 1/4 d'heure. On dose dans chacun des échantillons l'acide chlorhydrique libre et l'acide chlorhydrique combiné.

Cette épreuve est intéressante pour explorer la capacité de la muqueuse gastrique à encore produire de l'acide chlorhydrique, par exemple pour poser le diagnostic d'anémie de Biermer, mais elle ne permet pas d'avoir une idée des réactions de la muqueuse gastrique vis-à-vis d'un repas et est donc moins intéressante en pathologie digestive où on lui préfère les repas d'épreuve.

L'épreuve d'Ewald-Boas consiste à pratiquer une vidange de l'estomac à jeun au moyen de la sonde de Faucher. On donne ensuite un repas composé de 60 g de pain sans croûte et non beurré et 300 g de thé léger. Après 1 heure on aspire à la sonde le contenu gastrique. Normalement, on retire 100 à 150 ml d'un brouet très acide (environ 0,1 % d'acide chlorhydrique libre) composé à parties égales de liquide et de résidu solide.

On a fait le reproche à ce repas de ne pas être particulièrement excitant de la sécrétion gastrique et de masquer la possibilité d'une sécrétion chlorhydrique. Aussi préfère t-on s'adresser au bouillon qui est le meilleur excitant de la sécrétion gastrique. C'est ce qui se fait notamment dans l'épreuve mise au point par Demole.

Chimisme après repas d'épreuve de Demole - Le malade prend le matin à jeun 2 grandes tasses de bouillon faites chacune avec une pointe de couteau d'extrait de Liebig délayé dans de l'eau chaude ni salée, ni assaisonnée et 3 biscottes trempées dans ce bouillon et bien mâchées. Après 45 minutes, on recueille à la sonde gastrique mince un échantillon du suc gastrique. Normalement on trouve jusqu'à 0,2 % d'acide chlorhydrique libre.

C'est cette dernière épreuve qui parait être la mieux appropriée comme test fonctionnel de l'estomac en pathologie digestive.

Que peut-on espérer de la diététique dans l'achlorhydrie ? Peut-on espérer par un régime bien compris établir une sécrétion normale d'acide chlorhydrique ? L'éventualité en est fort rare. Généralement, l'achlorhydrie une fois installée est définitive. On ne voit des achlorhydries temporaires que dans un nombre de cas limité et ce n'est généralement pas par le régime qu'elles sont corrigées, mais par la correction d'un état pathologique. La grossesse, surtout dans sa seconde moitié, peut être responsable d'une achlorhydrie qui disparaîtra après l'accouchement, de même l'hyperthyroïdie peut provoquer une achlorhydrie susceptible de disparaître par le traitement de cet état. On peut encore voir se rétablir une sécrétion chlorhydrique après une cholécystectomie ou après la correction d'une carence vitaminique. Il existe une achlorhydrie constitutionnelle qui, d'après Davidson, se rencontrerait chez 4 % des sujets jeunes et, d'après Demole, chez 8 à 14 % d'entre eux. La fréquence de l'achlorhydrie croit avec l'âge et vers 60 ans on trouve 30 % d'achlorhydrie.

Un très grand nombre d'achlorhydries sont asymptomatiques, quelques-unes d'entre elles donnent des symptômes. Celles-là seules justifient l'appellation de dyspepsie achlorhydrique. La constatation d'une achlorhydrie doit toujours faire pratiquer un examen approfondi de l'estomac, car elle peut être l'indice d'une maladie organique grave, et notamment le cancer de l'estomac.

Le diagnostic d'achlorhydrie fonctionnelle simple ne peut être posé qu'après avoir éliminé la présence d'un cancer de l'estomac ou d'une gastrite atrophique.

L'achlorhydrie joue un rôle particulièrement important dans :

1° Les anémies. L'achlorhydrie est constante dans l'anémie pernicieuse de Biermer. Elle joue un rôle tout particulier dans l'anémie hypochrome ; en effet, l'acide chlorhydrique joue une rôle prépondérant dans la libération du fer à partir des complexes sous la forme desquels il se trouve dans l'alimentation et dans la réduction à l'état bivalent du fer trivalent.

Dans les anémies, il y aura intérêt à donner de l'acide chlorhydrique au moment des repas, celui-ci indépendamment de l'action heureuse sur la digestion favorisera l'assimilation du fer.

2° Certaines affections digestives extra-gastriques et surtout certaines colites (diarrhées post-prandiales) ou certaines cholécystites qui ne sont pas provoquées mais entretenues par l'achlorhydrie. On peut voir se corriger une colite rebelle jusque-là ou une cholécystite par la potion chlorhydro-pepsique.

3° L'achylie douloureuse qui se traduit par des épigastralgies et une brûlure rétrostemale exigera aussi, pour voir disparaître ces symptômes, la prise d'acide chlorhydrique ou de potion chlorhydro-pepsique à chaque repas.

Quelles vont être les directives diététiques dans l'achlorhydrie ?

En premier lieu, il faudra veiller à l'amenuisement aussi parfait que possible des aliments par une mastication soigneuse ce qui provoquera d'une part une imprégnation de salive et d'autre par un contact plus intime avec les sucs digestifs. On évitera les mets durs et les mets grossiers ; il faudra éliminer les tendons, les cartilages, les fibres dures, les crudités. Ceci vaut même pour la viande crue dont le tissu conjonctif n'est attaqué par la trypsine que si la pepsine a préalablement agi sur lui. Il faudra limiter les boissons aux repas, qui, prises en trop grande quantité, pourraient diluer de manière excessive les sucs digestifs et les rendre ainsi moins actifs.

Faut-il donner un régime excitant la sécrétion chlorhydrique ? A ce point de vue, il faut se méfier car beaucoup des excitants de la sécrétion chlorhydrique sont des irritants et l'on pourrait ainsi créer des spasmes douloureux dans l'espoir, souvent illusoire, d'exciter la sécrétion chlorhydrique. En fait d'excitant de la sécrétion chlorhydrique, on se limitera au bouillon de viande ou à la solution de Bourget prise une demi-heure avant le repas.

Il faut rejeter l'emploi des apéritifs ou des teintures amères mises en solution alcoolique qui ne peut avoir qu'un effet nocif sur la muqueuse gastrique à jeun.

On donnera chez l'achlorhydrique le régime de ménagement moyen sous une forme assez lisse pour éviter toute irritation de la muqueuse.

Faut-il éviter les graisses ? En principe non, l'achlorhydrique peut digérer les graisses. Toutefois, certains d'entre eux les tolèrent mal. Cela proviendrait de ce que, d'après certains gastro-entérologues, beaucoup d'achlorhydriques feraient de l'insuffisance pancréatique. Lorsque ce n'est pas le cas, les graisses peuvent même être favorables car en ralentissant le transit digestif, elles prolongent le contact entre les aliments et les sucs digestifs. Il faut éviter d'une manière générale tous les aliments favorisant la pullulation de germes dans l'intestin, tels les fromages fermentés ; en effet, l'acide chlorhydrique joue un rôle antiseptique et son absence peut favoriser une pullulation microbienne excessive.

Il faut mettre en garde cette catégorie de malades contre l'usage intempestif d'eaux minérales alcalines. Prises aux repas, elles ne peuvent que ralentir la digestion ; par contre, prises une demi-heure avant le repas, elles peuvent favoriser la sécrétion chlorhydrique.

CHAPITRE XX

L'ulcère gastrique et duodénal

I. - Données générales

Peu de maladies ont donné lieu à une bibliographie aussi abondante que l'ulcère gastro-duodénal. Cette affection est une de celles dont la pathogénie et le traitement ont été le plus discutés. Elle garde encore tout son mystère.

De nombreux remèdes et de nombreux régimes ont été tour à tour proposés comme efficaces puis attaqués et enfin abandonnés pour en voir surgir d'autres. Ceci provient de l'évolution très particulière de cette affection qui procède par crises séparées par des intervalles silencieux. Les périodes douloureuses peuvent éclater même chez les patients suivant le plus scrupuleusement leur régime. Ces poussées s'éteignent après une évolution de quelques semaines. Trop facilement, le médecin a tendance à attribuer la guérison au médicament ou au régime prescrit au moment où la poussée ulcéreuse s'éteint.

Le seul critère d'amélioration de la "maladie ulcéreuse" c'est l'allongement des intervalles silencieux et le raccourcissement des poussées ulcéreuses. Un jugement ne peut être porté sur l'évolution de cette maladie qu'avec un recul d'une ou plusieurs années.

C'est toujours vers les méthodes classiques de traitement que l'on revient : régime, poudres inertes, antispasmodiques. Toutes les méthodes soit-disant pathogéniques qui ne s'accompagnent pas de régime s'avèrent, avec le recul du temps, peu profitables pour le malade.

Ceci vaut même depuis l'usage de la cimétidine. Certains médecins avaient exprimé l'avis devant l'efficacité de ce médicament qu'on pouvait abandonner le régime ; ce n'est pas vrai.

Deux principes de base dominent la qualité du régime : Pas d'irritation mécanique, pas d'irritation chimique.

La diététique et le traitement de l'ulcère doivent être entièrement guidés par l'existence d'un certain nombre de facteurs qui, sans être la cause même de l'apparition de l'ulcère, l'entretiennent.

1° **L'acidité gastrique** joue un rôle important : la coexistence de l'ulcère avec une hyperacidité du suc gastrique est très fréquente et d'autre part, l'ulcère n'apparaît que dans des estomacs contenant de l'acide chlorhydrique et il ne se développe qu'aux endroits où l'acide entre en contact avec la muqueuse gastrique. Le suc gastrique à pouvoir peptique ne crée pas la lésion mais il la localise et l'entretient. En luttant contre l'hyperacidité, on soulage le malade, on favorise la tendance à la guérison spontanée mais on ne s'attaque pas à la cause de la maladie ulcéreuse. Il n'en reste pas moins que la lutte contre l'hyperacidité est le facteur le plus important sur lequel on puisse agir pour favoriser la cicatrisation de l'ulcère. Les poudres inertes et le régime auront pour but d'éviter dans la mesure du possible le contact de l'ulcère et de l'acide chlorhydrique libre. Le point capital est de ne jamais laisser l'estomac vide.

Le lait calme les douleurs grâce à son pouvoir tampon ; il neutralise l'acide chlorhydrique d'où l'effet heureux de petites prises de lait fréquemment répétées (par exemple toutes les deux heures.).

2° L'hypermotilité gastrique semble jouer un rôle certain et notamment les spasmes en rendant plus difficile la circulation au niveau de la muqueuse rendraient celle-ci plus réceptive à l'action peptique du suc gastrique. D'autre part, une péristaltique exagérée ne semble pas favorable à la cicatrisation de l'ulcère.

C'est précisément pour éviter une motricité exagérée des parois gastriques qu'il est utile de mettre ces malades au repos et de leur faire prendre leur repas dans le calme.

3° Les facteurs émotifs et nerveux jouent un très grand rôle dans l'apparition de l'ulcère. La plupart des ulcéreux sont des sujets anxieux. Les angoisses de causes diverses ont fortement augmenté le nombre d'ulcères gastriques au cours de la guerre. Ces facteurs émotifs agissent probablement en augmentant la motricité gastrique, en provoquant des spasmes. Pour diminuer cette motricité il faut d'une part le repos physique et moral et d'autre part un régime lisse et non irritant. Il peut être utile d'adjoindre des calmants généraux (phénobarbital, prominal) et des antispasmodiques (papavérine, belladone, cimétidine).

Dans la mesure où les facteurs émotifs et nerveux jouent un rôle déterminant dans l'éclosion de l'ulcère, les malades qui en sont atteints devront éviter tout ce qui peut exciter le système nerveux, notamment ils devront éviter le café fort ou le thé fort qui, par la stimulation du système nerveux qu'ils provoquent, peuvent causer des spasmes gastriques et une sécrétion accrue d'acide chlorhydrique par l'estomac. De même, il faudra modérer l'usage du tabac qui lui aussi provoque une sécrétion d'acide chlorhydrique et excite la péristaltique gastrique et intestinale. Si on peut permettre quelques cigarettes après les repas, il faudra les déconseiller à jeun. Il est permis ainsi de trouver un compromis entre l'effet néfaste du tabac pour l'estomac et le besoin invétéré de fumer qui existe chez certains sujets. Cette attitude de compromis a plus de chances d'être respectée par le malade qu'une défense formelle ; elle lui sera plus profitable aussi car si, excédé des consignes trop formelles de son médecin, le malade décide de passer outre, il ne suivra plus aucune directive et risque de se faire un tort qui aurait pu être évité par une attitude plus souple.

II. - Les indications du régime

La multiplicité des régimes recommandés puis abandonnés pour renaître plus tard sous une forme à peine différente montre qu'il n'y a aucun régime capable de guérir un ulcère gastrique ; n'empêche que le régime, au moins au cours de la crise ulcéreuse, est un élément essentiel du traitement.

Un point a été fort discuté : l'utilité de suivre un régime entre les poussées douloureuses. Certains auteurs estiment qu'il est indispensable de poursuivre le régime même en dehors des périodes douloureuses ; d'autres auteurs en nient formellement l'utilité et prétendent que les excès alimentaires ne provoquent pas l'apparition de nouvelles poussées.

Dans une maladie d'allure aussi capricieuse que l'ulcère gastro-duodénal, il est difficile de se faire une opinion valable sur l'influence du régime sur le rythme d'apparition des crises ; il est en tout cas permis d'affirmer que bien souvent les malades atteints d'ulcère gastrique peuvent, entre les périodes douloureuses, se permettre des écarts de régime sans en pâtir. C'est même là une particularité qui permet de distinguer l'ulcère de toutes les autres affections du tube digestif. Le dyspeptique, le vésiculaire, le colitique, chaque fois qu'il commet un excès en souffre ; il est sensible à l'un ou l'autre aliment ; l'ulcéreux en dehors de ses poussées douloureuses, n'est pas sensible aux aliments.

Le régime sera donc formellement indiqué au cours des poussées ulcéreuses ; il le sera moins entre les crises. Cependant, si dans les périodes intermédiaires on peut autoriser un relâchement de la sévérité, il paraît souhaitable d'éviter les aliments trop acides (vinaigre, jus d'orange, etc), trop irritants (poivre, moutarde, etc.) ou excitant la sécrétion d'acide chlorhydrique (café fort). Il faut surtout recommander de ne jamais prendre ces aliments à jeun, car la présence d'un excès d'acide chlorhydrique non adsorbé par des aliments pourrait favoriser l'éclosion d'un nouvel ulcère. C'est ainsi que le vin et l'alcool ne peuvent pas être autorisés à jeun, mais peuvent être permis au cours ou à l'issue d'un repas. Il faut donc chez les ulcéreux condamner formellement l'apéritif.

Il faut même en dehors des poussées ulcéreuses rejeter l'emploi de certains médicaments susceptibles de provoquer un ulcère gastro-duodénal : anti-inflammatoires non stéroïdiens, cortisone et les différents glucocorticoïdes.

Chez certains malades l'estomac, même en dehors des poussées ulcéreuses, conserve une forte tendance à l'hyperacidité ; il peut y avoir intérêt à ne jamais le laisser vide ; dans ce cas même sans suivre des directives sévères au sujet des aliments à consommer, on donnera de petits repas toutes les 3 ou 4 heures et pour la nuit, on lui recommandera de prendre 1 ou 2 fois un verre de lait ou de tisane avec quelques biscuits.

Un point paraît utile à observer ; c'est de toujours, même en période de rémission, veiller à fournir une ration suffisamment large en protéines pour éviter à coup sûr toute hypoprotéinémie qui ne pourrait qu'entraver la cicatrisation s'il se produit ultérieurement une nouvelle poussée ulcéreuse.

Comme on le voit, le régime ne paraît pas devoir être sévère en dehors des crises ulcéreuses ; il y a cependant certaines consignes qui demandent à être suivies. Par contre, au cours des poussées ulcéreuses, il doit être suivi de manière scrupuleuse.

III. - LES DIVERS RÉGIMES

Les repas ont surtout pour effet de neutraliser l'acidité gastrique et par là de calmer les douleurs durant un temps qui va dépendre de la situation de l'ulcère ; il ne faut jamais laisser l'estomac vide ; il faut donc de nombreux petits repas.

Le nombre de repas paraît plus important que leur qualité du moment qu'on élimine les mets acides, les épices, l'alcool, le café fort, les fritures. Plusieurs auteurs ne croient plus aux régimes spécifiques. Il faut placer le patient dans des conditions de calme et de sérénité, lui faire garder le lit 15 jours au moins pour le soustraire à la tension nerveuse due à son activité professionnelle, aux horaires irréguliers, aux repas inadéquats.

Une remarque s'impose, c'est que tous les régimes préconisés pour l'ulcère de l'estomac sont carencés en vitamines et surtout en acide ascorbique, aussi y a-t-il intérêt à administrer des vitamines par exemple sous forme de capsules de mélange des diverses vitamines.

Voici les principaux régimes qui ont la faveur des cliniciens :

1° Régime de Sippy

C'est le plus célèbre des régimes spéciaux pour l'ulcère de l'estomac.

Il a pour but de neutraliser l'acide chlorhydrique au fur et à mesure de sa production ; à cet effet on donne entre 7 et 19 heures chaque heure un repas et entre chaque repas un paquet contenant 50 cg à 1 g de bicarbonate de soude additionné de magnésie ou de carbonate de chaux.

Voici l'ordonnance des repas qui s'étale sur un mois :

Le 1er et le 2e jours, toutes les heures de 7 heures du matin à 7 heures du soir 50 g de lait + 50 g de crème fraîche.

Le 3e et le 4e jours, la même chose mais à 8 heures du matin on ajoute un oeuf.

Le 5e jour, toutes les heures de 7 heures du matin à 7 heures du soir, 50 g de lait + 50 g de crème fraîche, en plus à 8 heures un oeuf et à 4 heures une panade de 100 g + 30 g de sucre.

Le 6e jour, la même chose, mais en plus un oeuf à midi.

Le 7e jour, toutes les heures de 7 heures du matin à 7 heures du soir, 50 g de lait + 50 g de crème, en plus à 8 heures et à midi un oeuf, à 10 heures et à 16 heures une crème de 100 g de panade et 30 g de sucre.

Les 8e et 9e jours, la même chose, mais en plus un oeuf à 18 heures.

Le 10e jour, toutes les heures de 7 heures du matin à 7 heures du soir, 50 g de lait + 50 g de crème en plus, à 8 heures, à 12 heures et à 18 heures un oeuf, et à 10 heures, 14 heures et 16 heures une panade de 100 g et 30 g de sucre.

Les 11e et 12e jours, la même chose, mais en plus, 30 g de légumes verts cuits à l'eau avec 5 g de sauce blanche bien cuite à 13 heures.

Les 13e, 14e et 15e jours, toutes les heures, de 7 heures du matin à 7 heures du soir, 50 g de lait + 50 g de crème en plus, à 7 heures une tranche de toast, à 8 heures, 12 heures et 18 heures un oeuf, à 10 heures, 14 heures et 16 heures une panade de 100 g et 30 g de sucre, à 13 heures 30 g de légumes + 5 g sauce blanche.

Les 16e, 17e et 18e jours, la mêmes chose avec en plus un toast à 19 heures.

Du 19e au 23e jour, toutes les heures de 7 heures du matin à 7 heures du soir, 50 g de lait + 50 g crème.

7 heures matin, un toast.

8 heures, un oeuf.

10 heures, panade de 100 g + 30 g sucre.

12 heures, boeuf haché 30 g.

13 heures, 30 g légumes + 5 g sauce blanche + un oeuf.

14 heures, 100 g panade + 30 g sucre.

16 heures, 100 g panade + 30 g sucre.

17 heures, 10 g riz cuit au lait.

18 heures, 1 oeuf à la coque.

19 heures, un toast légèrement beurré.

Du 24e au 28e jour, la même chose, mais à midi 60 g de boeuf.

Les légumes seront des asperges, des carottes, des petits pois ou des épinards. Lorsque le malade sera convalescent, on lui prescrit :

Petit déjeuner :
Panade 100 g
1 oeuf à la coque
1 tranche de pain grillé légèrement beurré
100 g lait avec crème

Dîner :
Potage lié
Viande de boeuf haché 60 g
Purée de légumes avec sauce à la crème 50 g

Souper :
Riz au lait 100 g
1 oeuf à la coque
1 tranche de pain grillé légèrement beurré
100 g lait avec crème

On peut augmenter progressivement la ration calorique en ajoutant entre les repas du lait avec de la crème fraîche.

On peut reprocher à ce régime de provoquer par l'ingestion d'aliments chaque heure, la sécrétion d'acide chlorhydrique qu'ensuite on neutralise. On a invoqué aussi le risque d'alcalose et de phosphaturie dû à l'ingestion continuelle de bicarbonate.

Ce régime a été presque partout abandonné dans la rigueur où il a été décrit mais il a eu le mérite de mettre le lait à la place qui lui revient, la première, et d'attirer l'attention sur l'utilité de neutraliser l'acide chlorhydrique par de petits repas répétés.

Deux autres reproches ont été faits ces dernières années au régime de Sippy, c'est d'être cause de deux complications redoutables :

1° *Le syndrome de Burnett* ou insuffisance rénale avec alcalose, hypercalcémie et néphrocalcinose. En 1949, Burnett a montré que l'ingestion de poudres alcalines et de quantités importantes de lait provoquait chez les porteurs d'ulcère gastrique ou duodénal une alcalose chronique avec néphrocalcinose.

Ce syndrome a été retrouvé par de nombreux auteurs ; les signes révélateurs sont variables : asthénie, amaigrissement, pâleur, trouble digestif, polyurie. Dans le sang, on trouve de l'acalose, un taux élevé d'urée et de calcium et un taux normal de phosphore, assez fréquemment, la kaliémie est élevée. Les urines sont alcalines, contiennent de l'albumine et quelques globules rouges et blancs ; la calciurie est normale malgré l'hypercalcémie.

A la radiographie, on observe la néphrocalcinose, parfois des calculs rénaux et des calcifications artérielles.

Ce syndrome est réversible pour autant que le diagnostic ne soit pas trop tardif ; il faut cesser les administrations de lait avec des alcalins.

2° *L'infarctus du myocarde*. Kats et surtout Goodale ont été frappés par la fréquence des morts par infarctus du myocarde chez les sujets atteints d'ulcère gastro-duodénal récidivant. Briggs avait accusé le régime prescrit d'être en cause parce que les grandes quantités de lait prescrites apportent trop de graisses saturées et de cholestérol.

Hartroft en a administré la preuve ; il collige les données recueillies à la table d'autopsie dans dix hôpitaux américains et cinq hôpitaux anglais. Son étude porte sur trois groupes de patients :

1) porteurs d'ulcère gastrique ou duodénal traité longtemps par le régime de Sippy ou un régime apparenté

2) porteurs d'ulcère gastrique ou duodénal traité autrement que par un régime riche en lait

3) patients sans ulcère gastrique ou duodénal et sélectionnés de manière à être appariés avec ceux des deux premiers groupes, selon l'âge, le sexe et la race.

Les résultats colligés dans le tableau 1 montrent clairement que

1) la maladie ulcéreuse par elle-même n'implique aucune fréquence particulière de l'infarctus du myocarde puisque les patients atteints de cette maladie ne font pas plus d'infarctus du myocarde que les sujets contrôles pour autant qu'ils n'aient pas été traités par le régime de Sippy.

2) le régime de Sippy et les régimes apparentés sont responsables de la fréquence de l'infarctus du myocarde chez les patients atteints d'ulcère gastrique ou duodénal.

Tableau 1 - Fréquence de l'infarctus du myocarde chez trois groupes de patients (Hartroft-1964)

groupes	nombre de patients		infarctus du myocarde	
	hommes	femmes	nombre	%
U.S.A.				
ulcère Sippy	85	12	35	36
ulcère pas Sippy	85	12	15	15
contrôles	170	24	30	15
Angleterre				
ulcère Sippy	74	21	17	18
ulcère pas Sippy	74	21	3	3
contrôles	148	42	16	8

2° Régime de Lenhartz

Lenhartz avait tenu au début à réagir contre les régimes de famine qu'à la fin du XIXe siècle on imposait aux ulcéreux. Pour améliorer leur état général, il recommanda un régime à base de protides.

Au début, ce régime est purement à base de lait et d'oeufs. Il recommandait de commencer à donner 3 fois par jour du lait avec des oeufs refroidis et battus en neige, même mélangés avec du vin ; il augmente ensuite rapidement le nombre de ces repas pour en prendre à la fin de la première semaine, 8 à 10 par jour.

Au cours de la seconde semaine, il ajoute de la viande crue finement râpée et du beurre.

Il arrive ensuite à un régime qui se rapproche progressivement du régime mixte.

3° Le régime de Meulengracht

Meulengracht qui reprochait à la diète de Sippy ses ingestions chaque heure du jour et sa basse teneur en protéines a mis au point un nouveau régime. Il diffère essentiellement de celui de Sippy en ce que le malade ne reçoit des aliments que toutes les 2 heures et que sa teneur en protéines est beaucoup plus élevée.

Il a montré que contrairement à ce que l'on admettait généralement, il n'y avait pas d'intérêt à réduire les protéines du régime des ulcéreux ; elles n'excitent pas chez lui la sécrétion d'acide chlorhydrique libre, l'addition d'aliments tels que du poisson bouilli, du poulet ou des oeufs, réduit de manière plus efficace le taux d'acide chlorhydrique libre et le maintient plus longtemps à un niveau bas qu'un repas composé exclusivement de lait et de crème fraîche.

Le régime de Meulengracht est accepté plus facilement par le malade parce qu'il est plus varié que celui de Sippy ou de Lenhartz.

Plusieurs des repas doivent être servis sous forme de purée semi-solide ; Davidson a montré que ceux-ci séjournent plus longtemps dans l'estomac et qu'ils neutralisent donc plus efficacement l'acide chlorhydrique.

En 1953, Meulengracht a montré sur une série de 491 cas consécutifs que dans les ulcères peptiques accompagnés d'hémorragie sévère, les lésions guérissaient plus rapidement et plus efficacement avec cette méthode qu'avec des régimes plus sévères comme ceux de Sippy ; grâce à ce nouveau type de régime, il a vu la mortalité par hématémèse tomber de 9 % à moins de 2 %. Ce régime si efficace pour des lésions graves et actives peut à plus forte raison être prescrit dans ceux qui ont des lésions moins sévères.

Ceci a été confirmé en 1986 par Kumar qui surveilla par endoscopie l'évolution de deux groupes de patients recevant tous deux de la cimétidine. Le premier recevait un régime lacté le second un régime diversifié ; après 4 semaines l'ulcère était guéri chez 53 % de ceux du premier groupe et chez 78 % de ceux du second groupe.

Voici l'ordonnance du régime de Meulengracht :

Au réveil :
    150 ml lait
    30 g crème fraîche

Petit déjeuner :
A 9 heures :
    Panade au gruau d'avoine ($\pm$ 150 g)
    30 g crème fraîche
    1 toast beurré avec 1 oeuf à la coque
    I tasse de thé

11 heures :
    150 ml lait
    30 g crème fraîche
    1 toast beurré

Déjeuner :
13 heures :
    Quantité modérée de poisson bouilli
        ou soufflé au fromage,
        ou poulet,
        ou lapin,   finement haché, en soufflé
        ou cervelle,
    Sauce blanche non assaisonnée
    Epinards, carottes ou tomates en purée
    Pommes de terre en purée
    Confiture d'orange ou de prune ou gelée de pomme
    Glucose
    30 g de crème fraîche

15 heures :
    Comme à 11 heures

Thé :
17 heures :
    150 ml lait ou 1 tasse de thé au lait
    Sucre + 30 g de crème fraîche

1 oeuf poché, à la coque ou sur le plat
1 toast beurré
Miel ou confiture
1 tranche de cake

Dîner :
19 heures :

Pudding bien cuit avec lait, oeuf et crème fraîche
Compote de fruits (pommes, prunes, abricots, poires ou bananes)
Sucre

Coucher :
Comme à 11 heures.

La nuit, à chaque réveil, 150 ml de lait.
Entre les repas, sur la journée, le jus de 2 oranges dilué avec de l'eau.

4° Le régime lacté

Le lait reste toujours l'aliment le plus indiqué chez le malade atteint d'ulcère gastrique. Cruveilhier en 1856 déjà avait recommandé cet aliment qui met l'estomac au repos et passe inaperçu.

Grâce à sa lactalbumine, le lait parvient à tamponner l'acide chlorhydrique.

Gill et Keele ont montré qu'il est capable de tamponner jusqu'à pH 4 un volume égal d'acide chlorhydrique à 0,3 % ce qui suffit à détruire le pouvoir protéolytique du suc gastrique qui entretient ou aggrave l'ulcère.

C'est le repos au lit, le repos moral et le régime lacté qui constituent l'essentiel du traitement d'attaque de la crise ulcéreuse. On y ajoutera des poudres inertes, des antispasmodiques et des vitamines.

On passe ensuite à un régime mixte progressivement élargi qui veillera à rester lisse et à écarter tout mets irritant.

Davidson a montré en recueillant par tubage gastrique toutes les heures le contenu de l'estomac que la quantité d'acide chlorhydrique par 24 heures était la plus considérable avec un régime du type de celui de Sippy où on alimente le malade toutes les heures et qu'elle était moindre avec le régime de Meulengracht où le malade ne mange que toutes les deux heures ou avec un régime comportant quatre repas légers sur la journée.

IV. - Les complications de l'ulcère gastrique

Deux complications de l'ulcère gastro-duodénal intéressent le diététicien, l'hématémèse et la sténose pylorique, qui toutes deux comportent des mesures alimentaires particulières.

1° L'hématémèse

Autrefois, le traitement de l'hématémèse comportait trois mesures thérapeutiques qui étaient considérées comme formant un tout indispensable :
1° Le repos au lit absolu.
2° Le jeûne absolu durant 24 à 48 heures.
3° La vessie de glace sur le creux épigastrique.

C'est le mérite de Meulengracht d'avoir démontré que si le repos au lit devait être maintenu, les deux autres mesures étaient nocives ; en effet, un estomac à jeun présente une péristaltique intense et le refroidissement par la vessie de glace congestionne la muqueuse gastrique.

Meulengracht mit ses malades atteints d'hématémèse immédiatement à un régime lisse assez varié qu'ils pouvaient consommer à volonté.

Il semble bien que les bons résultats obtenus par Meulengracht soient dus non pas tant aux particularités du régime qu'au fait qu'en laissant manger ses malades il leur fournissait une quantité adéquate de calories, de protéines, d'eau, de sels minéraux et de vitamines. Les malades atteints d'hématémèse et laissés au jeûne absolu présentent un bilan liquidien et azoté fortement négatif. L'expérience montre que les malades soumis au régime de Meulengrahct le supportent bien, se remettent beaucoup plus rapidement et que les hémorragies ne sont ni prolongées ni augmentées et que la mortalité est considérablement réduite.

En cas d'hématémèse, on prescrira d'emblée le régime de Meulengracht tel que nous l'avons exposé au paragraphe précédent ; il faut cependant savoir que, du moins dans la première période, il est plus important encore de s'opposer à la déshydratation que de rétablir un bilan azoté équilibré. Le vieux régime de jeûne absolu a souvent provoqué la mort par urémie parce que la réduction massive de la masse sanguine empêchait les reins de fonctionner normalement. Il faut veiller à faire boire le malade abondamment, immédiatement après l'hématémèse et en cas de choc on administrera du sérum physiologique par perfusion intraveineuse.

Si le malade est nauséeux et n'a pas envie de manger, il faudra, au cours des premières 24 ou 48 heures, vaincre son opposition et l'obliger à prendre du lait, des laitages et des oeufs. On donnera 150 g de lait toutes les 2 heures.

Meulengracht a insisté sur l'utilité de nourrir fortement le gastrorragique pour lui permettre la reconstitution rapide de son sang ; il souhaite de voir le malade consommer de 2.500 à 3.500 calories par jour avec au moins 2 litres de liquide. De cette manière, il répare plus vite les pertes sanguines et si on doit l'opérer il arrive en meilleur état de résistance à la table d'opération. A ce régime on ajoute des antispasmodiques et des alcalins, en cas de constipation, de la magnésie ; il n'est pas utile d'ajouter des hémostatiques ; ils ne sont d'aucun secours. Il est surtout important, après hématémèse, de veiller à ce que la diète soit aussi lisse que possible.

2° La sténose pylorique

Le traitement logique de la sténose pylorique est chirurgical. Toutefois, certains malades refusent de se laisser opérer sauf en cas de sténose complète, d'autres demandent à être préparés parfois durant plusieurs semaines avant l'opération ; il faut les nourrir en ménageant au mieux leur estomac, en donnant ce qui peut passer et en assurant la couverture des besoins de l'organisme.

Les principes qui doivent guider le traitement diététique de la sténose pylorique sont les suivants :

1° Eviter les aliments irritants qui peuvent provoquer des douleurs et des spasmes qui peuvent entraîner l'obstruction totale du pylore.

2° Ne consommer que des aliments vite digérés qui ne séjournent pas longtemps dans l'estomac.

Voici la liste des aliments les plus digestes avec leur durée de séjour dans l'estomac :

Viande maigre	1 à 2 h	Epinards	1 à 2 h
Lait	2 h	Carottes	1 à 2 h
Oeuf cru	1 à 2 h	Céréales	1 à 3 h
Oeuf mollet	1 à 2 h	Gélatine	2 à 3 h
Poulet bien cuit	3 h	Pain blanc	3 à 4 h
Gruau d'avoine	1 à 2 h	Beurre	3 à 4 h
Pommes de terre	2 à 3 h	Boeuf haché	3 à 4 h

On prescrira un régime choisi parmi ces aliments que l'on donnera de préférence en purée.

Faut-il faire des lavages d'estomac ? A l'heure actuelle ils sont fort en défaveur, mais ils peuvent cependant rendre de grands services dans les cas où il y a déjà ectasie de la paroi pour enlever le soir des résidus acides ou mal digérés qui risquent de séjourner toute la nuit.

V. - RÉGIME DES GASTRECTOMISÉS

L'alimentation des malades qui ont subi la gastrectomie offre un certain nombre de problèmes. On peut distinguer d'une part ceux qui se présentent dans les suites immédiates de l'opération et d'autre part ceux qui se présentent dans les suites éloignées de l'opération.

A) Suites immédiates de l'opération

Soupault et Péquignot ont exposé les principes qui doivent régir la réalimentation des gastrectomisés dans les jours qui suivent l'intervention chirurgicale.

L'opinion prévaut que le gastrectomisé supporte mal le lait ; c'est cependant le seul aliment avec lequel on puisse administrer rapidement à ces malades anorexiques et asthéniques une ration suffisante en calories et en protéines.

La réalimentation doit commencer dès que le transit intestinal est rétabli, c'est-à-dire dès le 4° ou le 5° jour.

La réalimentation du malade se fait en 4 stades durant chacun de 3 à 5 jours selon les réactions du malade et l'appréciation du médecin.

Ils sont résumés dans le tableau suivant :

Régime des gastrectomisés

Aliments en g.	Stades			
	I	II	III	IV
Lait écrémé	500	1.000	—	—
Lait entier	—	—	500	500
Sucre	50	5	50	50
Beurre	10	25	25	50
Farineux	25	25	—	—
Pommes de terre	—	100	—	—
Oeufs (pièce)	—	—	1	1
Fromage (pâte dure)	—	—	—	25
Fromage blanc	—	—	20	—
Jambon haché	—	—	50	—
Viande maigre	—	—	—	100
Biscottes	—	—	50	—
Pain grillé	—	—	—	200
Pâtes au riz	—	—	200	200
Fruits - compote	—	—	100	—
Fruits crus	—	—	—	150
Légumes verts	—	—	—	150
Protéines	20	40	50	90
Calories	500	950	1.500	2.000

Dans les suites immédiates de l'opération, il faut que l'alimentation soit peu stimulante des contractions et de la sécrétion gastrique, de manière à limiter le travail gastrique et ne pas fatiguer les sutures. Ce qui convient le mieux c'est une alimentation liquide ou molle, à prédominance lactée et pauvre en fibres.

Il sera indiqué de donner 3 repas principaux à 8 h., 12 h. et 18 h. et 3 collations à 10 h, 15 h et 21 h.

Il faut fournir dès que possible 80 g de protéines et 2000 calories. Il est en effet particulièrement important de restaurer rapidement les déficits nutritionnels liés à la maladie post-opératoire chez ces malades qui souffrant souvent depuis longtemps de troubles digestifs graves étaient déjà en mauvais état nutritionnel avant l'intervention chirurgicale.

B) Suites éloignées de l'opération

Une fois passé le cap périlleux de la réalimentation dans les suites immédiates de l'opération, le régime du gastrectomisé offre encore un certain nombre de difficultés.

1° Intolérances digestives

a) Intolérance au lait qui est très fréquente. Dans une étude de Van Goidsenhoven, 49 fois sur 94 opérés. L'ingestion de lait est très rapidement suivie de malaises que les patients ont difficile à définir : impression de ballonnement épigastrique, sueurs plus ou moins accusées, sensation d'adynamie parfois prononcée qui peut même obliger le malade à s'étendre. La durée de ces malaises n'est jamais très longue : 10 à 20 minutes. Tous ces malades évitent soigneusement le lait.

b) Intolérance pour le sucre et les sucreries. Certains malades se plaignent de malaises après l'ingestion de sucre ou de sucreries ; dans la statistique de Van Goidsenhoven 19 fois sur 94. Ces malaises ressemblent fort à ceux provoqués par l'ingestion de lait; ils sont du reste d'autant plus difficiles à distinguer de ceux-ci que ces deux aliments sont souvent pris simultanément.

c) Intolérance pour les graisses. Certains gastrectomisés se plaignent de ce que l'ingestion de mets gras leur cause des lourdeurs digestives ; 12 fois sur 94 dans la statistique de Van Goidsenhoven.

d) Intolérance pour les légumineuses. Dans les régions où l'on consomme des légumineuses, les gastrectomisés signalent fréquemment des malaises après l'ingestion de légumineuses.
Ces intolérances digestives ne sont pas les seules difficultés rencontrées chez les gastrectomisés.

2° Troubles de la glycorégulation

De nombreux auteurs ont observé chez les gastrectomisés des symptômes d'hypoglycémie vraie pouvant survenir tardivement après le repas ou l'ingestion de glucose.

La courbe d'hyperglycémie provoquée a chez le gastrectomisé une allure particulière ; après 45 minutes la glycémie est plus élevée que chez le sujet normal, après 120 minutes, la glycémie est plus basse que chez le sujet normal.

Van Goidsenhoven a étudié la courbe d'hyperglycémie moyenne chez 100 sujets non gastrectomisés et non diabétiques et chez 85 gastrectomisés. Voici les résultats obtenus :

	sujets non gastrectomisés	gastrectomisés
avant	91,4	91,9
45' après ingestion de 50 g de glucose	130,9	150,6
après 120 minutes	100,2	80,4

L'abaissement très net de la glycémie 2 h. après l'ingestion de glucose montre que les malaises tardifs peuvent être dus à l'hypoglycémie.

Deux heures après l'ingestion de glucose, la glycémie est plus basse (76,9) chez les gastrectomisés présentant des malaises tardifs, que chez ceux n'en présentant pas (84,5) ce qui vient confirmer leur origine hypoglycémique. Il existe cependant des patients qui présentent des troubles similaires de manière très précoce, 20 minutes environ après l'ingestion de glucose, à un moment où la glycémie est aux environs de 1,50 pour mille.

3° *Le dumping syndrome,* ou syndrome du petit estomac

On désigne sous le nom de dumping syndrome les malaises survenant chez des gastrectomisés à la suite d'un repas.. On distingue les malaises précoces survenant au cours même du repas ou dans la 1/2 heure qui suit et qui seuls constituent vraiment le dumping syndrome et les malaises tardifs.

a) les malaises précoces sont dus à l'irruption rapide d'aliments dans le duodénum et le jéjunum ; le tableau clinique comporte 1) des malaises allant jusqu'à un état lipothymique 2) une sensation de réplétion gastrique avec gêne épigastrique 3) de l'hypotension avec tachycardie, pâleur et transpirations. Ils durent de 15 à 60 minutes.

On les a attribués à une hypovolémie due à l'irruption d'un repas hyperosmolaire dans l'intestin ce qui entraîne une brusque sécrétion de sucs entéraux. On a pensé aussi à une sécrétion exagérée de sérotonine.

Il faut des repas peu volumineux et éviter tout ce qui favorise l'hyperosmolarité. Il faut éviter les sucres simples, les amidons très digestes, prendre 5 à 6 repas plutôt que 3 gros repas, ne pas boire en mangeant mais entre les repas, éviter les potages. Le lait est toujours mal toléré.

Chez certains patients les malaises sont déclenchés par des aliments trop chauds ou glacés ; parfois un aliment déterminé est en cause ; il faut le supprimer.

Des facteurs psychologiques peuvent être en cause ; on recourra utilement à la collaboration d'un psychologue.

b) des malaises tardifs surviennent environ 2 heures après le repas ; ils peuvent être dus à une hypoglycémie réactionnelle. Dans ce cas il faut donner un régime pauvre en glucides et riche en protéines.

Parfois ils sont dus à une hypokaliémie ; il faut donner dans ce cas des cachets d'un sel de potassium.

Ces syndromes tardifs sont rares.

4° *Des troubles nutritionnels*

1) Une dénutrition profonde liée à l'insuffisant apport et à la médiocre digestion des protéines de la ration alimentaire ;chez eux s'installe progressivement une déperdition de leurs protéines et on peut voir s'installer un état d'hypoprotéinémie grave avec oedèmes.

Ces cas doivent être traités par un régime riche en protéines comme tous les cas d'hypoprotéinémie. Il faudra à chaque repas adjoindre des capsules de ferment digestif.

2) De l'anémie ; celle-ci peut revêtir :
a) le type hypochrome et est provoquée par une carence en fer liée à l'achlorhydrie. Le manque d'acide chlorhydrique empêche que le fer des aliments soit ionisé et que ne soit assuré le maintien du fer à l'état ferreux.

Pour combattre cette anémie, il faut à chaque repas administrer 10 gouttes d'acide chlorhydrique officinal en même temps que des aliments riches en fer.

b) le type hyperchrome et est provoquée par l'absence du facteur intrinsèque ; son traitement exige l'administration de vitamine B_{12}.

3) Des états larvés de dénutrition, liés souvent à des déperditions fécales miscroscopiques de graisse. Beaucoup de gastrectomisés qui ont récupéré même parfaitement leur capacité de travail ne retrouvent pas leur poids normal pour cette raison ; cet état chronique de dénutrition peut entraîner soit une cachexie progressive, soit une tuberculose pulmonaire. Ceci doit inciter les médecins à faire retrouver leur poids aux gastrectomisés.

VI. - L'ULCÈRE PEPTIQUE

L'ulcère peptique est une des complications les plus graves de la chirurgie gastrique ; il survient dans les suites d'une gastrectomie ou d'une gastro-entérostomie. La gravité de l'ulcère peptique vient de ce qu'il peut se perforer ou donner lieu à des hémorragies ; par les douleurs qu'il provoque il crée souvent chez le malade une crainte de manger et en fait un invalide cachectique.

L'ulcère peptique peut être la conséquence d'une technique chirurgicale défectueuse mais très souvent il est à la fois la cause et la conséquence d'une hypoprotéinémie. Il s'instaure un cercle vicieux ; l'ulcéreux est en malnutrition et la malnutrition entretient l'ulcère. Très souvent on est amené à réintervenir, mais cette nouvelle intervention ne sera efficace que dans la mesure où on aura rétabli chez le patient une protéinémie normale.

Les principes directeurs du régime seront :

1) réalimentation progressive. Les patients sont généralement anorexiques et consomment une ration à la fois hypocalorique et hypoprotidique ; ils ont très souvent un dégoût pour la viande. Si on veut réalimenter le malade de manière trop rapide, on risque de provoquer des diarrhées et des vomissements ce qui aurait pour conséquence d'aggraver la dénutrition

Il faut commencer par une ration initiale voisine de celle que prend spontanément le malade, par exemple 1.400 calories et 50 g de protéines ; on augmente tous les jours la ration de 200 ou 250 calories et de 10 g de protéines pour arriver en 5 ou 6 jours à un régime à la fois hypercalorique et hyperprotidique pour un malade alité ; par exemple 2.500 calories et 90 à 100 g de protéines. Ceci est indispensable pour relever l'albuminémie et par là favoriser la cicatrisation de l'ulcère.

2) régime lisse de manière à éviter tout irritation de la muqueuse gastrique. Ceci ne peut que faciliter la digestion ; d'autre part la présence de fibres dures par leur irritation mécanique ne pourrait que retarder la cicatrisation de l'ulcère.

Le régime lisse a l'avantage de permettre l'introduction de viande à l'insu du malade. Une viande finement moulue pourra être introduite dans les purées enrichies.

3) alimentation fractionnée. Il ne faut pas oublier que presque tous ces malades sont des gastrectomisés et que l'introduction d'une ration trop importante peut provoquer le " dumping syndrome ".

4) le choix des aliments portera surtout sur des produits laitiers en raison de l'effet protecteur sur la muqueuse irritée ; lait, fromage blanc, petits suisses, gervais, yaourts, etc.

Avec Traissac on peut recommander :

Aliments interdits	*Aliments permis*
Charcuterie, coquillages,	Lait, yaourt, fromage blanc
Crustacés	Fromage, poissons
Légumes secs, petits pois	Viandes maigres, abats, jambon
Légumes crus ou à fibres	Oeufs à la coque, durs, pochés
choux, céleris, tomates, poireaux,	Légumes cuits, carottes, asperges
poivron, champignon, piment	betteraves, fonds d'artichauts,
Epices, condiments	courgettes, laitues, endives,
	épinards, haricots verts.
Pain frais, pain complet	Pain grillé, biscotte, biscuits

Fruits crus ou oléagineux

Sauces, fritures, ragoûts

Pâtisseries à la crème

Fruits cuits, confitures, gelées.

Sucre, miel

Beurre frais, huile crue.

VII. - RÉALIMENTATION DES FISTULES DIGESTIVES

Les fistules digestives retentissent sur l'état de nutrition par des mécanismes physiopathologiques divers selon leur situation (hautes ou basses, internes ou externes) et selon leur étiologie (inflammatoires, néoplasiques, post-opératoires).

Du point de vue nutritionnel, il faut distinguer :

1) **Les fistules digestives hautes** ; elles sont toujours à grand débit ; il ne faut pas oublier que du cardia à l'angle de Treitz sont normalement absorbés chaque jour, outre 1,5 litre de boisson, 1 litre de salive, 2 à 3 litres de suc gastrique, 2 litres de suc pancréatique et 1 litre de bile.

a) *les fistules externes* vont provoquer la perte de quantités importantes de sécrétions digestives ;

b) *les fistules internes* qui perturbent l'absorption intestinale par contamination bactérienne rétrograde du tractus digestif proximal ; ceci peut entraîner une dénutrition avec hypoprotéinémie, une anémie macrocytaire, des diarrhées osmotiques avec steatorrhée, de l'hypocalcémie et une carence en vitamines liposolubles.

2) **Les fistules digestives basses** dont le retentissement nutritionnel est dû moins aux fuites de nutriments qu'aux répercussions sur l'état général par anorexie ou infection.

a) *les fistules externes* entraînent surtout des pertes d'eau et d'électrolytes et guère de résidus alimentaires ;

b) *les fistules internes* ou communication iléo-colique, colo-colique, colo-vésicale ou colo-vaginale.

Le pronostic des fistules digestives était autrefois fort grave puisque Edmunds, sur une série de 157 patients, rapportait une mortalité de 62 % pour les fistules digestives hautes et de 16 % pour les fistules digestives basses.

On doit à Santy et Mallet-Guy d'avoir à Lyon en 1937 déjà montré l'effet heureux de l'utilisation du tube d'Einhom pour le gavage des patients atteints de fistule duodénale ou gastrojéjunale post-opératoire.

La généralisation, depuis une trentaine d'années, de l'hyperalimentation précoce a considérablement modifié le pronostic puisque Mc Fayden, grâce à l'hyperalimentation intraveineuse, voyait la mortalité des fistules gastro-intestinales tomber à 6,6 % et que Himal, grâce à l'hyperalimentation mixte, c'est-à-dire à la fois intraveineuse et entérale, la voyait tomber à 8 %.

Pour la technique de cette réalimentation, on se rapportera aux chapitres V et VI.

CHAPITRE XXI

Les affections hépatiques

Peu d'organes ont été accusés aussi facilement que le foie d'être en cause dans un nombre de malaises fort divers, et cela bien souvent sans aucune preuve ; on accuse l'insuffisance hépatique dans les intolérances aux graisses, aux oeufs, au chocolat ; on l'accuse encore dans l'urticaire, dans la migraine, dans les fatigues inexpliquées. Ces accusations sont lancées, faut-il le dire, à la légère.

Le foie est la glande la plus volumineuse de l'organisme ; il remplit un grand nombre de fonctions, il transforme les substances nutritives qui le traversent, il élabore des protéines, il sécrète la bile, il arrête les toxiques. De nombreuses épreuves fonctionnelles permettent de confirmer l'atteinte du parenchyme hépatique que la clinique rend déjà probable.

Seules des atteintes diffuses du parenchyme hépatique peuvent provoquer une altération des fonctions hépatiques ; en effet, une métastase détruisant tout un lobe hépatique ne provoque aucun signe d'insuffisance hépatique tandis qu'une affection bénigne comme l'ictère à virus, qui guérit tout à fait mais atteint l'ensemble du parenchyme, provoque une altération transitoire des fonctions hépatiques.

En principe, le terme hépatite ne s'applique qu'aux inflammations diffuses du parenchyme hépatique ; en pratique on applique aussi le terme hépatite à toutes les réactions dégénératives résultant d'une atteinte de ce parenchyme.

On distingue trois formes d'hépatite : 1° l'atrophie jaune aiguë ou subaiguë qui se rencontre dans la toxémie de la grossesse, dans certaines maladies infectieuses (pneumonie, dysenterie amibienne, etc.), dans certaines intoxications (chloroforme, phosphore, atophan, arsphénamine, trinitrotoluène) ; 2° l'infection hépatique à virus, bénigne dans la plupart des cas et décrite sous le nom d'ictère catarrhal ; 3° la cirrhose ou hépatite chronique interstitielle qui provient presque toujours de l'intoxication alcoolique chronique mais peut aussi se voir à la suite de certaines infections chroniques et notamment dans la malaria.

I. - PRINCIPES DU TRAITEMENT

La première consigne consiste à supprimer la cause lorsque la chose est possible : soin de l'infection, suppression du toxique, etc.

Le traitement diététique va dépendre surtout de : 1° la gravité de l'atteinte du parenchyme ; 2° la présence ou l'absence d'ictère ; celui-ci signifie une atteinte grave des cellules hépatiques avec obstruction des canalicules biliaires ; dans la cirrhose la régénération des cellules et des canalicules biliaires est suffisante, sauf dans le stade terminal, pour empêcher l'apparition d'ictère.

Toute atteinte de la cellule hépatique entraîne le dépôt de gouttelettes de graisse dans son protoplasme pouvant aller jusqu'à la dégénérescence graisseuse du foie. Il faut éviter les apports élevés de graisse qui pourraient accentuer le processus, mais on n'est plus partisan comme autrefois de restrictions sévères.

Depuis que Opie et Alford avaient montré en 1914 que l'apport d'une large ration d'hydrates de carbone protège le foie du chien contre l'intoxication par le chloroforme, on acceptait en clinique comme une vérité démontrée que le régime riche en glucides protège le foie contre les agents hépato-toxiques ; le régime riche en hydrates de carbone constituait la base du traitement diététique des affections hépatiques. Contrairement à ce qui se faisait autrefois, on recommande une ration raisonnable de protéines, cela pour plusieurs raisons :

La fonction de désamination des acides aminés est la dernière à être touchée dans les atteintes du parenchyme hépatique ; d'autre part la réparation des tissus et notamment du parenchyme hépatique se fait au dépens des protéines ; la pauvreté du régime pourrait retarder cette réparation et favoriser l'hypoprotéinémie avec toutes ses conséquences.

On n'attache plus la même importance qu'autrefois aux facteurs lipotropes (méthionine et choline) car les conditions expérimentales où l'on a montré leur utilité ne sont pas comparables aux maladies humaines.

Si on estime devoir donner une ration normale de protéines on est devenu adversaire des régimes hyperprotéinés de Patek qui recommandait 150 à 300 g de protéines par jour ; ils ont favorisé des encéphalopathies.

A côté de son rôle dans le métabolisme des protéines, le foie joue un rôle important dans l'assimilation des vitamines. D'abord, la sécrétion biliaire grâce au pouvoir émulsifiant des sels biliaires, en permettant la digestion et par là, la résorption des graisses, est indispensable pour l'utilisation par l'organisme des vitamines liposolubles A, D, E et K. En cas d'atteinte sérieuse du parenchyme, cette fonction ne s'exerce plus ; d'une part, on peut voir dans les cas chroniques apparaître des signes d'avitaminose A si on ne fournit pas une large ration de vitamine A ; d'autre part, si on donne largement du carotène on peut voir apparaître de la carotinémie. C'est le foie aussi qui, sous l'influence de la vitamine K, élabore la prothrombine, élément important de la coagulation sanguine ; en cas d'atteinte du parenchyme hépatique, on voit des troubles de la crase sanguine liés à la carence en vitamine K. Enfin, la résistance du foie aux agents hépato-toxiques parait liée à l'apport de vitamines du groupe B. Chez l'animal d'expérience, la cirrhose peut être produite par un régime carencé en complexe B. On a pu expérimentalement mettre en évidence le rôle de l'aneurine, de la riboflavine, de la pyridoxine, de la vitamine B_{12} mais aucune de ces vitamines, même en mélange, ne protège aussi bien le foie que la levure.

Il faudra donc donner dans les hépatites un régime large en vitamines et notamment de la levure sèche qui, pour éviter les troubles digestifs, sera donnée de préférence à la dose d'environ 15 g dans du jus de tomate.

II. - L'ATROPHIE JAUNE AIGUË

C'est une maladie extrêmement grave : le malade présente des nausées et même des vomissements qui peuvent être abondants ; il y a acidose et souvent déshydratation qui peuvent conduire à l'inconscience ou au délire. Les cellules hépatiques sont gravement endommagées ; il importe avant tout de les soulager.

On sait que la gravité de cet état est liée à la présence d'ammoniac dans le sang ; celui-ci a pour origine la présence de protéines non digérées dans le côlon ; la putréfaction de celles-ci donne lieu à la formation d'ammoniac.

C'est la raison pour laquelle on ne recommande plus aujourd'hui les régimes exagérément hyperprotéinés dans les affections du parenchyme hépatique. Dès que l'on voit chez un malade les signes d'intoxication liés à l'ammoniémie, il faut supprimer les protéines du régime et désinfecter l'intestin au moyen d'antibiotiques à haut spectre d'action (chloramphénicol, terramycine, etc.).

Au début, on se contentera d'administrer des liquides, du glucose, ensuite une quantité modérée de protéines.

On donnera 2 à 3 litres de liquide par jour ; celui-ci sera administré par petites quantités toutes les heures. Pour donner des vitamines et des hydrates de carbone, on donnera une grande quantité de jus de citron et de fruits sucrés avec du glucose ou additionné de lactose. On s'efforcera de donner 200 à 300 g d'hydrates de carbone par jour.

L'apport de protéines sera limité à 50 g par jour ; celles-ci seront données surtout sous forme de lait frais écrémé ou de lait en poudre écrémé. On donnera environ 1,5 litre par jour, ce qui correspond à 50 g de protéines dont 80 % sont constitués par de la caséine, riche en méthionine.

Le tube digestif est toujours atteint au cours des hépatites graves, aussi peut-il y avoir intérêt pour faciliter la digestion du lait à le prédigérer au moyen de pepsine ou de trypsine ou bien à administrer des hydrolysats de caséine.

A ce stade, le bilan azoté est toujours négatif ; il n'est pas possible de l'équilibrer.

Parfois l'état du malade est si grave qu'on ne peut l'alimenter par la bouche. On peut alors l'alimenter par la sonde gastrique ou duodénale où l'on introduira des solutions glucosées.

Parfois, on devra recourir à l'administration parentérale ; on donnera du glucose ou du lévulose en solution à 10 % dans de l'eau ou du sérum physiologique.

III. - L'ICTÈRE À VIRUS

Certains cas d'hépatite virale débutent par une gastro-entérite qui peut revêtir une allure assez sérieuse ; dans ces cas, il faudra au début s'en tenir à l'eau ou au thé sucré ; on peut même dans certains cas extrêmes être amené à administrer du sérum glucosé à 10 % en perfusions intraveineuses. Cette période critique ne dure généralement guère plus de 24 à 48 heures.

Les troubles digestifs pourront aussi amener au début à prescrire un régime analogue à celui de l'atrophie jaune aiguë, c'est-à-dire lait écrémé, jus de fruits, boissons sucrées.

Dès que la chose est possible, il faut passer à un régime normal, bien équilibré ; un malade qui s'alimente bien raccourcit la durée de sa maladie et de sa convalescence.

Chalmers à la suite d'études faites sur de jeunes soldats des troupes du Pacifique où il y eut de nombreux cas d'hépatite à virus A avait recommandé un régime contenant 150 g de protéines et 3.000 à 4.000 calories, mais des études faites par Leone sur 67 malades civils atteints d'hépatite à virus B n'ont pas confirmé le raccourcissement de la maladie, au contraire chez plusieurs malades elle fut allongée et beaucoup gagnèrent un poids excessif dont ils eurent difficile dans la suite à se défaire.

On n'est plus partisan comme autrefois de restrictions de graisse sévères.

L'introduction d'une ration normale de graisse rendit aussi le régime plus facile à faire accepter par le malade. A l'heure actuelle on préconise pour les malades atteints d'hépatite virale un régime comprenant à peu près 3.000 calories, 400 g d'hydrates de carbone, 100 à 120 g de protéines et 80 à 100 g de graisses.

Bien entendu, cette ration alimentaire doit être administrée sous une forme facile à digérer.

Il faudra administrer les hydrates de carbone sous la forme de céréales, de riz, de pain grillé, de biscottes, de sucre ; pour augmenter la ration calorique, on peut ajouter au régime du glucose ou du lactose.

Les protéines seront administrées sous forme de lait, de fromage blanc, de viande maigre grillée ou crue finement hachée et de poisson maigre bien frais.

La graisse sera administrée sous forme de lait, de crème fraîche, de beurre et d'huile.

Il faudra éviter toutes les graisses lourdes à digérer et notamment la margarine, le lard, les charcuteries, les viandes grasses, l'oie, le canard, le saumon, les harengs, les sardines, les pâtisseries, le chocolat, les fromages gras. Il faudra éviter de cuire les graisses et ne les ajouter aux aliments qu'après cuisson.

Il faut interdire toutes les substances toxiques et au premier chef l'alcool ; il faut aussi proscrire les épices, le café fort, le thé fort, le cacao.

L'administration de vitamines au cours de l'hépatite à virus ne paraît utile que chez ceux qui au départ ont un mauvais état de nutrition.

Voici un exemple de régime contenant 3.000 calories, 400 g d'hydrates de carbone, 100 g de protéines et 90 g de graisses.

Matin au réveil :
    1 verre de jus de fruit sucré.

Petit déjeuner :
    5 à 6 cuillerées de gruau d'avoine ou d'une autre céréale.
    200 g de lait entier.
    1 tranche de pain grillé.
    10 g de beurre.
    Confiture.
    Thé faible avec sucre et lait.

Avant Midi :
    1 verre de jus de fruit sucré.

Déjeuner :
    125 g de viande grillée ou poisson blanc bouilli.
    25 g de beurre.
    125 g de pommes de terre.
    Légumes étuvés.
    Crème faite de lait et de céréales.
    Fruits frais ou compote sucrée.

Goûter :
    Une tranche et demie de pain grillé.
    15 g de beurre.
    Confiture ou miel.
    Thé faible avec sucre et lait.

Dîner :
    2 tranches de pain grillé.
    20 g de beurre.
    Confiture ou miel.
    80 g viande grillée ou poisson.
    Thé faible avec sucre et lait.
    Fruits frais ou compote sucrée.

Au coucher :
    1 jus de fruit sucré.

Il faudra recommander au malade de manger lentement et de bien mâcher ses aliments.

La ration quotidienne sera pour les aliments suivants de :

500 g de jus de fruit additionné de 100 g de glucose.

750 g de lait entier.

50 g de miel ou confiture.

60 g de sucre (saccharose).

Si tous les auteurs sont d'accord sur la nécessité de supprimer toute boisson alcoolique au cours de l'ictère à virus, Gardner a montré que l'habitude qu'ont certains d'interdire toute boisson alcoolique durant un an après la guérison totale est sans fondement. Il faut remarquer que si l'hépatite à virus B est plus grave et sa durée plus longue, le traitement diététique est le même.

IV. - LA CIRRHOSE

La cirrhose représente l'atteinte chronique de la cellule hépatique ; elle est très souvent consécutive à l'usage immodéré de l'alcool, aussi faudra-t-il interdire absolument toute boisson alcoolique chez le cirrhotique ; Fiessinger a attiré l'attention sur la nocivité toute particulière de l'alcool pris à jeun et notamment des apéritifs.

On ne peut assez insister sur le rôle néfaste de l'alcool pour le foie ; dans les pays d'Europe occidentale, lui seul doit être accusé dans la cirrhose. Il ne faut jamais se fier aux dénégations des malades, surtout les femmes, qui ont toujours de la répugnance à avouer leur éthylisme.

Au cours de la guerre 1939-1945, malgré que le régime fût pauvre en protéines, ce qui était un élément défavorable, les cirrhoses alcooliques avaient presque disparu des hôpitaux parisiens, parce que la consommation de vin et d'alcool avait fortement diminué ; les cirrhoses ont réapparu avec la reprise de la consommation d'alcool et de vin.

Au niveau du foie, l'alcool subit l'action de l'alcool-déshydrogénase (A.D.H.) ; le foie est le seul organe riche en A.D.H., mais cette richesse est toute relative ; (1 pour 1.000 d'A.D.H. au maximum). Un homme de 75 kg dispose d'à peu près 1,50 g d'A.D.H. hépatique, ce qui lui permet d'oxyder tout au plus 200 g d'alcool éthylique par jour

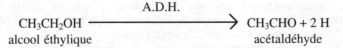

$$CH_3CH_2OH \xrightarrow{\text{A.D.H.}} CH_3CHO + 2\,H$$
alcool éthylique   acétaldéhyde

Cette réaction n'évolue dans le sens de la flèche que si les 2 ions H^+ sont immédiatement captés par le coenzyme N.AD. qui se réduit en N.A.D.H. + H^+.

L'oxydation de l'alcool consomme donc beaucoup de coenzyme N.A.D. qui manque pour d'autres métabolismes ; comme le foie doit disposer de ce coenzyme sous forme oxydée, un couplage s'opère et le coenzyme réduit, N.A.D.H., cède son H à l'acide pyruvique qui se transforme en acide lactique, d'où l'acidose de l'éthylisme.

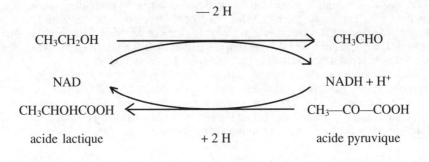

acide lactique   + 2 H   acide pyruvique

Lorsque le niveau d'alcool éthylique est trop élevé, un second système enzymatique entre en jeu pour l'oxyder en acétaldéhyde, c'est le système X.O.C., xanthine-oxydase-catalase. Mais ce système procède en 2 étapes ; il produit un peroxyde, H_2O_2, en transformant un substrat aldéhydique R-CHO selon le schéma suivant :

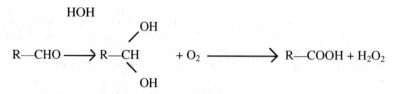

ensuite, la catalase utilise le peroxyde pour oxyder l'alcool éthylique selon le schéma suivant :

$$CH_3CH_2OH + H_2O_2 \xrightarrow{\text{catalase}} CH_3CHO + 2\ H_2O$$

Pour trouver en quantité suffisante le substrat aldéhydique pour la xanthrine-oxydase-catalase, il faut qu'il y ait démolition préalable des nucléotides avec libération des bases puriques qui servent d'aldéhydes.

Cette voie secondaire s'attaque donc aux éléments les plus nobles de la cellule, favorisant une dénutrition azotée.

Enfin l'acétaldéhyde formé a une affinité pour le coenzyme A bien supérieure à celle de l'acétate, ce qui va encore ralentir les différents métabolismes dépendant de ce facteur. La production accélérée d'acétyl coenzyme détourne une partie de l'alcool éthylique de sa voie énergétique normale et l'utilise à la biosynthèse d'acides gras, de lipides et de cholestérol qui concourent à la dégénérescence graisseuse du foie.

Des études isotopiques ont montré que ces biosynthèses se font très rapidement.

D'autre part, à cause de son inappétence et aussi souvent pour de simples motifs budgétaires, l'alcoolique consomme peu d'aliments riches en protéines qui sont coûteux. Mallet-Guy pense, en outre, que les altérations de la muqueuse duodénale empêchent la résorption des acides aminés provoquant une accentuation du déficit en protéines.

Ce n'est pas l'alcool concentré seul qui provoque la cirrhose ; le vin et même la bière sont susceptibles de la produire ; il faut donc chez le cirrhotique supprimer entièrement l'alcool, même le plus dilué. On ne peut soutenir, comme l'ont fait certains médecins légers, qu'il y a intérêt à promouvoir l'usage du vin et de la bière pour voir diminuer le danger d'alcoolisme provoqué par les alcools plus concentrés ; qu'il suffise de rappeler qu'en France chaque année la mortalité des hommes de 35 à 50 ans est d'environ 30 % supérieure à celle des femmes. Cette courbe de surmortalité masculine suit fidèlement la courbe de production du vin ; elle a baissé l'année du phylloxera et au cours des deux guerres mondiales.

Tant que l'alcoolique mange bien, et notamment assez de protéines, sa cirrhose est bien compensée ; les choses se gâtent le jour où il perd l'appétit et ne consomme plus assez de protéines ; rapidement il entre dans le stade de la cirrhose décompensée ; on n'insistera jamais assez sur le fait que la cirrhose est avant tout une maladie par carence. Il faut tout mettre en oeuvre pour vaincre la répugnance à manger qu'éprouvent les cirrhotiques.

Il faut donner une ration calorique suffisamment large : 2.000 à 2.500 calories par jour. On ne croit plus au régime hyperprotéiné de Patek qui recommandait 200 à 300 g de protéines par jour car il a précipité des encéphalopathies portocaves chez certains sujets prédisposés. Actuellement on est partisan d'un régime bien équilibré apportant 1 g à 1,5 g de protéines par kg de poids du corps par jour ; on ne croit plus à la nécessité de restrictions sévères de graisse ; on recommande une ration normale, c'est-à-dire 1,20 à 1,50 g de graisse par kg de poids du corps et par jour.

On ne croit plus à la nécessité d'administrer des facteurs lipotropes comme la méthionine, la choline ou l'inositol.

Le cirrhotique ne parvenant plus à faire de dédoublement des carotènes présente facilement des signes d'avitaminose A et de la carotinémie s'il consomme beaucoup de légumes. Il faudra fournir à ce malade de la vitamine A au besoin sous forme médicamenteuse.

Les manifestations cliniques d'avitaminose A chez le cirrhotique ne sont pas nécessairement le fait d'un manque d'apport de cette vitamine mais peuvent être la conséquence de la consommation d'alcool elle-même. Le rétinol ou vitamine A, que l'on trouve dans les aliments (beurre, oeufs, foie), doit pour être actif au niveau tissulaire être transformé en rétinal or cette transformation se fait sous l'action de l'alcool-déshydrogénase (A.D.H.) qui sert à transformer l'éthanol en acétaldehyde. Cet enzyme agissant par priorité sur l'éthanol, chez l'alcoolique chronique le rétinol n'est pas ou insuffisamment transformé en rétinal.

Très facilement le cirrhotique montre des signes de carence en complexe B ; on le mettra à l'abri de celle-ci en lui faisant prendre chaque jour 30 g de levure sèche.

Dans la cirrhose il y a fréquemment une anémie mégalocytaire modérée ; celle-ci est à rattacher à une carence en acide folique. On a pu montrer en effet que l'alcool éthylique d'une part empêche la résorption de l'acide folique et d'autre part empêche l'acide folique d'exercer son action favorable sur l'hémopoïèse.

En cas d'alcoolisme chronique le taux plasmatique d'acide folique est habituellement sous la normale (3 à 12 ng/ml) ; dans ce cas il faut non seulement donner 1 ou 2 mg d'acide folique per os chaque jour, mais il faut aussi supprimer l'alcool. On voit alors une crise réticulocytaire et une réparation rapide de l'anémie.

On prescrit généralement le régime du second stade du traitement de l'ictère à virus élargi jusqu'à 70 g de graisse par l'addition d'un peu de beurre ou de jambon.

Il faut bien souvent lutter contre l'anorexie des malades liée à leur gastrite achylique ; il est indispensable de le faire si on veut remédier à leur carence protéinique. La carence protéinique peut, en effet, à elle seule provoquer l'apparition de la cirrhose ; on en connaît des exemples en Afrique, aux Indes, à la Jamaïque où elle survient chez les enfants mal alimentés et peut guérir, même au stade ascitique, par un apport élevé de protéines.

En pratique, le régime à prescrire dans les cirrhoses est un régime modérément hyperprotéiné et désodé. Il n'est pas toujours facile à faire accepter par le malade car certains d'entre eux se lassent vite des laitages.

En cas d'ascite, un problème nouveau surgit. L'ascite est due à deux facteurs : la rétention de sodium qui entraîne une rétention d'eau et l'hypertension portale qui localise a la cavité péritonéale cette rétention hydro-saline.

Le régime désodé joue un rôle extrêmement important dans le traitement de la cirrhose avec ascite et avait déjà été recommandé en 1903 par Achard. Le régime désodé a connu une moins grande fortune dans la cirrhose avec ascite que dans la décompensation cardiaque ou la néphrite parce que ses résultats sont moins constants. Ils sont moins constants dans la cirrhose avec ascite parce que la rétention sodée y est beaucoup plus grande. Beaucoup de cirrhotiques ont une élimination sodée de moins de 50 mg par 24 heures ; si on veut que le régime désodé soit efficace, il faut qu'il apporte moins de sodium que le malade n'en élimine, c'est-à-dire que la ration de sodium doit être inférieure à 100 mg par jour. Davidson et Fauvert ont tous deux montré qu'avec un régime très pauvre en sodium, on faisait disparaître l'ascite dans une moitié des cas, mais qu'il fallait l'appliquer pendant plusieurs mois et attendre parfois plusieurs semaines avant de voir se manifester son action.

Un régime aussi sévère ne peut se faire que dans un centre hospitalier disposant de diététiciennes compétentes.

Heureusement dans beaucoup de cas un régime aussi sévère n'est pas nécessaire ; il suffit de limiter l'apport de sel à 1 g ou 1,5 g par jour ce qui est réalisable à domicile.

L'obligation de donner une ration de sodium basse entraîne l'obligation de donner une ration protidique basse ; il est plus important de donner peu de sodium que de donner assez de protéines dans ces cas.

On ne peut se baser sur la natrémie dans les cas de cirrhose avec ascite ; elle peut être basse, même en cas de rétention sodique et revenir à la normale avec la disparition de l'ascite.

Plusieurs travaux ont attiré ces dernières années l'attention sur les déplétions en oligoéléments que l'on voit chez les cirrhotiques ; c'est surtout vrai pour le fer, le cuivre, le zinc et le sélénium. Cette déplétion est due pour une large part au faible apport dans la ration alimentaire des cirrhotiques mais aussi, du moins pour le zinc à une élimination urinaire fortement accrue.

Nève et ses élèves ont montré que l'apport en sélénium était de l'ordre de 40 µg/j au lieu de 70 µg/j, celui de fer était inférieur à 6 mg/j au lieu de 10 mg/j au moins, celui de cuivre de moins de 0,8 mg/j au lieu de 2 à 3 mg/j. L'excrétion de zinc par les urines des patients de Extremera était de $\pm$ 1.500 µg/j au lieu de 600 µg/j chez les témoins.

Pareille déplétion en zinc est préjudiciable pour le cirrhotique car elle entraîne une diminution de la synthèse des immunoglobulines et donc un manque de résistance à l'infection ; en outre le zinc est indispensable à la réhabilitation nutritionnelle. Le Se joue un rôle important en limitant la production d'hyperoxydes organiques et de radicaux libres engendrée par l'alcool ; la carence en Se peut donc engendrer l'autoaggravation de la cirrhose. La carence en fer contribue à créer et entretenir l'anémie de même que la carence en cuivre qui par son appartenance à la céruloplasmine favorise la mobilisation du fer.

V. - L'ALIMENTATION APRÈS ANASTOMOSE PORTOCAVE

L'hypertension portale de certains cirrhotiques peut provoquer la formation de varices oesophagiennes fort importantes. La rupture d'une varice oesophagienne est un mode de mort assez fréquent chez le cirrhotique.

On estime à l'heure actuelle que la seule thérapeutique efficace de cette complication redoutable est l'anastomose porto-cave qui dérive ainsi la circulation de la veine porte vers la veine cave. Cette intervention ne se fait que chez les patients dont la vie est menacée par des hémorragies gastriques massives : la simple présence de varices oesophagiennes n'est pas une indication suffisante.

L'intervention consiste le plus souvent en une anastomose termino-latérale de la veine porte dans la veine cave inférieure. Cette opération audacieuse entraînant la suppression de l'irrigation du foie par son tronc vasculaire principal avait suscité bien des objections et des inquiétudes. Il est surprenant de voir combien le foie cirrhotique supporte facilement cette dérivation.

Du point de vue alimentaire il existe cependant un danger qui va imposer certaines mesures diététiques, c'est celui du court-circuit qui amène directement vers le coeur certains produits nocifs provenant de l'intestin via les veines mésentériques sans passer par le filtre hépatique.

Le foie constitue normalement une barrière qui détoxique un certain nombre de substances ; ceci est surtout vrai pour l'ammoniaque qui se forme dans l'intestin à partir des protéines. Chez le sujet normal il est arrêté par le foie qui synthétise à ses dépens de l'urée. Quand il y a court-circuit porto-cave, l'ammoniaque passe directement dans la grande circulation et par les artères cérébrales va léser les cellules du système nerveux central.

L'encéphalopathie portale est une redoutable complication des suites immédiates de l'anastomose porto-cave. L'hyperammoniémie est la responsable des troubles nerveux et psychiques qui suivent cette intervention.

On distingue une forme épisodique aiguë de cette affection et une forme chronique irréversible.

Eviter la formation d'ammoniac dans l'intestin doit être le souci majeur dans les suites immédiates de l'intervention. Pour cela des mesures s'imposent ; d'une part, l'administration d'antibiotiques qui exterminent les bactéries intestinales qui produisent l'ammoniac par désamination des protéines et des acides aminés et d'autre part, par des mesures diététiques.

Les mesures diététiques consisteront en :

1. *réduction de la ration de protéines* ; les premiers jours, on les réduit très fortement et on peut mêmes les supprimer ; ensuite, on les réintroduit prudemment en augmentant la ration de 10 à 20 g tous les 2 à 5 jours en se basant sur l'état clinique. On arrive souvent à en faire tolérer 60 g.

2. *surveillance de la qualité des protéines* car la quantité n'est pas le seul élément qui intervienne dans l'ammoniogenèse.

Depuis les travaux de Fenton en 1966, largement confirmés par Paccalin et Traissac à Bordeaux, on sait qu'il faut faire une distinction entre les protéines du lait et les protéines de la viande. Les protéines du lait favorisent beaucoup moins l'ammoniémie que celles de la viande ; on peut fournir à des patients atteints d'encéphalopathie porto-cave une ration de 60 à 80 g de protéines par jour si les seules sources de protéines animales sont le lait et le fromage ; avec un régime de ce type, l'ammonièmie est beaucoup plus basse qu'avec un régime mixte.

Paccalin a pu administrer à des patients avec dérivation porto-cave 200 ml de lait et 80 g de fromage par jour sans augmenter l'ammoniémie ; dans un pareil régime, la moitié des protéines sont apportées par le lait et le fromage, l'autre moitié étant d'origine végétale (pain, céréales, légumes, fruits).

La meilleure tolérance des protéines d'origine lactée est due probablement à deux facteurs :
a) le lactose présent dans le lait fermente, engendrant de l'acide lactique qui acidifie le contenu colique

b) les protéines du lait étant en grande partie digérées dans l'estomac sont presque entièrement résorbées avant d'arriver au bout de l'iléon, tandis que celles de la viande, digérées par la trypsine, ne sont pas dans ces cas entièrement dégradées et résorbées dans l'intestin grêle ce qui favorise les putréfactions dans le côlon gauche.

Les protéines végétales sont mieux tolérées que celles d'origine animale ; non seulement elles sont moins ammoniogéniques que les protéines d'origine animale, mais elles contiennent moins de méthionine et d'acides aminés aromatiques et plus d'acides aminés branchés (leucine, isoleucine, valine). Il semble que le rapport acides aminés branchés/acides aminés aromatiques joue un rôle dans la pathogénie de l'encéphalopathie porto-cave ; il y a généralement dans le sang de ces patients un taux abaissé des acides aminés branchés.

On peut en cas de nécessité donner au malade le lait désodé et le fromage désodé de manière à favoriser la diurèse et éviter la rétention hydro-sodée en cas d'ascite par exemple. Paccalin et Traissac ont pu réaliser de la sorte des régimes contenant à peine plus de 400 mg de Na.

3. *le lactulose a un effet indiscutable* ; on l'administre à la dose de 50 à 150 ml/jour. Il agit par un quadruple mécanisme :
a) il abaisse le pH du milieu colique et empêche ainsi l'absorption de l'ammoniac non ionisé ;
b) il favorise la croissance de bactéries peu ammoniogènes, le lactobacillus acidophilus, au détriment d'autres bactéries ammoniogènes comme le colibacille ;

c) il sert de substrat favorisant l'assimilation de l'ammoniac par les bactéries et réduit la désamination des composés azotés ;

d) il accélère le transit et diminue le temps d'absorption de l'ammoniac.

Le lactose a un effet aussi important que la néomycine qu'on a parfois administré à la dose de 20 g par jour, mais qui n'est pas dénuée de toxicité pour le rein.

Les protéines alimentaires ne sont pas les seuls aliments dont devra se méfier le sujet qui a subi cette intervention ; il devra aussi éviter ou au moins réduire fortement tous les aliments contenant des substances à action neurotrope tels ceux contenant des amines pharmacologiquement actives (fromage de Camembert, Cheddar, Gorgonzola) qui normalement sont inactivées au niveau du foie.

Bien que certains patients n'en ressentent pas d'effets directs, il faudra s'abstenir de toute boisson alcoolisée, non seulement pour ménager le foie mais pour éviter que l'alcool ne se rende directement vers le cerveau.

Il faudra pour les mêmes raisons faire un usage modéré des épices.

CHAPITRE XXII

Les affections des voies biliaires

L'intolérance aux graisses animales (oeufs, fritures, volailles grasses, charcuteries) surtout si elles sont cuites et chaudes et l'intolérance au chocolat évoquent immédiatement pour le médecin et même pour le malade l'existence d'une affection vésiculaire.

Autrefois, on ne reconnaissait qu'une sorte d'affection vésiculaire ; les moyens d'exploration modernes ont permis de reconnaître des troubles fonctionnels et on sait à l'heure actuelle que la crise vésiculaire ne traduit pas nécessairement l'effort d'expulsion d'un calcul mais révèle l'existence d'un spasme vésiculaire.

Les maladies des voies biliaires ont pour effet d'entraver l'écoulement judicieux de la bile dans le duodénum au moment adéquat ; elles se caractérisent principalement par :

1° la perte du pouvoir de concentration de la bile dans la vésicule ;
2° l'absence d'accumulation de bile dans la vésicule ;
3° l'absence d'évacuation de bile vésiculaire au moment opportun.

En fait, ces trois genres d'altération aboutissent à l'insuffisance biliaire ; lorsque les produits de la digestion arrivent dans le duodénum, ils ne trouvent pas la bile si nécessaire pour provoquer l'émulsion des graisses et favoriser leur attaque par les ferments digestifs.

Les corps gras peuvent à la fois stimuler la sécrétion de la bile par le foie (action cholérétique) et provoquer une contraction de la vésicule biliaire (action cholécystokinétique) ; elles peuvent aussi influencer le degré de fluidité de la bile. Ces propriétés sont du reste partagées encore par quelques substances ; lorsque la vésicule biliaire est enflammée ou lorsqu'elle contient des calculs, elle est hypersensible à l'action cholécystokinétique et l'ingestion d'aliments appartenant à cette classe peut provoquer des malaises ou même des douleurs.

Félix Ramond après étude de divers aliments a dressé le tableau suivant :

Ce tableau va servir de base à l'établissement de deux types de régimes celui où l'on désire augmenter l'évacuation biliaire (régime cholagogue) et celui où l'on désire réduire les contractions de la vésicule biliaire ou l'irritation du sphincter d'Oddi (régime d'épargne biliaire).

aliments	action sur		
	Evacuation biliaire	sécrétion biliaire	
		quantité	fluidité
Huile d'olive	+ + +	+ + +	+
crème de lait	+ + +	+ +	0
jaune d'oeuf	+ + +	+	0
bouillon dégraissé	0	0	+
Acide oléique	+ + +	+	0
lactose	+ +	+ +	+
peptone	+	+	0
Glycérine	0	+ + +	+ + +
glucose	0	+	+ + +

I. - LA CHOLÉCYSTITE AIGUË

On décrit sous le nom de cholécystite aiguë deux affections différentes, les cholécystites infectieuses et les crises de lithiase vésiculaire.

A) La cholécystite infectieuse

Le traitement de la cholécystite aiguë exige comme pour toute maladie fébrile le repos au lit et des boissons abondantes ; on appliquera en outre de la chaleur sur la région vésiculaire.

Il faut mettre la vésicule au repos ; dans ce but on évitera toutes les drogues cholérétiques ou cholécystokinétiques. On supprimera aussi complètement les graisses du régime et même au début, dans les cas sérieux, on supprimera les protéines car elles jouissent d'une faible action cholécystokinétique.

Dans ce cas, le régime sera exclusivement hydrocarboné, cependant dans la plupart des cas on pourra, même au début, permettre 30 à 40 g de caséine qui sera administrée sous forme de lait écrémé ou de poudre de lait écrémé. On donnera du sucre, soit dans le lait, soit dans des infusions ou des jus de fruits. Si l'estomac est assez tolérant et en tout cas après quelques jours on donnera des farineux, semoule, riz, gruau d'avoine, pâtes alimentaires ; ensuite on passera aux pommes de terre bouillies ou en purée, aux compotes, aux gelées de fruits, aux biscottes, au pain blanc rassis et de préférence grillé, au bouillon de légumes.

Enfin, après quelques jours on passera au régime de la cholécystite chronique.

B) La crise douloureuse de lithiase

La crise douloureuse de lithiase est due à une migration calculeuse aussi faudra-t-il absolument supprimer tous les corps gras dont l'action cholécystokinétique favorise la migration des calculs.

En cas de colique hépatique il y a anorexie ; lorsque la lithiase est infectée, il y aura en même temps de la fièvre que le médecin combattra par les antibiotiques les mieux adaptés. Le repos absolu et la diète s'imposent.

1) pendant la phase aiguë on prescrit la diète hydrique pour 24 ou 48 heures afin d'éviter la déshydratation qui peut être favorisée par des vomissements. On administre 1 litre à 1,5 litre d'eau, éventuellement d'eau minérale (Spa Reine, Evian, Vittel, Vichy) ; on peut y ajouter de 50 à 100 g de saccharose ou de lactose par litre, ce qui apporte quelques calories et peut empêcher la formation d'acétone ; on peut aromatiser avec de la fleur d'oranger ou du jus de citron.

En cas de vomissement, on aura avantage à donner les boissons glacées ; s'il n'y a pas de vomissement, on peut donner des boissons chaudes et sucrées (infusion de verveine, de tilleul, de camomille) des bouillons de légumes, des jus de fruits sucrés.

2) la réalimentation ne devra pas être précoce ; Chabrol a particulièrement insisté sur ce point. Pour éviter le réveil de la crise de colique hépatique, il faut que le régime soit exempt de tout aliment favorisant les contractions vésiculaires et notamment des corps gras.

Les aliments les mieux tolérés seront le sucre, les tisanes sucrées, la gelée de pommes et le miel. Comme farineux on donnera des biscottes, des bouillies de blé, du riz. Comme source de protéines il faut recommander les poissons maigres bouillis ou grillés et le maigre de jambon. Certains fruits sont tolérés : mandarines, oranges, raisins bien mûrs ; comme légumes, surtout les carottes bouillies ou les bouillons de légumes.

On passera successivement à la diète lactée, au régime lacto-farineux et au régime lacto-végétarien et enfin au régime de fonds d'épargne vésiculaire.

a) diète lactée

on donnera du lait écrémé que l'on pourra couper d'eau minérale alcaline (Vichy) ou aromatiser avec du malt, du café décaféiné ou du caramel.

Au début, on ne dépassera pas un litre que l'on donne par portion de 200 g toutes les 3 heures à prendre par petites gorgées ou à la cuillère à café. Le lait peut être en partie remplacé par certains de ses dérivés : yaourt, kéfir, babeurre, petit lait.

Trémolières préconise la préparation suivante qui apporte 500 calories et environ 25 g de protéines :

Lait	200 ml
Eau ou jus de fruit	200 ml
Poudre de lait écrémé	40 g
Dextrine	75 g
1 jaune d'oeuf	

aromatiser avec du zeste de citron ou d'orange, nescafé, miel, jus de fruits.

b) régime lacto-farineux ou lacto-végétarien

succède à la diète lactée et contrairement à celle-ci peut être poursuivi longtemps parce qu'il apporte suffisamment de calories.

Sa base sont les bouillies de farineux (semoule, riz, tapioca, flocons d'avoine) préparées au début avec du lait écrémé, ensuite avec du lait entier. A cela on ajoute les bouillons de légumes, les potages dégraissés liés par un farineux, les pommes de terre bouillies ou en purée, au début des légumes peu chargés en cellulose et bien cuits (carottes, endives, salades) puis progressivement des légumes plus chargés en cellulose (poireaux, haricots verts, pois frais, etc.). On pourra progressivement ajouter du beurre jusqu'à 30 ou même 50 g.

c) régime de fonds ou d'épargne vésiculaire
qui coïncide avec le régime de la cholécystie chronique.

II. - LA CHOLÉCYSTITE CHRONIQUE

La cholécystite chronique peut faire suite à la cholécystite aiguë, elle est parfois lithiasique et dans ce cas relève de la chirurgie ; il faut cependant reconnaître que de nombreux calculs sont silencieux et provoquent uniquement des malaises digestifs.

La cholécystite chronique est fréquemment le résultat d'excès alimentaires répétés et survient chez les obèses ; beaucoup d'entre elles guériront ou s'amélioreront par une cure d'amaigrissement bien dirigée. Le premier geste en présence d'une cholécystite chronique doit être d'apprécier l'état de nutrition du patient et de le faire maigrir s'il est obèse.

Faut-il supprimer les graisses du régime ? Les études attentives de Davidson et Anderson concluent par la négative. Le passage de graisse dans le duodénum est un moyen physiologique et efficace de provoquer une contraction de la vésicule biliaire et de déclencher l'arrivée de la bile dans l'intestin ; d'autre part, la suppression des graisses sous forme de beurre, lait, crème de lait rend le régime monotone et conduit à la carence en vitamines A et D.

Certaines restrictions de graisse sont nécessaires, surtout si le malade est obèse, car des excès de graisse provoqueront des malaises digestifs, mais ce qui compte surtout, c'est la qualité des graisses et leur préparation.

Voici par ordre décroissant de tolérance la liste des aliments gras :

Crème fraîche et beurre

Huile d'olives crue

Graisse d'oie et de canard

Graisse de boeuf, de veau ou de porc

Graisses végétales, margarine

Graisse de mouton ou suif.

Cette dernière est particulièrement mal tolérée.

L'oeuf occupe une place à part ; peu cuit il est assez digeste, mais il est facilement allergisant, ce qui fait que même sous ces formes il peut ne pas être toléré.

La quantité de beurre permise sera de 25 à 50 g par jour, celle de lait de 250 à 500 g.

La cuisson, surtout si elle est intense et forme une friture, rend la graisse particulièrement indigeste en permettant la formation de substances irritantes décrites sous le nom d'acroléine. Faut-il totalement interdire les fritures ? Pas nécessairement ; mais il faudra se rappeler que plus une graisse pénètre un aliment plus elle le rend indigeste ; or, à ce point de vue, l'huile pénètre moins que la graisse et d'autre part, plus la friture est chaude, moins elle pénètre l'aliment parce que la surface de celui-ci est rapidement prise en croûte. Il faut avoir soin de bien laisser égoutter la friture de manière à la débarrasser de la graisse au maximum et la consommer fort chaude.

On choisira des viandes maigres, en ayant soin au préalable d'en enlever tous les morceaux de graisse qui peuvent y rester attachés. Les viandes les mieux tolérées sont le boeuf, le veau, le mouton, le lapin et le poulet ; il faut écarter les viandes grasses que sont le canard, l'oie et le porc, seul le maigre de jambon sera permis. Les gibiers seront défendus car leur viande contient des substances toxiques irritantes pour la vésicule. Il est extrêmement important de ne consommer que des viandes bien fraîches.

Le poisson blanc maigre sera seul autorisé (cabillaud, plie, merlan, turbot, barbue, aiglefin, truite, etc.) ; il sera servi bouilli avec un peu de beurre fondu ; les poissons gras comme le saumon, le maquereau, le hareng, les sardines seront défendus et surtout leurs conserves à l'huile.

Certains auteurs ont avancé que dans la cholécystite chronique il faudrait supprimer les aliments riches en cholestérol ; ils craignent en effet que ce cholestérol puisse servir à l'édification de calculs biliaires. Davidson réfute ce raisonnement sur les arguments suivants :

1° Il y a une formation endogène importante de cholestérol, même en cas de régime totalement exempt de cholestérol.

2° On n'a jamais démontré qu'un apport modéré de graisse favorise la cholécystite ou la cholélithiase, alors que par ailleurs, il est bien établi que les graisses favorisent le drainage des voies biliaires.

3° On ne voit pas une fréquence particulière de la lithiase biliaire dans les affections s'accompagnant d'un taux élevé de cholestérol.

4° Le taux de cholestérol plasmatique ou biliaire est le même avec un régime contenant 300 mg par jour ou 2 mg par jour de cholestérol.

5° Les régimes avec lesquels on a pu, chez l'animal d'expérience provoquer une élévation du taux de cholestérol correspondent chez l'homme à des quantités d'aliments invraisemblables : 270 oeufs si on se rapporte aux expériences faites chez le rat, 54 oeufs si on se rapporte à celles faites sur le lapin. On peut donc conclure que ce n'est pas par un régime de restriction qu'on empêche la formation des calculs.

Le sucre est fort utile ; il ne risque pas d'irriter la vésicule biliaire mais il faut se méfier des sucreries, des pâtisseries et surtout du chocolat.

Les féculents et les céréales sont utiles à condition de ne pas y ajouter d'oeufs. Le pain sera consommé rassis ou grillé, non pas à cause d'un effet possible du pain frais sur la vésicule, mais parce que ce dernier est indigeste.

En fait de pâtisserie, seuls les gâteaux secs seront autorisés.

Les fruits, à l'exception des fruits oléagineux, sont utiles, crus ou cuits, en compotes, en confitures, en gelées.

Beaucoup de légumes sont bien tolérés, d'autres ne le sont pas mais cela provient souvent de leur préparation ; si le chou est mal toléré, cela provient surtout de la graisse et du lard qu'on y ajoute ; les épinards, les pois secs, les haricots secs, les lentilles ne sont pas bien tolérés. On cuira les légumes à la vapeur et on ajoutera un morceau de beurre frais au moment de servir.

III. - L'ATONIE VÉSICULAIRE

Un certain nombre de malaises vésiculaires sont dus à une atonie de la vésicule avec stase biliaire. Dans ces cas, il n'y a aucune raison de se comporter comme dans les cas précédents ; il ne faut pas supprimer la graisse qui est un puissant cholagogue ; tout l'art consiste à administrer cette graisse sans provoquer d'intolérance. Le jaune d'oeuf, la crème fraîche et l'huile d'olive sont les trois aliments doués de hautes vertus cholécystokinétiques qui sont les plus digestes.

Le mélange de jaune d'oeuf et de crème fraîche constitue le repas de Boyden dont usent les radiologues pour apprécier la capacité d'une vésicule à se contracter.

L'huile d'olive pure a été utilisée déjà dans la plus haute antiquité ; c'est le cholécystokinétique le plus puissant ; elle est souvent assez difficile à accepter, aussi faut il utiliser certains artifices : on en donne la matin à jeun 1 ou 2 cuillerées à soupe dans du café noir ou du jus de citron. Chauffard prescrivait 100 à 300 g le matin suivis d'huile de ricin, durant 4 à 5 jours consécutifs. Lorsqu'elle est trop mal tolérée, on introduit 80 à 100 ml d'huile chaude par la sonde duodénale, trois fois par semaine. Meunier a recommandé une recette de potage où à l'huile il ajoute de la crème fraîche et de l'axonge de manière à accumuler l'action cholagogue de trois graisses différentes :

" Broyer finement un oignon, le faire revenir dans 4 cuillerées à soupe d'huile d'olive chaude ; ajouter 150 g d'eau, saler, laisser bouillir 10 minutes ; passer et ajouter 40 g de crème fraîche et 40 g d'axonge ; boire le plus chaud possible ".

Davidson recommande plutôt de faire prendre à ces malades 2 jaunes d'oeufs tous les jours ; certains auteurs recommandent de les faire gober crus le matin à jeun.

IV. - LA CHOLÉCYSTITE LITHIASIQUE CHRONIQUE

On trouve des calculs dans la vésicule biliaire de 10 à 30 %, selon les statistiques, des sujets arrivant à la table d'autopsie ; une minorité d'entre eux seulement ont présenté des signes de lithiase au cours de leur vie. On estime que 75 à 95 % des calculs sont silencieux et donnent lieu tout au plus à des signes de dyspepsie.

Si on connaît mal le mécanisme de formation des calculs on connaît par contre bien les facteurs qui en favorisent l'apparition ;

La lithiase biliaire est plus fréquente en Europe Occidentale, en Amérique du Nord et au Proche Orient que dans les autres régions du monde ; elle est plus fréquente dans les classes riches que dans les classes pauvres et chez les sédentaires que chez ceux qui ont une activité physique intense ; elle est plus fréquente chez la femme que chez l'homme ; les grossesses, en provoquant une stase dans les voies biliaires en favorisent l'apparition.

La suralimentation joue un rôle indéniable dans l'apparition de la lithiase biliaire ; les obèses en sont beaucoup plus souvent atteints que les sujets maigres. Sarles, tout comme Davidson, invoque la suralimentation globale plus que l'apport excessif de cholestérol dans le régime auquel on avait attaché beaucoup d'importance autrefois.

Enfin signalons que des malformations de la vésicule ou la dyskinésie biliaire peuvent favoriser la lithiase également.

Lorsque la lithiase vésiculaire est silencieuse, le régime se limite à peu de chose ; le vrai problème est celui du régime des sujets qui ne font que des crises de lithiases mineures ou des crises de lithiases fort espacées. Le régime devra viser à éviter le retour des crises et à en limiter l'intensité. Il vise aussi à éviter d'entretenir la stase qui pourrait favoriser l'augmentation des précipitations dans la vésicule.

C'est sur les caractéristiques propres à chaque cas que le médecin se basera pour prescrire au malade soit un régime cholagogue qui favorise l'évacuation de la vésicule biliaire, soit un régime d'épargne vésiculaire qui vise à éviter les contractions qui pourraient aller jusqu'au spasme.

Une chose est commune à ces deux types de régime : il faut qu'ils ne favorisent pas l'obésité et que notamment les graisses ne couvrent pas plus de 30 % de l'apport calorique.

1. Le régime cholagogue

Toutes les lithiases biliaires ne bénéficient pas d'un régime visant à mettre la vésicule au repos. La vidange insuffisante de la vésicule peut favoriser la progression de la lithiase par la stase qu'elle entretient ; elle peut aussi favoriser des troubles dyspeptiques par l'arrivée d'une quantité insuffisante de bile.

C'est au clinicien à évaluer dans chaque cas l'opportunité d'un drainage biliaire par les aliments ; il serait en tout cas illogique de prescrire des médicaments cholagogues et d'interdire les aliments jouissant de la même propriété.

Il existe une hiérarchie dans la tolérance aux graisses ; les mieux supportées sont l'huile d'olive, la crème fraîche et le beurre, en outre ces corps gras seront mieux tolérés seuls que mélangés aux aliments et crus que cuits.

La cure d'huile d'olive peut, tout comme dans la cholécystite non lithiasique être très bénéfique ; on en donne une ou deux cuillerées le matin à jeun.

Le régime cholagogue ne doit pas être trop chargé en graisse, en cas de lithiase, comme le recommandaient autrefois les auteurs Allemands, car il peut engendrer des crises de lithiase et par sa haute valeur calorique, en favorisant l'obésité, augmenter le nombre et les dimensions des calculs. Les graisses doivent apporter au maximum 30 % de la ration calorique, mais en cas d'intolérance (brûlant, renvois, etc.) la ration devra être diminuée.

Demole et Mugler recommandent ce régime dans les lithiases biliaires à forme dyspeptique, où la vésicule biliaire est fonctionnellement suffisante et l'intervention chirurgicale non indiquée.

2. Le régime d'épargne vésiculaire

Ce régime a pour objet de ménager la vésicule biliaire et ses voies d'excrétion ; il tente de limiter les contractions et la sensibilité de la vésicule dans les lithiases douloureuses où les spasmes sont la cause dominante des douleurs. Il est indiqué aussi dans les lithiases obstructives ou les ictères dus à un obstacle mécanique. Il est prescrit dans les suites d'une crise douloureuse de lithiase.

Ce régime doit être très pauvre en graisse et n'apporter qu'une faible quantité de protéines ; la base du régime sera composée de farineux dépourvus de pouvoir cholécystokinétique.

Ce régime doit être suffisant en apport calorique, équilibré, varié et agréable ; il doit tenir compte des goûts individuels du malade et surtout de ses intolérances. Certains aliments sont en effet très mal tolérés par certains individus et agissent comme un véritable allergène.

On pourra donner au patient :
1° des infusions sucrées, des jus de fruits, des bouillons de légumes
2° du lait écrémé, du fromage blanc maigre, de la caséine
3° des farineux (semoule, tapioca, riz, purée de pommes de terre)
On peut ensuite élargir le régime en fonction des phénomènes douloureux et de l'appétit ; on ajoute des compotes, des gelées, des confitures, des biscottes ou du pain grillé, des purées, des légumes verts pour arriver au régime large d'épargne vésiculaire où sont introduits des viandes maigres, des légumes non fibreux, bien cuits et où on ajoute progressivement des matières grasses.

Régime d'épargne élargi

8 h.   Thé ou café léger (ou café décaféiné)

150 ml de lait écrémé

Pain blanc rassis ou grillé + 5 g de beurre

Garniture : miel, sirop, confiture (sans peau ni pépin)

75 g de fromage blanc maigre

25 g de fromage de régime

35 g de viande maigre

10 h.   150 ml jus de fruits ou biscuits secs ou 150 ml de babeurre ou de yaourt maigre

12 h.   Potage maigre

150 g poisson maigre ou 100 g viande maigre grillée ou rôtie.

Pommes de terre nature ou en purée

150 g légumes cuits à l'eau ou en purée

Fruits

14 h. Pudding ou riz au lait écrémé

Compote de fruits ou sirop

Fromage blanc maigre

16 h. Comme à 8 h.

19 h. Repas chaud comme le midi ou repas composé de pain, bouillie de céréales, jus de fruits ou fruits pelés.

21 h. Infusion chaude.

V. - L'ICTÈRE PAR OBSTRUCTION

L'ictère par obstruction peut être dû à une lithiase cholédocienne et dans ce cas il peut s'accompagner de coliques hépatiques, de vomissements et de fièvre ; il peut être dû à une compression progressive des voies biliaires. L'absence de bile dans l'intestin provoque une grande insuffisance de la digestion des graisses et de leur résorption ; les selles seront grasses. L'insuffisante résorption des graisses peut entraîner une carence en vitamines liposolubles. En ce qui concerne le calcium, on peut voir une résorption insuffisante liée à la carence de vitamine D mais aussi au fait qu'une partie des graisses non résorbées s'éliminent sous forme de savon calcaire. Ceci peut entraîner dans les cas chroniques une ostéoporose.

Dans les cas de lithiase cholédocienne avec fièvre, on devra donner un régime liquide semblable à celui de l'atrophie jaune aiguë.

Dans les cas d'ictère par compression cholédocienne, comme par exemple dans le cancer de la tête du pancréas, il faudra donner un régime pauvre en graisses ; le régime contiendra 300 à 400 g d'hydrates de carbone, 80 g de protéines et 20 à 30 g de graisses. Il y aura intérêt à donner avec chaque repas des pilules de fiel de boeuf de manière à atténuer autant que possible l'insuffisance biliaire.

Le malade a souvent l'attention centrée sur la blancheur de ses selles, qui pour lui est le signe le plus tangible de l'obstruction biliaire ; on peut l'illusionner et lui faire croire à une reperméabilisation des voies biliaires en recolorant ses selles par un petit artifice diététique qui consiste à lui faire prendre de la confiture de myrtilles.

VI. - LE RÉGIME DES CHOLÉCYSTECTOMISÉS

La vésicule lithiasique enlevée, tous les ennuis ne sont pas finis pour le malade ; beaucoup d'entre eux continuent à avoir des troubles dyspeptiques s'ils ne prennent pas certaines précautions.

Les troubles fonctionnels qu'ils présentent vont être dominés par l'état du cholédoque :

a) Si le sujet est guéri, c'est-à-dire que le cholédoque n'est pas dilaté et que le sphincter d'Oddi a retrouvé sa tonicité, il y a intérêt à favoriser la cholérèse par un régime normolipidique mais il y a aussi intérêt à fragmenter la ration alimentaire en 5 petits repas pour assurer un drainage répété

Il faut soigneusement éviter l'obésité qui pourrait favoriser la formation de calculs dans les voies excrétrices.

b) Si le cholédoque est dilaté, souvent le sphincter d'Oddi est altéré et pour Sarles, il y a danger de voir des calculs cholédociens récidivants ; il conseille un régime hypocalcique de composition normale et dont la valeur calorique compense les dépenses.

c) Lors d'accidents angiocholitiques postopératoires, Borgida conseille un régime de drainage biliaire, même s'il y a des phénomènes douloureux provoqués par des poussées d'hypertension intravésiculaire dues à un spasme du sphincter d'Oddi ou à une oddite scléro-hypertrophique.

d) En cas d'hépatite ou de pancréatite résiduelle il faut un régime pauvre en graisse.

e) Les dyspepsies ne sont pas rares après cholécystectomie ; elles peuvent être dues à un afflux non synchronisé de bile non suffisamment concentrée entraînant une mauvaise digestion des graisses. Dans ce cas, il faut donner un régime pauvre en graisse et fractionné en plusieurs petits repas.

Si la dyspepsie est due à de la stase ; il faut selon Mugler au contraire donner un régime cholagogue ; on pourrait ainsi provoquer une rééducation des voies biliaires par les corps gras.

Ivry affirme que pour enrichir la bile en sels biliaires il faut donner un régime riche en protéines ce qui favorisera la digestion des graisses.

Il faut de toute façon éviter les aliments qui se comportent comme un allergène, provoquant des malaises à chaque ingestion.

CHAPITRE XXIII

L'insuffisance pancréatique

L'insuffisance pancréatique externe peut être due soit à une pancréatite aiguë ou chronique, soit à un carcinome du pancréas ; elle peut parfois être compliquée d'insuffisance endocrine ou insulinienne et donc de diabète ; cela se voit surtout dans la pancréatite aiguë où le diabète est alors transitoire et guérit lorsque disparaît l'atteinte inflammatoire, c'est beaucoup plus rare dans le cancer ou dans la pancréatite chronique où la glande n'est atteinte que partiellement ; or, il suffit d'un dixième de pancréas pour que la fonction de glycorégulation soit assurée.

Lorsque l'insuffisance pancréatique est provoquée par un carcinome, elle se complique le plus souvent d'obstruction cholédocienne et donc d'insuffisance biliaire, car le siège du cancer est le plus souvent la tête du pancréas.

Le pancréas sécrète les principaux ferments assurant la digestion dans le milieu intestinal : amylase pancréatique, trypsinogène qui, en se combinant avec l'entérokinase, forme la trypsine, lipase pancréatique. Il s'ensuit que la digestion des trois principes énergétiques est altérée au cours de l'insuffisance pancréatique ; celui dont la digestion est la plus entravée, c'est la graisse, aussi l'insuffisance pancréatique se traduit-elle par des diarrhées grasses ; les graisses non digérées sont, en effet, assez irritantes pour l'intestin. Le premier précepte à suivre au point de vue diététique est la suppression ou la réduction draconienne des graisses ; l'examen microscopique des selles permet de distinguer non seulement des gouttes de graisse, mais aussi des grains d'amidon non digérés et des fibres musculaires ou des blocs albumineux qui n'ont pas subi l'attaque des ferments digestifs.

I. - RAPPEL PHYSIOLOGIQUE

Le suc pancréatique contient les enzymes les plus importantes s'attaquant aux trois grandes catégories de nutriments, glucides, lipides, protides, assurant la digestion dans le milieu intestinal.

— l'amylase pancréatique est comme l'amylase salivaire, une alpha-amylase ; elle attaque aussi bien l'amidon cru que cuit et son pH optimal d'activité est 6,9.

— la lipase pancréatique hydrolyse les esters du glycérol et d'acides gras ; le pH d'activité optimale est situé entre 7 et 9. Pour que son activité s'exerce dans les meilleures conditions la présence de bile dans le milieu intestinal est requise ; les sels biliaires par leurs propriétés tensio-actives vont assurer une plus fine émulsion des graisses qui présenteront ainsi une plus grande surface pour son attaque.

— les ferments protéolytiques sont sécrétés sous forme de précurseurs inactifs ; le suc pancréatique contient du trypsinogène et du chymotrypsinogène. Le trypsinogène est converti en trypsine sous l'action de l'entérokinase, enzyme secrétée par la muqueuse duodénale et dont le pH d'action s'étale entre 6 et 9 ; le chymotrypsinogène va être attaqué par la trypsine pour être converti en un enzyme actif, la chymotrypsine.

Tous ces enzymes sont secrétés par les cellules acineuses du pancréas :

Le suc pancréatique est un liquide secrété par les cellules du canal intralobulaire et contient du bicarbonate dont la concentration va s'élever lorsque le débit augmente.

La sécrétion du suc pancréatique est induite par deux hormones secrétées par la paroi duodénale lors de l'arrivée des aliments à son niveau.

1) La sécrétine libérée par le passage du chyme acide au niveau du bulbe et qui va stimuler la sécrétion d'eau et de bicarbonate.

2) la pancréozymine ou cholécystokinine, secrétée lors du contact de la muqueuse duodénale avec les lipides et les protides, elle stimule la sécrétion des enzymes (amylase et lipase) et des zymogènes (trypsinogènes et chymotrypsinogène) ; en outre elle inhibe la sécrétion gastrique et en stimulant le centre de la satiété, au niveau de l'hypothalamus, réduirait la sensation de faim.

II. - PRINCIPES DIRECTEURS DU RÉGIME

L'insuffisance digestive due à la pancréatite, ainsi que les autres facteurs entrant en jeu (douleurs abdominales à l'occasion d'ingestion d'aliments, diabète, etc.) provoque un amaigrissement souvent très important et l'un des buts du régime va être d'assurer un meilleur état nutritionnel du patient.

C'est la digestion des graisses qui est la plus entravée, surtout s'il y a en même temps un ictère car dans ce cas l'absence de sels biliaires va entraver l'émulsion des graisses. Un symptôme constant est la stéatorrhée que l'on mettra en évidence en examinant les selles au microscope après coloration au rouge Soudan ; les gouttelettes de graisses apparaissent comme des sphères colorées en rouge.

Il y a aussi digestion insuffisante de l'amidon dont les grains apparaissent colorés en violet après addition de Lugol.

Enfin il y a absence de digestion des protéines qui se manifestera par l'existence dans les selles de fibres musculaires, souvent en placard, et de blocs albumineux.

L'insuffisance digestive des graisses a pour conséquence une carence en vitamine A, D, E et K, mais celle-ci est loin d'être constante. Une complication possible de la pancréatite chronique est l'ostéomalacie liée à la fois à la carence en vitamine D et à la précipitation de savons calciques insolubles due à la présence d'acides gras.

Des trois principes énergétiques, celui dont la maldigestion est la plus accusée est la graisse aussi le régime va comporter surtout des restrictions lipidiques et contiendra des protides et des glucides sous les formes les plus digestes. On peut parer à l'insuffisance digestive du patient par l'administration de cachets ou de dragées contenant les enzymes pancréatiques.

Il faudra absolument éviter les repas trop copieux qui stimulent trop brutalement le pancréas ; on pourra avoir intérêt à fractionner la ration alimentaire en 5 ou 6 repas.

Enfin, il ne faudra pas négliger l'importance d'une bonne mastication qui contribue à faciliter la digestion de la ration alimentaire.

On remplacera au moins partiellement les graisses classiques à longues chaînes par des graisses à chaînes moyennes ; ce qui permettra l'utilisation d'une plus grande quantité de graisse.

Les deux facteurs étiologiques les plus fréquents de la pancréatite chronique étant l'éthylisme et la lithiase biliaire, il conviendra de supprimer totalement les boissons alcooliques (même légères comme la bière de table) et d'imposer des restrictions de graisse comme dans la cholécystite lithiasique.

III. - RÉGIME EN VUE DU BILAN FÉCAL

Pour apprécier le degré d'insuffisance pancréatique et l'importance du déséquilibre alimentaire du patient, il est nécessaire de faire un bilan fécal.

En principe ce régime contient au moins 80 g de graisse et 60 g de protides par jour, il est poursuivi durant une période de 6 jours et l'on recueille pour dosage des lipides les selles des trois derniers jours.

Si le patient prend des triglycérides à chaînes moyennes, il faudra apporter une correction en en tenant compte lors du dosage des graisses fécales.

Voici le régime préconisé par Mainguet pour l'établissement de ce bilan ; il ne contient que des triglycérides à chaînes longues.

Matin :
    50 g de pain blanc
    confiture
    50 g de fromage de gruyère
    50 ml de lait entier et café

Midi :
    250 ml de potage de légumes frais
    150 g de viande maigre
    200 g de légumes cuits
    200 g de pommes de terre bouillies
    150 g de fruits
    eau.

Soir :
    100 g de pain blanc
    100 g de viande maigre
    150 g de fruits
    eau, thé, café

En outre, on ajoute 40 g de corps gras (beurre ou margarine).

Ce régime comporte 82,5 g de lipides et 94,5 g de protides.

Lorsque le patient effectuera ultérieurement de nouveaux bilans des graisses fécales, on prévoira une augmentation de la ration de lipides.

IV. - RÉGIME DE LA PANCRÉATITE CHRONIQUE

Voici un exemple de régime pouvant convenir dans ce cas :

Petit déjeuner :
    Petite portion de céréales.
    Fruits en compote avec du sucre.
    Pain grillé.
    Sirop, miel ou confiture.

Avant-midi :
    Une orange, une pomme ou un jus de fruits.

Déjeuner :
  Bouillon dégraissé, potage de légumes, soupe au lait écrémé.
  Portion modérée de poisson maigre bouilli ou de viande très maigre ou de blanc de poulet.
  Légumes cuits à la vapeur.
  Petite portion de purée de pommes de terre.
  Fruits crus ou cuits ou gelée de fruits.

Goûter :
  Pain grillé.
  Confiture ou miel.
  Thé avec lait écrémé.

Dîner :
  Comme le déjeuner.

Au début, les graisses ajoutées (beurre, margarine, huile) seront proscrites ; elles seront ensuite réintroduites progressivement en tenant compte de la tolérance du malade, de toute façon les fritures et les graisses cuites seront interdites.

Les glucides et les protides seront donnés sous la forme la plus digeste.

Il faut prendre chaque jour 250 ml de lait écrémé ou de lait entier peptonisé. Lorsque le cas s'est amélioré et notamment lorsque les diarrhées grasses ont disparu, on peut élargir le régime en augmentant les rations de poisson maigre, de poulet et en ajoutant prudemment de la graisse sous forme de lait entier, de beurre en très grande quantité ou même de margarine vitaminisée.

Lorsque l'insuffisance pancréatique se complique de diabète comme dans la pancréatite aiguë, il faudra supprimer le sucre et les confitures et traiter le trouble de la glycorégulation par des doses adéquates d'insuline. A la phase tout à fait aiguë de la pancréatite aiguë, il faudra du reste se limiter à donner du lait écrémé et des jus de fruits.

Bour estime que la nécessité de restreindre les graisses empêche une restriction sévère de la ration glucidique. Celle-ci sera comprise entre 250 et 400 g selon les cas. Les accidents hypoglycémiques étant fréquents, il faut fractionner la ration glucidique ; on conseille 3 repas et 2 ou 3 collations.

Il faudra en outre éviter les repas copieux qui stimulent trop brutalement le pancréas ; il faudra donc fractionner la ration alimentaire sur la journée.

Enfin, on ne peut assez insister sur l'importance de la mastication.

On supprime tous les aliments riches en graisse : beurre, crème fraîche, lard, viandes grasses, poissons gras. On donne du lait écrémé et parfois en petite quantité du lait entier, préalablement peptonisé. On donnera du pain grillé en petite quantité et des céréales. Au déjeuner et au dîner on pourra donner du blanc de poulet, du poisson maigre ou de la viande très maigre grillée et en petite quantité. On peut donner des légumes cuits à la vapeur. On permettra des fruits frais, bien mûrs ou en compote et pour autant qu'il n'y ait pas de diabète on donnera largement des confitures, des gelées de fruits, du miel et du sucre.

Les viandes maigres seront grillées ou bouillies, les poissons maigres seront grillés ou cuits au court-bouillon et assaisonnés de jus de citron.

Le lait ne sera autorisé que dans les limites de la tolérance du patient ; dans la plupart des cas, on ne pourra donner que du lait écrémé et on en limitera la dose à 250 ml par jour au début.

Le pain sera pris rassis ou grillé car de cette manière il est mieux pénétré par les sucs digestifs ce qui en facilite et accélère la digestion, de toute façon, les pains améliorés seront prohibés car ils contiennent de la graisse.

Les fruits devront être bien mûrs, crus ou cuits, en compote ou pochés, il faudra les peler, les fruits oléagineux seront interdits.

Les légumes devront être bien tendres, non fibreux, bien cuits ; seront interdits les légumineuses et les choux (à l'exception du chou-fleur) car ils provoquent des fermentations et de la flatulence, accentuent les malaises liés au déficit

Dans les insuffisances pancréatiques sévères avec amaigrissement important, stéatorrhée grave et diabète insulino-dépendant, il sera indispensable de recourir aux triglycérides à chaînes moyennes.

En cas de diabète, il faudra bien entendu supprimer le sucre et les sucreries.

Guy-Grand a vu dans des pancréatites chroniques sévères l'usage des T.C.M. permettre une prise de poids et la diminution et même la disparition de la stéatorrhée .

Il sera souvent nécessaire de donner au patient des suppléments de vitamines liposolubles, et parfois même hydrosolubles, sous forme médicamenteuse.

Il est indispensable que le régime soit adapté à chaque cas, cela ne pourra se faire que par une collaboration du médecin, de la diététicienne et du malade.

V. - RÉGIME DE LA PANCRÉATITE AIGUË

La pancréatite aiguë survient soit chez des femmes porteuses d'une lithiase biliaire en cours de grossesse, soit comme épisode aigu chez des sujets atteints de pancréatite chronique à l'occasion d'abus, repas trop copieux et trop gras, beuverie.

A ce stade, le patient est généralement intolérant à tout aliment et vomit parfois si abondamment qu'il est entraîné vers la déshydratation.

Fréquemment au cours de la pancréatite aiguë, l'atteinte du pancréas est globale et il y a diabète, souvent transitoire mais parfois définitif.

Au stade aigu, il sera indispensable de mettre le tube digestif au repos complet et de lutter contre la déshydratation tout en veillant à éviter un déséquilibre du métabolisme glucidique.

Dans la mesure où l'estomac le tolère, on mettra le patient à la diète hydrique classique qui devra souvent être complétée par des perfusions de sérum physiologique ou de solutions ioniques plus complexes en se basant sur les résultats des analyses ; pour éviter l'acidose et atténuer le déficit calorique on donnera aussi du sérum glucosé à 5 % ; dans la mesure où le patient est diabétique on introduira dans ce sérum de l'insuline dont la dose devra être adaptée à chaque cas tenant compte de la glycémie et de la glycosurie.

Il n'existe pas de schéma tout fait, le traitement devant être adapté au gré de la gravité et de l'évolution des différents cas et notamment les quantités de liquides administrées en perfusion dépendront des pertes liquidiennes, de l'état de déshydratation du patient.

Lorsque le tube digestif du patient redevient tolérant, on lui administrera un régime très sévère consistant en lait écrémé jus de fruits, potages de légumes et on élargira progressivement en passant au régime de la pancréatite chronique.

CHAPITRE XXIV

Les maladies de l'intestin

On peut, du point de vue diététique, considérer l'entérite aiguë, les diarrhées chroniques, la constipation.

I. - L'ENTÉRITE AIGUË

L'entérite aiguë peut être le résultat d'une intoxication ou d'une infection ; cette dernière peut être à germes banaux (entérite estivale, par exemple) ou provoquée par des germes spécifiques : dysentérie, choléra, etc. Il appartiendra au clinicien d'en dépister la cause et d'appliquer un traitement étiologique (suppression de toxiques, antibiotiques, etc).

Au point de vue nutritionnel et diététique, il y a quelques principes à respecter.

1° Les malades atteints d'**entérite aiguë** peuvent perdre des quantités importantes de liquide par les selles et même parfois par vomissements. Ils se déshydratent et cette déshydratation peut être si grave qu'elle mette la vie du malade en danger par risque de collapsus circulatoire, par exemple dans le choléra. Dans ce cas, il faut avant tout réhydrater le malade et non seulement lui administrer de l'eau, mais aussi du sel, car les pertes de sodium peuvent avoir été importantes. On lui administrera de l'eau salée par la bouche, mais dans les cas graves, on sera amené à administrer du sérum physiologique en perfusion intraveineuse. Très souvent, il faudra en outre ajouter du potassium.

2° **L'intestin est enflammé et irrité d'une manière intense** - il faut le mettre au repos : ce but sera atteint : 1° en mettant le malade à la diète hydrique au début et en supprimant ensuite tout aliment susceptible de provoquer une irritation mécanique ou chimique de la muqueuse intestinale ; 2° par l'administration d'antispasmodiques (atropine, par exemple).

Première période

Pendant 24 heures ou 48 heures, jusqu'à ce que la grande diarrhée ait cessé, on met le malade à la *diète hydrique*, il faut rejeter l'idée que les boissons, par leur apport de liquides, entretiennent la diarrhée ; au contraire, il faut faire boire le malade pour éviter qu'il ne se déshydrate ; on lui fera boire de 1,5 à 3 litres de liquide par jour.

Ce liquide peut être donné sous forme d'eau pure, mais on préfère souvent d'autres présentations de l'eau :

1° Les jus de fruits, qui ont l'avantage d'apporter des vitamines et de lutter par leur effet alcalinisant contre l'acidose qui se voit dans les grandes infections.

2° Le thé de Chine léger et sucré, parce que par son tanin, le thé a un pouvoir astringent sur la muqueuse intestinale

3° L'eau de riz a une grande vogue ; elle a la réputation d'être constipante et est fort en faveur, non seulement chez les pédiatres, mais aussi chez les gastroentérologues.

Voici une des nombreuses formules proposées pour sa préparation :

On met 50 g de riz dans 1 litre d'eau froide, qu'on porte à ébullition durant 10 minutes ; on refroidit, on passe sur une fine mousseline, on ajoute 5 g de sel et on porte à 1 litre.

4° Le bouillon de légumes, dont il y a différentes formules qui peuvent se classer en formules du bouillon de légumes filtré et en formules du bouillon de légumes passé.

Voici une recette de la première formule, celle de Comby :

Mettre une cuillerée à soupe de blé, d'orge perlé, de maïs concassé, de haricots blancs secs, de pois secs et de lentilles, dans 3 litres d'eau ; faire bouillir jusqu'à réduction à un litre, ce qui demande 3 heures, filtrer et ajouter 5 g de sel.

Voici une recette de la seconde formule, c'est celle de Péhu :

Mettre 50 g de riz et de lentilles, une grosse pomme de terre, une carotte et un poireau dans un litre d'eau. Faire cuire durant 2 heures. Passer et saler.

Si les quantités d'eau apportées par ces boissons ne sont pas suffisantes, on l'administrera par voie veineuse, sous forme de sérum physiologique par exemple, mais généralement sous forme de solutions salines plus complexes contenant notamment du potassium car le liquide de diarrhée est fort riche en potassium et si on n'y prend garde on risque d'arriver à une déplétion potassique qui pourrait être dangereuse ; souvent ces solutions contiennent en outre du glucose à 50 ou 100 pour 1000 ou parfois un autre sucre, fructose ou sorbitol. Il ne faut jamais administrer ces solutions en lavement car on ne pourrait qu'augmenter l'irritation de l'intestin.

Lorsque le malade va mieux, on peut passer à une diète plus large ; il faut se souvenir que le lait est souvent mal toléré ; par contre le yaourt, le kéfir et le babeurre sont d'habitude bien supportés.

Deuxième période

Lorsque ces grandes diarrhées profuses ont cessé, dans les cas graves, ou d'emblée dans les cas moins graves, on mettra le malade à un régime moins sévère que la diète hydrique.

A ce point de vue, il est utile de rappeler les bienfaits de certaines cures particulières.

a) *La cure de pommes râpées crues* qui porte le nom de Moro ; en réalité, celui-ci n'avait fait que vérifier le bien-fondé d'une recette d'un rebouteux de Königsfeld, nommé Hessing, qui donnait aux enfants atteints de diarrhées ou de vomissements des pommes crues.

Moro demande de n'employer que des pommes bien mûres, mais d'autres, notamment Heisler, affirment que des pommes sûres et qui ne sont pas mûres font le même effet ; il y a divergence d'opinion sur le point de savoir s'il faut peler les pommes ou non, mais tout le monde est d'accord qu'il faut enlever le coeur et les pépins. On a conseillé de râper les pommes avec une râpe de verre et non une râpe de métal, de les écraser et ensuite piler de manière à avoir une pulpe aussi fine que possible ; celle-ci par oxydation devient brune, on en administre 500 à 1.500 g par jour.

Chez les enfants, les résultats sont extraordinaires ; les vomissements cessent immédiatement et les diarrhées cessent en 48 à 72 heures ; chez les adultes, les résultats sont un peu moins brillants et moins rapides. Les pommes râpées ne suffisent pas à couvrir le besoin en eau, surtout chez les bébés, aussi donnera-t-on en outre des boissons, par exemple du thé léger et non sucré (éventuellement édulcoré à la saccharine).

On a parfois conseillé d'ajouter à la pomme râpée de la banane écrasée ; il existe du reste des préparations combinant ces deux sortes de fruits.

Au troisième jour de la cure, on peut élargir le régime par l'addition de bouillies farineuses, de biscottes, de bouillon de viande, de pulpe de viande râpée, de fromage blanc ; deux jours plus tard on peut ajouter du lait, des légumes et des fruits.

L'élément actif de la cure de pommes est la pectine. D'autres aliments sont riches en pectine et peuvent servir de base à une cure, notamment la carotte et la caroube.

b) La cure de carottes. On a recommandé des cures de carottes pour les dyspepsies, surtout chez les enfants en bas âge. Il existe même des poudres de carottes, qui servent à faire des potages (Elonac Guigoz, Elledon Nestlé).

On peut faire la cure de carottes au moyen de légume frais. Voici la recette :

On pèle et on coupe en fins morceaux une livre de carottes, qu'on met dans un litre d'eau froide. On fait cuire jusqu'à ce que les morceaux soient tout à fait ramollis et on passe entièrement au tamis fin en ayant soin de ne pas laisser de résidus. On ramène le volume à un litre au moyen d'eau bouillie et on ajoute 3 g de sel. Il faut avoir soin d'agiter cette soupe avant de la donner. On la conservera au frais, au maximum 24 heures.

La diète de carottes est maintenue durant 48 heures environ ; le troisième jour, on ajoute des panades de céréales, des biscottes, du bouillon de viande finement râpée.

On peut ensuite passer à un régime plus large.

Les résultats de cette cure sont extrêmement satisfaisants chez l'enfant ; ils donnent de bons résultats aussi chez l'adulte. L'élément actif du succès est également la pectine.

c) La caroube. Les propriétés de la caroube ont été découvertes en Espagne, au cours de la guerre civile, où Ramos observa que les enfants des classes pauvres, consommant de la pulpe de caroube rôtie faisaient moins de gastro entérites que les enfants de la classe aisée.

La caroube est le gros fruit de l'arbre à pain dont la tradition veut que saint Jean-Baptiste se soit nourri dans le désert. On ne consomme pas la caroube comme telle dans nos pays, mais il existe de la farine de caroube commercialisée (Arobon Nestlé).

La caroube donne des résultats exceptionnels dans les diarrhées d'origine toxi-alimentaire. L'élément actif est moins la pectine (dont elle ne contient que 1,5 %) que la lignine dont elle est fort riche (environ 25 %). Celle-ci agit comme la pectine grâce à un pouvoir absorbant très intense.

d) Régime de ménagement. Celui-ci se prescrit lorsque la période diarrhéique est passée. Le lait est souvent mal toléré, aussi devra t il être évité en boisson et dans les préparations ; en revanche le babeurre et le yoghourt sont non seulement bien tolérés, mais même utiles.

On permettra les bouillies farineuses (gruau d'avoine, tapioca, semoule) qui pourront éventuellement être préparées avec du bouillon de légumes ou de l'eau de riz. On pourra recommander aussi de la purée de pommes de terre, du riz, des pâtes (nouilles ou macaronis cuits à l'eau et servis avec un peu de beurre qui fond par la chaleur).

On a recommandé certains aliments qui, par leur teneur en tanin ont un pouvoir astringent sur la muqueuse intestinale et sont donc constipants. Parmi eux, la confiture ou la compote de myrtilles, de coings ou de goyaves, le thé de Chine ou de Ceylan, la tisane de baies de myrtilles, le cacao de glands de chêne.

On pourra permettre après deux ou trois jours des oeufs à la coque ou brouillés ou de la pulpe de viande finement râpée.

On passe ensuite au régime lisse ou régime d'épargne du tube digestif.

3° **Diarrhées par usage des antibiotiques.** - Tous les antibiotiques et particulièrement ceux qui ont un large spectre d'action, tels par exemple l'auréomycine et la terramycine, peuvent donner une série de complications au niveau du tube digestif ; celles-ci sont dues à la destruction trop radicale de la flore intestinale avec toutes ses conséquences.

Les complications les plus habituelles sont la glossite, la chéilite, les nausées, les vomissements, la diarrhée et le prurit.

Les nausées peuvent être dues à une simple action irritative des antibiotiques sur la muqueuse gastrique et dans ce cas elles n'apparaissent plus si on a soin de faire prendre un peu de lait avec chaque dose d'antibiotique. Parfois, surtout avec les antibiotiques à large spectre d'action, une gastrite peut survenir, décelable à la radiographie, mais cette éventualité est rare.

Les diarrhées peuvent survenir après une dose unique d'antibiotique ; dans ce cas il faut probablement accuser un effet irritatif direct de l'antibiotique sur la muqueuse intestinale. Généralement, les diarrhées ne surviennent qu'après 3 ou 4 jours de traitement par les antibiotiques à large spectre d'action : chloramphénicol, tétracycline, terramycine. Dans ce cas, il faut accuser une modification de la flore intestinale d'en être la cause ; celles-ci sont de deux ordres : 1° une diminution importante du nombre des bactéries habituellement présentes dans le tube digestif ; 2° une modification qualitative de la flore intestinale. Ces deux modifications ne persistent habituellement que quelques jours et en un temps plus ou moins bref, la flore originale se rétablit. Il y a de temps à autre développement en quantité excessive soit de Candida albicans, soit de Proteus, soit de staphylocoques qui sont résistants, même aux antibiotiques à large spectre. Les antibiotiques empêchent le développement de la flore antagoniste.

Pour prévenir cette diarrhée, il faut s'efforcer par tous les moyens de provoquer le développement de cette flore antagoniste et de l'apporter à l'organisme. A cet effet, on administrera toujours au patient sous antibiothérapie par le chloramphénicol, la tétracycline ou la terramycine, dès le début du traitement, du bacillus lactophilus, du yoghourt et des fromages fermentés tels le camembert ou le gorgonzola. Il est beaucoup plus facile de prévenir les troubles par ce régime que de les guérir une fois qu'ils sont installés.

Une grande partie des vitamines du groupe B que nous utilisons sont élaborées par les bactéries intestinales ; la diminution quantitative de la flore intestinale entraîne l'absence d'élaboration des vitamines du groupe B ; dans ce cas on peut voir apparaître des symptômes de carence du groupe B ; c'est à ce tableau qu'appartiennent la chéilite et la glossite observées au cours de l'antibiothérapie. On préviendra l'apparition de cette carence : 1° par le régime à base de yoghourt et de camembert qui préviendra dans une certaine mesure l'élimination de la flore intestinale ; 2° en administrant du complexe B soit sous forme de levure, par exemple 2 cuillères par jour de levure sèche, soit sous forme médicamenteuse.

Parfois il survient une diarrhée grave avec collapsus circulatoire ; ces cas sont généralement dus à un staphylocoque qui semble ne répondre qu'à l'érythromycine.

Chez certains malades, l'usage des antibiotiques provoque un prurit anal assez rebelle qui parait lié, au moins en partie, à l'avitaminose du groupe B et doit donc être traité par le régime à base de Bacillus lactophilus, de yoghourt, de camembert et de levure.

4° **La fièvre typhoïde**. - Parmi les inflammations aiguës de l'intestin, la fièvre typhoïde occupe une place particulière. La gravité de cette maladie s'est considérablement amenuisée depuis la découverte de la chloromycétine ; n'empêche que le régime occupe encore dans son traitement une place de premier plan.

L'intestin est ulcéré sur toute sa longueur, et tout aliment qui l'irrite va augmenter la température et provoquer des désagréments pour le malade. Parfois les ulcérations sont si profondes que la présence d'aliments irritants ou la distension de l'intestin par les gaz peut provoquer une perforation ou une hémorragie, ce qui met la vie du malade grandement en danger.

Durant la température élevée qui accompagne cette maladie, les sécrétions digestives sont pauvres et peu abondantes, la circulation sanguine est faible, l'absorption et l'élimination sont anormales. Il faut donner beaucoup de liquide pour faciliter l'élimination des déchets abondants à cause de l'élévation de la température. Si l'on ne donne pas une alimentation suffisante après la maladie, la perte de tissus sera importante. La gélatine, les graisses et les hydrates de carbone permettent dans une large mesure d'épargner les tissus. Bien que ces aliments ne puissent pas servir à l'élaboration des tissus, ils les épargnent parce que leur combustion fournit la chaleur et l'énergie.

La destruction des protéines est plus grande au cours de la typhoïde que dans l'état de santé, aussi faut-il en assurer une quantité suffisante dans le régime pour compenser les pertes. Il faut donner beaucoup d'hydrates de carbone parce qu'ils fournissent l'énergie facilement utilisable pour l'organisme, combattent l'acidose, empêchent la putréfaction intestinale.

Il faut prescrire dans la fièvre typhoïde un régime de ménagement sévère du tube digestif. On a recommandé comme répondant particulièrement bien aux exigences de ces malades à la fois fragiles et aux besoins nutritionnels élevés le régime ci-dessous.

6 h. du matin :
   125 g lait + 60 ml crème fraîche.

8 h. du matin :
   30 g gruau d'avoine + 75 ml crème fraîche.
   1 tranche pain grillé + 10 g beurre.
   1 oeuf à la coque.
   175 g cacao.

10 h du matin :
   125 g lait + 60 ml crème fraîche.

Midi :
   200 ml potage lié.
   1 tranche pain grillé + 10 g beurre.
   175 g cacao + 65 g gélatine.

4 h. de l'après-midi :
   125 g crème ou farineux.

6 h. de l'après-midi :
   30 g gruau d'avoine + 75 ml crème fraîche.
   1 tranche pain grillé + 10 g beurre.
   1 oeuf à la coque.
   60 g flan.
   175 g cacao.

8 h. du soir :
   125 g lait + 60 g crème fraîche.

Minuit :
   30 g gruau d'avoine + 75 g crème fraîche.

4 h. du matin :
   125 g lait + 60 ml crème fraîche.

   Ce régime comporte environ 3.200 calories.

   Au cours de la convalescence, le retour au régime normal se fera graduellement. Le patient devra éviter longtemps les crudités et les mets indigestes et épicés.

Il devra éviter les pâtisseries et le pain frais. Enfin, il devra manger un régime riche en calories.

5° La turista ou diarrhée des voyageurs

Environ 50 % des voyageurs occidentaux se rendant dans un pays tropical font une diarrhée due le plus souvent à une souche entérotoxigène d'Eschrichia coli dont la toxine peut être tantôt thermostable, tantôt thermolabile. Peuvent aussi être en cause des Shigella, des Salmonella, le Campylobacter, le Vibrio parahemolyticus, des ambibbes, le Rotavirus, l'agent de Norvalk, etc.

La prévention est indispensable pour ceux qui se rendent dans ces pays où le manque d'hygiène et la température favorisent le pullement des bactéries dans les aliments. Les aliments d'origine animale sont particulièrement favorables à leur développement mais l'infection peut aussi se faire par des fruits et des légumes.

La prévention se fera :

— par une très grande prudence ; ne jamais manger que des viandes très cuites, jamais de viande hachée crue), pas de crudités, pas d'eau à moins qu'elle n'ait été bouillie ou traitée par un désinfectant. Boire de préférence du thé, du café, de la bière ou du vin.

— la doxycycline une fois par jour est pour Sack très efficace ; une dose deux fois par semaine est insuffisante.

Si des diarrhées apparaissent, on appliquera le traitement de l'entérite aiguë.

II. - LA DIARRHÉE CHRONIQUE

Il faut distinguer les diarrhées dues à une lésion intestinale et celles qui sont dues à un trouble digestif.

1° Diarrhées dues à une lésion intestinale

Il s'agit le plus souvent de colite ulcéreuse.

C'est une maladie grave, survenant chez des malades dont l'état général s'altère profondément.

En dehors du traitement médicamenteux, qui ne rentre pas dans le cadre de ce traité, la thérapeutique de cette maladie doit obéir à certaines directives :

1° Le malade doit être mis au repos ; il faut que toutes les forces de l'organisme soient mobilisées en vue de la cicatrisation des lésions. Il faut non seulement le repos physique, mais aussi le repos moral ; des émotions, peuvent occasionner des spasmes qui seront défavorables à la cicatrisation.

2° Il faut prescrire un régime qui doit avoir les propriétés suivantes :

a) Satisfaire au besoin calorique élevé chez ces malades souvent amaigris.

b) Etre riche en protéines de haute valeur biologique ; très fréquemment ces malades sont hypoprotéinémiques et cette hypoprotéinémie peut empêcher la réparation des lésions car l'organisme n'aura pas à sa disposition en quantité suffisante les matériaux nécessaires à la reconstruction tissulaire.

c) Assurer l'équilibre entre les trois principes énergétiques.

d) Fournir une quantité suffisante de sels minéraux ; c'est vrai surtout pour le fer ; ces malades font, presque toujours une anémie hypochrome avec taux de fer sérique abaissé, attestant l'origine ferriprive.

e) Etre fort riche en vitamines. A ce point de vue les vitamines du groupe B paraissent particulièrement importantes, de même que la vitamine C dont l'organisme fait une énorme consommation au cours de toutes les infections. La vitamine A est aussi utile car elle joue un rôle dans la défense des muqueuses contre l'infection.

f) Eviter toute irritation mécanique ou toute excitation chimique de la paroi intestinale.

Ce régime doit, en outre, éviter la toxémie et empêcher la déshydratation car il y a parfois des pertes liquidiennes qui s'installent progressivement et insidieusement.

Généralement, un régime lisse riche en protéines et pas trop chargé en graisses et en hydrates de carbone convient. On y ajoutera l'administration de capsules de vitamines (A, B, C, D), par exemple Protovit-Roche, Theragran-Squibb, etc. Il faut signaler la très grande valeur de la levure fraîche à cause de sa grande teneur en protéines de haute valeur biologique et en vitamines du groupe B. Au cours de la colite chronique il est fréquent d'observer une anémie mégalocytaire avec taux abaissé d'acide folique ; cette carence en acide folique a plusieurs causes

— 1) le régime exempt de crudités auquel sont astreints les colitiques

— 2) une diminution du pouvoir de résorption de l'acide folique

— 3) la salazopyrine, souvent utilisée dans le traitement de cette maladie a un effet inhibant et sur la résorption et de l'acide folique et sur son activité au niveau de la moelle osseuse.

Il faut avoir soin de doser le taux d'acide folique plasmatique chez les colitiques et si le taux est inférieur à 300 ng/ 100 ml il faut donner 2 ou 3 mg d'acide folique par la bouche chaque jour.

Voici comment sera réalisé ce régime.

Aliments défendus :

1° Alcool, eaux minérales gazeuses, thé ou café forts, extraits de viande.

2° Légumes crus, salades, céleris, concombres, cresson, tomates qui sont trop riches en cellulose non digestible.

3° Les fruits crus qui ne sont pas tout à fait mûrs et les fruits secs (corinthes, raisins secs, figues, noix), de même les pépins et les pelures de tous les fruits même cuits ou en compote.

4° Toutes les épices, poivre, moutarde, sauce anglaise, pickles, etc.

5° Les viandes fibreuses, trop cuites ou fort assaisonnées, y compris la saucisse, le lard, la viande de porc et le gibier.

6° Les poissons fumés ou séchés et les poissons gras (saumon, harengs, sardines, maquereau).

7° Les gâteaux trop gras et trop lourds.

8° Tous les aliments frits d'une manière générale.

9° Le pain frais, le pain complet ou toutes les préparations à base de farine intégrale, les gâteaux contenant des fruits secs.

Aliments permis :

1° Le thé faible à deux repas seulement.

2° Le lait et ses dérivés : lait entier ou écrémé, crème fraîche, beurre, fromage blanc, sauf en cas d'intolérance au lait.

3° Les oeufs pochés, à la coque ou brouillés.

4° Les poissons maigres, bouillis ou grillés.

5° Les viandes tendres et digestes comme les ris de veau, la cervelle, le foie, le poulet, le lapin, les morceaux tendres du boeuf ou du mouton.

6° Le pain blanc rassis ou grillé.

7° Le miel, les compotes, la confiture, les gelées de fruits.

8° Les céréales bien cuites : riz, semoule, tapioca, gruau d'avoine.

9° Les crèmes faites avec des farineux et du lait ; le blanc-manger, le flan.

10° Les pommes de terre, bouillies ou en purée ; les légumes tendres en purée ou cuits à l'étouffée.

11° Les fruits cuits ou en compote, les jus de fruits sucrés et allongés d'eau.

2° Diarrhées dues à une insuffisance digestive

1. Diarrhées d'origine gastrique

Certaines diarrhées sont dues à une insuffisance digestive ; il arrive que cette insuffisance de digestion provienne d'une absence de sécrétion d'acide chlorhydrique au niveau de l'estomac ; c'est la diarrhée gastrogène par achlorhydrie ; dans ce cas, on donnera de l'acide chlorhydrique dilué avec l'eau de boisson et aromatisé par du jus d'orange, à prendre durant les repas ; on évitera en outre les mets indigestes (voir le régime de la dyspepsie achlorhydrique). L'acide chlorhydrique pris au repas peut parfois guérir les diarrhées rebelles depuis plusieurs années aux traitements ne visant que l'état intestinal.

2. Les diarrhées par carence en ferments hydrolysant les disaccharides

Van Dyke de Utrecht et Holtzel de Londres ont mis en évidence l'existence chez les nourrissons de diarrhées dues à la carence en un des enzymes hydrolysant les disaccharides.

L'intestin grêle sécrète et déverse dans le suc intestinal trois enzymes de ce type : l'invertase qui hydrolyse le saccharose, la lactase qui hydrolyse le lactose et la maltase qui hydrolyse le maltose.

Ces diarrhées qui surviennent chez les nourrissons ou les jeunes enfants présentent dans les trois cas le même tableau clinique : fièvre irrégulière. diarrhée abondante, grumeleuse, aérée et riche en acides organiques, dénutrition.

La suppression du régime du disaccharide non hydrolysé provoque la guérison immédiate du syndrome, de même que l'ingestion simultanée de ce disaccharide et du ferment qui l'hydrolyse.

On peut prouver la carence enzymatique en administrant 2 g par kg ou 50 g du disaccharide suspecté et en suivant la glycémie durant les deux heures suivantes.

En cas de carence enzymatique il n'y a aucune élévation de la glycémie, comme cela se fait chez le sujet normal.

La thérapeutique consiste à supprimer le disaccharide non digéré du régime.

Dans certaines races, l'insuffisance en lactase est extrêmement fréquente ; aux Indes 70 % de la population en est atteinte, cette insuffisance est fréquente en Afrique centrale ce qui rend parfois le problème de la renutrition protéinique fort difficile.

3. Les diarrhées par insuffisance digestive des graisses

L'insuffisance digestive des graisses peut avoir pour origine une insuffisance biliaire ou une insuffisance pancréatique. Dans ces deux éventualités il faut guérir la cause, c'est-à-dire :

dans l'insuffisance biliaire, traiter le foie et les voies biliaires de manière à rétablir un flux de bile normale. Bien que cela puisse paraître logique à première vue, l'administration de sels biliaires dans le but de rétablir une meilleure émulsion des graisses n'a guère d'effet ; l'administration de pilules de fiel de boeuf donnait des résultats médiocres.

4. La maladie coeliaque

La maladie coeliaque ou sprue nostras est une maladie qui a pour origine une intolérance au gluten. Les travaux de l'école hollandaise qui en ont découvert la pathogénie en ont transformé le pronostic qui était autrefois fort sombre.

L'absence de résorption des graisses dans la maladie coeliaque est due à une altération de la muqueuse jéjunale entraînant notamment un fort raccourcissement des villosités.

Autrefois, on croyait que le premier principe du régime de la diarrhée grasse, quelqu'en fût l'origine, était la restriction, voire même la suppression totale des graisses du régime.

On avait cependant remarqué que souvent les hydrates de carbone étaient mal tolérés, aussi était-on arrivé à supprimer aussi les hydrates de carbone et certains régimes ne comportaient pratiquement comme aliments que les seules sources de protéines avec les conséquences nutritionnelles que l'on devine.

De nombreux régimes, tous plus déséquilibrés les uns que les autres, virent le jour jusqu'au moment où Van Dyke attribua la sprue à sa véritable cause, une intolérance au gluten.

En 1949, Sheldon avait appliqué avec succès l'abstention de tout aliment contenant de l'amidon dans la maladie coeliaque. Ce régime était difficile à appliquer à l'hôpital et dès que l'enfant rentrait chez lui, le régime n'était plus suivi et la maladie reprenait toute son intensité.

En 1950, Weyers et Van de Kamer, à Utrecht, montrèrent qu'il n'était pas nécessaire de supprimer l'amidon, que ce n'était pas lui le responsable mais le gluten, qui se trouve avec une abondance particulière dans le froment. Depuis, le nombreux auteurs ont confirmé cette découverte mais surtout on a montré que seul le gluten contenant de la gliadine, comme celui du froment était en cause et que contrairement à ce qui fut parfois affirmé, celui du riz, du maïs et du sarrasin était bien toléré, on peut donner du tapioca, du soja, des arachides.

Lawson a appliqué ce traitement avec succès sur une série de 120 enfants au Queen Mary Hospital. Il voit leur poids augmenter, leur hémoglobine se relever et leur état mental s'améliorer. Il peut en supprimant le gluten, donner un régime normal pour le reste et notamment une ration de graisse normale.

Il estime que chez l'enfant, il faut appliquer ce régime durant deux ans avec sévérité et qu'ensuite on peut progressivement réintroduire le gluten dans l'alimentation ; il croit aussi que l'on peut dans la plupart des cas tolérer deux tranches de pain, ce qui correspond à 1 ou 2 g de gluten.

Les travaux de ces dernières années ont montré que si la gliadine est la cause la plus fréquente et surtout la plus tenace de la maladie coeliaque, 5 autres protéines peuvent provoquer les altérations de la muqueuse de l'intestin grêle provoquant les mêmes symptômes ; ce sont celles du lait de vache, du poulet, du poisson, du riz et du soja.

Les intolérances dues aux autres protéines que la gliadine se résolvent généralement spontanément à l'âge de 2 ans.

Assez tenaces, plus difficiles à traiter mais plus rares sont les intolérances combinées aux protéines du lait et à la gliadine ; Visekorpi et Immonen l'ont repérée 8 fois sur 40 cas.

La maladie coeliaque ou sprue nostras est une maladie qui peut revêtir une très grande gravité ; elle se caractérise par :

a) **une atrophie des villosités intestinales** dont l'étendue va signer la gravité de la maladie. Une biopsie de la muqueuse jéjunale est indispensable au diagnostic, celle-ci se fait au moyen d'une sonde qui permet de prélever des fragments tout le long de la muqueuse de l'intestin grêle.

Dans la grande majorité des cas, seule la muqueuse proximale de l'intestin grêle est atteinte mais parfois les villosités sont atrophiées sur toute son étendue.

b) **des déficits nutritionnels multiples**
1) anémie qui est liée le plus souvent à une carence en fer et s'accompagnera d'un fer sérique bas ; Barry a montré que l'administration de fer per os ne la guérissait pas parce qu'il n'est pas résorbé. Parfois, elle est due à une carence en acide folique et plus rarement à une carence en vitamine B_{12}
2) une hypoprotéinémie due à la malabsorption des acides aminés et qui peut être si grave qu'elle

va jusqu'aux oedèmes.

3) de l'ostéomalacie due à la fois à l'insuffisance de résorption du calcium, à l'absence de résorption de la vitamine D liée à la réduction de la résorption des graisses, à la formation de savons calcaires éliminés par l'intestin.

4) de la tétanie due à une hypocalcémie provoquée par les mêmes causes que l'ostéomalacie.

5) de l'avitaminose A avec taux abaissé de rétinol et de carotène dans le plasma.

Pour apprécier l'importance de la malabsorption on recourt au test au xylose.

On donne 25 g de d-xylose en solution par la bouche et on recueille les urines durant les 5 heures qui suivent ; le sujet normal élimine plus de 5 g de d-xylose ; l'élimination est abaissée en cas d'atrophie des villosités.

Le régime sert autant à étayer le diagnostic qu'à traiter la maladie ; lorsque celle-ci est due à une intolérance à la gliadine, il doit être poursuivi toute la vie : dans les autres cas il peut généralement être abandonné à l'âge de 2 ans.

3° Le régime

a) intolérance à la gliadine

Dans son principe, le régime de la maladie coeliaque est fort simple, il suffit d'éliminer entièrement les aliments contenant du gluten fournisseur de gliadine ; dans la pratique ce n'est pas si simple car de nombreux aliments sont susceptibles de contenir un peu de ce gluten or la plupart des malades sont si sensibles que la moindre trace suffit à entretenir chez eux le syndrome de malabsorption.

Il faut éliminer tout aliment contenant des farines ou des dérivés de froment, de seigle, d'avoine et même d'orge ; il faut cependant noter que la nocivité de cette dernière céréale a été discutée ; elle paraît cependant aujourd'hui bien établie.

En Belgique, en Angleterre, aux Pays Bas se sont formées des " Sociétés de Coeliaques " qui se sont données pour but de dresser la liste des spécialités commerciales inoffensives et de s'échanger des recettes.

Sont interdites parce que contenant des dérivés des céréales nocives, par exemple sous forme d'amidon

1) toutes les conserves de viandes : corned beef, saucisse de Francfort, plats préparés en sauce, salade de viandes, croquettes de viande.

2) de nombreuses charcuteries : saucisson, boudin, cervelas, mousse de jambon, tête pressée, pâté.

3) poissons conservés en sauce, salade de poisson ou de crustacés, croquettes de crevettes.

4) lait chocolaté, crèmes glacées commerciales.

5) sucreries ; bonbons, caramels, gommes, chocolat blanc, noir ou au lait, poudre chocolatée, sauce au chocolat, pâtes à tartiner.

6) fruits confits, pâtes de fruits.

7) légumes conservés en sauce, potage en sachets, flocons ou mousseline de pomme de terre, croquettes, concentré de tomate.

8) sauces préparées en boite ou en bouteille, mayonnaises préparées, moutarde, épices moulues, pickles, ketchup.

Bien entendu, sont interdits tous les aliments à base de farine tels que pain, biscuit, gaufre, tarte, pâtes, semoule, galettes, gâteaux, cake, chapelure.

Il existe dans le commerce spécialisé des aliments faits avec des farines ne contenant pas de gliadine et qui peuvent remplacer dans le régime du coeliaque les aliments farineux : biscuits à base de farine de mais, pain fait avec de la farine de sarrasin de même que macaroni, nouilles, spaghettis, farines spéciales, biscuits spéciaux.

Chez certains patients la maladie coeliaque s'accompagne d'intolérance au lactose ; cela complique le régime car cela pose le problème de l'apport calcique.

Il existe des laits sans lactose pour ces patients (Végébaly de Sopharga et AL 110 de Nestlé). On doit interdire certaines margarines qui contiennent du lait écrémé et du beurre qui contient toujours un peu de lactose ; il faut interdire tous les fromages et le yaourt.

b) intolérance aux autres protéines

Lorsque la maladie coeliaque est due à l'intolérance à une autre protéine que la gliadine il faudra éliminer celle-ci de l'alimentation jusqu'à l'âge de deux ans où survient généralement une guérison spontanée.

Lorsque les protéines du lait sont en cause il faudra remplacer celui-ci par du lait de soja. Il faudra prendre soin de complémenter par une quantité suffisante de calcium et de vitamines A et D pour ne pas créer de carences.

4° Le grêle radique

Le traitement radiothérapique d'une tumeur abdominale entraîne une altération de l'épithélium du grêle.

Lorsque la dose n'est pas trop importante et le traitement de courte durée les inconvénients ne durent pas longtemps car l'épithélium se renouvelle en quelques jours.

Lorsque le traitement est intense et de longue durée on déclenche une entérite radique chronique, complication redoutable de la roentgenthérapie. Les lésions fort étendues se caractérisent par de l'ischémie et l'atrophie et elles manifestent leurs effets de 6 mois à 20 ans après la fin du traitement, généralement après 12 à 24 mois.

Il apparaît des douleurs, une diarrhée avec stéatorrhée et de l'amaigrissement.

A la radiographie on voit un grêle sténosé, rétréci avec en amont une dilatation. Des épisodes d'occlusion peuvent survenir. Il peut y avoir atteinte du côlon.

Le régime es un acte essentiel du traitement. Il consiste en :
— réduction des corps gras
— complémentation des carences (vitamines, sels minéraux)
— éliminination des aliments mal tolérés
On peut devoir recourir à l'alimentation entérale ou parentérale.

5° Diarrhées dues à un déséquilibre de la flore côlique.

Il existe dans le côlon une flore bactérienne extrêmement abondante dont la nature va dépendre pour une très large part de la qualité des résidus organiques non digérés existant dans le chyme intestinal lors de sa pénétration au niveau du côlon.

1) La flore microbienne

A la naissance, le côlon est stérile, mais dans les heures qui suivent on peut trouver dans le méconium des bactéries de putréfaction. Dans les jours qui suivent, sous l'influence de l'allaitement maternel, cette flore de putréfaction est remplacée par une flore dominante appartenant au genre des Bifidobacterium. Tant que dure l'allaitement maternel, le milieu côlique est acidifié, le lactose étant transformé en acide lactique.

Lors du passage au lait de vache, le nombre de germes anaérobies croit et celui des bactéries du groupe Bifidobacterium régresse. Vers l'âge de 2 ou 3 ans s'installe la flore définitive du tube digestif. Son abondance est impressionnante ; selon Luckey, le côlon héberge 10^{14} bactéries, c'est-à-dire 10 fois plus que le nombre de cellules du corps humain.

Pour qu'une souche bactérienne joue vraiment un rôle, il faut qu'elle soit suffisamment abondante, qu'elle dépasse un seuil critique. Ce sont les enzymes produites par les bactéries de la flore dominante qui vont influencer l'écosystème de la flore dominante.

La pauvreté en oxygène du milieu intestinal favorise la croissance des germes anaérobies :

Bactéroïdes, Enterobacters, et Bifidobacterium. Le temps de génération étant très court et le côlon contenant de nombreux mutants, il peut y avoir en quelques jours des variations importantes de la flore microbienne .

Les bactéries, par les enzymes qu'elles produisent, agissent sur les résidus alimentaires et les sécrétions endogènes ; les produits de dégradation ainsi engendrés peuvent avoir un effet local sur le côlon.

L'activité de la flore peut être influencée par :

— le pH du milieu ; celles actives en milieu acide produisent de l'acide lactique, de l'anhydride carbonique et de l'hydrogène ; celles actives en milieu alcalin forment l'ammoniaque, de l'hydrogène sulfuré ;

— le potentiel redox varie selon la nature des substrats et l'activité bactérienne ; lors d'une modification du milieu, la souche dominante peut régresser et permettre le développement d'autres souches qui, latentes jusque là, peuvent devenir dominantes ;

— des interactions bactériennes, certaines souches produisant des facteurs toxiques limitant, selon Minaire et Lambert, la croissance des espèces bactériennes sous-dominantes.

2) Les résidus alimentaires

Des résidus alimentaires non digérés ou non absorbés au niveau de l'intestin grêle arrivent dans le côlon et vont influencer la flore. Ils sont de 3 ordres.

a) Résidus hydrocarbonés

Les glucides non absorbés subissent au niveau du coecum la fermentation bactérienne produisant de l'acide lactique et des acides gras volatiles (acétique, propionique et butyrique) acidifiant le milieu ; il se forme aussi des gaz : hydrogène, anhydride carbonique et méthane.

L'absorption de l'acide lactique se fait lentement, d'où, en cas de production importante, augmentation de l'osmolarité et possibilité de diarrhées.

L'absorption des acides gras volatils se fait plus rapidement, à la fois par diffusion simple et par diffusion ionique sous forme de sels de sodium et de potassium.

b) Résidus protéiques

A mesure que le côlon s'appauvrit en résidus hydrocarbonés, les selles progressant dans l'intestin, va se développer la flore de putréfaction qui vit aux dépens des résidus protéiques. Les enzymes qu'elles produisent agissent surtout par décarboxylation et déshydrogénation, formant de l'anhydride carbonique, de l'ammoniaque et des résidus plus ou moins toxiques comme l'indol, le scatol et l'histamine.

En milieu neutre, l'ammoniaque est rapidement absorbé et transporté par la veine porte vers le foie qui l'utilise pour la synthèse de nouveaux acides aminés ; en milieu acide, l'ammoniaque n'est pas absorbé et utilisé par les bactéries pour des synthèses protéiques.

Chez le sujet normal, il y a un équilibre entre la flore de fermentation et la flore de putréfaction, dépendant de l'équilibre de sa ration alimentaire. C'est la " loi du balancement des flores intestinales " de Carnot et Metchnikoff.

c) Résidus lipidiques

Les graisses non digérées sont hydrolysées par les lipases bactériennes, libérant des acides gras ; d'autre part, à partir de l'acide acétique, les bactéries vont synthétiser d'autres acides gras. Ceci explique que les graisses trouvées dans les selles n'ont pas la même composition que celle de la ration alimentaire.

3) Influence des aliments sur la flore intestinale

Les résidus de la digestion des aliments vont influencer la nature de la flore intestinale ; celle-ci va donc dépendre de l'alimentation.

a) Les glucides

sont digérés dans l'intestin grêle par l'amylase pancréatique jusqu'au stade de di- tri- ou oligosaccharide. Ceux-ci doivent franchir la couche de mucopolysaccharides recouvrant les villosités pour subir la digestion jusqu'au stade monosaccharide à la surface des entérocytes par les différentes oligosaccharidases (maltase, lactase, invertase, etc.).

Si l'activité de ces enzymes produit trop de monosaccharides pour la capacité d'absorption de l'intestin, ceux-ci s'accumulent sur la paroi et inhibent l'activité enzymatique ; ils sont pris en charge par des transporteurs qui les amènent en aval dans l'intestin jusqu'au côlon.

Là, on pourra retrouver :

1) de l'amidon, lorsque celui-ci est contenu dans des cellules dont la paroi n'est pas perméable à l'amylase, par exemple celles du son de blé et du son d'avoine. Les bactéries secrétant des glucosidases vont digérer la paroi cellulosique de la cellule et libérer les grains d'amidon ;

2) du lactose chez les sujets qui ont un certain déficit en lactase ; ceci va favoriser le développement d'une flore sécrétant de la galactosidase produisant de l'acide lactique et de l'anhydride carbonique d'où diarrhées acides et flatulence ;

3) des galacto oligosaccharides tels le raffinose, le stacchyose et le verbascose qu'on trouve surtout dans les petits pois, le soja, etc. La muqueuse intestinale ne possédant pas les enzymes capables de les digérer, ils vont être attaqués par des bactéries côliques, Bifidobacterium et Streptocoques, dont ils vont favoriser le développement ;

4) le tréhalose, sucre contenu dans les jeunes champignons va favoriser le développement de streptocoques, Bifidobacterium et Clostridium qui produiront de l'acide lactique et de l'anhydride carbonique, d'où diarrhée osmolaire acide et flatulence.

b) Les fibres alimentaires

sont formées selon Tromwell de tous les constituants végétaux de nature polysaccharidique et de la lignine, non hydrolysables par les sécrétions endogènes du tractus digestif humain.

Leurs résidus sont ou transformés par les bactéries intestinales ou excrétés. Les fibres alimentaires ont diverses propriétés dont l'intensité varie d'après leur nature chimique :

1) absorption de l'eau,

2) absorption des sels biliaires,

3) fixation de sels minéraux, le calcium par l'acide phytique, le fer et le zinc par la pectine.

Les fibres pénétrant dans le côlon sont attaquées par de nombreuses souches bactériennes où dominent les anaérobies (Bacteroides et Bifidobacterium) produisant de l'acide lactique et des acides gras volatils et libérant les grains d'amidon emprisonnés dans leur trame.

c) Les protéines

non digérées peuvent favoriser le développement d'une flore de putréfaction, mais ce ne sont généralement pas les protéines alimentaires qui sont en jeu, mais des protéines provenant des sécrétions physiologiques ou pathologiques de l'intestin, des cellules desquamées et des bactéries.

4) Régime de la côlite de fermentation

Un malade souffrant de diarrhées, de malaises abdominaux, de flatulence, ayant des brûlures et de l'irritation de l'anus, dont les selles ont une réaction acide, doit être suspecté de faire une insuffisance digestive des farineux. La preuve en est apportée par la mise en évidence dans les selles de nombreux grains d'amidon. En cas d'insuffisance digestive des hydrates de carbone au niveau de l'intestin grêle, de l'amidon arrive dans le côlon ; là une partie de cet amidon fermente et irrite la paroi colique tandis que l'autre partie est éliminée dans les selles où on la retrouve.

Les selles sont de consistance pâteuse, mousseuses parce qu'elles contiennent de nombreuses bulles de CO_2 dégagées par fermentation ; elles flottent sur l'eau lorsque le malade va au cabinet ; leur coloration est claire et leur odeur aigre. Le malade a des gaz relativement peu odorants parce qu'ils sont composés surtout de CO_2, d'hydrogène et de méthane.

Pour éviter l'irritation du côlon avec les diarrhées qu'elle entraîne, il faudra éviter non pas tous les hydrates de carbone, mais les farineux ; les mono et les disaccharides peuvent être permis, ils ne passent jamais jusque dans le côlon ; on peut donc chez ces malades donner dans le régime le glucose, le saccharose, le miel, les confitures.

D'après la sévérité de l'insuffisance digestive, il faudra supprimer ou réduire le pain, les biscottes, les pâtisseries, les pommes de terre, les pâtes alimentaires, le riz, les petits pois, les fèves, les lentilles, les légumes riches en amidon (carottes, salsifis, etc.).

Dans la plupart des cas, on pourra permettre au repas du matin et au repas de 16 heures une tranche de pain grillé ou 1 ou 2 biscottes. Il pourra être utile d'administrer de l'amylase pour favoriser la digestion de l'amidon, Lorsque l'état de l'intestin s'améliore, que les diarrhées diminuent, on pourra prudemment élargir la ration de farineux.

Il faudra surtout supprimer les fibres qui apportent au côlon des hydrates de carbone non digérés ; ceux-ci fermentent dans le caecum et le colon ascendant et provoquent la colite droite caractéristique de la dyspepsie par les farineux. On devra chez ces malades éviter avant tout le pain complet et le pain gris, les légumes verts, les légumes farineux et les fruits ; on ne permettra que les farineux fort digestibles qui peuvent être entièrement résorbés dans le grêle : farines de céréales raffinées, gelées de fruits riches en pectine, semoule, fécule de pommes de terre ; on les préparera de préférence en bouillies semi-liquides. Au début, il faut souvent défendre le pain et n'autoriser en tout cas que le pain rassis et de préférence grillé ; le pain frais ne se laissant pas bien pénétrer par les sucs digestifs est digéré incomplètement.

Il faut aussi interdire le lait parce que le lactose est souvent digéré partiellement, arrive intact au niveau du coecum et y entretient les fermentations ; dans ces cas, il faudra aussi éviter le yoghourt et les autres dérivés du lait.

Dans les cas graves, pour ralentir le transit intestinal, on donnera soit du laudanurn (3 fois 5 gouttes), soit du phosphate de codéine (3 fois 2 cg). D'une manière générale, pour neutraliser les acides intestinaux, on donnera à tous ces malades 3 fois par jour 1/2 cuillère à café de carbonate de calcium.

Les auteurs allemands ont l'habitude de prescrire des régimes extrêmement sévères, dépourvus entièrement de farineux, mais ils ne peuvent être suivis qu'en clinique par des malades alités ; ils sont rarement indiqués.

5) Régime de la côlite de putréfaction

Lorsque les protéines sont insuffisamment digérées dans l'intestin grêle, celles qui arrivent dans le côlon y putréfient et irritent la paroi côlique, ce qui cause des diarrhées. La dyspepsie putréfiante chronique pure est fort rare ; elle est presque toujours compliquée de colite et la putréfaction se développe en partie à partir du mucus, qui est une substance azotée. Dans la diarrhée par putréfaction, l'état général du malade est altéré, parce qu'il se forme des substances toxiques (phénol, indol, scatol) qui traversent d'autant plus facilement la muqueuse intestinale que celle-ci est irritée. Ces substances provoquent une intoxication.

Les selles sont fétides, souvent assez liquides, elles ne flottent pas sur l'eau du cabinet, elle sont de couleur brun foncé et de réaction alcaline. Les dosages mettent en évidence un excès d'ammoniaque. Elles sont souvent recouvertes de mucus.

A l'examen microscopique, on reconnaît la présence de fibres musculaires non digérées ou de blocs albumineux.

L'insuffisance digestive peut être aussi due à l'absence d'acide chlorhydrique aux repas.

Dans la diarrhée par putréfaction, les gaz ont une odeur nauséabonde caractéristique due à la présence de H_2S.

Le traitement médicamenteux joue généralement un rôle important dans ces diarrhées, ce qui n'empêche que le régime a sa place dans la lutte contre les putréfactions.

Le régime consiste essentiellement à supprimer les protides, mais étant donné le facteur colitique, il faut interdire aussi tous les aliments contenant des fibres notamment les légumes et les fruits crus.

Dans les cas graves, on commence par 1 ou 2 jours de jeûne, où le malade est mis à la diète hydrique ; il faut le garder au lit et lui mettre des enveloppements abdominaux humides chauds.

On passe alors, et dans les cas moins graves, c'est le premier stade du traitement, à un régime hydrocarboné ; le malade reçoit du sucre, des bouillies de farines fines, des biscottes, du pain blanc grillé, du beurre, du riz, de la semoule, de la purée de pommes de terre, des flocons de céréales.

On peut, après une semaine environ, ajouter très prudemment des oeufs, soit à la coque, soit sous forme d'omelette mousseuse, de la gelée de viande, de la gélatine, des poissons d'eau douce. Plus tard, on pourra ajouter de la viande finement hachée. Ce n'est qu'après cela qu'on pourra ajouter des purées fines de légumes ; on donnera de préférence des carottes, des épinards ou des choux-fleurs, à la dose de 2 à 3 cuillerées. On donnera aussi des compotes de pommes ou des jus de fruits frais.

Enfin, l'alimentation mixte comportant des crudités ne sera pas reprise avant 5 semaines ; il sera fort utile d'individualiser chaque régime en se basant avant tout sur les résultats de l'examen des selles.

C'est dans la diarrhée par putréfaction que l'on a conseillé la thérapeutique par les bacilles lactiques, pour combattre les putréfactions par des fermentations. C'est dans ce but que l'on recommanda le yoghourt et les laits acidifiés.

L'autorité de Metchnikoff, qui fut le protagoniste de cette thérapeutique fit longtemps prévaloir l'idée que l'ingestion de yoghourt provoquait la multiplication des bactéries lactiques ainsi apportées, dans l'intestin du consommateur, inhibant la pullulation des microbes de la putréfaction. On sait à l'heure actuelle que c'est la composition de l'alimentation qui favorise le développement des bacilles lactiques qui habitent normalement l'intestin. Le développement de ceux-ci est déterminé avant tout par l'abondance des hydrates de carbone dans le coeco-ascendant. On peut le favoriser par l'addition de lactose au régime, ainsi que l'a vu Carnot. La composition du régime favorise la flore de fermentation ou la flore de putréfaction parce qu'elle fournit à l'une des deux catégories de microbes sa nourriture optimale.

Goiffon a montré que chez l'animal on modifie la flore intestinale à volonté par le seul régime, et il conseillait pour favoriser la flore de fermentation l'amidon, mal attaqué dans le grêle, sous forme de fécule de pommes de terre (3 cuillères à café par jour) ou de bananes imparfaitement mûres.

On peut favoriser la flore de fermentation par toutes les substances hydrocarbonées mal résorbées dans l'intestin grêle :

a) Le lactose et la dextrine qui se digèrent beaucoup plus lentement que le saccharose.

b) Les hydrates de carbone contenus dans des gaines cellulosiques ou dans des enveloppes cellulaires indigestes et qui arriveront ainsi incomplètement digérés au coeco-ascendant.

c) Les fruits secs : figues, dattes, raisins, pruneaux.

III. - LA CONSTIPATION

La constipation consiste essentiellement en un ralentissement du transit intestinal ; les déchets de l'alimentation sont normalement excrétés 24 à 36 heures après l'ingestion. On parle de constipation lorsque les déchets séjournent davantage dans le tube digestif et s'accumulent dans le côlon. La plupart des gens vont à la selle tous les jours, mais il y a des personnes fort bien portantes qui n'y vont que tous les deux ou trois jours. On a parfois exagéré les méfaits de la constipation ; cependant lorsque les selles sont peu fréquentes, on peut observer différents malaises : maux de tête, langue chargée, lenteur de digestion.

Ces malaises ne semblent pas dus à une intoxication par résorption de toxines comme on l'a parfois écrit ; par contre, l'abus des purgatifs irritants amenant une quantité excessive de liquide dans le côlon peut être une cause d'intoxication.

On doit, au point de vue pathogénique, considérer trois formes de constipation : la constipation atonique, la constipation spastique et la constipation par obstruction.

1° La constipation atonique

C'est de loin la forme la plus fréquente de constipation. Elle est due à la faiblesse de la paroi musculaire de l'intestin dont les contractions ne sont pas suffisamment efficaces pour faire progresser le bol fécal le long du côlon. Cette atonie intestinale peut aussi être provoquée par la négligence du malade qui n'écoute pas le besoin d'aller à la selle. A force d'inhiber volontairement le réflexe de la défécation, il finit par en émousser le mécanisme et la présence des selles dans le rectum n'excite plus de réflexe, ne provoque plus la contraction des muscles intestinaux. Dans cette forme de constipation, le remède doit se trouver avant tout dans une rééducation de l'intestin ; il faut que le malade prenne l'habitude de se présenter à la toilette à heure fixe tous les jours ; dans ces cas l'état général du patient peut jouer un rôle, car une faiblesse de la musculature en général peut intervenir en partie dans les difficultés d'évacuation rectale. A ce point de vue, chez les sédentaires, il peut être extrêmement utile de recommander les exercices à l'air, la gymnastique, le sport. Il faudra aussi dans certains cas interdire le surmenage. Il est important chez cette catégorie de constipés de leur recommander que le siège du cabinet soit bas, ou de leur conseiller de poser un petit banc sous leurs pieds car la position accroupie favorise l'évacuation pelvienne.

Le trop petit volume des selles est une cause fréquente de constipation chez l'homme civilisé qui consomme des aliments trop raffinés et a une alimentation trop carnée ; la digestion laisse trop peu de déchets dans les selles et celles-ci séjournant trop longtemps dans l'intestin sont hyperdigérés ; à l'examen microscopique on ne distingue plus aucun élément de provenance alimentaire. Le séjour prolongé dans l'intestin entraîne aussi une résorption exagérée d'eau ; la selle est sèche, contient moins de 75 % d'eau, elle est dure, fragmentée en petites scybales. Ceci rend aussi la progression des selles difficile le long de l'intestin. Chez certaines personnes, cette sécheresse des selles peut être liée à l'habitude de boire trop peu et chez certains constipés de cette catégorie il suffit de recommander des boissons abondantes pour voir une très grande amélioration.

Spiro recommande de faire boire le matin à jeun un verre de jus d'orange et ensuite 11 verres d'eau au cours de la journée.

Dans beaucoup de cas, l'insuffisance péristaltique est due à une insuffisance biliaire et les meilleurs remèdes à la constipation sont alors les cholagogues, soit médicamenteux, soit alimentaires (huile d'olive, beurre, crème fraîche et même jaune d'oeuf).

Le meilleur traitement de la constipation atonique consiste à donner un régime riche en déchets de manière à ce que le volume des selles soit plus important et stimule mieux la péristaltique intestinale. Les fibres végétales constituent le grand déchet de l'intestin, mais étant donné la complexité de leur composition, leur efficacité varie d'après leur origine.

Propriétés biologiques des fibres

Voici les principales propriétés qui concourent à communiquer aux fibres leur efficacité.

a) *Absorption d'eau* est la propriété la mieux connue. Cette fonction « buvard » comme l'a appelée Mac Donald augmente la masse du contenu intestinal et par là stimule la péristaltique, permettant de lutter efficacement contre la constipation.

Tableau 1 - Absorption d'eau par 100 g d'aliment cru (Eastwood)

Pomme de terre	40	Poire	113
Chou fleur	68	Orange	122
Tomate	71	Pomme	177
Céleri	97	Carotte	208
Pois	99	Son de froment	447
Haricots verts	100		

b) *Stimulation de la péristaltique intestinale*

En 1936, Williams et Olsted ont montré que l'administration de fibres en augmentant le volume des selles chez l'homme stimule la péristaltique intestinale et constitue la forme la plus physiologique de laxatif pour les constipés.

Payler et Wyman montrent que le temps de transit est diminué si au même régime on ajoute des fibres. En outre, Mc Lain Beard montre que non seulement le temps de transit est diminué, mais que la fréquence des selles est augmentée.

Par-là la consommation de fibres sous forme de légumes et de fruits crus constitue le meilleur remède à la fois préventif et thérapeutique de la constipation.

c) *Dégagement d'acides gras volatils,* c'est-à-dire à chaîne courte, provenant d'après Cummings de l'attaque partielle de la cellulose et de l'hémicellulose par des bactéries. Ces acides gras peu absorbés exercent une action osmotique, d'où appel d'eau dans la lumière colique et augmentation de l'hydratation des selles qui s'ajoute à celle provenant du pouvoir d'absorption d'eau des fibres.

d) *Résultats cliniques*

Kelsay a administré à 12 hommes deux régimes. Chacun de ces deux régimes fut testé une fois riche en fibres par la présence de légumes et de fruits, une seconde fois pauvre en fibres mais avec la présence du jus des mêmes légumes et des mêmes fruits dont des pommes, de manière à ce que chacun de ces deux régimes ait chaque fois la même composition, à part la présence ou l'absence de fibres.

Il y eut avec le régime riche en fibres par rapport au régime pauvre :
— une réduction du temps de transit : respectivement   38 h $\pm$ 4 et 52 h $\pm$ 4,
— une augmentation du nombre de défécation par semaine :   10 $\pm$ 1 et 7 $\pm$ 1,
— une augmentation du poids des selles (en 7 jours) :   1.461 $\pm$ 62 g et 662 $\pm$ 64 g,
— une augmentation de la teneur en eau des selles :   74,6 % et 73 %.

Cummings a constaté que la consommation de 20 g de fibres sous forme de pommes augmente le volume fécal de 40 % et accélère le transit intestinal, ce qui a un effet heureux sur les maladies intestinales.

Ce n'est pas uniquement la teneur en fibres qui fait l'intérêt de la pomme dans la lutte contre la constipation, mais aussi sa richesse en pectine. Cette dernière en s'hydratant, forme dans le tube digestif un gel qui va faciliter le glissement des selles le long de la paroi colique.

La pelure de la pomme est plus riche en fibres et surtout en fibres ayant une certaine dureté et stimule davantage la péristaltique que la pulpe du fruit ; d'autre part, la pelure est plus riche aussi en pectine (c'est avec elle qu'on fait la gelée de pomme). Il en résulte que dans la lutte contre la constipation on a intérêt à consommer la pomme avec la pelure, mais il faut alors prendre certaines précautions que nous exposons plus loin.

Il n'est pas bon de prescrire d'emblée au constipé un régime trop riche en fibres, car alors un excès de cellulose séjournant trop longtemps dans le coecum y fermente, peut provoquer de la distension douloureuse de celui-ci et même la colite du coeco-ascendant par fermentation. L'intestin habitué parfois depuis des années à une alimentation pauvre en résidu doit se rééduquer progressivement ; on commencera par des légumes en purée et on n'arrivera aux crudités que prudemment et après quelques semaines de rééducation ; dans ces cas, il faudra éviter le pain complet qui peut être mal toléré.

Les fermentations intestinales peuvent favoriser la péristaltique intestinale, aussi a-t-on recommandé de donner des sucres qui, comme le lactose, sont mal digérés dans le tractus digestif supérieur et arrivent au coecum ; dans ce but on a recommandé le lactose, le yoghourt, le babeurre, le petit-lait.

L'expérimentation a montré que la carence en vitamines du groupe B et surtout en vitamine B_1, pouvait provoquer chez l'animal une diminution de la tonicité des muscles de la paroi intestinale, aussi y a-t-il intérêt à donner chez le constipé un régime riche en aneurine, c'est-à-dire pain complet ou pain gris, légumes crus, etc. Il y a même intérêt à fournir des suppléments de vitamines B_1, sous forme par exemple de levure de bière ou de levure sèche.

Il faut éviter les aliments pauvres en déchets qui ne laissent aucune masse dans l'intestin. Les aliments à éviter sont :

le lait bouilli et les fromages,
les poissons ou les viandes salées,
les pâtisseries et les épices,
le tapioca, le riz, les pâtes alimentaires,
le thé, le cacao, le chocolat.

En résumé, le régime du constipé par atonie doit être riche en fibres, en liquide, en graisse et en vitamine B_1 ; il ne faut faire passer un constipé chronique à ce régime qu'avec une certaine prudence et progressivement.

Il faut absolument éviter chez ces malades les laxatifs irritants, tels l'huile de ricin, l'huile de croton, le calomel, etc. Il vaut mieux utiliser des substances qui lubréfient l'intestin, tel l'huile de paraffine, ou qui laissent un déchet non irritant, tel le psyllium, l'agar-agar, ou, moyen le moins coûteux recommandé par Fiessinger, une cuillère à soupe de gros son qu'on met le matin à tremper dans un verre d'eau et qu'on avale le soir.

2° Le côlon irritable

Les idées ont bien changé au·sujet du côlon irritable décrit autrefois sous le nom de constipation spastique et où on recommandait un régime exempt de résidus.

La constipation spastique survient beaucoup plus fréquemment chez la femme que chez l'homme ; il s'agit toujours de sujets émotionnables, généralement d'âge moyen, présentant un état de dystonie neuro-végétative qui peut être soit d'origine émotionnelle ou psychique, soit d'origine endocrinienne ; très souvent une hyperthyroïdie modérée ou une hyperfolliculinie sera en cause.

Le premier but du traitement est de soigner la cause : psychothérapie et calmants en cas de troubles purement émotionnels ou nerveux, calmants et antithyroïdiens en cas d'hyperthyroïdie, hormonothérapie antagoniste en cas d'hyperfolliculinie.

L'intestin spasmé autour de scybales dures peut s'enflammer ; il y aura alors colite qui se caractérisera par des alternances de diarrhées et de constipation ; dans les périodes de constipation, les selles du malade sont divisées en petites boules dures. Assez souvent aussi, il existe dans les selles du mucus qui peut parfois être sécrété en lambeaux ; c'est la colite muco-membraneuse pour laquelle le terme colite est assez impropre car ni la rectoscopie ni l'examen microscopique des selles ne permettent de mettre en évidence des signes d'inflammation.

Les femmes atteintes de cette affection finissent par développer un complexe psychique axé sur leur constipation ; elles usent et abusent de laxatifs de plus en plus violents et de lavements qui ne font qu'irriter davantage le côlon, accentuer le spasme et aggraver la constipation.

Il faut éviter les causes d'irritation de l'intestin et pour cela recommander :
— de manger dans le calme et de consacrer un temps suffisant aux repas ;
— de ne pas boire rapidement de grandes quantités de liquide glacé ;
— de ne pas utiliser de condiments tels poivre, moutarde, sauce anglaise, piment, ketchup, etc ;
— de ne pas prendre de quantités excessives de café ou de thé trop fort ;
— de ne pas prendre de laxatifs ;
— d'éviter les abus de glucides qui peuvent favoriser les fermentations.

Il faut viser à augmenter le poids des selles, à assurer leur meilleure hydratation et à raccourcir leur temps de transit.

A ce point de vue, le son de blé possède des vertus supérieures à celles de tout autre aliment. Contrairement aux conseils d'autrefois, on recommandera du pain gris, si pas complet, très foncé. Il n'est pas nécessaire de recourir aux biscuits de son vantés par la publicité si on mange du pain gris. Il ne faut en tout cas pas recourir au son finement pulvérisé ; il a perdu presque toute efficacité.

Sont aussi très utiles, les fibres des choux, celles des carottes et des pommes. Il est apparu que ce qui dicte le plus l'augmentation du poids des selles est le teneur en pentoses de la fraction polysaccharidique non cellulosique des fibres ; le son de blé augmente le poids des selles de 127 %, le chou de 69 %, les carottes de 59%, les pommes de 40 %.

Smith a montré que les fibres, en accélérant le transit, diminuent la pression intraluminale et donc l'irritation du côlon ; d'autre part, ceci a aussi pour effet de prévenir la diverticulose colique.

En ce qui concerne les fruits, il faudra veiller à ce qu'ils soient bien mûrs ; les fruits verts peuvent provoquer de l'irritation. Notons les avantages tout particuliers des pruneaux et des figues séchés, même cuits au jus. La pelure des pommes, par sa richesse en pectine, facilite le glissement des selles le long de la paroi colique. Si l'intestin est particulièrement irritable, on pourra au début donner les fruits en compote.

Les légumes les plus avantageux seront les choux, les laitues, les endives, les chicons, les haricots verts. Il faudra au début éviter les crudités et notamment les concombres, les tomates, les salades diverses ; ils pourront être introduits progressivement au gré de l'amélioration clinique ; les légumes farineux tels fèves, haricots secs, pois secs, lentilles devront être évités, car ils créent une flatulence qui pourrait donner des crises douloureuses.

Les petits pois très jeunes et très tendres (petits pois extra fins) seront autorisés.

Les boissons seront abondantes. Beaucoup de gens, et particulièrement les femmes boivent trop peu. Ceci a pour effet de favoriser la formation de selles trop concentrées ; celles ci seront à la fois trop peu volumineuses, ce qui ralentit le transit, et trop dures, ce qui est irritant et favorise les spasmes. Hurst, avait écrit qu'il se faisait fort de guérir un grand nombre de constipations chez la femme avec trois grands verres d'eau fraîche par jour.

Insistons encore sur la nécessité d'éviter tout laxatif irritant qui ne peu qu'aggraver la situation de malades pareils. Les seuls remèdes auxquels on peut recourir sont des graines émollientes qui gonflent à la cuisson ou dans le tube digestif telles les graines de lin ou de psillium.

3° La diverticulose

La diverticulose est une complication de la constipation qui se développe lentement et progressivement chez certains constipés. Longtemps elle est asymptomatique, mais elle peut devenir gênante, douloureuse et même grave.

Elle consiste en l'ectasie de petites zones de la paroi colique ; l'effondrement de la paroi peut être limité et d'une faible ampleur au début, mais ensuite ces ectasies se multiplient et deviennent plus profondes donnant lieu parfois à une image radiographique en grappe de raisins.

La distension des diverticules par les gaz peut être douloureuse et provoquer des spasmes. Par ailleurs, des fragments de selles coincés dans ces diverticules peuvent occasionner de la diverticulite avec fièvre et même rarement une perforation exigeant une intervention chirurgicale.

Ces ectasies ont pour origine l'augmentation de la pression intraluminale liée à la pauvreté en fibres du régime. Rare au début du siècle, la diverticulose a augmenté au fur et à mesure que la quantité de pain et de pommes de terre a été en diminuant et que le pain gris a été remplacé par du pain blanc.

Comme le montre le tableau suivant, en Belgique, la quantité de fibres ingérée chaque jour est tombée de 11,7 g en 1890 à 5,6 g en 1975.

Consommation de certains aliments et de fibres en Belgique (g).

	1890		1975	
	quantité	fibres	quantité	fibres
Pain gris	750	5,1	25	0,2
Pain blanc	50	0,1	175	0,4
Pommes de terre	800	3,0	300	1,1
Légumineuses	100	1,5	25	0,4
Fruits et légumes	200	2,0	350	3,5
Total fibres		11,7		5,6

La diverticulose doit avant tout être prévenue et seul un régime plus riche en fibres et notamment le retour au pain gris allant de pair avec une réduction de la ration de graisses saturées et de viande pourra y arriver.

Le traitement diététique de la diverticulose a pour but d'empêcher une aggravation de celle ci, d'assurer une stabilisation et de prévenir les complications. Seul un enrichissement de la ration en fibres peut y parvenir et surtout le remplacement du pain blanc par du pain gris.

4° L'entérite après radiothérapie

L'intestin grêle est extrêmement sensible à l'action des radiations ionisantes. Les radiothérapies pour tumeur maligne des organes pelviens sont suivies assez souvent d'une entéropathie.

a) *phase aiguë* : un grand nombre de sujets subissant une radiothérapie des organes pelviens présente des signes intestinaux au cours ou dans les suites immédiates de celle-ci ; dans la plupart des cas la guérison survient spontanément en 6 à 12 semaines .

Les symptômes consistent en diarrhées parfois sanguinolentes, en ténesme, en nausées avec parfois des vomissements.

Il suffit durant cette phase d'appliquer le régime et le traitement de l'entérite aiguë. La sévérité du régime sera en rapport avec la gravité des symptômes.

b) *l'entéropathie chronique* : chez une minorité de patients, les symptômes ne guérissent pas et passent à la chronicité. D'après les auteurs cela va de 6,7 à 36 %. Beer estime que près d'un quart des alimentations parentérales totales à domicile relève de cette cause.

Les lésions sont variables : fistules entre deux anses ou avec des organes voisins, endartérite des petits vaisseaux avec fibrose intestinale, sténose avec ischémie, ulcère de la muqueuse, atrophie des villosités, obstruction des vaisseaux lymphatiques avec lymphangiectasie .

Il s'ensuit une malabsorption qui va de la stéatorrhée modérée à la stéatorrhée grave avec perte de protéines chez ceux qui font de la lympangiectasie. Beaucoup de ces patients font des calculs biliaires et de l'hyperoxalurie.

Pour établir un régime, il faut évaluer l'état fonctionnel de l'intestin ; on peut trouver une stéatorrhée simple, de l'intolérance au lactose, des pertes de protéines. Dans beaucoup de cas l'administration par la sonde naso-duodénale d'un régime liquide type Vivonex HN évite l'utilisation de l'alimentation parentérale totale.

IV. - LES SUITES DE LA CHIRURGIE ILÉO-COLIQUE

Les interventions iléo-coliques peuvent être suivies d'altérations métaboliques et de diarrhées importantes ; celles-ci peuvent se corriger en quelques semaines à quelques mois permettant une récupération fonctionnelle. L'adaptation aux nouvelles conditions de transit est extrêmement importante pour l'avenir de l'opéré et dépend comme l'a montré Wilmore d'une nutrition post-opératoire adéquate.

L'alimentation des suites de la chirurgie iléocolique comporte un certain nombre d'impératifs :
1) apport calorique suffisant
2) apport protéinique large
3) variété et sapidité suffisante.

Ceci est nécessaire pour permettre une réinsertion sociale rapide et un confort de vie ; dans chaque cas, l'anamnèse devra permettre une évaluation des altérations fonctionnelles causées par l'opération ; il faudra surtout se baser sur l'analyse des selles ou du liquide d'iléostomie recueilli durant 3 jours sous un régime défini pour apprécier objectivement l'importance des pertes liquidiennes et nutritionnelles.

Il faut envisager 5 types d'intervention :

1° Les colostomies gauches

Cette intervention est réalisée à titre définitif beaucoup plus fréquemment que la colostomie droite car la majeure partie du liquide et des électrolytes étant résorbée au niveau du côlon droit, les interventions au niveau du côlon descendant ou du sigmoïde donnent lieu moins fréquemment à des diarrhées et lorsqu'elles surviennent à des diarrhées moins abondantes que lorsque l'intervention a lieu au niveau du côlon droit.

Des diarrhées peuvent exister au début de la convalescence, causées par une accélération du transit colique, mais elles disparaissent en quelques mois ; ces interventions n'entraînent jamais de carence nutritionnelle.

Le problème consiste à éliminer l'incontinence, à diminuer l'odeur, à éviter la flatulence, à empêcher l'irritation de la peau, en bref à favoriser l'exonération au moment opportun.

En cas de diarrhée au début de la convalescence, il faut, comme l'a montré Traissac, éliminer le pain gris, les crudités et les fruits secs de manière à réduire les résidus cellulosiques.

Ensuite, il faut favoriser l'exonération au moment choisi ; pour rééduquer le côlon, Hugues et Wilson conseillent de profiter du réflexe gastro-colique ; le repas comportant le plus de liquide peut déclencher l'exonération journalière, mais pour cela, il faut que le patient ne prenne aucune boisson entre les repas ; en outre, il faut lui recommander de prendre une grande tasse de thé ou de café chaud à la fin du repas principal. Lenneberg conseille d'observer chez chaque patient les aliments qui favorisent l'exonération.

Lorsque la rééducation est faite, la plupart des patients peuvent supporter les aliments les plus variés ; certains éprouvent des malaises, la plupart du temps de la flatulence, après avoir consommé certains aliments ; ils doivent les éliminer. Seront le plus souvent en cause les boissons gazeuses, la bière, les fèves, les haricots, les choux. Chez certains patients, l'inconfort peut provenir d'une odeur désagréable qui pourra provenir de l'ingestion d'oignons, d'ail, de concombres, de choux, d'oeufs, de poisson, de laitage ; le patient devra éliminer de son régime les aliments en cause.

2° Les iléostomies

L'iléostomie sans résection iléale se pratique après résection colique pour colite ulcéreuse. La suppression de la valvule de Bauhin entraîne l'écoulement quasi permanent de liquide iléal. Le volume de celui-ci diminue progressivement en quelques mois ; ceci est dû à un allongement progressif des villosités avec accroissement du nombre des cellules absorptives.

Cette intervention entraîne des troubles hydro-électolytiques importants ; le liquide, qui après quelques mois se stabilise autour d'un volume de 500 ml environ, est riche en ions sodium (23 à 137 méq/jour) et pauvre en ions potassium (1,7 à 8,6 méq/jour) ; ceci provoque une diminution du volume plasmatique avec comme conséquences une diminution du volume urinaire et une sécrétion accrue d'aldostérone ; cette dernière augmente la réabsorption tubulaire rénale du sodium au dépens d'un passage accru d'ions hydrogène et ammonium dans les urines.

Ceci entraîne une assez forte acidité des urines, aux environs du pH 5, ce qui favorise la précipitation de l'acide urique ; différents auteurs ont relevé la présence d'une lithiase uratique chez 6 à 7 % des iléostomisés ; ceci n'est pas dû à une augmentation de l'excrétion d'acide urique, mais à la réduction du volume des urines et à leur acidité.

On n'observe pas de diminution après iléostomie sans résection iléale. Le régime devra viser 1) à diminuer le volume d'excrétion iléale 2) à éviter la lithiase.

Au début, lorsque le débit iléal est élevé, il faut un régime sans résidu, hypercalorique et hyperprotidique ; ensuite, on peut progressivement élargir celui-ci. Traissac propose des légumes à cellulose tendre bien cuits (pommes de terre, carottes, laitues, haricots verts, épinards), des fruits cuits (abricots, pêches, poires) et du pain blanc rassis ou grillé ; il faut éviter les aliments riches en fibres comme charcuterie, céréales complètes, crudités, fruits secs. Un bon moyen de suivre les progrès est la pesée des fèces.

Les 5 premiers jours le patient subira l'alimentation parentérale totale ; on pourra commencer à le réalimenter à partir du 6ème jour.

Le 6ème jour on lui donnera 2 ou 3 potages sans lait enrichi d'une poudre riche en protéines, de vermicelle ou de fromage râpé.

Le 7ème jour on lui donnera

Petit déjeuner :
　　biscotte, beurre, gelées
　　thé ou café léger avec sucre

Déjeuner :
　　50 g viande moulue ou poisson maigre
　　pommes de terre bouillies ou en purée
　　pâtes, riz, semoule ($\pm$ 150 g)
　　beurre, fromage
　　crème sans résidu, gâteaux secs

Dîner :

 potage enrichi en protéines, fromage
 crème sans résidu, gâteaux secs

Les jours suivants on augmente progressivement la viande et le poisson, on introduit le lactose (lait, yaourt) le 8ème jour. C'est aussi à partir du 8ème jour que l'on introduit les compotes, les fruits mixés, les légumes tendres cuits et d'abord mixés.

Il faudra veiller à donner suffisamment d'eau et de sodium par exemple de l'eau de Vichy, des aliments salés et même des cachets de sel, sous le couvert des indications fournies par les examens de sang et d'urines.

Après quelques mois, le régime peut être fort élargi, il faut toutefois éliminer les aliments fibreux, irritants ou laxatifs, c'est-à-dire choux, haricots secs, pois secs, fèves, lentilles, pain complet, prunes, melon, oseille, rhubarbe, glace, lait, boissons gazeuses. En outre, chaque patient devra se baser sur son expérience personnelle pour éliminer l'un ou l'autre aliment qu'il supporte mal.

Pour éviter la lithiase urinaire, la prescription d'alcalins n'est pas utile car il faudrait en administrer des doses supérieures à celles qui peuvent être consommées régulièrement ; Clarke conseille d'augmenter la ration d'eau pour accroître le débit urinaire ; lorsque l'iléostomie est stabilisée, on peut sans inconvénient donner un supplément d'eau de 1 litre par jour.

3° Les iléo rectostomies

Cette intervention pratiquée lors d'exérèse colique pour polypose familiale ou colite ulcéreuse comporte généralement une anastomose iléorectale latéro-terminale ; Peck a conseillé, pour conserver la valvule de Bauhin une anastomose terminoterminale entre une collerette de coecum et le rectum. Traissac a montré que la conservation de 6 cm de rectum permet la continence anale normale avec stockage du contenu iléal.

Au début les selles sont liquides, mais après quelques mois, elles sont bien moulées ; à ce moment, aucun régime n'est nécessaire ; s'il persiste des diarrhées, il faudra maintenir un régime sans résidu large.

4° Les résections iléales

Ces interventions causent de nombreuses altérations métaboliques avec dénutrition et une diarrhée chronique très gênante.

L'iléon joue un rôle important dans le métabolisme et la réabsorption des sels biliaires et de la vitamine B_{12} ; l'importance des perturbations va dépendre de l'étendue de la résection iléale.

En cas de *résection iléale limitée*, une partie des sels biliaires n'est plus résorbée et passe dans le côlon où par leur concentration, ils entraînent une inhibition de la résorption de l'eau et du sodium, ce qui se traduit par une diarrhée aqueuse post-prandiale. La perte des sels biliaires est compensée par une synthèse accrue par le foie ; ceci maintient un pool suffisant pour assurer l'émulsion et la résorption des lipides ; en ce cas, il n'y a guère de stéatorrhée importante.

En cas de *résection iléale étendue*, la malabsorption des sels biliaires est importante et malgré l'augmentation de la synthèse hépatique, leur concentration jéjunale n'est plus suffisante pour assurer la résorption normale des lipides ; il y a une stéatorrhée importante, dépassant 20 g par jour.

L'insuffisance de résorption des lipides entraîne une réduction de la résorption des vitamines liposolubles A, D et K, d'où l'apparition d'un état de carence en ces vitamines ; l'hypovitaminose B_{12} liée à l'insuffisance d'absorption iléale n'apparaît qu'assez tardivement étant donné l'importance des réserves.

La stéatorrhée chronique entraîne un bilan calcique et magnésien négatif car les lipides s'éliminent sous forme de savons calciques et magnésiens ; ceci peut entraîner une ostéomalacie et de la tétanie.

Il existe des diarrhées dues à l'action de ces savons mais aussi à celle d'acides gras hydroxylés par l'action bactérienne, parmi eux surtout l'acide hydroxystéarique dont la formule est voisine de celle de l'acide ricinoléique, l'élément actif de l'huile de ricin et dont l'effet cathartique entraîne une sécrétion d'eau et d'électrolytes au niveau du côlon. On a noté la fréquence des calculs urinaires oxaliques due à la résorption intestinale accrue d'acide oxalique dont on n'a pu jusqu'ici élucider le mécanisme.

En cas de *résection iléo-jéjunale* s'ajoute, du moins au début, une insuffisance de résorption des glucides et des protides ; au cours de la convalescence, il y a une adaptation et les troubles disparaissent progressivement, à condition qu'il reste suffisamment de jéjunum.

Des bilans permettent par l'analyse des selles d'apprécier l'étendue des déficits. Le régime devra viser à amenuiser les perturbations constatées et à empêcher les carences.

Dans la *résection iléale limitée*, le seul inconvénient étant la diarrhée, il faudra un régime pauvre en résidu cellulosique, qui ne suffit pas toujours ; on pourra donner soit de la cholestyramine qui réduit l'effet des sels biliaires, soit des médicaments ralentissant le transit.

Dans les *résections larges*, pour éviter la stéatorrhée, il faut un régime hypolipidique strict, du moins en ce qui concerne les graisses classiques ; le régime trop pauvre en graisse manquant de sapidité risque de réduire l'ingestion de glucides et de protides et de mener à la dénutrition. C'est ici l'indication majeure des triglycérides à chaînes moyennes que l'on donnera dès le début de la convalescence ; il y aura avantage à ne les introduire que progressivement dans la ration alimentaire car chez certains patients au début ils provoquent des diarrhées ; chez d'autres, les diarrhées peuvent être osmotiques, favorisées par la plus petite dimension des chaînes aliphatiques ; dans ce cas, il faudra limiter l'apport de cette graisse à 50 g par jour. Il faut de toute façon permettre une certaine quantité de graisses à longue chaîne, de manière à assurer au patient une quantité suffisante d'acides gras essentiels ; il faut en outre donner des vitamines liposolubles sous forme hydrosoluble et de l'acide folique ; pour éviter la lithiase oxalique, on évitera les aliments oxalophores.

5° Les colostomies ou anus artificiel

L'intervention colique la plus fréquente est celle que l'on doit pratiquer pour un cancer du rectum. Dans quelques cas heureux, il n'y a pas d'envahissement parce que le diagnostic a été porté de manière très précoce et on peut réséquer largement le bout du rectum malade et faire un abouchement bout à bout, mais il s'agit là de cas tout à fait exceptionnels. Dans la très grande majorité des cas, la résection est très large, la tumeur n'a pu être enlevée en totalité parce que déjà invasive et l'on est acculé à pratiquer une colostomie, c'est-à-dire à aboucher l'extrémité inférieure du colon descendant à la peau de la fosse iliaque gauche.

Cette intervention a des conséquences beaucoup moins importantes que l'iléostomie parce qu'à ce niveau, les liquides ont déjà été résorbés et les matières ont la même consistance, à peu de chose près, que celle des selles.

Les mesures diététiques ne sont pas fort contraignantes, il y a toutefois deux directives auxquelles le régime doit se plier : éviter les diarrhées, réduire autant que possible la production de gaz.

Un premier conseil au malade peut avoir des répercussions heureuses pour son confort ; il faut lui recommander de bien mâcher ses aliments car en amenuisant suffisamment les particules alimentaires, la digestion étant plus complète, on évitera d'une part les fermentations avec leur production de gaz et les putréfactions génératrices de diarrhées.

Il faut éliminer les légumineuses (pois, fèves, lentilles, soja), les oignons, les navets, les choux, les artichauts, les asperges, les salsifis, les poireaux, les tomates, les melons, le pain complet, tous les aliments riches en résidus susceptibles de favoriser des fermentations.

Il faut éliminer les abats et les fromages à pâtes molles, qui ont subi l'affinage, et qui peuvent engendrer des gaz malodorants.

On évitera les épices (poivre, moutarde, pickles, sauces anglaise, ketchup, etc).

On évitera les boissons gazeuses.

Le lait peut être autorisé en quantité modérée parce qu'en quantités trop importantes, il favorise les fermentations.

On autorisera les légumes cuits, sauf ceux cités plus haut qui sont trop fibreux. On pourra même autoriser des légumes et des fruits crus bien mûrs, mais en quantité raisonnable et en recommandant tout particulièrement de bien les mâcher.

Les viandes, en dehors des abats, les poissons, les oeufs, les fromages à pâtes cuites pourront être consommés en quantités normales.

En cas de diarrhée, on donnera des carottes, du riz bouilli, du tapioca, des oeufs, de la confiture de myrtille et on évitera les aliments donnant des résidus.

Il faudra surtout adapter la rigueur du régime à la tolérance de chaque malade ; chez la plupart d'entre eux, le régime ne sera guère différent de celui de l'homme normal.

CHAPITRE XXV

L'allergie alimentaire

I. - Définition

Certains sujets, chaque fois qu'ils consomment un aliment déterminé présentent des malaises. Deux éventualités sont possibles : ou bien cet aliment contient une substance légèrement toxique à laquelle le sujet est particulièrement sensible ; il s'agit alors d'une intolérance, ou bien le sujet est allergique vis-à-vis d'un aliment déterminé.

L'intolérance s'oppose à l'allergie parce qu'elle ne provient pas de la formation d'anticorps ; le poivre, la moutarde, l'alcool et même le sucre assez concentré peuvent être de simples irritants des filets nerveux de la muqueuse digestive. Le melon, la tomate, le concombre contiennent une substance émétique qui à petites doses peut provoquer des régurgitations ou des renvois ; il s'agit là d'une intolérance banale. L'intolérance aux graisses n'est généralement pas de nature allergique ; elle provient de l'action inhibitrice de celles-ci sur l'évacuation gastrique ou de leur action accélératrice sur le péristaltisme du grêle ou de leur action sur les sécrétions pancréatiques et biliaires.

L'allergie fut découverte par Charles Richet qui montra qu'une première injection de blanc d'oeuf au cobaye ne provoquait chez lui aucun phénomène pathologique tandis qu'une seconde injection 15 jours plus tard le tuait rapidement de spasmes bronchiques. C'est à Von Pirquet qu'est dû le choix du terme, lorsqu'il écrit en 1906 : " Un sujet est en état d'allergie à une substance lorsqu'il réagit à la suite de l'introduction nouvelle de cette même substance autrement que lors de la première pénétration de cette substance ". On sait depuis que l'allergie est due à la formation d'anticorps extrêmement spécifiques vis-à-vis de certaines protéines contenues dans cette substance.

L'allergie alimentaire est liée à la formation d'anticorps vis-à-vis d'allergènes contenus dans les aliments ; elle est extrêmement spécifique. L'allergie ne peut être affirmée que par les tests révélateurs de la présence dans le sang ou les tissus d'anticorps vis-à-vis d'un allergène contenu dans un aliment. On emploie généralement pour cela des méthodes indirectes : la cuti-réaction, l'intradermo-réaction, la réaction de Prausnitz-Kustner, la réaction de Boyden.

II. - Preuve de l'existence d'une allergie alimentaire

C'est Roseneau et Anderson les premiers qui montrèrent l'existence d'une allergie alimentaire ; les cobayes à qui ils avaient donné en ingestion du sérum de cheval étaient parfois sensibilisés à une ingestion ultérieure du même sérum. Richet montrait que la crépitine, poison retiré du Hura crepitans donné en ingestion à l'animal d'expérience était capable de le sensibiliser et qu'une ingestion ultérieure était susceptible de déclencher des accidents anaphylactiques.

Les allergènes alimentaires sont constitués par des substances fort diverses, généralement de nature protéinique ; on admet que pour devenir antigéniques, les substances alimentaires non protéiniques se combinent à des protéines.

L'allergie alimentaire est bien spécifique puisqu'elle est liée à la présence d'anticorps ; cette spécificité peut parfois être d'une précision étonnante telle celle observée par Duke chez un de ses malades qui faisait des accidents allergiques chaque fois qu'il consommait une goutte de miel provenant uniquement de certaines fleurs. Il n'est cependant pas rare qu'il existe chez les mêmes sujets plusieurs allergies simultanément, par exemple le lait et les oeufs, le lait et le poisson, le lait et le pain.

Il arrive parfois que l'allergie existe non vis-à-vis des aliments comme tels, mais vis-à-vis des dérivés de la digestion de ces aliments ; on a parfois parlé à ce propos d'allergènes endogènes. Blamoutier a décrit le cas d'un malade intolérant à la viande de mouton, dont les tests cutanés étaient négatifs vis-à-vis d'un extrait de viande de mouton mais devenaient positifs vis-à-vis d'un extrait de viande de mouton prédigérée au moyen de pepsine et de trypsine.

Le Cluyse et Conard ont décrit un cas de purpura rhumatoïde avec iléite où les tests cutanés au lait et à la viande étaient négatifs ; ils firent ingérer du lait au malade et le reprirent un quart d'heure plus tard par la sonde gastrique. Le suc ainsi obtenu, neutralisé puis filtré sur bougie provoqua, à la dose d'une goutte, une réaction très vive à l'intradermo-réaction.

La préparation culinaire peut intervenir pour neutraliser ou faire sortir le pouvoir antigénique de certains aliments ; Pollak, confirmé par plusieurs auteurs, a vu que des sujets allergiques aux pommes de terre supportent bien celles-ci lorsqu'elles sont préparées en robe des champs. Godart a observé un malade qui faisait de l'oedème de Quincke chaque fois qu'il consommait une omelette au lard, mais qui pouvait consommer sans inconvénient oeufs et lard séparément.

Certains agents chimiques utilisés pour les préparations culinaires peuvent modifier le pouvoir antigénique ; il en est ainsi du vinaigre ; un lavage même rapide des fraises au moyen d'eau vinaigrée peut supprimer l'urticaire que provoque leur ingestion chez certaines personnes.

De même, l'allergie au lait entraîne généralement l'allergie au fromage ; cependant pour certaines variétés, la protéolyse entraînée par l'affinage permet au malade allergique au lait de tolérer certains fromages.

Pour que l'allergie se fasse, il faut que l'allergène traverse la muqueuse jéjunale. Ce fait a pu être obtenu expérimentalement par Langeron chez l'animal d'expérience au moyen du décapage de la muqueuse intestinale par la bile ; ceci permet le passage de l'antigène à travers la muqueuse jéjunale et une meilleure préparation de l'animal qui réagissait alors soit à une seconde ingestion, soit à une injection sous-cutanée.

A première vue, il semble que les aliments introduits dans le tube digestif ne puissent servir d'antigènes puisque la digestion doit réduire les molécules protéiniques en produits suffisamment dégradés pour être indifférents. Cependant, lorsque le bol alimentaire franchit le pylore, les protéines ne sont pas encore dégradées jusqu'au stade d'acide aminé. Des débris de protéines suffisamment importants peuvent franchir la barrière intestinale et donner lieu à réactions allergiques.

Hansen a injecté dans la peau de sujets normaux le sérum d'un sujet sensibilisé à un aliment. Il fait ensuite ingérer le matin à jeun cet aliment par un sujet normal et il voit une réaction urticarienne apparaître à l'endroit où il a injecté le sérum du sujet sensibilisé. Ceci montre que l'allergène a pu, chez le sujet normal, traverser la barrière intestinale.

Wazinger a pu observer par cette méthode que la plupart des allergènes traversent la muqueuse gastro-intestinale ; peu de sujets cependant réagissent à ces allergènes par la sensibilisation, seuls les sujets prédisposés deviennent allergiques.

Cette allergie peut survenir à la suite de surcharges alimentaires ; celle-ci peut être aiguë ; Hansen cite plusieurs cas d'allergie à l'oeuf ayant débuté à la suite de l'ingestion intempestive de 10 à 20 oeufs crus en une séance ; or, Wazinger a montré que les protéines de l'oeuf traversent facilement la barrière intestinale ; il suffit pour cela d'absorber 1 ou 2 oeufs crus le matin, à jeun.

Dans d'autres cas, l'allergie survient à la suite d'une surcharge alimentaire chronique ; von Romatowskiaw, au cours de la guerre 1939-1945 a vu des allergies au lait survenir chez des paysans allemands amenés à consommer moins de viande et plus de lait ; des observations analogues d'allergies au maïs ont été observées chez des soldats allemands obligés de consommer de grandes quantités de cette céréale.

L'achlorhydrie, en entravant la digestion des protéines, favorise grandement l'allergie alimentaire. En 1902, déjà, Nolf avait provoqué chez le chien des chocs anaphylactiques analogues à ceux de l'injection intraveineuse en faisant pénétrer dans l'estomac des peptones en solution alcaline ; l'ingestion des mêmes peptones en milieu acide ne provoque aucune réaction.

La plupart des observateurs s'accordent à reconnaître la fréquence de l'achlorhydrie chez les allergiques et il existe de nombreux cas où l'acide chlorhydrique dilué, pris avant le repas, suffit à guérir les manifestations allergiques.

III. - CLINIQUE DE L'ALLERGIE ALIMENTAIRE

Les manifestations cliniques de l'allergie alimentaire sont des plus variées ; on distingue surtout
— les manifestations respiratoires ; (asthme, etc.)
— les manifestations digestives (gastro-entérite, flatulence, colite, nausées, vomissements, diarrhées) ;
— les manifestations cutanées (urticaire, oedème de Quincke, eczéma) ;
— les manifestations nerveuses (céphalées, migraines, insomnies, angoisses, vertiges) ;
— les manifestations urinaires (colique néphrétique, etc) ;
— l'asthénie est coutumière dans l'allergie alimentaire.

Il ne faut pas confondre l'allergie alimentaire et l'allergie digestive.

L'*allergie alimentaire* est toujours provoquée par un allergène alimentaire, qui, passant du tube digestif dans l'organisme, déclenche des manifestations localisées à un organe déterminé.

L'*allergie digestive* est constituée par l'ensemble des manifestations allergiques survenant au niveau du tube digestif, quels que soient la nature et le mode de pénétration de l'allergène. Certaines allergies digestives sont en même temps allergies alimentaires, mais de nombreuses allergies alimentaires ne sont pas des allergies digestives.

Les manifestations cliniques de l'anaphylaxie sont toujours les mêmes chez le même sujet : l'un fera, chaque fois qu'il consomme l'allergène un urticaire, un autre fera de l'oedème de Quincke, un troisième fera de la migraine. Ces manifestations cliniques, tout en étant toujours les mêmes chez les mêmes sujets, ne sont pas caractéristiques de l'allergène. L'oeuf provoquera chez un sujet un urticaire, chez un autre de l'oedème, chez un troisième de la migraine. D'autre part, le même urticaire peut être produit par le lait, le pain, la fraise, le poisson, etc.

Les *accidents suraigus* sont rares ; le type le plus caractéristique en est l'anaphylaxie du nourrisson pour le lait de vache qui peut aller jusqu'à le tuer. Chez l'adulte, on peut parfois voir des accidents suraigus de type intestinal simulant l'obstruction et qui ont parfois amené le patient sur la table d'opération.

Les *manifestations aiguës ou subaiguës* sont, par contre, fréquentes ; elles revêtent surtout l'allure de l'urticaire, de l'eczéma et de l'oedème de Quincke ; mais on peut dire que presque toutes les dermatoses peuvent être simulées par une allergie digestive. Au point de vue digestif, on voit surtout des douleurs abdominales, des diarrhées et des vomissements ; on peut voir aussi des coliques vésiculaires et de l'ictère. Les manifestations respiratoires vont du coryza spasmodique à l'asthme grave.

Les *manifestations chroniques* sont surtout digestives. Richet en a décrit deux types : le type dyspeptique et le type colitique. Le type colitique peut simuler toutes les formes nerveuses de l'allergie alimentaire chronique ; elles revêtent l'allure de migraines, migraines ophtalmiques, céphalées, insomnies, vertige de Ménière, angoisses et même psychoses.

Gauthier et Sarles, à la suite d'une vaste enquête sur les manifestations allergiques chez les habitants de Marseille, estiment qu'il y a trois syndromes essentiels de l'allergie alimentaire digestive :
— des syndromes douloureux abdominaux paroxystiques ;
— des syndromes dyspeptiques avec migraines fréquentes ;
— des colites et des entérocolites avec diarrhées ou constipation ou alternance de diarrhées et de constipations.

Rinkel a distingué deux formes évolutives de l'allergie alimentaire :
a) l'allergie alimentaire fixée dont les symptômes spécifiques apparaissent immanquablement après ingestion de l'antigène, indépendamment de la fréquence d'absorption ;
b) l'allergie alimentaire cyclique dont les manifestations et leur intensité dépendent de la fréquence d'ingestion accroît la sensibilisation tandis que de longues périodes d'omission augmentent la tolérance.

Avant d'admettre que des manifestations cliniques sont l'expression d'une allergie, il faut être extrêmement prudent ; il faut avoir fait des expériences où l'on donne au patient, à son insu des placebo. Selon May, il s'avère que dans ces conditions, un quart seulement des troubles voit sa nature allergique confirmée, les autres étant d'origine psychologique ou même imaginatifs.

IV. - DIAGNOSTIC DE L'ALLERGIE ALIMENTAIRE

Le diagnostic de l'allergie alimentaire n'est pas toujours aisé. On devra réunir le plus grand nombre d'éléments pour se faire une opinion sur la cause précise de l'allergie.

a) délai d'apparition

Dans l'allergie fixée, la réaction allergique succède immédiatement à l'ingestion de l'aliment responsable ; dans ces cas, le diagnostic s'impose généralement et est fait par le malade lui-même. Les aliments le plus souvent en cause dans cette forme d'allergie sont les poissons, les fruits de mer, les baies, les fraises, les noix et le blanc d'oeuf.

Les réactions allergiques peuvent n'apparaître qu'après des délais assez longs variant entre 4 et 72 heures après ingestion de l'aliment responsable. Cela se voit notamment lorsque l'allergie se fait aux produits de dégradation résultant de la digestion ; dans ce cas, le diagnostic est plus difficile à établir. Sont le plus souvent en cause des céréales (froment ou maïs surtout), le lait, les oeufs, la viande de boeuf ou de porc, le chocolat et les légumineuses.

Le diagnostic, dans cette seconde éventualité est plus compliqué du fait que l'allergie se produit pour des aliments beaucoup plus courants et que l'on consomme tous les jours.

b) caractère cyclique

Chez certains patients, des périodes d'immunité peuvent rendre le diagnostic plus malaisé ; ces périodes d'immunité peuvent parfois succéder à des réactions aiguës.

c) allergie masquée

L'allergie peut être due à des contaminants des aliments par exemple au développement imperceptible de certaines moisissures.

Dans les aliments composés, il peut être difficile d'isoler le facteur responsable, par exemple le blanc d'oeuf dans certaines pâtisseries, la fécule de pomme de terre dans certaines charcuteries, etc.

d) facteurs individuel

Les manifestations allergiques peuvent être modifiées par différents facteurs : infectieux, psychologique, hépatique, etc.

e) l'anamnèse

L'anamnèse du patient est à la base du diagnostic ; elle a pour but de découvrir l'aliment responsable des manifestations allergiques. Elle doit porter sur les goûts du patient, ses habitudes alimentaires, les quantités d'aliments ingérés, les antécédents héréditaires, familiaux et personnels en matière d'allergie.

L'anamnèse est fort importante mais n'est pas facile à faire ; il faut interroger le patient avec insistance mais bienveillance ; il faut consacrer à l'interrogatoire un temps suffisamment long et ne pas craindre de le recommencer après quelques jours ; ceci sera surtout important dans les formes tardives.

D'après Fontanac-Strauss, l'interrogatoire doit porter surtout sur

1) les aliments mangés en excès (chocolat, lait, oeufs, etc) ;
2) les aliments pris avec déplaisir ; il peut s'agir de caprice, mais la réticence peut être une protection instinctive.
3) les aliments qui provoquent des malaises même légers car ceux-ci peuvent être des manifestations mineures d'allergie.
4) les aliments ayant provoqué des manifestations allergiques chez d'autres membres de la famille car il existe une hérédité indiscutable en matière d'allergie

f) le journal alimentaire

C'est un moyen de diagnostic qui doit précéder ou éventuellement accompagner l'emploi des régimes d'élimination ou de provocation.

Le journal alimentaire pour être utile doit comporter une série de renseignements :

— les aliments crus et cuits et dans ce cas, le mode de préparation ;
— les boissons et les aliments pris entre les repas ;
— les médicaments ;
— la marque des aliments préparés industriellement ;
— les changements d'environnement ;
— le mode d'apparition, l'intensité, la fréquence, la durée des symptômes, leurs relations avec les repas, avec les habitudes journalières, hebdomadaires ou mensuelles. La lecture du journal alimentaire doit être très attentive.

V. - Les régimes d'élimination

Le traitement de l'allergie alimentaire est fort simple en principe ; il suffit de supprimer l'aliment qui contient l'allergène. En pratique, connaître cet aliment n'est pas toujours chose fort simple.

Lorsqu'un sujet développe des manifestations anaphylactiques chaque fois qu'il consomme un aliment peu habituel, le diagnostic étiologique est vite posé ; certains malades font de l'urticaire ou de l'oedème de Quincke chaque fois qu'ils consomment des moules, ou du homard, ou des fraises. Le diagnostic est vite fait par le malade lui-même. Lorsque cette allergie se fait pour un aliment courant, la chose peut être très malaisée à établir.

Dans le but de faciliter dans ce cas le dépistage de l'allergène, Rowe a proposé de recourir à la méthode des *régimes d'élimination*. Elle consiste non pas à supprimer tel ou tel aliment, mais à les supprimer tous sauf quelques uns et on met le malade successivement à des régimes ne comprenant que tel ou tel aliment déterminé.

Voici comment procède Richet. Il met d'abord le malade au **Régime 1**. Il comprend :

300 g viande de mouton,

300 g carottes ;

50 g huile d'arachide ;

200 g riz ;

Prunes ou poires ;

eau et sucre à volonté.

Si le malade n'a plus d'accidents anaphylactiques, c'est qu'il ne présente de l'allergie vis-à-vis d'aucun de ces aliments ; on élargit alors le régime en ajoutant un à un les différents aliments en commençant par du pain, puis des pommes de terre, etc.

Si le malade présente encore des manifestations anaphylactiques, on passe au **Régime II**. Il comprend :

300 g viande de boeuf ;

500 g pommes de terre ;

40 g beurre ;

250 g artichauts ou choux-fleurs ;

50 g noix, amandes, noisettes ;

eau et sucre à volonté.

S'il n'y a plus d'accidents, on procède alors comme pour le régime précédent et on y ajoute un à un les différents aliments.

Si les accidents persistent, on peut passer au **Régime III**. Il comprend :

300 g jambon ou poulet ;

50 g huile d'olive ;

300 g maïs ;

2 oeufs ;

eau et sucre à volonté.

Régime IV.

300 g poisson ;

300 g salade ;

300 g pain ;

50 g beurre ;

eau et sucre à volonté.

Enfin, si les accidents résistent toujours, on passe au **Régime V**. C'est la diète lactée pure.

Cette technique appliquée strictement permet toujours l'identification du ou des aliments contenant l'allergène, mais il faut pour cela une cuisinière docile et la collaboration intelligente du malade. Pour que des manifestations anaphylactiques puissent être attribuées à un aliment, il faut qu'elles apparaissent chaque fois que cet aliment est ingéré et qu'elles ne se produisent pas durant les périodes où le patient s'abstient de cet aliment.

VI. - LES RÉGIMES DE PROVOCATION

Lee et Squier ont préconisé, au contraire, les régimes provocants ; un exemple en est toujours le régime à six aliments : froment, lait, oeufs, viande, orange et pomme de terre. Si l'allergène se trouve parmi ces aliments, les manifestations pathologiques sont accentuées.

La difficulté du dépistage provient de ce que tous les aliments, sauf l'eau et le sucre, sont susceptibles de provoquer l'allergie, certains sont cependant plus souvent en cause que d'autres.

Le poisson a les protéines qui traversent le plus facilement la muqueuse intestinale, aussi est-il très allergisant. Il y aurait en outre chez lui pas mal d'histidine, qui, lorsqu'il n'est pas tout à fait frais, se transforme en histamine ; la substance qui sert de médiateur chimique dans l'allergie et est très irritante pour la muqueuse intestinale. Ceci explique que les produits peu frais soient moins bien tolérés dans le tube digestif.

L'oeuf, et surtout le blanc d'oeuf, a des protéines qui traversent très facilement la muqueuse duodénale ; au moyen de l'épreuve de Prausnitz-Kustner, un auteur allemand, Wazinger, a montré qu'il suffit de faire ingérer un ou deux oeufs crus le matin à jeun pour obtenir une réaction positive. Hansen a du reste observé que la surcharge en un allergène peut être le point de départ d'une allergie vis-à-vis de cet allergène. Il cite plusieurs cas d'allergie à l'oeuf ayant débuté par l'ingestion de 10 à 20 oeufs crus en une seule séance.

Le lait peut souvent être la cause d'une allergie d'origine alimentaire. On voit des enfants faire des manifestations allergiques à chaque prise de lait ; la surcharge chronique du lait peut parfois suffire à provoquer cette allergie ; pendant la guerre, on a vu des fermiers allemands développer une allergie au lait. Le lait peut, surtout chez le nourrisson, provoquer des accidents suraigus, voire même mortels.

La viande, comme tous les aliments protéiniques, peut devenir chez certains sujets un allergène ; il arrive assez souvent que ce ne soit pas la viande elle-même mais les produits de digestion de la viande qui sont allergisants.

Les crustacés peuvent provoquer des allergies graves souvent de type urticarien, tout comme les huîtres ou surtout les moules qui donnent l'oedème de Quincke.

Les aliments d'origine animale ne sont pas les seuls en cause ; de nombreux aliments végétaux peuvent devenir allergènes ; la fraise, le pain et le haricot sont le plus souvent en cause ; pour ce dernier aliment, citons le favisme dont la crise aiguë d'hémolyse semble due à une allergie au Vicia fava

Les aliments les plus inattendus peuvent être en cause ; Groen a décrit un cas de colite hémorragique allergique provoquée par le thé.

VII. - LE TRAITEMENT

Le diagnostic établi, il faut traiter l'allergie alimentaire. La technique diététique du traitement de l'allergie alimentaire peut s'appliquer de deux manières ;

— les régimes d'exclusions ; celle-ci peut être complète et définitive dans les cas d'allergie fixée comme elle peut être partielle et temporaire dans les cas d'allergie cyclique.

— la désensibilisation par voie orale à partir de l'aliment lui-même ou de dérivés provoquant de sa dégradation (peptonothérapie).

A. Les régimes d'exclusion

La base du régime consiste à éliminer les aliments auxquels le patient est sensible.

1) Exclusion complète

Celle ci n'est pas difficile lorsqu'il s'agit d'un aliment inhabituel ; elle peut être malaisée lorsqu'il s'agit d'une aliment de base d'autant plus qu'il peut être incorporé dans de nombreuses préparations culinaires, domestiques ou industrielles.

Dans ce cas, il faut recourir à des feuilles de régime qui doivent remplir un double but :
— assurer l'élimination complète des aliments de base qui contiennent l'antigène.
— maintenir un équilibre nutritionnel adéquat malgré les restrictions alimentaires.

Si on doit éliminer plusieurs aliments de base, il sera nécessaire de trouver des substituts ; par exemple si on doit éliminer le lait, il faudra administrer des sels minéraux et des vitamines.

2) Exclusion avec essai de réintroduction

On peut administrer à un patient uniquement des aliments bien tolérés et ensuite réintroduire progressivement des aliments non testés par la méthode dite en escalier. Rinckel insiste sur les précautions qu'il faut prendre pour ne pas administrer de manière trop abondante un aliment auquel le patient serait sensible. Il faut dans ce domaine tenir compte de deux considérations :

— la fréquence de consommation a une répercussion sur l'apparition des manifestations allergiques.
— la présence de facteurs concomitants peut modifier le seuil de sensibilisation.

Rinckel propose la méthode suivante de réintroduction :
On introduit au repas de midi l'aliment à tester, après qu'il n'ait plus été consommé depuis au moins douze jours. S'il n'apparaît aucune manifestation allergique, on fait encore consommer plusieurs fois de cet aliment au cours de la journée ; si rien ne se produit, la tolérance peut être considérée comme acquise. Si les réactions allergiques apparaissent, il faut attendre 48 heures avant une nouvelle administration.

Cette technique permet de réduire au minimum les exclusions et facilite l'équilibre nutritionnel ; elle a aussi un effet désensibilisant car l'absorption intermittente d'aliments auxquels il existe une allergie accroît progressivement la tolérance du patient.

C'est en application de ces constatations que l'on a recommandé les régimes tournants, spécialement utiles chez les malades sensibles à de nombreux aliments.

Le principe du régime tournant consiste à espacer la consommation d'un aliment d'autant plus qu'il est mal toléré ; la fréquence de consommation ne devra pas dépasser de une fois tous les trois jours à une fois tous les 10 jours.

Le régime tournant peut être d'une grande efficacité mais sa mise en pratique nécessite une grande patience et beaucoup d'attention.

B. Les méthodes de désensibilisation

On peut grouper sous trois rubriques les méthodes diététiques de désensibilisation aux aliments.

1) désensibilisation spécifique par voie orale

C'est une méthode fondée sur l'action désensibilisante de l'ingestion de doses progressivement croissantes. Elle vise à empêcher le conflit antigène-anticorps en provoquant la libération d'anticorps en quantités inférieures au taux nécessaire au déclenchement de la réaction allergique.

Il ne s'agit pas d'une vraie désensibilisation puisque la cuti-réaction reste positive.

Il faut commencer par des doses infinitésimales de l'aliment incriminé et augmenter progressivement jusqu'à ce que le patient supporte la quantité normale de celui-ci. On ne peut faire d'interruptions.

Il n'existe pas de règles précises pour l'application de cette technique et on ne peut en garantir le succès.

2) Skeptophylaxie ou méthode désensibilisante de Besredka

La technique consiste à faire ingérer au patient une quantité très minime de l'aliment auquel il est sensible 20 minutes avant le repas où il désire le consommer.

Le point délicat dans l'application de cette méthode consiste à connaître la dose nocive de l'aliment en cause. Il faut procéder à des essais très prudents.

A côté de nombreux échecs, cette méthode connaît de brillants succès.

3) Peptonothérapie

Le traitement consiste à susciter une accoutumance aux peptones, produits de dégradation des protéines, qui produisent de minimes chocs humoraux.

Ceux-ci empêchent pendant quelque temps l'apparition de réactions plus violentes.

On administre soit des peptones de viande, soit des peptones polyvalents par la bouche, une heure avant le repas ; la dose recommandée est de l'ordre de 50 cg à 2 g.

Un jeûne complet doit être observé entre cette absorption et le repas suivant.

Cette méthode ne réussit pas toujours ; elle est surtout utile dans les allergies alimentaires multiples ou dans les allergies alimentaires mal déterminées.

CHAPITRE XXVI

Le régime des anémies

Du point de vue diététique, il existe deux grands types d'anémie :

1° L'*anémie par carence en fer*, qui peut être due soit à une carence alimentaire, soit à une hémorragie aiguë ou chronique, soit à une infection ou une toxémie.

2° L'*anémie mégalocytaire hyperchrome*, que l'on voit dans l'anémie pernicieuse, la sprue et la stéatorrhée idiopathique.

Lorsqu'on se trouve en présence d'une anémie, et ceci est surtout vrai pour l'anémie hypochrome ferriprive, il faut avant tout s'efforcer de faire un diagnostic étiologique car la cause, qui doit être soignée avant tout, peut être un cancer, une achylie, une infection, une hernie diaphragmatique, etc. Dans ce cas, diriger ses efforts sur la seule thérapeutique de l'abaissement du taux d'hémoglobine consiste à ne voir qu'un aspect parfois fort secondaire du problème. D'autre part, le traitement diététique, s'il est fort utile, n'est souvent que fort insuffisant pour réparer l'anémie, aussi dans les circonstances actuelles, ne doit-il être que le complément d'un traitement médicamenteux : fer, extrait de foie, vitamine B_{12}, acide folique.

Par ailleurs, s'il est intéressant d'étudier les régimes propres à aider la réparation d'une anémie, il est encore plus utile de s'efforcer à réaliser la prophylaxie de l'anémie par l'apport dans le régime de toutes les substances nécessaires à l'hémopoïèse.

I. - L'ANÉMIE HYPOCHROME PAR CARENCE EN FER

L'anémie hypochrome par carence alimentaire survient chez la femme et l'enfant des classes laborieuses ; l'homme, par contre, en est atteint exceptionnellement. Les besoins en fer sont beaucoup moins élevés chez l'homme que chez la femme ; en effet, chez le premier, le fer se métabolise en circuit fermé, les pertes de fer sont quasi nulles, tandis que la femme perd chaque mois, du fait de ses menstruations, des quantités de fer qui doivent être remplacées. L'enfant, dont le poids du corps et la masse sanguine augmentent, voit son fer et son hémoglobine se diluer et donc devient anémique s'il ne trouve pas dans son alimentation des quantités de fer indispensables au maintien d'un taux d'hémoglobine constant et au renouvellement de ses réserves.

Du fer est contenu dans différents aliments, mais ce fer n'est pas nécessairement utilisé par l'organisme : quatre conditions sont indispensables à cela :

1° que ce fer soit libérable par des acides faibles, s'il s'agit du fer inorganique ; le fer de l'hémoglobine est utilisable même en cas d'achlorhydrie.

2° que l'estomac sécrète une quantité d'acide chlorhydrique suffisante pour libérer, ioniser ce fer.

3° enfin, il faut que les ions bivalents de fer passent la muqueuse duodénale. Cette troisième condition est réalisée lorsque la deuxième l'est, c'est-à-dire lorsque le contenu stomacal est suffisamment acide.

4° que le régime ne soit pas trop riche en phosphore, sans quoi le fer précipite et n'est pas utilisé.

Il y a un intérêt majeur à donner dans les anémies hypochromes ferriprives de l'acide chlorhydrique (10 gouttes de la solution officinale) avant chaque repas pour libérer le fer contenu dans les aliments ; en effet, la plupart des anémies ferriprives sont liées à une achlorhydrie qui empêche que le fer des aliments soit utilisé.

Il faut que le régime soit composé d'aliments riches en fer et facilement digestibles car à cause de leur achylie les anémiques ont facilement des nausées, de l'anorexie et même des vomissements ; à côté du fer, il faut que le régime fournisse des porphyrines pour le noyau pyrrol, des protéines en large quantité pour la synthèse de la globine ; il faut en outre des vitamines, surtout du groupe B. L'acide ascorbique joue un rôle tout particulier ; d'une part il maintient les ions ferreux à l'état bivalent, d'autre part, il semble bien favoriser la synthèse de l'hémoglobine.

On ne peut jamais tabler sur le régime seul pour réparer une anémie hypochrome ferriprive. Le traitement médicamenteux prend toujours la première place, mais le régime est un adjuvant précieux ; il doit contenir au moins 15 mg de fer chaque jour qui sera fourni sous forme de viande, de légumes frais ou cuits, de fruits crus ou en compote, de pain gris. Cependant, dans les cas graves, il y a des difficultés digestives qui font que l'on est parfois obligé de se contenter d'un régime lisse très digeste divisé en petits repas pris toutes les 2 h 1/2 qui sera composé de lait, de laitages, de purées, de compotes, d'oeufs à la coque, de poisson.

On ne pourra passer à un régime riche en fer que lorsque l'anémie aura été déjà fort améliorée par le traitement médicamenteux.

Si les hydrates de carbone et les graisses ne semblent jouer aucun rôle dans la réparation sanguine, il n'en est pas de même des protéines ; ce n'est pas étonnant lorsqu'on sait que la globine représente 95 % de la molécule d'hémoglobine. Les travaux de Fontès et Thivolle ont montré que deux acides aminés jouaient un rôle essentiel dans la synthèse de l'hémoglobine, l'histidine qui entre pour 11% dans la molécule de globine et le tryptophane qu'il contient le noyau de pyrrol nécessaire à la formation de l'hématine qui se dégrade continuellement. Les carences en protéines graves, comme par exemple le kwashiorkor, s'accompagnent toujours d'une anémie.

Un type de menu riche en fer est établi page ci-contre.

Bien entendu, ce régime ne sera jamais capable de rétablir une anémie ferriprive, le calcul est facile à faire. Il existe dans le sang circulant 2,5 g de fer.

C'est-à-dire que dans une anémie à 60 % d'hémoglobine il manque 1 g ou 1000 mg de fer.

Du fer contenu dans les aliments, une faible partie, 10 à 20 % seulement est résorbée. Il faudrait donc, à supposer qu'il n'y ait aucune perte de fer de l'organisme, 250 à 500 jours pour réparer l'anémie par le régime ci-dessous, mais comme il y a toujours des pertes de fer, presque nulles chez l'homme, relativement importantes chez la femme en période d'activité génitale, il faudrait un temps beaucoup plus long. Ce régime doit surtout être considéré comme préventif chez les personnes qui ont des besoins de fer accrus : adolescents en croissance, femmes aux règles abondantes, femmes enceintes.

	mg de fer
Matin :	
100 g pain gris, bluté à 85%	1,5
50 g gruau d'avoine	1,8
Midi :	
150 g petits pois	5,2
200 g pommes de terre	0,5
125 g viande de boeuf	5,1
150 g pomme ou orange	0,5
4 heures :	
100 g pain gris	1,5
Soir :	
1 hareng (± 100 g)	1,5
100 g pain gris	1,5
150 g pomme ou orange	0,5
Sur la journée :	
500 g lait	0,5
60 g beurre	—
1 oeuf	1,2
40 g sucre	—
Apport de fer de la journée	**21,3**

Les aliments riches en fer sont souvent chers ; il y en a cependant quatre dont le prix est bas en regard de leur teneur en fer et qu'il faudra recommander chez les personnes de la classe pauvre lorsque leurs besoins de fer sont accrus ; ce sont :

1° Les lentilles	6,6 mg de fer par 100 g
2° Les pois cassés	3,9 mg de fer par 100 g
3° Le gruau d'avoine	3,6 mg de fer par 100 g
4° Le pain gris (85 %)	1,5 mg de fer par 100 g

Il est donc possible, même à peu de frais, de servir aux personnes peu aisées une ration de fer capable de prévenir leur anémie. A côté de ces aliments bon marché, il existe des aliments qui permettent de considérablement relever la teneur en fer de la ration alimentaire : ce sont : le foie, la viande, le boudin, les oeufs.

II. - L'ANÉMIE HYPERCHROME MÉGALOCYTAIRE

Le type le plus caractéristique en est l'anémie pernicieuse ou maladie de Biermer, mais il existe d'autres formes d'anémie hyperchrome mégalocytaire, par exemple dans la sprue ou au cours de la grossesse ; celles-ci ne revêtent pas le même caractère de gravité que l'anémie de Biermer.

Whipple ayant constaté que le foie de veau était l'aliment provoquant la réparation sanguine la plus rapide chez les animaux soumis à des prélèvements sanguins répétés, Minot eut l'idée d'utiliser le foie dans le régime des malades atteints d'anémie pernicieuse, maladie incurable jusque-là. Cet aliment provoquait une crise réticulocytaire et la réparation sanguine chez ces malades voués à la mort.

Le foie de veau sauva la vie à de nombreux d'entre eux, mais le problème consistait à faire ingérer chaque jour au malade sa ration qui avait été fixée à 200 g par jour ; le foie devait être consommé juste pris dans un bouillon chaud, ou mis cru dans une omelette. Les recettes foisonnaient et la préparation du foie de veau formait une grosse partie du bagage des connaissances des diététiciennes de cette époque .

On sait que l'élément actif contenu dans le foie de veau est la vitamine B_{12} facteur extrinsèque, qui ne peut être résorbé qu'en présence d'une substance sécrétée par la muqueuse gastrique, le facteur intrinsèque. La maladie de Biermer est provoquée par une impossibilité de la muqueuse gastrique à élaborer le facteur intrinsèque ; il s'ensuit une impossibilité pour les quantités de vitamines B_{12} contenues dans une alimentation normale à être résorbée. Seule une forte surcharge en vitamine B_{12} permet la résorption d'une faible quantité d'où l'action thérapeutique du foie de veau en ingestion.

Bien qu'exceptionnelle, une carence alimentaire en vitamine B_{12} dans un régime ne contenant aucun aliment d'origine animale, peut provoquer une anémie pernicieuse.

Pollycave a décrit le cas d'un homme de 60 ans qui depuis plus de huit ans ne consommait aucun aliment d'origine animale ; il faisait une anémie mégalocytaire grave avec 650.000 G.R. par mm^3, avec taux sérique extrêmement bas de vitamine B_{12} ; cependant, la sécrétion de facteur intrinsèque était intacte puisque l'administration de vitamine B_{12} était suivie d'une bonne résorption par la muqueuse intestinale.

Ceci est la condamnation des régimes végétaliens.

Depuis que l'on prépare des extraits de foie de veau pour usage parentéral, le régime est passé au second plan ; on peut dire que le malade n'a plus à être soumis à un régime anti-anémique ; comme il fait de l'achlorhydrie, il faut surtout veiller à lui donner un régime assez digeste et il y a intérêt à lui donner des aliments acides pour favoriser sa digestion.

Lorsque le malade est en état de crise grave, il faut lui donner un régime lisse très divisé, car les digestions sont fort difficiles, il y a des nausées, de l'anorexie.

Dans l'état chronique, ou en cas d'anémie peu grave, tout régime est superflu car les préparations de foie ou de vitamine B_{12} sont extrêmement actives.

Depuis quelques années on a isolé la vitamine B12 qui est l'élément actif des extraits de foie et en possède toutes les propriétés ; elle est capable de corriger l'anémie et de guérir les lésions nerveuses dans l'anémie de Biermer et dans presque toutes les anémies mégalocytaires.

Il existe quelques cas, chez l'enfant et la femme enceinte, d'anémie mégalocytaire hyperchrome ne répondant ni à l'extrait de foie, ni à la vitamine B_{12} mais qui guérissent par l'acide folique.

La vitamine B_{12} s'administre en injection sous-cutanée, l'acide folique en comprimés par la bouche. Il n'est plus question à l'heure actuelle de les administrer grâce à un régime diététique mais on sait que lorsque ces agents antipernicieux provoquent une réparation sanguine, il faut donner un régime riche en protéines, il faut au moins 150 g par jour, qui favorise grandement l'hémopoïèse.

Il faudra surtout donner des protéines de haute valeur biologique fournissant tous les acides aminés utiles pour l'hémopoïèse. On donnera surtout de la viande rouge, du foie, du rognon, des oeufs et des laitages. Il n'y a aucun intérêt à augmenter la ration de graisse ou d'hydrates de carbone ; il est utile de donner beaucoup de vitamines du groupe B et d'acide ascorbique.

Il sera utile lors de la régénération sanguine provoquée par les facteurs antipernicieux de veiller à ce que le régime soit riche en fer ; au moment de l'hémopoïèse, les besoins en fer sont très élevés et il arrive que les malades atteints d'anémie pernicieuse voient à un moment, au cours de leur traitement, la régénération sanguine limitée par une carence en fer, toutes les réserves de l'organisme ayant été utilisées. Etant donné l'achlorhydrie, il sera nécessaire de donner de l'acide chlorhydrique pour que le fer soit utilisé.

CHAPITRE XXVII

Diététique et chirurgie

Dans ce chapitre, nous n'envisagerons que la chirurgie extradigestive. La diététique de l'opéré comporte deux phases, la diététique de la phase préopératoire et la diététique de la phase post - opératoire.

I. - DIÉTÉTIQUE PRÉOPÉRATOIRE

Une intervention chirurgicale peut revêtir un caractère d'urgence et, dans ce cas, le chirurgien doit procéder à l'opération sur le malade tel qu'il lui est présenté. Heureusement dans la plupart des cas, l'opération ne doit pas être effectuée sans délai et on peut mettre à profit les jours qui s'écoulent entre le moment de la décision et celui de l'intervention pour améliorer l'état général du patient et le présenter à la table d'opération avec le maximum de chances de succès.

1. Préparation psychologique

Bien que la préparation psychologique du futur opéré ne relève pas directement de la diététicienne, elle a un rôle à jouer dans celle-ci. Lorsqu'un patient apprend qu'il doit subir une intervention chirurgicale, cela constitue toujours pour lui une épreuve psychologique où l'anxiété occupe une place considérable.

L'importance de l'anxiété et ses divers aspects vont dépendre de la gravité de l'intervention, de l'âge du patient, de sa personnalité, de son degré de compréhension et pour une grande part de l'attitude de son milieu familial et du personnel soignant.

La qualité de l'accueil dès l'entrée en clinique et les attentions particulières de la diététicienne ont un rôle dans la préparation psychologique.

2. La dénutrition préopératoire et son traitement diététique

Un certain nombre de patients chez qui une intervention chirurgicale est décidée se trouve en mauvais état nutritionnel ; ce sera le cas surtout chez les personnes âgées, chez les cancéreux, chez ceux qui souffrent d'une affection chronique des voies digestives.

Chez les dénutris, les réserves de graisse et de glycogène sont fort basses et le stock de protéines est fort diminué.

Il a été établi que la résistance au choc opératoire dépend pour une très large part du taux de protéines sériques, reflet fidèle de la charge en protéines de l'organisme. Les jours qui précèdent l'opération doivent être mis à profit pour relever dans la mesure du possible la charge en protéines de l'organisme.

D'autre part, la faible réserve de glycogène de l'organisme va fortement favoriser l'acidose à l'occasion du jeûne accompagnant l'intervention chirurgicale ; c'est la raison pour laquelle Lambert et Apfelbaum recommandent de donner dans les jours précédant et suivant l'intervention au moins 150 g de glucides.

a) l'alimentation par la bouche

doit être variée et fractionnée en 5 ou 6 repas pour éviter à tout moment la surcharge digestive. Le régime doit être hypercalorique, c'est-à-dire qu'il doit comporter au moins 2.500 calories ; il doit être hyperprotidique et contenir au moins 150 g de protides ; il doit être suffisamment pourvu de sels minéraux et de vitamines.

La viande, le poisson, les oeufs, le fromage y occuperont une place importante ; il faut éviter les mets trop sucrés et les aliments trop riches en cellulose ou en eau.

Il faudra se méfier des consommations trop importantes de lait qui peuvent déclencher des troubles intestinaux ; diarrhée, ballonnement. La monotonie des régimes lactés engendre fréquemment de l'anorexie qu'il faut éviter à tout prix.

b) l'alimentation par la sonde nasale

peut rétablir un moins mauvais équilibre nutritionnel chez les grands dénutris, soit avant l'intervention, soit avant la reprise d'une alimentation orale.

c) l'alimentation parentérale

peut rendre de très grands services lorsque l'alimentation par la bouche ou par la sonde n'est guère possible, par exemple en cas de sténose du pylore.

Les hydrolysats de protéines, les mélanges d'acides aminés, le plasma et le sang en perfusion intraveineuse peuvent rétablir un bilan azoté négatif ; en outre, le sang permet de combattre une anémie.

Le glucose en solution hypertonique (10 %) ou même le fructose, le sucre inverti ou le sorbitol en perfusion intraveineuse apporte une quantité de calories appréciable ; 2 litres à 10 % apportent 200 g de glucides, soit 820 calories, ce qui permet d'épargner les protéines et d'éviter l'acidose.

Enfin, les mélanges d'ions permettront de rétablir un équilibre ionique perturbé ; pour faire un choix, il faudra se baser sur les pertes subies et sur l'ionogramme du sérum.

Il est indispensable de combattre dans la mesure du possible la dénutrition avant l'intervention chirurgicale parce qu'elle aggrave le risque opératoire pour quatre raisons principales :

1) elle affaiblit la résistance à l'infection.
2) elle diminue la résistance au choc opératoire
3) elle retarde la cicatrisation
4) elle maintient un état de fatigue.

3. Diététique des jours précédant l'opération

Autrefois, on faisait jeûner le malade dans les jours précédant l'intervention chirurgicale, et même souvent on le mettait au jeûne complet la veille de l'opération ; on estimait que c'était le moyen le plus efficace de combattre les vomissements provoqués par les anesthésies à l'éther ou au chloroforme.

Actuellement, cette pratique est abandonnée car elle n'était nullement justifiée.

Dans la majorité des interventions, la veille de l'opération, on donne une alimentation légère pour éviter de surcharger le tube digestif ; le soir, le repas doit être peu volumineux, composé surtout d'hydrates de carbone (fromage blanc sucré avec biscottes légèrement beurrées, miel, confiture, tisane ou thé ou café léger, jus de fruits) ; le jour de l'opération, le jeûne doit être absolu, ce qui n'exclut pas l'absorption le matin, au moins 3 heures avant l'intervention d'un peu d'eau ou de tisane sucrée ; ce jeûne doit être d'autant plus rigoureux que l'opération sera importante.

Pour certaines interventions, il faut particulièrement éviter soit une obstruction intestinale, soit des selles trop précoces ; dans ces cas, on met, durant les 3 jours précédents, le patient à un régime sans déchets large.

Dans ces cas,

a) les aliments à éviter seront

— les fromages fermentés (Camembert, Gorgonzola, Brie, Herve)
— les oeufs frits, les pommes de terre frites
— les viandes salées, fumées, pannées, en sauce ou fibreuses
— les poissons salés, fumés, frits ou en sauce
— le pain complet
— les légumes secs, les fruits secs et oléagineux
— les légumes crus et les légumes fibreux (choux, céleris, radis, concombres, oignons, poireaux, laitues)
— les fruits crus et peu mûrs, leurs peaux et pépins
— les graisses cuites, les fritures, les mayonnaises et béarnaises.

b) les aliments recommandés seront

— le fromage blanc, le yaourt, le lait (pas plus de 500 cc), le flan et le pudding
— les oeufs sous toutes les formes, sauf frits,
— les viandes tendres, non fibreuses : poulet, lapin, pigeon, boeuf, veau, foie, maigre de jambon cuit.
— pain blanc rassis, biscottes
— pommes de terre bouillies ou en purée
— pâtes, riz, semoule, tapioca
— légumes tendres, bien cuits (carottes, épinards, asperges, laitues)
— fruits en compote, jus de fruits, gelées de fruits
— thé, café, cacao sucrés.

En cas de *chirurgie colique*, il faut que le chirurgien puisse opérer sur un côlon vide ; conformément aux recommandations de Paccalin, on administrera le régime sans déchet décrit ci-dessus du huitième au deuxième jour avant l'intervention, en veillant qu'il apporte de 2.100 à 2.200 calories et 1,5 g de protéines par kg de poids du corps. La veille de l'intervention, on donne trois repas légers :

Petit déjeuner :

2 biscottes beurrées

gelée de groseilles ou de pommes

thé ou café sucré

Déjeuner :

2 oeufs durs

pâtes

compote homogénéisée

Dîner :

bouillon clair

compote homogénéisée.

Ce régime apporte 1.000 à 1.100 calories et 0,50 g de protéines par kg.

En cas de chirurgie gastro-duodénale, les malades sont préparés par un régime lisse excluant les matières grasses cuites, les aliments acides et les aliments à goût fort, répartis en 5 repas et apportant 2.300 à 2.400 calories par jour et 2 g de protéines par kilo et par jour.

La veille de l'intervention, un régime apportant 1.000 calories de 0,5 g protéines/kg/jour.

Petit déjeuner :

lait sucré et biscottes beurrées

Déjeuner :

potage a la viande homogénéisée

laitage

Dîner :

bouillon

compote homogénéisée.

4. Recommandations générales

Toutes les directives qui ont été données ci-dessus valent pour les patients qui ne présentent aucun trouble nutritionnel particulier. Etant donné les répercussions de beaucoup d'affections à retentissement nutritionnel sur le pronostic opératoire, il faudra toujours faire un bilan nutritionnel avant toute intervention chirurgicale. On recherchera en particulier l'existence d'un diabète non seulement par un examen d'urines ou une glycémie à jeun, mais encore par une épreuve d'hyperglycémie ;en outre il faudra doser l'urée et le cholestérol, rechercher l'éventualité d'une retention hydro-saline.

Si un trouble nutritionnel est dépisté, il faudra adapter les directives données ci-dessus au cas particulier ; en cas de diabète, outre l'insulinothérapie (toujours forrnellement indiquée en cas d'opération), on mesurera la ration de glucides et on supprimera le sucre ; en cas de rétention hydro-saline, on limitera ou supprimera le sel ; en cas d'urémie, on limitera les protéines, etc.

II. - DIÉTÉTIQUE POSTOPÉRATOIRE

La diététique post-opératoire est guidée pour une large part par les troubles métaboliques engendrés par le choc opératoire.

Premier point, quand un opéré peut-il se réalimenter par la bouche ? On peut le faire boire dès l'émission des premiers gaz et l'alimenter dès sa première selle.

A) La maladie post-opératoire simple

Toute intervention chirurgicale, quelle que soit son importance, entraine un choc. L'intensité de ce choc sera en rapport direct avec l'importance de l'opération et l'état général du malade.

Le choc opératoire a été défini par Lebrigand comme une défaillance circulatoire c'est-à-dire comme une rupture d'équilibre entre le lit vasculaire et son contenu, le sang.

Le choc opératoire peut apparaître :

— au cours de l'intervention

— immédiatement après celle-ci, dès le retour du malade dans son lit, alors qu'il n'avait manifesté aucun signe particulier au cours de celle-ci

— plus tardivement après l'opération.

Dans ces cas, l'opéré a un facies angoissé, les traits tirés, les téguments pâles et sa respiration est courte et superficielle.

La maladie opératoire simple comporte trois phases, la phase catabolique, la phase intermédiaire et la phase anabolique.

1. Phase catabolique

Celle-ci débute avec l'anesthésie et dure de un à cinq jours ; sa durée va dépendre de l'état du malade, de la nature de l'anesthésie et de la gravité de l'intervention chirurgicale. Sur le plan clinique, sa fin coïncide avec l'émission de gaz par le malade.

Cette phase catabolique se caractérise par :

a) un bilan azoté négatif dû, pour une part, au jeûne du malade et, pour une autre part, à la libération de cortisone par la surrénale, conséquence de l'agression chirurgicale (le stress).

L'importance de l'excrétion azotée est variable ; on estime que la déperdition azotée varie entre 3 et 10 g durant une période qui peut s'étendre jusqu'à 10 jours.

b) une déperdition en potassium qui va de pair avec le bilan azoté négatif ; ceci est logique puisque le potassium se trouve dans les cellules et est indispensable à leur utilisation ; lorsqu'il y a dégradation des protéines, le potassium sort des cellules et est excrété par le rein. L'excrétion de potassium peut atteindre 50 à 90 méq par 24 heures.

Cette perte de potassium entraîne une fatigabilité qui peut être intense.

c) le sodium subit des modifications importantes de répartition ; alors que normalement il se trouve en majeure partie dans le liquide interstitiel et le plasma, combiné au chlore ou au bicarbonate, après l'intervention, on assiste à une diminution de son excrétion, allant de pair avec une oligurie et une hyponatrémie ; ceci est dû au passage intracellulaire du sodium.

d) une perte pondérale variable et due au fait que, durant cette période, il y a une utilisation élevée de graisses.

e) sur le plan clinique, on notera une accélération du pouls, une hyperglycémie modérée, de l'oligurie, un arrêt de l'émission de gaz, de l'asthénie et une élévation de la température.

La réalimentation du malade à cette phase va viser deux buts :

1) couvrir les besoins hydro-électriques
2) freiner le catabolisme azoté grâce à un apport glucidique.

Le premier jour, seule l'alimentation parentérale peut être admise ; on perfuse dans la veine des solutions dont la composition adaptée à chaque cas vise à maintenir normales les différentes constantes biologiques du patient. Cette alimentation parentérale est installée dès de début de l'intervention : elle permet à l'anesthésiste d'administrer facilement divers médicaments.

La durée de cette alimentation parentérale va varier avec la nature de l'intervention ; ce sont surtout les interventions sur le tube digestif ou les interventions suivies d'occlusion ou de vomissements prolongés qui nécessitent des perfusions de plus longue durée.

Que va-t-on introduire dans la veine ?

1° des hydrates de carbone parce qu'ils ont un effet d'épargne azotée et qu'il y a moyen d'apporter sous cette forme une ration calorique assez élevée.

a) le glucose : on se sert souvent de glucose isotonique, c'est-à-dire à 5 %.

D'autres préfèrent une concentration plus élevée pour mieux freiner le catabolisme azoté ; c'est ainsi que certains recommandent d'administrer au cours des premières 24 heures 2 litres de glucose à 10 % ; cela fait un apport de 800 calories. On a parfois utilisé des solutions à 20 % ou à 50 %, mais celles-ci irritent les parois veineuses et les sclérosent.

b) le fructose et le sorbitol sont préférés par certains parce qu'ils seraient utilisés plus rapidement que le glucose et brûleraient en dehors de l'intervention de l'insuline.

2° **des protéines** qui sont indispensables dans les états de choc importants, chez les malades fort dénutris ou en hypoprotéinémie ; leur effet ne sera pleinement bénéfique que dans la mesure où le besoin calorique est couvert au maximum par les glucides.

On peut utiliser :

a) le plasma qui contient 50 g de protéines par litre et environ 5 g de Na ; il est souvent médiocrement utilisé pour la synthèse des protéines de l'organisme.

b) des solutions aqueuses d'acides aminés à 10 % qui apportent ainsi 16 g d'azote par litre. (Travasol 10 % p.ex.)

3° **des lipides** : on utilise à l'heure actuelle une émulsion d'huile de soja à 20 % (Intralipid 20 %)

Ces apports protéiques, lipidiques et glucidiques sont calculés de manière précise et placés dans des poches séparées. Les protides doivent apporter 10 à 15 % des calories, les glucides 50 à 55 % et les lipides 30 %.

Le besoin calorique total est calculé selon la formule de Harris-Benedict :

pour l'homme : $66,4730 + (13,7516 \times PI) + (5,0033 \times T) - (6,7550 \times \hat{a}ge)$

pour la femme : $655,0955 + (9,5634 \times PI) + (1,8496 \times T) - (4,6756 \times \hat{a}ge)$

PI = poids idéal en kg (selon la formule de Lorenz)

T = taille en cm

âge : en années.

La formule de Harris-Benedict vaut pour les interventions courantes ; mais en cas de stress, il faudra augmenter l'apport en fonction de la gravité de celui-ci de :

10 % chez l'opéré du tube digestif,

25 % chez le malade en état septique,

50 % chez le malade infecté,

100 % dans les brûlures étendues.

4° **des vitamines** : on introduit dans les solutions nutritives :

a) chaque jour une ampoule d'un complexe vitaminique type Pancébrin contenant la vitamine A, la vitamine B_1, la vitamine B_2, la vitamine B_6, la vitamine C, l'acide panthoténique, la vitamine D_2, la vitamine E et la vitamine PP.

b) trois fois par semaine 5 mg d'acide folique (Ledervorin) et 10 mg de vitamine K (Konakion).

5° **l'eau et les électrolytes** : on s'en tiendra au tableau dressé par Solassol et Joyeux qui donne les besoins par kg et par jour.

	Besoins de base modérée	*En cas de déplétion*	*Si besoin élevé*
H_2O (ml)	30 ml	50 ml	100-150 ml
Energie (Cal)	30 Cal	35-40 Cal	50-60 Cal
Azote (g)	0,1 g d'N	0,2-0,3 g N	0,4-0,5 g
Acides Aminés (g)	0,7 g	1,5-2 g	3-3,5 g
Glucose (g)	2 g	5 g	7 g
Lipides (g)	2 g	3 g	3-4 g
Na^+ (mEq)	1-1,4 mEq	2-3 mEq	3-4 mEq
K^+ (mEq)	0,7-0,9 mEq	2 mEq	3-4 mEq
Cl^- (mEq)	1,3-1,9 mEq	2-3 mEq	3-4 mEq
Mg^{++} (mEq)	0,04 mEq	0,15-0,20 mEq	0,3-0,4 mEq
HCO^{3-} (mEq)	0,1 mEq	0,15-0,20 mEq	0,2-0,3 mEq
Ca^{++} (mEq)	0,11 mEq	0,25 mEq	0,22 mEq
PO_4^- (mEq)	0,15 mEq	0,40 mEq	1 mEq
Lactate (mEq)	0,05 mEq	0,25 mEq	0,60 mEq
Sulfate (mEq)	0,02 mEq	0,07 mEq	0,10 mEq

En cas d'alimentation parentérale prolongée, il serait bon d'ajouter par kilo et par jour, 0,1 mg de zinc et 0,02 mg de selenium.

Si l'alimentation parentérale permet de passer un cap difficile, l'alimentation par voie digestive doit lui être préférée dès que la chose est possible.

2. Phase intermédiaire

Cette phase succède à la phase catabolique et présente trois caractéristiques :

a) *la reprise du pétistaltisme intestinal* qui va se manifester par la reprise de l'expulsion des gaz, généralement le quatrième jour pour les interventions chirurgicales importantes. Les selles sont expulsées vers le cinquième jour.

b) *l'augmentation du volume des urines* avec une reprise de l'excrétion urinaire du sodium et une diminution urinaire du potassium. Le bilan potassique redevient positif ; ceci va de pair avec une diminution de l'excrétion azotée.

c) les fibroblastes pénètrent en grand nombre la cicatrice qui devient rouge.

A partir de ce moment l'appétit revient partiellement et le poids se stabilise. Le problème majeur de la réalimentation qui était dans la première phase celui de l'équilibre hydro-électrolytique devient dans cette seconde phase celui de l'apport des nutriments.

On abandonne progressivement les perfusions veineuses pour recourir à l'alimentation par la bouche ; on passe successivement de l'alimentation liquide à l'alimentation moulue, puis à l'alimentation solide, riche en sels minéraux et en vitamines.

On a souvent recommandé de fractionner à ce stade la ration alimentaire en six repas. Il faut recommander à l'opéré de vaincre son inappétence car une reprise précoce de l'alimentation contribuera à rétablir plus rapidement le fonctionnement du tube digestif.

L'alimentation de cette période peut se faire sous deux formes, la forme liquide et la forme moulue.

a) alimentation liquide

Le malade inappétent accepte plus facilement de boire que de manger ; ce mode d'alimentation a l'avantage de supprimer la mastication et de ne pas réclamer une grande distension du pharynx et de l'oesophage. Il y a moyen par cette méthode de faire accepter une ration calorique et protidique adaptée au cas de chaque malade. La ration sera fractionnée en 4 ou 5 prises, chacune de 200 à 300 ml au maximum.

1) Généralement, ce mode d'alimentation sera de **courte durée** et ne sera qu'un bref épisode entre l'alimentation par perfusion ou à la sonde et l'alimentation solide. On peut parfois déjà l'appliquer le lendemain de l'intervention. On donnera du lait aromatisé (vanille, canelle, etc) et enrichi, des infusions sucrées, des bouillons de légumes ou de viandes, et, en quantité modérée, des jus de fruits.

2) Parfois, il peut être de **longue durée** par suite de lésions de la bouche (fracture du maxillaire par exemple). On pourra utiliser divers types d'aliments liquides :

1° à base de produits laitiers ; on servira, dans ce cas, des milk-shakes, des crèmes liquides aromatisées de pudding, du yaourt, du fromage blanc mixé avec du lait aromatisé ou des jus de fruits, de la crème fraîche. On peut dans ces préparations incorporer des jaunes d'oeufs, des céréales (riz, semoule, tapioca, gruaux d'avoine) et du caséinate de calcium.

2° à base de protéines ; on utilisera de la viande débarrassée soigneusement de ses aponévroses et de préférence cuite car la myosine coagule à 50°C. On pourra utiliser du poisson et de la volaille. Ces aliments finement coupés ou mixés peuvent être incorporés avec du jaune d'oeuf dans des bouillons avec des pâtes et du riz. On peut relever le gout au moyen de concentré de viande.

3° à base de légumes ; on utilisera ceux-ci cuits et on ne choisira que des légumes peu chargés en cellulose. On les coupera finement ou on les passera pour les incorporer dans des potages à base de pommes de terre auxquels on peut ajouter du jaune d'oeuf, du caséinate de calcium et l'une ou l'autre farine de céréale (maïzena par exemple).

4° à base de fruits ; on n'utilisera que des fruits bien mûrs et flnement mixés et des compotes que l'on peut incorporer dans du jus de fruits avec du sucre et un petit beurre ou une biscotte finement écrasée. Par exemple, incorporer une banane dans 250 ml de jus d'orange avec 15 g de sucre et 15 g de petit beurre.

5° à base de glucides ; on incorporera à du lait, écrémé ou non, des farines maltées, de la semoule, du pain, du sucre, du miel, de la confiture. On pourra aromatiser par exemple avec un café soluble. On peut éventuellement enrichir ces préparations en y ajoutant une poudre hyperprotéinée commerciale.

b) alimentation moulue

Elle est constituée des aliments d'un menu normal présentés sous forme finement divisée.

Les viandes seront hachées crues (filet américain) ou cuites ; ce pourra être du pain de veau.

Les oeufs seront servis pochés, à la coque, brouillés, en omelette ou sur le plat.

Les poissons seront bouillis ou cuits au four, mais jamais frits ; on pourra les servir chauds ou froids, même en conserve.

Les légumes seront peu chargés en cellulose, bien cuits et à moins qu'ils ne soient très tendres seront mixés.

Le pain devra être blanc, rassis et sans croûte.

Les pommes de terre seront bouillies, cassées à la fourchette ou en purée.

Les céréales seront données sous forme de riz, de pâtes, de semoule, de tapioca, de maïzena, de gruaux d'avoine.

Les laitages seront donnés sous forme de lait, yaourt, flan, crème, fromage blanc maigre ou gras.

Le sucre sera donné dans des marmelades, des sirops, des confitures, du miel, des biscuits secs finement écrasés (speculoos, pain d'épices, etc.).

3. Phase anabolique

C'est la phase où le bilan azoté devient positif et souvent de 3 à 6 g par jour, où le malade reprend du poids, sent ses forces revenir et se montre plus actif.

A ce moment, il existe une polyurie (la crise urinaire des auteurs du XIXe siècle) avec élimination sodée ; l'organisme perd le sel administré en perfusion, d'autre part, le sodium sort aussi des cellules où il avait pénétré.

Il faut profiter au maximum de cette phase anabolique pour réparer les pertes résultant de l'intervention ; pour cela, le régime doit être hypercalorique (2.500 à 3.000 calories) et hyperprotidique (jusqu'à 150 g de protéines par jour). Ceci suppose que l'on serve des repas copieux non seulement le midi et le soir, mais aussi le matin et l'après-midi. Ce régime est parfois difficilement accepté en clinique ; on pourra faciliter les choses en ajoutant des poudres hyperprotéinées aux potages et aux purées ; on servira largement de la viande, du poisson, des oeufs et des mets à base de laitages.

Il faut veiller à deux choses :

1) large apport de vitamines qui favorisent l'anabolisme, bien que dans la première phase elles ne peuvent s'opposer au catabolisme.

2) un apport excessif de protéines, dépassant 150 g par jour, peut provoquer des troubles digestifs qui nuiraient au bilan azoté.

Il faut donc, à ce stade, donner une alimentation abondante, riche en protéines, mais très digeste.

B) La maladie post-opératoire compliquée

Pour des raisons variées et pas toujours bien identifiables, le patient peut présenter diverses complications dans les suites immédiates de l'opération. Ces complications peuvent être fort variées, mais certaines d'entre elles sont classiques et il faudra en tenir compte dans le mode de réalimentation.

1. L'apéristaltisme

Celui-ci va se traduire par une absence ou un retard dans l'apparition de l'évacuation des gaz.

Ceci peut être dû à une hypokaliémie qui sera établie par le dosage du potassium plasmatique ; l'administration de potassium à dose adéquate dans les liquides de perfusion et per os (bouillon de légumes par exemple) peut rétablir l'équilibre électrolytique et déclencher le péristaltisme intestinal.

Dans d'autres cas, ce pourra être le signe d'une péritonite ou d'une obstruction ; si une réintervention s'impose, il faudra assurer une alimentation parentérale suffisante pour placer le patient dans les meilleures conditions nutritionnelles.

Il faut administrer deux litres de sérum glucosé hypertonique à 10 % chaque jour, dans un gros tronc veineux pour éviter au maximum l'irritation de la paroi veineuse et la thrombose. Il faut administrer 40 g d'acides aminés par litre de liquide en perfusion. Il faut fournir une quantité adéquate des divers électrolytes pour rétablir l'équilibre.

2. L'hémorragie

Si elle est moyenne, entre 500 et 1.000 ml, sera facilement supportée et ne nécessitera pas de traitement spécial ; cependant la transfusion d'une quantité de sang équivalente hâtera la revalidation de l'opéré. Si l'hémorragie se répète ou si elle est massive, il y a chute de tension, anémie globulaire et diminution de la masse sanguine aboutissant à l'anoxie cellulaire ; dans ce cas, aux transfusions abondantes, il faut adjoindre l'oxygénothérapie. Durant ces complications, on supprime toute alimentation par la bouche.

3. L'hyperthermie

Celle-ci est généralement la conséquence d'une infection qu'il s'agira d'identifier et de traiter par antibiotiques ou sulfamides. La prescription diététique aura pour but d'apporter une large ration de protéines pour compenser au maximum l'effet catabolisant de la fièvre.

4. Les déséquilibres hydro-électrolytiques

Les causes en sont nombreuses :
a) hypokaliémie due à une diurèse abondante engendrée par des perfusions de glucose sans électrolytes ; de grandes quantités de potassium peuvent ainsi partir par les urines.
b) surcharge liquidienne extracellulaire due à des perfusions de quantité excessive de sérum physiologique.
c) déshydratation liée à l'insuffisance des liquides perfusés
d) perte excessive de potassium, de chlore et d'eau à l'occasion de vomissements abondants
e) élimination excessive de sodium et de calcium par une fistule digestive ou des diarrhées importantes.
Il faut savoir que les bilans électrolytiques sont un guide plus sûr pour apprécier une déplétion électrolytique que les concentrations plasmatiques. Il ne faut jamais administrer plus de 6 à 7 g de NaCl par jour et jamais plus d' 1 g de potassium par 1/2 litre de liquide perfusé.

C) L'alimentation entérale

A l'alimentation parentérale se substitue de plus en plus l'alimentation entérale et même de manière très précoce. Cette alimentation entérale précoce est justifiée par les progrès de nos connaissances au sujet du comportement du tube digestif dans les suites immédiates d'une intervention chirurgicale.

L'étude du péristaltisme intestinal au moyen de capteurs de pression ou en suivant la progression d'embols barytés a montré à Wells que dans les suites d'une opération l'estomac et le côlon sont paralysés durant 48 à 96 heures mais que l'intestin grêle en l'absence d'obstruction reprend son activité après quelques heures. Ceci permet d'assurer l'apport d'eau, d'électrolytes et de nutriments face aux besoins nutritionnels ; c'est surtout important chez les malades en mauvais état général et soumis à une intervention chirurgicale importante.

On sait depuis les travaux d'Adibi que les protéines pour pénétrer dans les cellules épithéliales n'ont pas besoin d'être hydrolysées jusqu'au stade acide aminé ; les di et les tripeptides y pénètrent facilement. Les di et les tripeptides qui ont pénétré dans les entérocytes y subissent l'attaque de peptidases cytoplasmiques si bien que seuls des acides aminés se retrouvent dans la veine porte.

1. Technique et moyens d'administration

L'alimentation entérale se fait au moyen de sondes en polyuréthane ou en polyester d'un diamètre extérieur de 2,5 mm et d'un diamètre intérieur de 1,5 mm et selon les techniques décrites au chapitre V.

On peut administrer les liquides nutritifs de manière intermittente ; mais actuellement, on emploie presqu'exclusivement le gavage continu selon la technique décrite au chapitre V.

2. La diète élémentaire à résorption complète

Elle consiste à ne donner que des acides aminés, du glucose et des triglycérides à chaîne moyenne.

La haute osmolarité des liquides administrés peut être une cause de malaises digestifs et notamment de diarrhées.

C'est pour ces raisons qu'à la diète élémentaire s'est substituée de plus en plus la diète semi-élémentaire.

3. La diète semi-élémentaire à résorption complète

Elle est constituée :

— d'**oligopeptides** dont la valeur biologique doit être d'au moins 85 % par rapport à la protéine de référence. Contrairement aux polypeptides qui doivent être hydrolysés par les peptidases de la bordure en brosse des entérocytes, les di et les tripeptides peuvent être transportés directement à travers la membrane de l'entérocyte grâce à un mécanisme actif mettant en jeu un transporteur non spécifique. Les travaux de Cerf, en France, et de Silk aux Etats-Unis, ont montré que les oligopeptides sont ainsi utilisés beaucoup plus rapidement et plus efficacement que les acides aminés.

Les oligopeptides sont hydrolysés dans le cytoplasme des entérocytes par les hydrolases peptidiques, plus abondantes qu'au niveau de la bordure en brosse. Les acides aminés ainsi libérés sont pris en charge par des transporteurs non spécifiques ; il s'agit d'un transport actif sous la dépendance du sodium.

Les oligopeptides optimisent donc l'assimilation protidique, ce que prouvent les bilans.

— Les **lipides** doivent s'y trouver en majorité sous forme de triglycérides à chaîne moyenne, qui ont la propriété de traverser la muqueuse jéjunale sans être hydrolysés et sans l'intervention des sels biliaires. Ils doivent, selon les exigences légales, contenir au moins 1,5 % d'acide linoléique cis-cis calculé sur la valeur énergétique totale.

— L'apport en **vitamines**, en **sels minéraux** et en **oligoéléments** doit selon les exigences légales, satisfaire aux besoins pathologiques et physiologiques quotidiens.

La plus grande dimension des molécules fait que l'osmolarité est moindre que dans la diète élémentaire.

Cette méthode a ses indications et ses contrindications :

Indications

Les meilleures indications sont les affections des voies digestives hautes, les fractures du maxiliaire, la chirurgie laryngée et pharyngée, les brûlures étendues, les dénutritions graves.

Contrindications

Cette méthode est contrindiquée dans le diabète, l'insuffisance hépatique, l'insuffisance rénale grave, les métastases hépatiques, le traitement aux corticostéroïdes, la radio et la chimiothérapie en cours.

4. Les mélanges artisanaux

L'alimentation entérale au moyen de mélanges artisanaux ne pourra jamais être précoce, contrairement à la diète semi-élémentaire.

Ces mélanges contiendront :

1) les protéines grâce au lait entier ou au lait écrémé, de la poudre de lait, des oeufs, des viandes finement moulues, du poisson, divers produits hyperprotéinés.

2) des glucides qui seront le glucose, le saccharose, le lactose (dont il conviendra d'user prudemment car il peut causer des diarrhées), des dextrines maltoses (qui peuvent combattre les diarrhées), les farines précuites de riz, de froment, des jus de fruits, des fruits cuits et finement passés ou homogénéisés.

3) des lipides constitués par des huiles, de préférence désaturées.

4) des légumes homogénéisés (carottes, épinards), des bouillons de légumes, de la levure de bière, qui apporteront des sels minéraux et des vitamines ; on y ajoutera de l'eau et du sel.

Un certain nombre de précautions doivent être prises dans cette technique ; il faut :

1) que la solution soit fluide, homogène et digestive

2) que l'on varie la couleur et le goût, ce qui a une influence heureuse sur le moral

3) que la solution contienne une calorie par ml

4) que la réalimentation se fasse progressivement

5) retenir que la durée de conservation de ces solutions, à 0 °C, ne dépasse pas 24 heures

6) que la température d'utilisation soit de 37 °C

D) Diététique de l'opérée de cancer du sein

Des études épidémiologiques de Wynder ont montré l'importance qu'il y avait chez les femmes ayant subi l'ablation d'un sein pour cancer à suivre un régime pauvre en graisse du moins lorsque cette ablation s'est faite après la ménopause.

Wynder a montré que chez les femmes opérées après la ménopause il y avait dans les 5 ans suivant l'opération 31 % de récidives si elles s'étaient astreintes à un régime pauvre en graisse, par contre chez celles qui suivaient un régime riche en graisse comme il est de coutume dans le monde occidental, il y avait 66 % de récidives. La même différence ne se retrouvait pas chez les femmes opérées avant la ménopause.

On sait que le régime gras favorise l'apparition de cancers du sein, or on conçoit très bien que les facteurs qui favorisent l'éclosion du cancer du sein favorisent aussi l'éclosion des métastases.

CHAPITRE XXVIII

Alimentation des malades en chambre stérile

De plus en plus, dans la médecine d'aujourd'hui, des malades doivent être traités en unité aseptique ; il s'agit principalement :
— des affections sanguines graves traitées par immunodépresseur
— d'hépatites chroniques graves traitées par immunodépresseur
— de certaines tumeurs malignes solides traitées par chimiothérapie et nécessitant une greffe de moelle.
— d'aplasies médullaires
— de grands brûlés

Il a été montré au " National Cancer Institute " de Bethesda qu'entre 1954 et 1963, l'infection était la cause de 70 % des morts chez les patients dont on avait eu l'occasion de faire l'autopsie. La grande majorité des organismes en cause était des bacilles gram-négatifs : Pseudomonas aeruginosa, Escherichia coli, Klebsiella et enterobacte pouvaient aussi être en cause des levures type Candida et le staphylocoque doré.

L'introduction des antibiotiques réduisit le nombre de certaines infections mais les résultats restaient médiocres et c'est la raison pour laquelle l'accent fut mis sur la prophylaxie.

Les patients furent mis dans une " chambre " à paroi en plastique où pénétrait un air filtré, les filtres étant capables d'arrêter 99,7 % des particules de plus de 0,3 µ de diamètre. Le patient reçoit des antibiotiques capables de supprimer la flore intestinale.

Pour éliminer les bactéries des muqueuses (bouche, nez, gorge, vagin, rectum), on utilise des antibiotiques non absorbables (vinacomycine, aminoglycosides, polymixine) et des antifongiques du type nystatine.

Pour désinfecter la peau, le patient prend deux fois par jour un bain avec un savon antiseptique.

Cet ensemble de mesures provoque une diminution du nombre d'infections. Il y a cependant un problème, c'est que chez beaucoup de malades en unité aseptique, on voit apparaître au cours de leur séjour des bactéries qui n'avaient pas été décelées à leur entrée ou dans les premiers jours ; on a acquis la conviction que ces bactéries pouvaient notamment être introduites par les aliments.

Dans tous ces cas, l'alimentation, si elle n'est pas stérile lorsqu'elle arrive sur leur table risque d'être une source d'infection, car il y a chez eux un effondrement de leurs processus de défense.

1° Les aliments non stériles et leurs contaminants

On s'est rendu compte ces dernières années que la gamme d'aliments non stériles était beaucoup plus étendue qu'on ne se l'était imaginé autrefois et notamment parmi les aliments industriels.

A)Voici à titre d'exemple ce que les cultures d'aliments industriels, soit directes, soit indirectes, effectuées dans le laboratoire de Madame Pouthier (U.C.L.) ont révélé.

Bacillus sp. dans Fromage " Bel " à la crème ; fromage " Bel " de régime ;
Fromage " Franco-Suisse " fondu ou Herve ; fromage " Bel " Kriri ; Chalet tout l'assortiment ; fromage " Craft " en tranchettes, Emmental, Chester, Gouda, au poivre ; Gervais, carré frais 40 % ; " Vache qui rit " fondu, fondu maigre, fondu gruyère à tartiner, sylphide tranchette ; fromage de Maredsous, fondu jambon, double crème ; fromage Nestlé, fondu, crème noix, gruyère, bleu ; Massepain au poids ; Salat-Mayonnaise ; myrtilles, framboises et fraises surgelées " Findus " ; Chocolat " Callebaut " extra fin ; chocolat " Côte d'Or " extra fin ; smarties chocolatés et toffees " Mackintosh " ; biscuits " Charasse " pauvres en sodium ; Léo " De Beukelaer ", Marzipan et Cappucine " Yobler " ; frangipane " Corona " ; armande " Lanvin " ; duchesse " Spontin " ; moutarde " Serv " et " Bornibus " ; " Betterfood " ; cakes " Corona " ; croissants et petits pains au chocolat " Danone " ; fondants " De Beukelaer " ; mixed nuts " Felik ".

Corynebactérie ulcerans dans : fromage " Bel " de régime ; " Midget " mini salami.

Streptocoques dans : " Gervais " 40 % ; toffees " Manckintosh ".

Staphylocoques dans : Léo " De Beukelaer " ; fromage " Kraft " fondu maigre ; tranchette Sylphide " Vache qui rit " ; " Midget " mini salami.

Entérocoques : " Gervais " frais 40 % ; massepain au poids ; méritène vanille et chocolat " Wonder ".

Entérobactes cloaceae : fraises surgelées " Findus " ; mixed nuts " Félik ".

Levures et moisissures : " Gervais " frais 40 % ; myrtilles surgelées " Findus ".

Acinetobacter : duchesse " Spontin " ; sardines à l'huile " Cocagne ".

Bacillus Cereus : miel " Meli ".

Pseudomonas stiezeri : duchesse " Spontin ".

Enterobacter allomerans : amuse gueule " Midget ".

Bacilles gram négatifs divers : sardines à l'huile " Cocagne ".

Escherichia coli : beurre " Carlsbourg ".

Cette liste est loin d'être exhaustive mais montre en suffisance que l'on ne peut donner sans traitement les aliments industriels aux malades en chambre stérile.

B) Si beaucoup d'aliments préparés de manière industrielle ne sont pas stériles malgré qu'ils aient subi un traitement thermique au cours de leur préparation, il en va de même d'une série de plats cuisinés.
Voici, toujours d'après la même source, les contaminations d'un certain nombre de mets avant et après cuisson.

Aliments	Contaminants	
	avant cuisson	après cuisson
Roulade de jambon, poireau	streptocoque hemolyt	persiste
Sauce Béchamel	corynebactérie	persiste
	bacillus sp.	persiste
Steak poêlé	bacillus sp.	persiste
	corynobactérie	disparaît
Petits pois étuvés	bacillus sp.	persiste
	staphylocoques	disparaît
Spaghetti Bolonèse	staphylocoque	disparaît
	streptocoques hémolyt	persiste
	enterobacter clocae	disparaît
	corynebactérie	persiste
Croque Monsieur	staphylocoque	disparaît
	bacillus sp.	persiste
Omelette nature	staphylocoque	disparaît

2° Nécessité d'un traitement des aliments

Les exemples que nous avons donnés et qui proviennent de recherches faites à la clinique de Mont Godine (U.C.L.) montrent que ni les aliments industriels, ni les plats cuisinés par les méthodes conventionnelles ne conviennent pour l'alimentation du malade en chambre stérile car il y a une telle dépression de leurs défenses immunitaires que ces bactéries peuvent être à l'origine d'une infection grave.

On peut être assuré que la poursuite de contrôles sur les aliments nous montrerait, qu'à quelques exceptions près, ils ne sont pas stériles ; de là la nécessité d'entreprendre un traitement efficace avant de les distribuer au malade.

Il est possible de présenter au malade une alimentation stérilisée par les procédés classiques mais celle-ci est généralement peu agréable parce qu'elle a perdu de sa saveur. Il est important de tout faire pour améliorer le confort de ces malades qui doivent rester tout à fait isolés pendant 2 ou 3 semaines car fréquemment leur moral est assez bas malgré la radio et la télévision.

Cette méthode est indispensable dans les cliniques et hôpitaux car il s'avère lorsqu'on fait des contrôles que de nombreux aliments sont contaminés de germes provenant des différentes salles de malades.

3° Méthodes de traitement pour améliorer la qualité bactériologique

Plusieurs méthodes ont été proposées pour assurer la stérilité des aliments fournis aux malades en chambre stérile.

1. Stérilisation par la vapeur saturée

Le principe consiste à soumettre l'aliment à l'action de la vapeur dans un autoclave ; il va de soi que cette méthode ne convient que pour les potages et les plats chauds.

Les plats sont introduits dans un autoclave maintenant une température de 120 °C durant au moins 20 minutes.

Les aliments sont mis dans un plat de faïence alvéolée, recouverte d'une cloche en un métal inoxydable, le tout étant emballé dans deux feuilles d'aluminium ; ce double emballage est indispensable pour maintenir la stérilité lors de la distribution.

Les potages sont mis dans une gamelle dont le couvercle est percé de trous pour permettre à la vapeur d'y pénétrer.

a) Qualité bactériologique

Cette méthode a l'avantage d'assurer une asepsie parfaite ; tous les contrôles bactériologiques se sont avérés négatifs.

b) Qualités organoleptiques

Certains aliments supportent mal la stérilisation par la vapeur saturée ; ce sont surtout les légumes qui sont réduits en purée et n'ont aucune consistance, ce qui déplaît au malade ; les pommes en purée qui se liquéfient. Certains plats deviennent rebutants, par exemple les nouilles aux oeufs avec salade, les croquettes hawaïennes, les roulades de jambon au fromage, les saucisses avec choucroute.

Si beaucoup d'aliments ou de plats changent de texture ou de consistance, d'autres changent de couleur ; les asperges deviennent grisâtres, le sauté de porc devient rouge, etc.

Dans certains cas, il y a des modifications de goût et notamment si on introduit un aliment à goût fort, celui-ci imprègne tous les aliments au point de les rendre désagréables ; c'est le cas du céléri, du lard, etc.

On peut améliorer les problèmes de consistance et de texture en utilisant des plats dont les alvéoles sont profondes.

2. Les rayons infra-rouges

Les rayons infra-rouges utilisés dans un but de régénération thermique des plats sont absolument incapables d'assurer la stérilisation car la chaleur est trop brève et on n'atteint pas une température suffisamment élevée pour arriver à l'asepsie.

Demole a mis au point une méthode où, en utilisant les rayons infra-rouges, il peut procurer aux malades une alimentation agréable au moyen de plats préparés de manière traditionnelle.

Il place les plats préparés à la cuisine emballés dans une double feuille d'aluminium I h dans un four à rayons infra rouges porté à 250 °C.

Il a contrôlé que même si on injectait des bactéries dans des mets aussi divers que la viande, les pommes de terre, les légumes, ils étaient parfaitement stérilisés.

Il a étudié la pénétration de la chaleur à diverses températures et durant des temps variables dans une pièce de viande et a trouvé les chiffres suivants :

température externe	durée d'exposition	température interne
130°	60 min.	91°
160°	43 min.	98°
190°	38 min.	91°
220°	26 min.	95°
250°	25 min.	95°

En pratique, on met à la cuisine les aliments du malade dans un plat, on emballe celui-ci dans deux feuilles d'aluminium. On le porte durant 1 heure à 250 °C dans le four à rayons infra-rouges.

Avant de porter le plateau au malade, on enlève la feuille externe, on passe le plateau au patient qui enlève lui-même la feuille interne.

La plupart des aliments supportent parfaitement ce traitement ; certains ne le supportent pas bien, en ce sens que leurs propriétés organoleptiques sont altérées, ce sont les oeufs, les entremets, les biscottes et les compotes de fruits en purée ; par contre, les compotes de fruits en morceaux le supportent bien.

3. Les micro-ondes

Divers essais ont été faits aux Etats Unis pour tester dans quelle mesure la cuisson des aliments par les micro-ondes ne pouvait convenir pour stériliser. Il est apparu que :

1) les temps et les durées de cuisson recommandés pour différents plats ne permettaient pas d'obtenir dans l'aliment des températures suffisantes pour assurer la stérilisation ;

2) que si on voulait chauffer davantage, on brûlait les aliments et on les desséchait ;

3) que la sensibilité aux ondes courtes était assez différente d'une bactérie à l'autre et que notamment certaines bactéries aussi agressives que les streptocoques y résistaient assez bien.

4. Les radiations ionisantes

Depuis quelques années, de nombreux essais ont été faits pour déterminer dans quelle mesure l'usage des radiations ionisantes pour détruire les germes contaminant les aliments était une méthode adéquate.

Les recherches faites tant dans les laboratoires de l'armée américaine que sur la demande de l'O.M.S. ont montré qu'il n'existe aucune radioactivité induite dans les aliments traités par les radiations ionisantes ; on peut donc écarter cette objection faite par certains patients pusillanimes.

La stérilisation obtenue au moyen des radiations ionisantes est parfaite et c'est la raison pour laquelle elle a été adoptée au Hammersmith Hospital à Londres.

Il faut cependant savoir qu'avec les doses nécessaires pour obtenir la stérilisation, la texture et la couleur de certains aliments peut se modifier, ce qui est de nature à déplaire au patient et même à provoquer chez lui de la répulsion, c'est pourquoi la diététicienne devra étudier la liste des plats et des aliments qui peuvent être traités par cette méthode.

Notons que les aliments, avant d'être irradiés, sont placés dans deux feuilles en polyéthylène de manière à permettre au malade de recueillir son plat de manière aseptique.

4° La distribution

Une fois les aliments stérilisés à la cuisine, il s'agit de les faire parvenir au lit du malade sans qu'ils aient été contaminés ; pour cela, il faut respecter un certain nombre de consignes.

1. Hygiène du personnel

Le personnel ne peut être atteint d'aucune infection (furoncle, rhume, diarrhée) ; il ne peut absolument pas porter ses mains au visage, encore moins introduire ses doigts dans le nez ou dans la bouche.

Il ne peut porter de vêtements de ville ; il doit être revêtu de blouses et de pantalons blancs stériles, porter un bonnet enserrant entièrement ses cheveux. Il doit porter des sandales stérilisées elles aussi et des gants.

2. Les plats

Les plats préparés à la cuisine peuvent avoir été mis au surgélateur plusieurs heures ou plusieurs jours et stérilisés par une des méthodes décrites ci-dessus. Les plats sont constitués par des assiettes en faïence alvéolée permettant de séparer viande, pommes de terre et légumes. Ces assiettes sont placées dans une cupule de métal et recouvertes d'un couvercle en métal. Ils sont entourés de deux feuilles d'aluminium superposées.

3. La distribution

La distribution au malade se fait au travers d'un sas perçant la tente en plastique dans laquelle il est isolé. Au moment d'introduire le plat dans le sas, le distributeur dégage la première feuille d'aluminium, en ayant soin de ne pas toucher à la seconde ; le plat est ainsi passé dans le sas sans aucune contamination. Le patient enlève lui-même la deuxième feuille d'aluminium.

Certains n'emballent pas le plat dans deux feuilles d'aluminium mais aspergent le plat d'une solution antiseptique avant de le passer par le sas ; cette seconde méthode offre moins de garantie.

On a aussi emballé les plats dans des sachets en plastique étanche que l'on passe après stérilisation par le sas avec des passe-plats sous rayonnement ultra-violet.

Ceuterick, B-3000 Leuven, ℘ (016) 22 81 81